ÉLAGUE

Sommaire

PRINCIPALES CURIOSITÉS

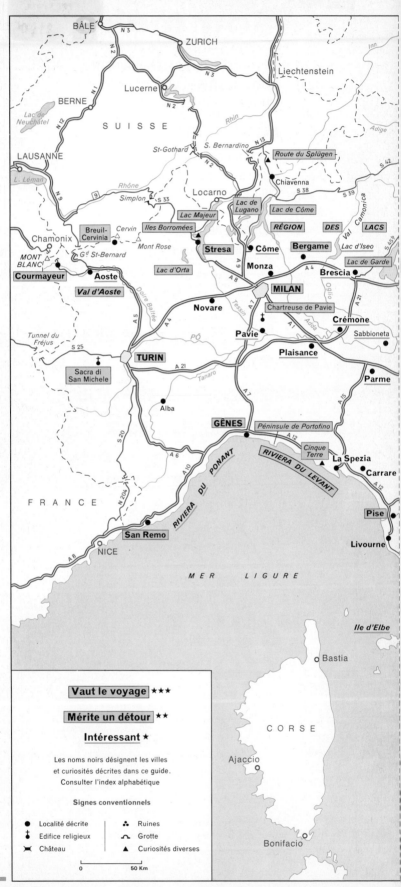

Vaut le voyage ★★★

Mérite un détour ★★

Intéressant ★

Les noms noirs désignent les villes
et curiosités décrites dans ce guide.
Consulter l'index alphabétique

Signes conventionnels

● Localité décrite   ⁂ Ruines

✝ Edifice religieux   ⌒ Grotte

⤫ Château   ▲ Curiosités diverses

0   50 Km

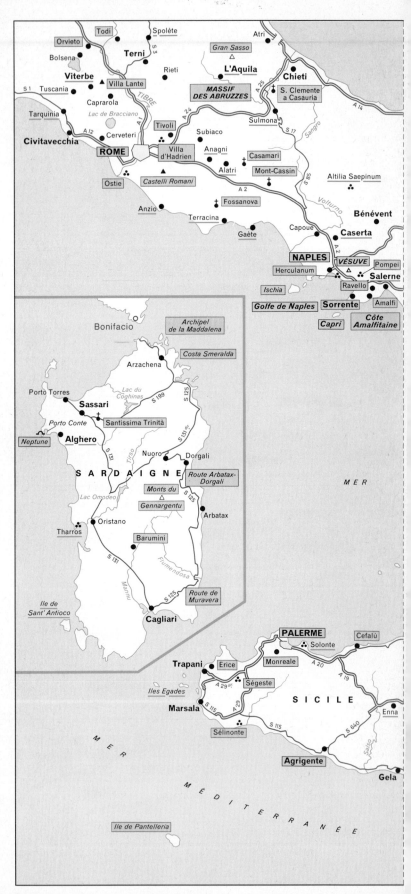

Todi
Spolète
Atri
Orvieto
Gran Sasso
△
Bolsena
Terni
L'Aquila
Chieti
Rieti
Viterbe
S 3
Villa Lante
S. Clemente
Tuscania
MASSIF
a Casauria
A 25
DES ABRUZZES
S 1
Caprarola
TIBRE
Lac de Bracciano
A 14
Tarquinia
Sulmona
A 12
Tivoli
Sangro
Cerveteri
Subiaco
S 17
Civitavecchia
A 24
ROME
Anagni
Casamari
Villa
d'Hadrien
Mont-Cassin
S 85
Alatri
Altilia Saepinum
Ostie
Castelli Romani
A 2
Anzio
Fossanova
Volturno
Bénévent
Terracina
Capoue
Caserta
Gaète
NAPLES
VÉSUVE
Pompéi
△
Herculanum
Salerne
Ischia
Ravello
Amalfi
Golfe de Naples
Sorrente
Capri
Côte
Amalfitaine

Bonifacio
Archipel
de la Maddalena
Costa Smeralda
Arzachena
Lac du
Coghinas
Porto Torres
S 199
S 125
Sassari
Porto Conte
Santissima Trinità
Neptune
Alghero
S 131
Tirso
Nuoro
Dorgali
S 131 dir.
S A R D A I G N E
Route Arbatax-
Dorgali
Lac Omodeo
Monts du
△
S 125
Gennargentu
Oristano
Arbatax
Tharros
Barumini
S 131
Flumendosa
Ile de
Sant' Antioco
Mannu
S 125
Route de
Muravera
Cagliari
MER

PALERME
Cefalù
Solonte
Monreale
A 20
A 19
Trapani
Erice
Iles Egades
Ségeste
S I C I L E
A 29 dir.
A 29
Marsala
Enna
S 115
Sélinonte
S 115
S 640
Salso
Agrigente
Gela

M E R   M É D I T E R R A N É E

Ile de Pantelleria

6

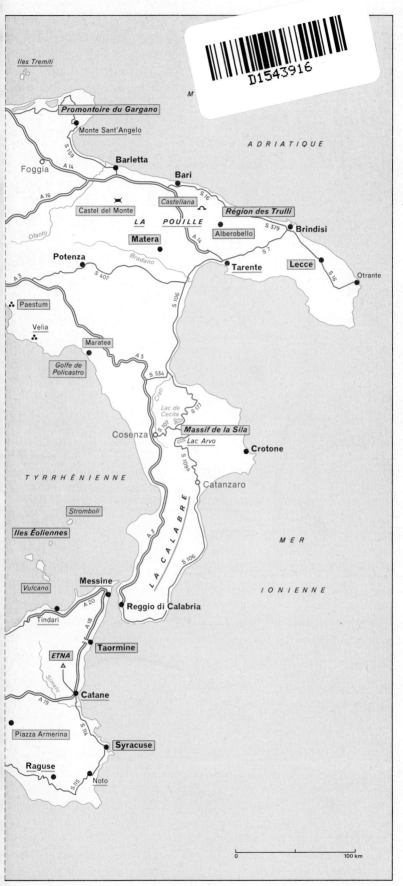

Iles Tremiti

M

ADRIATIQUE

Promontoire du Gargano

Monte Sant'Angelo

S 159

A 14

Barletta

Foggia

Bari

S 16

A 16

Castellana

Castel del Monte

Ofanto

Région des Trulli

LA POUILLE

Alberobello

A 14

Brindisi

S 379

Matera

S 1

Potenza

Bradano

S 407

Tarente

S 106

Lecce

S 16

Otrante

A 3

Paestum

Velia

Maratea

A 3

S 534

Crati

Golfe de
Policastro

Lac de
Cecita

S 177

S 107

Cosenza

Massif de la Sila

Lac Arvo

Crotone

S 106

TYRRHÉNIENNE

S 1069

Catanzaro

Stromboli

A 3

Iles Éoliennes

LA CALABRE

Vulcano

S 106

MER

Messine

A 20

IONIENNE

Tindari

A 18

Reggio di Calabria

Taormine

ETNA
△

Simeto

Catane

A 19

S 114

Piazza Armerina

Syracuse

Raguse

S 115

Noto

0   100 km

ITINÉRAIRES DE VISITE

Italie du Nord : 2200 km
(15 jours dont 2 jours pour Venise)

Italie centrale : 1600 km (15 jours dont
3 jours pour Rome et 2 jours pour Florence)

Lac de Neuchâtel

SUISSE

Lac Léman

Rhône

Locarno

Lugano

★★★ Lac Majeur

Lac de Côme ★★★

RÉGION DES LACS ★★★

★★★ Lac de Garde

★★ Stresa

★★ Lac de Lugano

★★ Gardone Riviera

★★ Bergame

Brescia ★

S 142

★★★ MILAN

S 525

A 4

Dora Baltea

PÓ

Tessin

Adda

Oglio

† Chartreuse de Pavie ★★★

★★★ Sacra di San Michele

A 4

TURIN ★★

Tanaro

★ Parme

S 589

A 15

★★ GÊNES

★★★ Péninsule de Portofino

S 1

La Spezia

★★★ RIVIERA DU LEVANT

S 1

RIVIERA DU PONANT ★

FRANCE

N 204

Vintimille

San Remo ★★

★★ Pise

MER   LIGURE

CORSE

Ville d'étape

LES DOLOMITES ★★★

Région dont la description
s'accompagne d'une carte détaillée.

0   100 Km

8

AUTRICHE

Inn

Bolzano ★   S 48   Cortina d'Ampezzo ★★★

Adige   S 241   S 51

LES DOLOMITES ★★★

YOUGOSLAVIE

Drave

Tagliamento

Trente ★   A 27

★ Trévise   *Piave*

Brenta

★ Padoue   VENISE ★★★

Vérone ★★★   *ADIGE*

A 13   MER

PÔ   *Reno*   *ADIGE*

Ferrare ★★   S 16

A 14 bis   ADRIATIQUE

Modène ★

A 1

★★ BOLOGNE   A 14   Ravenne ★★★

A 14

A 11   ★★★ Saint-Marin   Rimini ★★

★★ Camaldoli   S 16   Pesaro ★

★ Fiesole   S 423

Lucques ★★   S 71   S 73 bis   Urbino ★★

Arno

S 70   FLORENCE ★★★   Sansepolcro ★

S 67   S 429   ★ Arezzo

★★★ San Gimignano   S 71   C 76 bis   Pérouse ▲ ▲

S 2   Pérouse

★★★ Sienne   Montepulciano ★   *Lac Trasimène*   Assise ★★★

S 3

★ Pienza   ▲ Sources du Clitumne ★

Ombrone   A 1   Spolète ★

★★ Orvieto   Terni

L'Aquila ★

S 2   Rieti   S 4

★ Viterbe   *TIBRE*   A 24

S 1 bis

★ Tarquinia   *Lac de Bracciano*   S 5   Tivoli ★★★

Cerveteri   A 12   ROME ★★★

★★ Ostie   S 8   ▲ Castelli Romani ★★

S 207

★ Anzio

MER   TYRRHÉNIENNE

TIBRE

S 150
S 80
Gran Sasso ★★
★ L'Aquila
S. Clemente a Casauria ★★
A 14
Termoli
★★★ *MASSIF DES ABRUZZES*
A 24   A 25
S 17
Scanno ★
★★★ ROME
S 5   Tivoli ★★★
A 2   Casamari ★★
★★ Ostie
S 8   Mont-Cassin ★★
*Castelli
Romani* ★★   S 6
S 207   Volturno
★ Anzio
Caserta ★
VÉSUVE ★★★
★★★ NAPLES   Pompei ★★★
A 2
★★ Herculanum   Salerne ★
★★ ★ Sorrente   Amalfi ★★
★★★*Capri*

*Archipel de
la Maddalena* ★★

S 133   *Costa
Smeralda* ★★
Arzachena
S 125
Sassari
S 127 bis S 291
Santissima Trinità ★★
Alghero ★
S A R D A I G N E
Neptune ★★★
S 125   Dorgali
Fonni   S 125
*Route Arbatax-
Dorgali* ★★★
S 389
★★*Monts
du Gennargentu*   Arbatax
S 292   Oristano
S 198
★ Tharros   *Lac de
Flumendosa*
★ Sta Giusta   ★★ Barumini
S 197
★★ *Nuraghi Su Nuraxi*   S 131
Muravera
Mannu   S 125 *Route de
Muravera* ★★★
Cagliari

M E R

★★★ PALERME   *M. Pellegrino* ★★
★ Solonte
★★ Erice   Monreale ★★★   Cefalù ★★
S 113
Trapani   A 29   S 113
S 115   Ségeste ★★★
Marsala   A 29   S I C I L E   ★ Enna
S 115   S 122
★★ Sélinonte   S 115   S 640
Salso
M E R
★★★ Agrigente
Gela

M É D I T E R R A N É E

0   100 km

10

Promontoire du Gargano ★★★

MER ADRIATIQUE

Manfredonia

S 159

Trani
Barletta
Bitonto
Bari
★★ Castel del Monte
S 98
S 96
★★★ *Castellana*
Région des Trulli ★★★
Brindisi

LA POUILLE
Ofanto
Altamura
★★★ Alberobello
S 71
S 379
Lecce ★★

★★ **Matera**
S 106
★ **Tarente**
S 611
Otrante

Bradano

Paestum ★★★
★ Rocca Imperiale
Gallipoli
S 173
Zinzulusa

S 18
★ Velia
Maratea ★★
★★ *Golfe de Policastro*

Crati

Lac de Cecita
S 106
Massif de la Sila ★★

S 18
S 107
Crotone

TYRRHÉNIENNE

S 179 d
Catanzaro

MER

★ *Côte Violette*
S 18
LA CALABRE
S 106

IONIENNE

★ **Messine**
★ Tindari
S 113
S 114
Reggio di Calabria

★★★ *ETNA*
△
Taormine ★★★

Simeto

Catane ★

Piazza Armerina ★★
S 114

S 117 bis
Syracuse ★★★

S 115
S 115
Noto ★
Raguse

	Italie du Sud : 3500 km
	(19 jours dont 3 jours pour Rome et 1 jour pour Naples)
	Sicile : 1100 km (7 jours)
	Sardaigne : 1100 km (4 jours)

11

L'ITALIE DES ITALIENS

Un État régionaliste. — Depuis le référendum de juin 1946, qui amena la république, l'Italie est devenue, par la constitution du 1er janvier 1948, une république parlementaire ayant à sa tête un président élu pour 7 ans par le Parlement et par 65 délégués régionaux. Le Parlement, devant lequel la responsabilité engagée est celle du Président du Conseil nommé par le Président de la République, se compose de deux chambres — la Chambre des députés et le Sénat — l'une et l'autre élues au suffrage universel.

D'un type original, l'État italien occupe une place intermédiaire entre l'État unitaire et l'État fédéral, le pouvoir s'exerçant en fait pas le biais de deux collectivités politiques autonomes : l'État proprement dit, et les Conseils régionaux (assemblées élues par le peuple, bénéficiant d'une certaine compétence en matière législative, administrative et financière, mais dont l'autorité ne doit toutefois pas s'écarter des lois cadres promulguées au niveau national). Selon un système prévu dès 1948, mais instauré seulement en 1971, le pays est en effet divisé en 20 régions *(voir carte p. 3)*, cinq d'entre elles (Sicile, Sardaigne, Trentin — Haut-Adige, Frioul-Vénétie Julienne, Val d'Aoste) ayant un statut spécial et bénéficiant d'encore plus d'autonomie.

Ces régions regroupent au total 94 provinces, comparables aux départements français, elles-mêmes divisées en communes ayant à leur tête un « sindaco ».

Le trait dominant de la vie politique et sociale italienne est donc un provincialisme accentué, souvenir également d'un temps encore proche où l'Italie était divisée en États dont les capitales rivalisaient entre elles. Rome reste une ville résidentielle et de fonctionnaires, tandis que Milan revendique le rôle de capitale économique, Florence, Bologne et Padoue, celui de métropoles intellectuelles ; Turin, Gênes, Naples et Palerme, anciennes capitales d'États indépendants, sont devenues des centres industriels importants ; Venise garde, intacte, sa captivante personnalité.

Chacune des grandes villes d'Italie a gardé son journal quotidien ; seuls « La Stampa » de Turin, le « Corriere della Sera » de Milan et « La Repubblica » de Rome depuis quelques années, ont une audience nationale. De nombreux périodiques illustrés (« Oggi », « Tempo », « L'Espresso », « Gente »…) intéressent un large public.

Économie. — Loin d'être un pays replié sur son passé, l'Italie a su remarquablement adapter son économie, naguère essentiellement agricole, aux exigences du développement industriel, au point d'en faire aujourd'hui l'une des plus actives d'Europe et de la placer au 7e rang dans le monde.

En plus des cultures traditionnelles et de l'élevage, l'Italie s'est spécialisée dans la culture du **riz** (plaine du Pô) et la production de la **soie** (Lombardie, Vénétie). Dans le domaine industriel, ne possédant guère de ressources naturelles (telles que charbon, fer…), elle s'est orientée vers la fabrication secondaire où la main-d'œuvre compte davantage que la matière première : réputée pour sa production de **véhicules à moteur**, la péninsule italienne est également bien placée dans celle des petites machines (à coudre, à écrire, et appareils ménagers). L'une des activités les plus originales de l'Italie est naturellement la fabrication en masse des **pâtes alimentaires** qui constituent le plat national, mais sont aussi largement exportées.

Toutefois, une partie du pays occupe dans l'économie de celui-ci une place à part : c'est le fameux **Mezzogiorno** s'étendant approximativement au-delà d'une ligne reliant le golfe de Gaète à la limite septentrionale des Abruzzes, et dont le retard économique n'a cessé de s'accentuer après l'unification. Malgré une mise en valeur gigantesque, tout d'abord agricole (morcellement des grands domaines, bonification, reboisement), puis industrielle (création de complexes énormes mais souvent mal intégrés, construction de barrages…) que finance une Caisse créée à cet effet en 1950, l'extrême Sud de l'Italie se distingue toujours par le taux exceptionnellement bas de sa population active.

Émigration. — La population étant très élevée, le chômage est considérable. Celui-ci, de même qu'une longue tradition, sont à la base d'un large mouvement d'émigration (en Europe surtout, et vers les Amériques). Cependant, les émigrés italiens reviennent en proportion égale au pays natal quelques années plus tard.

Urbanisme. — L'école italienne d'urbanisme est justement réputée. De nombreux architectes ont réalisé au cours du siècle des ensembles urbains de grand intérêt. De même dans le décor intérieur, des noms comme ceux de Carlo Scarpa ou Gae Aulenti sont universellement connus.

Mais, c'est peut-être dans le domaine routier que le génie constructeur des antiques Romains s'est perpétué avec le plus de force : le vaste réseau autoroutier italien est non seulement le 2e d'Europe, mais aussi l'un des plus audacieux, résultat de prouesses techniques inégalées et d'un sens aigu de la mise en scène des paysages.

La vie quotidienne. — De manière générale les Italiens sont vifs, passionnés, serviables. Leur besoin de s'extérioriser se manifeste dans leur exubérance de gestes et de paroles, leur fantaisie, l'élégance recherchée de leur habillement, leur audace au volant. Leur profonde dévotion s'exprime en maintes occasions, et les cérémonies religieuses suscitent toujours en Italie une grande ferveur populaire.

Ils aiment à se rassembler le soir sur les places ou aux terrasses des cafés pour d'interminables discussions portant sur la politique ou le sport. Femmes, enfants et jeunes gens, à cette même heure, accomplissent une rituelle « passeggiata » en bavardant ou en savourant un « gelato ». Les Italiens engagent volontiers la conversation avec les étrangers et leur font découvrir eux-mêmes, avec enthousiasme et compétence, les richesses de leur pays.

Sur les marchés aux étalages colorés, on trouve en abondance les produits de la campagne. Les magasins, qui respectent le moment sacro-saint de la sieste, restent ouverts tard dans la soirée, dans les stations balnéaires et dans le Sud du pays surtout ; ils offrent leurs articles de mode souvent d'un goût raffiné et de facture particulièrement soignée (chaussures, maroquinerie, vêtements) ainsi que les produits de l'artisanat régional (céramique, art du verre, travail du cuir ou du bois, orfèvrerie, articles brodés, tissus, etc.).

Les fêtes traditionnelles, nombreuses, se déroulent au milieu d'une foule enthousiaste et réunissent un grand nombre de participants qui arborent, pour l'occasion, de merveilleux costumes.

Introduction au voyage

Le génie particulier de l'Italie tient à la conjugaison harmonieuse de facteurs physiques, historiques, humains et sociaux qui a fait de ce pays, pourtant récemment unifié (en 1870) l'un des plus riches et des plus passionnants exemples de civilisation.

Des paysages variés s'étendant des Alpes aux rivages quasi africains de la Sicile ; une lumière exceptionnelle ; des événements prestigieux très tôt tissés par des hommes d'exception en histoire ou en mythe ; une population naturellement éprise de beauté, tolérante et inventive.

Ainsi l'Italie, pleinement ouverte au tourisme, offre au visiteur son art de vivre qui, malgré les concessions consenties au modernisme, a su conserver une vérité et une élégance inégalées.

(Photo Everts/Rapho)

Le lac d'Orta.

*Afin de donner à nos lecteurs l'information la plus récente possible, les **conditions de visite** des curiosités décrites dans ce guide ont été groupées en fin de volume.*

Les curiosités soumises à des conditions de visite y sont énumérées soit sous le nom de la localité soit sous leur nom propre si elles sont isolées.

Dans la partie descriptive du guide, p. 35 à 239, le signe ⊙ placé en regard de la curiosité les signale au visiteur.

PHYSIONOMIE DU PAYS

Étirée sur 1 200 km du Nord au Sud, de la latitude de Dijon à celle de Tunis, l'Italie avance comme un môle au sein de la Méditerranée, entre l'Espagne et la Grèce, sa caractéristique « botte », bénéficiant d'une extraordinaire variété de climats et de paysages. Un relief rude et contrasté, les plaines couvrant à peine le quart des 301 262 km^2 que représente sa superficie totale, ainsi qu'un littoral d'un exceptionnel développement (près de 7 500 km) baigné par quatre mers intérieures (Ligure, Tyrrhénienne, Ionienne et Adriatique), la caractérisent.

La gigantesque barrière des **Alpes,** jaillies lors d'un plissement survenu à l'ère tertiaire, à la fois protectrices et dispensatrices d'une formidable énergie électrique, est franchie par plusieurs cols et traversée par des tunnels reliant l'Italie à la France et à l'Europe du Nord. A leurs pieds, s'étendent de nombreux lacs glaciaires enchâssés entre les monts, et la vaste et fertile plaine du Pô.

Se greffant sur les Alpes non loin de Gênes et se prolongeant jusqu'en Sicile, la longue chaîne des **Apennins,** issue un peu plus tardivement que les Alpes d'un plissement tertiaire, partage la péninsule en deux contrées soumises à des influences différentes et demeurées longtemps indépendantes l'une par rapport à l'autre. Ses reliefs, essentiellement calcaires, vigoureux, présentent des altitudes plus modestes que les sommets alpins.

L'arc de terres qui s'étend de Naples à la Sicile est soumis depuis toujours à une violente activité souterraine : volcans, bradisisme *(voir p. 129)*, tremblements de terre modifient périodiquement le relief de cette partie extrême de l'Italie.

La végétation et l'occupation des sols par les cultures correspondent de manière approximative à la répartition géopolitique du pays en grandes régions *(voir carte p. 3).*

En 1984, l'Italie comptait 57 080 498 habitants, la densité moyenne de sa population (soit 189 h au km^2) étant la 4e d'Europe après celles du Benelux, de l'Allemagne Fédérale et de la Grande-Bretagne. Les villes sont nombreuses, dans le Nord et le centre surtout : la majorité de la population est en effet urbaine, 54 % de celle-ci se répartissant dans des agglomérations de plus de 20 000 habitants.

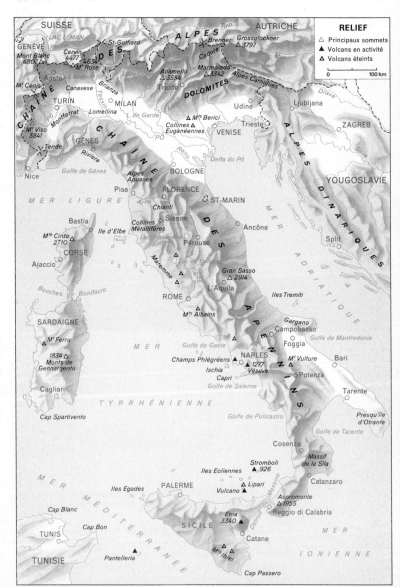

Le Val d'Aoste. — Ce vaste et profond sillon, creusé entre les plus hautes montagnes d'Europe, est arrosé par la Doire Baltée, dont les affluents forment de pittoresques vallées latérales : Valtournenche, val de Gressoney, val d'Ayas, val Grisenche…
Bien située au centre du Val, **Aoste** est la capitale de cette région qui jouit d'une large autonomie administrative depuis 1947. Ses ressources principales sont, à côté d'une activité propre aux pays de montagnes et de l'exploitation du minerai de fer (Cogne), le tourisme, favorisé par les tunnels du Mont Blanc et du Grand-St-Bernard.
De Pont-St-Martin à Courmayeur, les villes et les villages, habités par une population de montagnards et de bergers demeurés vivement attachés à leurs traditions, ont conservé leur nom français ; on y parle encore la langue française et divers patois.

Le Piémont. — Au pied des monts, entre les Alpes et les Apennins, le Piémont se présente d'abord comme une vaste plaine, celle du Pô, coupée de longues files de peupliers entre lesquelles alternent prairies, champs de blé et rizières. Les 3/5 de la production italienne de riz sont concentrés dans les régions de Vercelli et de Novare. Au Sud-Est de Turin, les douces collines du **Montferrat** produisent les célèbres vins d'Asti et fabriquent le Gorgonzola. De nombreuses usines hydro-électriques fournissent l'énergie nécessaire aux importantes industries textile (Biella), métallurgique, mécanique et chimique (Turin).
Capitale de la région, située sur le Pô, **Turin** est une ville dynamique, que fréquentent volontiers les passionnés de la mode et de l'automobile.

La Lombardie. — Occupant la verte plaine du Pô entre le Tessin et le Mincio qui, avec l'Adda, alimentent les lacs Majeur, de Côme et de Garde, la Lombardie est la région la plus active d'Italie. Au nord, de grandes vallées lacustres donnent accès aux cols alpestres.
Les mûriers de la **Brianza** permettent l'une des meilleures productions de soie en Italie. Des prairies naturelles ou artificielles favorisent une industrie laitière moderne.
Dans la **Lomellina**, de vastes espaces sont dévolus à la culture du riz.
Les nombreuses villes qui parsèment la campagne furent, dès l'époque médiévale, le siège d'une intense activité bancaire et commerciale : Côme (soie), Brescia (sidérurgie, chimie et mécanique), Bergame (textiles et mécanique), Mantoue (pétrochimie, production de matières plastiques), Crémone (agriculture), Pavie (importante université) font honneur aujourd'hui encore à la réputation méritée de travailleurs efficaces dont jouissent les Lombards.
Mais c'est bien sûr **Milan,** capitale économique de toute l'Italie, qui concentre la plus forte densité de population et d'affaires. Encerclé par sa banlieue occupée par les industries textiles, pétrolières, chimiques, métallurgiques et alimentaires, le noyau urbain aux réalisations architecturales très modernes rassemble d'innombrables commerces et institutions culturelles.

La Vénétie. — Elle est essentiellement formée par la vaste plaine alluviale du Pô et de ses afluents, que dominent au Nord les Préalpes vénitiennes et, plus au Nord encore, les massifs orientaux des Dolomites dans la partie dénommée **Cadore.** Région avant tout agricole, produisant blé et maïs, exploitant le mûrier, les oliviers, les arbres fruitiers, la vigne (Bardolino, Valpolicella), la Vénétie ne manque cependant pas d'industries : raffineries de pétrole, fonderies, industries chimiques sont concentrées près de Venise à Mestre-Marghera, tandis que les vallées s'enfonçant dans les Préalpes utilisent la forte production d'énergie hydro-électrique pour se consacrer à l'industrie textile.
Deux petits ensembles volcaniques mettent une note inattendue dans le paysage : les monts Berici au Sud de Vicence et les **Collines Euganéennes** près de Padoue, reliefs noirâtres dont les pentes fertiles portent vignes, vergers de pêchers et sources thermales.
Dans le **delta du Pô** (Polésine) et celui de l'Adige s'étendent des régions déprimées, grandioses et désolées, sujettes aux débordements des fleuves, mais dont la bonification commence à être profitable : blé et betterave y sont cultivés industriellement.
La côte est formée de lagunes séparées de la mer par un cordon littoral (lido) percé de « porti ». **Venise,** dont le rôle commercial s'accroît, est installée sur pilotis dans l'une de ces lagunes.

Dolomites. — Les Tre Cime di Lavaredo.

Le Trentin - Haut-Adige. — C'est l'une des cinq régions d'Italie à bénéficier d'un statut spécial d'autonomie. Elle comprend les vallées de l'Adige, de l'Isarco, et les montagnes qui les encadrent. Le val d'Adige, au débouché du Brenner, a été de tout temps un passage facile et très emprunté. Profondément creusé, mais ouvert à un ensoleillement abondant, il est fort riche : en fond de val croissent les céréales, plus haut les vignes et les vergers, puis les pâtures (race de chevaux célèbre à Avelengo, près de Merano). **Bolzano** et **Trente,** où se sont développées des industries, sont les marchés du pays.

Les **Dolomites** s'étendent dans le Trentin - Haut-Adige et en Vénétie. C'est un massif calcaire très travaillé par l'érosion *(voir p. 74).*

Le Frioul - Vénétie julienne. — Prolongeant la Vénétie à l'Est, cette région située à la frontière de l'Italie, de la Yougoslavie et de l'Autriche, jouit d'une grande autonomie sur le plan administratif et culturel. Elle s'étend au pied des **Alpes Carniques,** massif schisteux couvert de forêts de résineux et de vastes alpages. Ses habitants pratiquent avant tout la sériciculture. Udine est l'un des centres les plus actifs de la région.

Par la Riviera de **Trieste,** on parvient à ce port, débouché naturel de l'Autriche, autrefois très actif, qui dispose d'un statut spécial et commerce avec l'Orient.

L'Émilie-Romagne. — La plaine longeant l'Apennin a tiré son nom de la Via Emilia, voie romaine rectiligne qui la traverse de Plaisance à Rimini ; au Sud et à l'Est de Bologne, elle prend le nom de Romagne. Sa terre, objet de culture intensive, se classe au premier rang de l'Italie pour le blé et la betterave. La campagne, monotone, offre un aspect de vastes champs, coupés à intervalles réguliers de mûriers et de vignes s'enroulant autour d'énormes échalas, d'érables ou d'ormes ; d'autres vignes grimpent sur les pentes des Apennins. Les villes s'échelonnent sur la Via Emilia : la plus importante, **Bologne,** réputée pour sa très ancienne université, est un nœud de communication, un centre d'industries sidérurgiques, mécaniques, alimentaires, et un marché pour le froment et les porcs.

Des rizières occupent la région située à l'Est de Ferrare, traversée par le Pô. Au Sud de celle-ci, s'étend la zone lagunaire des **« Valli di Comacchio »,** aux caractéristiques paysages, où l'on pratique la pêche à l'anguille. **Ravenne,** à qui son port et sa raffinerie de pétrole ont redonné quelque activité, fut la capitale de l'Empire romain d'Occident, puis chef-lieu de la Romagne, jusqu'à ce que la fusion Émilie-Romagne ait permis à Bologne de devenir capitale de la nouvelle région.

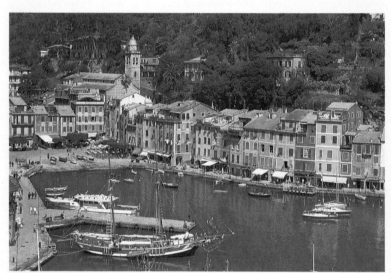

(Photo Marmounier/CEDRI)

Un port de Ligurie : Portofino.

La Ligurie. — Striée de vallées étroites et profondes, perpendiculaires à la côte, la Ligurie connut, avant l'époque romaine, une civilisation maritime. Les pentes rapides des vallons intérieurs sont parsemées de bourgs veillant sur quelques bois de châtaigniers ou d'oliviers et sur des cultures en terrasses. Le littoral, rocheux, découpé, est assez peu poissonneux, mais, depuis les Ligures, a toujours connu une vie maritime intense (cabotage), favorisée par de nombreux petits ports en eau profonde. C'est l'Empire romain qui a donné son aspect actuel au paysage, composé d'oliveraies et de vignes auxquelles se sont ajoutés légumes, fruits (melons, pêches), fleurs en cultures industrielles. La **Riviera du Ponant,** à l'Ouest de Gênes, est plus ensoleillée que la **Riviera du Levant** à l'Est, cette dernière offrant une végétation plus abondante. Les villes principales sont Imperia, Savone, **Gênes** (port pétrolier, chantiers navals, sidérurgie, centrale thermo-électrique) et La Spezia (port marchand et militaire, centrale thermo-électrique, industrie des armes).

La Toscane. — Le paysage toscan présente un exceptionnel attrait : au relief de petites collines basses permettant des vues étendues, s'est ajouté au cours des siècles, avec une harmonie qui témoigne d'un degré insurpassable de civilisation, le décor aménagé par l'homme : oliviers, vignes et cyprès composent sous une lumière subtile et dorée une architecture naturelle où l'on retrouve le goût artistique inné chez le peuple toscan.

Pourtant, des sols variés composent cette région. L'archipel toscan, avec l'**île d'Elbe,** montueuse et riche en fer, fait face à un littoral rocheux au Sud de Livourne, plat et sablonneux dans la **Versilia** (région de Viareggio). Au Nord de l'Arno, se dressent les **Alpes Apuanes** où l'on exploite le marbre (Carrare).

Fertile et beau, le **bassin de l'Arno,** au sein duquel s'élève **Florence,** est le cœur de la Toscane : vignes et oliviers se mêlent aux champs de blé, de tabac et de maïs ; parmi les mûriers poussent poivrons, citrouilles et les célèbres haricots de Lucques. Les fermes, aux nobles architectures, occupent des positions isolées au sommet des collines.

La Toscane méridionale est faite de collines douces et couvertes de vignes dans le **Chianti** au Sud de Florence, pastorales autour de Sienne, arides et désolées vers Monte Oliveto Maggiore, puissantes et mystérieuses dans les **Collines métallifères,** au Sud de Volterra.

Aux confins du Latium, la **Maremme,** d'une beauté mélancolique, était une région de marécages, jadis envahie de brigands et peuplée de bergers : elle est aujourd'hui bonifiée.

L'Ombrie. — Terre de saint François, l'Ombrie est un pays d'aspect paisible, composé de collines, de vallées et de vastes bassins. Les vallées sinueuses, où les peupliers dressent leur cime sur le fond d'un ciel extrêmement lumineux, sont particulièrement typiques : c'est la « verte Ombrie » de la **vallée du Clitumne** dont les pâturages étaient déjà renommés dans l'Antiquité.

L'Ombrie possède deux lacs, le **Trasimène** et le Piediluco, et de nombreux cours d'eau dont le Tibre. Des cités médiévales qui ont succédé aux agglomérations étrusques dominent conques et vallées : l'austère Gubbio, l'altière **Pérouse,** capitale de la région, Assise la religieuse, Orvieto, Spolète, Spello. D'autres occupent le centre d'une plaine comme Foligno et Terni, le Creusot italien.

Les Marches. — Ainsi appelées parce que jadis provinces frontières de l'empire des Francs et du domaine papal, les Marches forment, entre Saint-Marin et Ascoli Piceno, un pays très compartimenté, car les chaînons des Apennins, parallèles, tombent dans l'Adriatique en déterminant une succession de vallées profondes et étroites. Toutefois se développe une bande côtière plate et rectiligne, jalonnée de nombreuses plages et de ports-canaux.

Les habitants des Marches jouissent d'une excellente réputation pour leur urbanité, leur piété et leur opiniâtreté au travail. A l'exception de la capitale, **Ancône,** port actif, la plupart des agglomérations anciennes sont situées dans une position dominante ; parmi elles, Urbino et Loreto occupent une place particulière, l'une en tant que ville d'art, l'autre pour son sanctuaire vénéré.

Le Latium. — Entre la mer Tyrrhénienne et les Apennins, de la Maremme toscane à Gaète, le Latium, berceau de la civilisation romaine, borde un littoral sablonneux où les ports antiques, tel Ostie à l'embouchure du Tibre, ont été comblés par les alluvions. Aujourd'hui, Civitavecchia est le seul port moderne du littoral. Au centre du Latium, **Rome,** capitale de l'Italie et du monde chrétien, reste surtout une ville résidentielle où affluent fonctionnaires, ecclésiastiques et touristes.

A l'Est et au Nord, des collines volcaniques, dont les cratères enserrent des lacs solitaires, dominent la **campagne romaine** aimée des écrivains et des peintres qui ont décrit ses étendues désolées, où surgissent des ruines antiques. Aujourd'hui, ces « latifundia », où sévissait la malaria, ont repris vie : l'assainissement des Marais Pontins, près de Latina, a été la partie la plus spectaculaire de cette entreprise. Cassino est un centre industriel important ; une puissante industrie s'est créée autour du centre atomique de Latina.

Au Sud, se trouve la caractéristique **Ciociaria :** cette région doit son nom aux chaussures qui faisaient partie du costume traditionnel, les « ciocie », formées d'une semelle épaisse et de lanières s'enroulant autour du mollet ; la population, occupée surtout par des travaux agricoles, a conservé un folklore vivace.

Les Abruzzes. — Dotée d'un climat très rude, c'est la partie de l'Apennin qui revêt le plus un aspect de haute montagne, grandiose et sauvage, avec les massifs du **Gran Sasso** et de la **Maiella.** La haute vallée du Sangro est aménagée en parc naturel. Dans les bassins abrités, croissent de riches cultures (vignes, amandiers, oliviers) dont les produits alimentent la ville-marché d'Avezzano située auprès d'un immense marais asséché donnant essentiellement des betteraves. Avec le développement de la zone de Chieti-Pescara, et celui, plus récent, des régions de Vasto (industrie du verre), de Sulmona (construction automobile) et de L'Aquila (sidérurgie), les Abruzzes se sont industrialisés.

Le Molise. — Le Molise, dont la capitale est **Campobasso,** s'étend au Sud des Abruzzes avec lesquels il présente des traits communs : relief montagneux, sombres vallées, bois sauvages où vivent encore quelques loups. La Maiella le délimite à l'Ouest. L'économie est basée sur l'agriculture : blé, avoine, maïs, pommes de terre, vignes (raisins secs).

La Campanie. — Ses terres fertiles entourent le golfe de Naples. Les cultures de chanvre, de tabac et de céréales alternent avec les oliviers et les vignes. **Naples** est le port d'une région qui tend à s'industrialiser de plus en plus (usines alimentaires, aciéries, raffineries de pétrole, industries mécaniques). Le merveilleux **golfe de Naples** qui fascinait déjà les Anciens, qui avaient placé là l'entrée des Enfers, est dominé par la silhouette caractéristique du **Vésuve ;** bien que très abîmés par les constructions, ses rivages ont conservé quelques sites enchanteurs comme la presqu'île de **Sorrente** ou l'île de **Capri.**

Pouille, Basilicate, Calabre. — Ces trois régions couvrent le pied de la botte italienne. La Pouille, face à l'Adriatique, n'est pas dénuée de ressources : céréales dans la plaine entre Foggia et Manfredonia surtout, mais aussi dans celles de Bari, de Tarente, de Lecce, de Brindisi. La vigne croît un peu partout et se mêle aux oliviers (l'huile d'olive de la Pouille représente 10 % de la production mondiale) et aux amandiers sur la côte. Le **promontoire du Gargano,** formant éperon, se distingue par son relief relativement élevé. Au Sud de Bari, s'étend une région qui, par ses constructions et ses mœurs, rappelle l'Orient. **Bari** est un port actif, et le centre de nombreuses relations commerciales avec le Moyen-Orient : capitale de la Pouille, elle constitue, avec Tarente et Brindisi, l'un des trois grands complexes industriels de la région.

La Basilicate, ou **Lucanie,** et la Calabre se composent de terres très diverses : la corniche rocheuse, du golfe de Policastro à Reggio ; les sévères et grandioses montagnes du massif de la **Sila,** aux vastes alpages et aux horizons infinis ; à l'extrême pointe de la péninsule, resserré entre deux mers, l'**Aspromonte,** boisé de pins, de hêtres, de châtaigniers, mais d'une âpre beauté.

Sardaigne, Sicile. — *Voir p. 216 et p. 223.*

QUELQUES FAITS HISTORIQUES

Des origines à l'Empire (753-27 avant J.-C.)

Avant J.-C.	
753	Selon la légende, Romulus fonde Rome (née en fait de l'union de villages latins et sabins, vers le 8e s.)
7e-6e s.	Dynastie royale des Tarquins : le pouvoir est partagé entre le roi, le Sénat et les Comices.
509	Établissement de la république : les pouvoirs du roi sont attribués à deux consuls élus pour un an.
451-449	Loi des XII tables, premier pas vers l'égalité civile entre patriciens et plébéins.
390	Les Gaulois envahissent l'Italie, occupent Rome, mais en sont chassés par Camille.
281-272	Guerre contre Pyrrhus, roi d'Épire, et soumission à Rome de tout le Sud de la péninsule.
264-241	Première guerre punique : Carthage cède la Sicile aux Romains.
218-201	Deuxième guerre punique. Hannibal traverse les Alpes, puis bat les Romains au lac Trasimène. Hannibal écrase les Romains à Cannes, mais néglige de marcher sur Rome et s'installe à Capoue (p. 64). En 210, Scipion porte la guerre en Espagne, puis en Afrique ; Hannibal est rappelé à Carthage. En 202, Scipion est vainqueur d'Hannibal à Zama.
146	La Macédoine et la Grèce deviennent provinces romaines. Destruction de Carthage.
133	Occupation de toute l'Espagne et fin des grandes conquêtes en Méditerranée.
133-121	Echec de la politique des Gracques, promoteurs de lois agraires en faveur du peuple.
118	Les Romains en Gaule.
112-105	Guerre contre Jugurtha, roi de Numidie (l'actuelle Algérie).
102-101	Marius, vainqueur de Jugurtha, arrête les invasions des Cimbres et des Teutons.
88-79	Sylla, le rival de Marius, triomphe de Mithridate et établit sa dictature à Rome.
70	Pompée et Crassus, nommés consuls, deviennent maîtres de Rome.
63	Conjuration de Catilina, démasquée par Cicéron, déclaré « père de la patrie ».
60	Premier triumvirat : Pompée, Crassus, César. Rivalité des trois hommes.
59	César consul.
58-51	Campagne des Gaules (52 : reddition de Vercingétorix à Alésia).
49	César franchit le Rubicon et chasse Pompée de Rome.
49-45	César triomphe de Pompée et de ses partisans en Espagne, en Grèce et en Égypte. Il écrit ses « Commentaires » sur la guerre des Gaules.
début 44	César se fait nommer dictateur à vie.
15 mars 44	Assassinat de César par des partisans de la république, dont Brutus, son fils adoptif.
43	Deuxième triumvirat : Octave (neveu et héritier de César), Antoine, Lépide.
40-30	Lutte ouverte entre Octave et Antoine. Défaite (à Actium) et mort d'Antoine.

Le Haut-Empire (27 avant J.-C.-284 après J.-C.)

27	Octave, seul maître de l'Empire, reçoit du Sénat le titre d'Auguste et tous les pouvoirs.
Après J.-C.	
14	Mort d'Auguste.
14-37	Règne de Tibère.
54-68	Règne de Néron, qui fait mourir Britannicus, sa mère Agrippine, ses femmes Octavie et Poppée, incendie Rome et organise la 1re persécution violente des chrétiens.
69-79	Règne de Vespasien.
96-192	« Siècle d'Or des Antonins » : règnes heureux de Nerva, Trajan, Hadrien, Antonin le Pieux, Marc-Aurèle, qui consolident l'organisation de l'Empire.
235-268	Anarchie militaire, période troublée : les légions font et défont les empereurs.
270-275	Aurélien rétablit l'unité de l'Empire.

Le Bas-Empire et décadence de l'Empire romain (284-476 après J.-C.)

284-305	Règne de Dioclétien ; institution de la tétrarchie ou gouvernement à quatre ; persécution des chrétiens (303) ; ceux-ci appellent le règne de Dioclétien « l'ère des martyrs ».
306-337	Règne de Constantin, qui fait du christianisme la religion d'État, et décrète par l'édit de Milan (313) la liberté de tous les cultes. Constantinople, nouvelle capitale de l'Empire.
379-395	Règne de Théodose le Grand, empereur chrétien. A sa mort, partage définitif de l'Empire entre ses deux fils : Arcadius (Orient) et Honorius (Occident) qui s'établit à Ravenne.
5e s.	L'Empire romain est livré aux assauts répétés des Barbares : en 411, Alaric, roi des Wisigoths, s'empare de Rome ; en 455, prise et sac de Rome par les Vandales de Genséric.
476	La déposition par Odoacre de l'empereur Romulus Augustule marque la fin de l'empire d'Occident.

De l'Empire romain au Saint Empire romain germanique

493	Odoacre est chassé par les Ostrogoths de Théodoric.
535-553	Reconquête de l'Italie par l'empereur romain d'Orient Justinien (527-565).
568	Invasion lombarde conduite par le roi Alboin.
752	Rome menacée par les Lombards : le pape fait appel à Pépin le Bref, roi des Francs.
774	Le fils de Pépin, Charlemagne, devient roi des Lombards.
800	Charlemagne est couronné empereur par le pape Léon III.
9e s.	La dislocation de l'Empire carolingien provoque en Italie de graves troubles, l'anarchie la plus complète et la création de nombreux états rivaux.
951	Intervention en Italie du roi de Saxe Othon Ier qui devient roi des Lombards.
962	Othon Ier, sacré empereur, fonde le Saint Empire romain germanique.

La querelle du sacerdoce et de l'empire

11e s.	Installation progressive des Normands en Sicile et en Italie du Sud.
1076	Querelle entre le pape Grégoire VII et l'empereur Henri IV au sujet des Investitures.
1077	Humiliation de l'empereur devant le pape à Canossa (voir p.162).
1155	Frédéric Barberousse sacré empereur par le pape. Reprise de la lutte entre l'Empire et la Papauté : **gibelins** (partisans de l'empereur) contre **guelfes** (partisans du pape).

18

1167	Création de la **Ligue lombarde** (union de villes guelfes du Nord de l'Italie contre l'empereur, sous l'égide du pape).
1176	Réconciliation entre Frédéric Barberousse et le pape Alexandre III.
1216	A la mort du pape Innocent III, la Papauté a atteint l'apogée de sa puissance.
1227-1250	Nouvel épisode de la lutte entre l'Empire (Frédéric II) et la Papauté (Grégoire IX). Nouveau triomphe de la Papauté.

Influence française et déclin de l'influence impériale

1265	Charles d'Anjou, frère de Saint Louis, est couronné roi de Sicile.
1282	Vêpres siciliennes : massacre des Français établis en Sicile *(voir p. 234)*.
1303	La dynastie d'Anjou s'établit à Naples.
1303	Attentat d'Anagni, fomenté par Philippe le Bel contre le pape Boniface VIII.
1309-1377	Établissement des papes en Avignon (de Clément V à Grégoire XI, qui revient à Rome sur la prière de sainte Catherine de Sienne).
1328	Échec de l'intervention en Italie de l'empereur Louis de Bavière.
1378-1418	Grand schisme d'Occident (antipapes à Pise et à Avignon), auquel met fin le concile de Constance (1414-1418).
1402	Dernière intervention allemande en Italie (l'empereur est battu par les milices lombardes).
1442	Alphonse V, roi d'Aragon, devient roi des « Deux-Siciles ».
1494	A la demande de Ludovic le More, intervention du roi de France Charles VIII en Italie.

Du 16e s. à l'époque napoléonienne

16e s.	Lutte entre la France et l'Espagne pour la suprématie en Europe.
1515-1526	François Ier, vainqueur à Marignan, vaincu à Pavie, doit renoncer à l'héritage italien.
1527	Mise à sac de Rome par les troupes du connétable de Bourbon, au service de Charles Quint.
1559	Traité de Cateau-Cambrésis : domination espagnole sur Naples et le Milanais.
17e s.	La Savoie devient l'État le plus puissant du Nord de l'Italie.
1713	Victor-Amédée II de Savoie obtient la Sicile dont il prend le titre de roi et qu'il échangea en 1720 contre la Sardaigne.
1796	Campagne de Bonaparte en Lombardie. Création de la République cispadane.
1797	Bataille de Rivoli. Traité de Campo-Formio. Création des Républiques cisalpine et ligurienne.
1798	Proclamation des Républiques parthénopéenne (Naples) et romaine.
1805	Napoléon Ier transforme la République italienne en royaume, ceint la couronne de fer des rois lombards et confie la vice-royauté à son beau-fils Eugène de Beauharnais.
1808	Rome occupée par les troupes françaises. Murat devient roi de Naples.
1809	Les États pontificaux rattachés à l'Empire français. Pie VII prisonnier en France (1812).
1814	Écroulement de la politique napoléonienne. Pie VII de retour à Rome.

Vers l'unité italienne (1815-1870)

1815	Congrès de Vienne. Hégémonie de l'Autriche.
1815-1831	Opposition des patriotes « carbonari » à l'occupation autrichienne, et insurrections réprimées.
1831	Fondation du mouvement « Jeune Italie » par Mazzini. Exaltation du sentiment national contre l'Autriche : **Risorgimento.**
1834-1837	Insurrections à Gênes et dans le royaume des Deux-Siciles.
1848	Soulèvement contre l'Autriche, sous l'impulsion du roi de Sardaigne, souverain du Piémont. Succès italiens, suivis d'une violente réaction autrichienne.
1849-1850	Avènement de Victor-Emmanuel II. Ministère de Cavour qui réorganise l'État piémontais.
1854	Participation du Piémont à la guerre de Crimée aux côtés de la France.
1856	Congrès de Paris. Cavour soulève officiellement la question de l'unité italienne.
1858	Entrevue de Plombières entre Cavour et Napoléon III : alliance France-Piémont.
1859	Guerre de l'Autriche contre le Piémont et la France. Victoires franco-piémontaises à Magenta et Solférino, armistice de Villafranca. Le Piémont reçoit la Lombardie ; la France, la Savoie et le comté de Nice.
1860	Bologne, Parme, Modène et la Toscane, puis l'Ombrie et les Marches s'unissent au Piémont. Rattachement du Sud, grâce aux « mille chemises rouges » de Garibaldi (Expédition des Mille en Sicile et à Naples).
1861	Proclamation du royaume d'Italie avec Turin pour capitale. Mort de Cavour.
1865-1870	Florence capitale du royaume d'Italie.
1866	Guerre de l'Autriche contre la Prusse et l'Italie. Rattachement de la Vénétie à l'Italie.
1867	Garibaldi, marchant sur Rome, est battu à Mentana.
1870	Occupation de Rome par les Piémontais. Rome, capitale de l'Italie. Achèvement de l'unité italienne.

De 1870 à nos jours

1882	L'Italie, l'Allemagne et l'Autriche signent la Triple Alliance.
1885	Les Italiens s'installent en Érythrée et sur la côte des Somalis.
1900	Assassinat du roi Humbert Ier par un anarchiste. Avènement de Victor-Emmanuel III.
1904-1906	Rapprochement de l'Italie avec la France et l'Angleterre.
1915	Entrée en guerre de l'Italie au côtés des Alliés.
1919	Traité de paix de St-Germain : l'Istrie et le Trentin sont rattachés à l'Italie.
1921	Désordres sociaux fomentés par le parti fasciste de Mussolini.
1922-1926	Marche fasciste sur Rome. Mussolini chef du gouvernement, puis « Duce ».
1929	Accords du Latran entre le gouvernement italien et la Papauté *(voir p. 21)*.
1936	Occupation de l'Éthiopie. Rapprochement avec l'Allemagne. Axe Rome-Berlin.
1940	Entrée en guerre de l'Italie contre la France et l'Angleterre.
1943	Destitution et arrestation de Mussolini. L'Italie entre en guerre contre l'Allemagne.
1945	Exécution de Mussolini.
Mai 1946	Abdication de Victor-Emmanuel III ; avènement de Humbert II.
Juin 1946	Le 2 : proclamation de la République à l'issue d'un référendum.
1947	Le traité de Paris enlève à l'Italie ses colonies ainsi que l'Albanie, l'Istrie, la Dalmatie et le Dodécanèse, et lui impose des rectifications de frontière au profit de la France.
1954	Trieste est rattachée à l'Italie.
Mars 1957	Traité de Rome instituant la Communauté économique européenne (Marché commun) : l'Italie entre dans « l'Europe des Six ».

L'UNITÉ ITALIENNE

Bien que Machiavel eût déjà rêvé au 16ᵉ s. d'une unité italienne, il fallut attendre l'exemple de la Révolution française pour que l'on commence à envisager concrètement le rassemblement sous un même régime politique des diverses régions du pays.

L'unification des provinces d'Italie nécessita quelque cinquante années et s'élabora au cours d'événements nombreux et complexes : tout d'abord les premiers élans du Risorgimento qui aboutirent aux insurrections de 1848 contre la domination autrichienne, mais se soldèrent par l'échec de Novare. Cependant, l'avènement de **Victor-Emmanuel II** et la subtile politique de son ministre **Cavour** portèrent le problème italien sur la scène européenne. Napoléon III s'associa alors aux Piémontais pour combattre l'Autriche. Après les victoires franco-piémontaises de 1859 et la désillusion du traité de Villafranca qui ac-

L'UNITÉ ITALIENNE

cordait la Savoie à la France, les régions de l'Italie centrale se révoltèrent et s'unirent au Piémont. De son côté, **Garibaldi** libérait la Sicile et l'Italie du Sud de la domination des Bourbons. Le 14 mars 1861, le Parlement votait la proclamation du royaume d'Italie : Turin en devenait la capitale et Victor-Emmanuel II le souverain. Il allait falloir un peu plus de cinq ans encore pour que la guerre d'indépendance aux côtés des Prussiens permette l'annexion de la Vénétie, et près de dix années pour que s'achève, par la prise de Rome (1870), la glorieuse entreprise de l'unification italienne.

LA PAPAUTÉ

La cité du Vatican forme un État libre dont le pape est le souverain. S'il ne détient pas de pouvoirs sacerdotaux supérieurs à ceux des évêques, celui-ci est le chef de toute l'Église catholique, et son infaillibilité en matière de dogme a été établie par le concile du Vatican en 1870. Le pape est élu par l'ensemble des cardinaux formant le Sacré Collège, réunis en conclave dans la chapelle Sixtine ; la majorité des 2/3 des voix plus une est nécessaire à son élection. De Rome, à travers la personne du souverain pontife, le rayonnement de l'Église s'exerce dans le monde entier.

Au fur et à mesure que le peuple chrétien grandissait, le pape dut assumer, à côté de sa fonction de chef religieux, un rôle politique croissant. Ainsi, l'histoire de la Papauté est-elle aussi celle des rapports de l'Église et de l'État. Aujourd'hui encore, le chef de l'Église engage son autorité dans le règlement des conflits qui divisent le monde.

Naissance de l'Église et de la Papauté. — Né en Orient avec les prédications et la Passion de Jésus, le christianisme gagna l'Occident grâce à l'action évangélisatrice des apôtres et de leurs disciples. A la fin du 1ᵉʳ s., l'Église était formée de petites communautés dirigées par des évêques, représentants du Christ. Dès la fin du 2ᵉ s., l'évêque de Rome revendiqua la primauté dans la hiérarchie ecclésiastique. Peu à peu, le nom de pape (le « Père ») cessa d'être attribué à tous les évêques, pour être réservé à celui de Rome.

Essor de l'Église. — Bien que considérée à l'origine comme peu dangereuse, la nouvelle religion fut rapidement victime, sous Néron, de toutes sortes de persécutions poursuivies par Domitien, puis par Dèce et Valérien, Dioclétien et Maximin. Néanmoins, ces exactions ne purent enrayer l'essor de l'église du Christ qui s'affirmait comme l'unique puissance morale capable de résister à l'effondrement de l'Empire affaibli et divisé. En 313, Constantin accorde aux chrétiens, par l'**édit de Milan**, la liberté de culte. Devenu religion d'État, le christianisme apparaît dès lors comme le plus sûr soutien du pouvoir, et, lorsque Rome chancelle sous l'assaut des Barbares, il constitue le dernier rempart de la civilisation.

Autorité du pape. — L'autorité du pontife et le rayonnement de l'Église se manifestent avec de plus en plus de force au cours des siècles suivants, notamment grâce à la personnalité de **Grégoire le Grand** (590-604). Au 8ᵉ s., devant la menace des Lombards, le pape fait appel à Pépin le Bref et instaure une ère d'alliance avec la dynastie carolingienne, dont les épisodes marquants sont : en premier lieu, la **donation de Quiersy-sur-Oise** (756) par laquelle le roi des Francs s'engage à restituer, non pas à l'empereur byzantin, mais au pape Étienne II, les États occupés par les Lombards (événement qui sera à l'origine des États pontificaux et du pouvoir temporel du pape) ; en second lieu, en l'an 800, le sacre de Charlemagne comme empereur d'Occident. Au cours des désordres provoqués par la chute de l'Empire carolingien (fin du 9ᵉ s.), la Papauté cède à la corruption et il faudra l'intervention énergique de **Grégoire VII** (1073-1085) pour redonner à l'Église tout son prestige. La série de décrets promulgués par ce grand pape réformateur ouvrira la fameuse **querelle des Investitures** qui opposera pendant plusieurs siècles le pape à l'empereur.

Affaiblie par la « captivité d'Avignon », la Papauté dut faire face à une crise plus grave encore lors du **Grand Schisme d'Occident** (fin du 14e-début du 15e s.), puis lorsque se développa le mouvement de Réforme suscité par Luther au début du 16e s. Des nombreuses crises qui secouèrent son autorité, l'Église sut toujours sortir victorieuse.

La « Question romaine ». — Le pape est mêlé, au 19e s., à la question de l'unité italienne, l'unification du pays ne pouvant être complète que s'il renonce à tout pouvoir temporel dans la péninsule.

L'occupation de Rome, en 1870 par les troupes de Victor-Emmanuel II, contraint Pie IX à se considérer comme prisonnier au Vatican.

La Question romaine n'est réglée qu'en 1929, sous le pontificat de Pie XI, par les **accords du Latran** entre le Saint-Siège et

(Photo Giraudon)

Le pape Paul III Farnèse et ses neveux, par Titien (Naples : Capodimonte).

Mussolini. Ceux-ci reconnaissent la souveraineté du pape à l'intérieur de l'État pontifical (cité du Vatican, les quatre basiliques majeures, les catacombes, les édifices de la Curie romaine, plusieurs collèges et séminaires, et la villa de Castel Gandolfo) ; ils reconnaissent en outre à l'Église une autorité, en Italie, en matière d'enseignement et de mariage. C'est sur ces bases qu'en 1947 la Constitution de la République devait définir les rapports entre l'Église et l'État, rapports qu'un nouvel accord signé en 1984 a modifiés.

CIVILISATIONS ANTIQUES

Depuis le second millénaire avant J.-C. et durant toute l'Antiquité, l'Italie a vu fleurir de grandes civilisations, dont la culture occidentale est aujourd'hui encore imprégnée.

Grecs, Étrusques, Romains ont été précédés par deux peuples venus du Nord : les Ligures qui occupèrent aussi le Sud de la Gaule et le littoral ibérique, et les Italiques ou Italiotes, d'où sortirent les Latins, installés en Ombrie et dans le Latium. Les premiers ont légué leur teint clair, leurs yeux bleus à quelques-uns des habitants de l'actuelle Ligurie, les seconds édifièrent des acropoles dont les soubassements cyclopéens subsistent parfois encore, comme à Alatri dans le Latium.

LES GRECS

Des cités et des hommes. — Les rivages de Sicile et d'Italie du Sud ont exercé une sorte de fascination sur les Grecs primitifs pour qui ils représentaient les confins des terres habitées. De nombreuses scènes de la mythologie grecque s'y déroulent : les Champs Phlégréens, près de Naples, cachent l'entrée du royaume d'Hadès ; Zeus écrase les Titans, avec l'aide d'Héraklès, à l'emplacement de l'Etna où habitaient aussi les Cyclopes et où Hephaïstos avait ses forges ; Koré, la fille de Déméter, est enlevée par Hadès, sorti du fleuve Tartare près d'Enna.

Akragas : Agrigente	Felsina : Bologne	Velitrae : Velletri
Caere : Cerveteri	Poseidonia : Paestum	Veii : Véies
Clusium : Chiusi	Selinus : Sélinonte	Volsinii : Bolsena
Faesulae : Fiesole	Tuder : Todi	Zancle : Messine

Temple antique

Dans l'Odyssée, Homère (9e s. avant J.-C.) raconte les aventures d'Ulysse (Odusseus), après la guerre de Troie, tombant de Charybde en Scylla dans le détroit de Messine, et en proie aux tentations des sirènes dans le golfe de Sorrente. Pindare (5e s. avant J.-C.) décrit ces rivages mystérieux que Virgile (1er s. avant J.-C.) évoquera aussi dans l'Énéide.

Après l'installation des Phéniciens à Carthage et la création par leurs navigateurs de quelques comptoirs, les Grecs fondèrent, dès le 8e s. avant J.-C., un grand nombre de colonies sur les côtes de Sicile et d'Italie méridionale. L'ensemble prit le nom de **Grande Grèce.** On y distinguait les colonies ioniennes, achéennes et doriennes, d'après les peuples qui les avaient développées. L'unité sociale était la « cité » (l'une d'elles, Crotone, fut gouvernée par les philosophes, les Pythagoriciens).

Le 6e et le 5e s. avant J.-C. marquent l'apogée de la civilisation grecque en Italie, correspondant à l'époque de Périclès à Athènes. Les cités grecques s'enrichissent par le trafic maritime au point que Syracuse peut rivaliser avec Athènes. Syracuse et Tarente sont les centres de cette civilisation raffinée.

Des philosophes, des savants, des écrivains élisent domicile en Sicile. Eschyle, qui résidait à Gela, y est tué par une tortue qu'un aigle aurait laissé tomber ; Théocrite, à Syracuse, définit les règles de la poésie bucolique ; dans cette même ville, le philosophe Platon se rend à trois reprises, et le géomètre Archimède meurt assassiné par un soldat romain.

Malheureusement, le nombre et la diversité des cités les font sombrer dans les rivalités et les dissensions. Des luttes entre tyrans de villes voisines et la difficile coexistence avec les Carthaginois sont la cause d'un déclin qui se termine par la conquête romaine à la fin du 3e s. avant J.-C.

Aujourd'hui, sur les rivages du Sud de la péninsule et de la Sicile, les séductions de la Grèce s'ajoutent à celles de l'Italie.

L'art dans la Grande Grèce. — C'est aux 6e et 5e s. avant J.-C. que s'élèvent les gigantesques temples de Paestum, Sélinonte, Agrigente, exemples magnifiques de l'art dorique alliant la grandeur à la sobriété, dont l'ordonnance vigoureuse contraste avec la grâce délicate de l'ordre ionique.

A la fin du 5e s., on emploie encore le dorique pour l'admirable temple de Ségeste, alors qu'en Grèce le style ionique est à son apogée et le corinthien à ses débuts.

Le déclin intervient au 4e s. à la suite de la guerre du Péloponnèse entre Sparte et

Ordre dorique   **Ordre ionique**   **Ordre corinthien**

Athènes, qui appauvrit le monde grec. C'est le début de la période dite **hellénistique,** marquée par l'abandon de l'architecture en faveur de la sculpture.

Les musées archéologiques de Naples, Paestum, Reggio di Calabria, Tarente, Palerme, Syracuse..., permettent de suivre l'évolution de la sculpture depuis les bas-reliefs archaïques des métopes de Paestum ou de Sélinonte, les atlantes monumentaux (télamons) d'Agrigente jusqu'aux ravissantes statuettes de la décadence, comparables aux Tanagras, modelées à Tarente au 3e s. avant J.-C. Entre ces deux extrêmes sortent, nombreux, des ateliers des sculpteurs, les Ephèbes, Apollons, Aphrodites, plus ou moins imités de Phidias, Praxitèle, Scopas ou Lysippe, mais dont l'harmonie des formes reste admirable.

LES ÉTRUSQUES

Pendant que les Grecs imprégnaient de leur civilisation la Sicile et le Sud de la péninsule, les Étrusques créaient en Italie centrale, à partir de la fin du 8e s. avant J.-C., un puissant empire qui devait durer jusqu'au développement de la suprématie romaine (3e s. avant J.-C.). Il s'agit d'un peuple assez mal connu, dont on a cependant réussi à déchiffrer l'alphabet et certaines inscriptions funéraires et qui pour les uns serait autochtone, tandis que d'autres, à la suite d'Hérodote, le disent être venu de Lydie en Asie Mineure. Les Étrusques occupèrent d'abord les régions comprises entre l'Arno et le Tibre (carte p. 21), puis essaimèrent en Campanie et dans la plaine du Pô, leur apogée se situant au 6e s. avant J.-C. L'**Étrurie** formait alors une fédération de douze cités-États nommées « lucumonies », parmi lesquelles on cite Véies, Bolsena, Tarquinia, Volterra, Pérouse, etc.

Tenant leur richesse de l'exploitation des mines de fer (île d'Elbe), de cuivre, d'argent, et du commerce en Méditerranée occidentale, les Étrusques, artisans et techniciens, eurent une civilisation empreinte d'un mélange de barbarie et de raffinement.

Leurs dieux étaient les mêmes que ceux des Grecs ; croyant à la survie de l'homme dans le monde des morts et à la divination, ils généralisèrent l'étude des entrailles des animaux (haruspices) et du vol des oiseaux (auspices), que les Romains reprirent et développèrent. Leurs villes, occupant des sites élevés, protégées par des murailles de pierres colossales, marquent un sens de l'urbanisme très développé. Près d'elles s'étendent d'immenses nécropoles, dont les chambres, ou hypogées, emplies d'objets usuels et aux parois peintes, nous renseignent sur les mœurs des Étrusques, qui sont à la base d'une partie de la civilisation latine.

L'art étrusque. — De caractère primitif, bien que fortement influencé par l'Orient et surtout par la Grèce, à partir du 5e s. avant J.-C., l'art étrusque présente une personnalité très marquée, faite de réalisme et de force d'expression dans le mouvement.

C'est au 18e s. que fut découvert cet art qui, pendant longtemps, ne fut considéré que comme un dérivé de l'art grec. La découverte, au 19e s., de chefs-d'œuvre, tels l'Apollon et l'Hermès de Véies, puis l'étude systématique, au 20e s., des céramiques, des bronzes, des ustensiles ou objets de parure exhumés au cours des fouilles, permirent de donner à cet art puissant et raffiné la place qui lui revenait.

Sculpture. — Les témoignages architecturaux ayant disparu, elle apparaît comme ayant eu la faveur des artistes. Sa grande époque se place au 6e s. avant J.-C. où une statuaire importante formait la décoration des temples : à ce groupe appartient le splendide Apollon qui ornait le faîte du sanctuaire de Véies (conservé au musée de la Villa Giulia à Rome) où l'influence grecque est manifeste. Plus originaux sont les bustes de personnages d'un réalisme saisissant par l'intensité de l'expression et la stylisation des traits, dont les grands yeux globuleux et le sourire énigmatique caractérisent la manière étrusque. Il en est de même des célèbres groupes de figures à demi étendues sur les sarcophages et qui étaient souvent des portraits.

(Photo Bevilacqua/CEDRI)

Ciste étrusque
(Rome : Villa Giulia).

Le sens du mouvement chez les artistes étrusques se manifeste dans les représentations d'animaux fantastiques, telle la fameuse Chimère d'Arezzo (musée archéologique de Florence), et dans les figurines (guerriers au combat, femmes à leur toilette, etc.).

Peinture. — Des exemples ne subsistent plus que dans les chambres funéraires des nécropoles (Cerveteri, Véies, mais surtout Tarquinia) où elles étaient censées rappeler aux morts les plaisirs de la vie : banquets, jeux et spectacles, musique et danse, chasses, etc. Ces peintures, très fines, aux couleurs posées à plat, témoignent d'un sens étonnant de l'observation et constituent un excellent document sur la vie des Étrusques.

Céramique et orfèvrerie. — Plutôt que des artistes, les Étrusques furent des artisans de génie. Ils confectionnèrent des céramiques en **« bucchero »,** terre cuite noire lustrée réalisée selon une technique de nous mal connue. D'abord de lignes très pures, décorés de motifs en pointillé, leurs vases présentèrent des formes et une ornementation de plus en plus complexes ; au 5e s., furent modelés d'admirables vases funéraires, les « canopes » à forme animale ou humaine, portant une décoration géométrique qui rappelle les poteries incas ou aztèques. Mais, surtout, les céramiques grecques connurent une extraordinaire vogue en Étrurie où elles furent importées en masse, puis admirablement reproduites. De somptueux bijoux paraient hommes et femmes : massifs, souvent en or, ils témoignent de l'habileté insurpassable des orfèvres étrusques, notamment dans la technique du filigrane et dans celle, typique, des granulations dont le diamètre n'excède pas quelques fractions de millimètre. L'extrême dextérité de ces artisans se manifeste également dans les miroirs gravés, les cistes (récipients cylindriques qui tenaient généralement lieu de coffrets de mariage),les brûle-parfums, les candélabres en bronze, d'une rare élégance.

LES ROMAINS

Pendant douze siècles environ, depuis la fondation de Rome au 8e s. avant J.-C. jusqu'à la fin de l'Empire d'Occident en 476 de notre ère, régna en Italie une civilisation dont l'Europe occidentale est issue. A la Rome royale (753-509 avant J.-C.) succédèrent la République (509-27), puis l'Empire (27 avant J.-C.) ; l'aigle romain planait alors de la Grande-Bretagne au golfe Persique, de l'Afrique à la Germanie. C'est seulement à l'époque du Bas-Empire (284-476 de notre ère), déchiré par les guerres civiles et en butte aux invasions barbares, qu'intervint le déclin *(voir p. 18)*.

Vie politique et sociale. — Au temps des rois, l'organisation politique de Rome comprend deux organes, le Sénat et les Comices, composés par les patriciens. Ceux-ci, classe privilégiée, entretiennent des « clients », oisifs, mais dévoués. Les plébéiens n'ont pas accès à la « chose publique ». En bas de l'échelle, les esclaves forment la partie la plus défavorisée de la population mais peuvent être affranchis par leur propriétaire.

Sous la République, les pouvoirs sont attribués à deux consuls élus pour un an, aidés par des questeurs chargés des finances publiques et de la police criminelle, des censeurs surveillant les mœurs, des édiles s'occupant de la police municipale, des préteurs juristes. Le Sénat joue un rôle consultatif et donne son assentiment aux lois. Dix tribuns du peuple défendent les droits de la plèbe. Des consuls ou proconsuls, des préteurs ou propréteurs administrent les provinces conquises par les légions.

L'Empire conserve les structures administratives de la République, mais les consuls sont remplacés par un Imperator ; chef de l'armée, celui-ci nomme les sénateurs et a le droit de paix et de guerre. Avec le Bas-Empire, son pouvoir devient absolu.

Hors l'État, la société est divisée en « gens », groupe de familles descendant d'un même ancêtre. La « familia » est soumise au « pater familias » qui jouit d'une autorité absolue.

La religion. — Elle préside à chacun des événements de la vie publique et privée.

Cultes domestiques. — Un petit oratoire, le « lararium », abrite les dieux Lares et les Pénates près desquels brûle constamment un feu sacré ; on célèbre aussi les Mânes, âmes des morts.

Culte public. — Il a lieu dans des temples imités des temples grecs *(croquis p. 22)* ou étrusques. Les sanctuaires consacrés à Vesta affectent toutefois un plan circulaire.

Excepté Janus, les dieux principaux, au nombre de douze (si l'on omet Pluton, roi des Enfers mais qui ne siège pas au Conseil des Dieux), sont dérivés de l'Olympe grec.

Une ville romaine (1)

Plan. — Les villes romaines ont souvent une origine militaire : au moment de la répartition des terres placées sous leur surveillance, les légionnaires et les vétérans restés dans les camps ont été rejoints par des populations civiles. Ces villes, entourées d'une enceinte pendant les périodes troublées, étaient divisées, chaque fois que la configuration du terrain le permettait, en quatre quartiers par deux rues principales, le « decumanus » et le « cardo », se coupant à angle droit et terminées par des portes. Les autres rues, parallèles à ces deux premières, donnaient à la ville un aspect de damier.

Les rues. — Les rues sont bordées de trottoirs hauts parfois de 50 cm et longées de portiques destinés à protéger les promeneurs contre la pluie ou la neige en hiver, ou les ardeurs du soleil en été. La chaussée, revêtue de grandes dalles disposées en biais, est par endroits coupée de bornes plates aussi hautes que le trottoir, entre lesquelles peuvent passer les chevaux et les roues des chars. Ces bornes permettent aux piétons de traverser la rue de plain-pied.

La maison romaine. — Les fouilles d'Herculanum, Pompéi, Ostie, en particulier, ont exhumé des maisons romaines de divers types : petites maisons bourgeoises, immeubles de rapport à plusieurs étages, boutiques donnant sur la rue, et enfin grandes et luxueuses habitations patriciennes.

Maison romaine

La nudité extérieure des murs et la rareté des fenêtres donnaient à ces dernières un aspect modeste. Mais l'intérieur, décoré de mosaïques, de statues, de peintures, de marbres, et comprenant parfois des thermes privés et un vivier, témoignait de la richesse de leur propriétaire. A l'entrée, souvent une mosaïque ou une inscription invitait le visiteur à prendre garde au chien : « Cave Canem. » Un vestibule, sur lequel s'ouvrait la loge du gardien, menait à l'atrium.

L'**« atrium »** (1) est une grande salle rectangulaire dont la partie centrale est à ciel ouvert. Un bassin appelé « impluvium », creusé sous la partie découverte, reçoit les eaux de pluie. Sur les côtés de l'atrium, seule partie de la maison où les étrangers soient habituellement admis, s'ouvrent des pièces (cubiculae). Le fond est occupé par le cabinet de travail et de réception, **« tablinum »** (2), du chef de famille ; là, sont rangés l'argent et les livres.

L'atrium et les quelques pièces prenant jour sur lui représentent la maison primitive telle que l'ont conservée les citoyens peu fortunés. Les hauts fonctionnaires, les colons enrichis et les commerçants aisés lui ont souvent ajouté une seconde maison, du type grec, plus raffinée, la prolongeant au-delà du tablinum.

Le **péristyle** (3) est une cour entourée d'un portique et située au centre de la partie de la maison réservée à la famille. Il se présente généralement sous forme de jardin avec bassins pavés de mosaïques, jets d'eau et statues. Tout autour donnent des locaux d'habitation : chambres, salles à manger, ou **« triclinium »** (4) et grand salon ou **« œcus »** (5).

Les chambres, simples pièces à dormir, comportent un lit en maçonnerie appliqué contre la muraille, ou un lit mobile ; il y a matelas, coussins, couvertures, mais pas de draps. Dans la salle à manger, les convives sont généralement étendus sur des lits qui entourent la table de trois côtés, le quatrième restant ouvert pour le service.

Les communs comprennent : la cuisine avec tout-à-l'égout, fourneau en maçonnerie, four pour les rôtis et les pâtisseries ; les bains, qui sont une réduction des thermes ; les logements des esclaves ; les greniers, celliers, écuries, etc. Les latrines avec tout-à-l'égout occupent un coin de la cuisine ou un renfoncement quelconque.

Le forum. — Grande place souvent entourée d'un portique, le forum, qui était à l'origine un marché généralement situé à l'intersection des deux rues principales, est devenu le centre de la vie publique et commerciale des villes romaines. Les hommes viennent y lire les avis officiels, écouter les orateurs politiques, se mettre au courant de la vie de l'Empire, flâner et converser. Les femmes font leurs emplettes dans les boutiques qui bordent la place. Là, se tient certains jours le marché aux esclaves.

Autour du forum, sont groupés les édifices officiels : la curie ou siège de l'administration locale, les salles de vote pour les élections, la tribune aux harangues d'où les candidats rivalisent d'éloquence, la basilique « argentaria » (des changeurs), le trésor municipal, les greniers publics, la basilique judiciaire (palais de Justice), la prison, les temples.

---

(1) *Pour la rédaction de ce chapitre, nous avons puisé dans la documentation de Jules Formigé (1879-1960), inspecteur général des Monuments historiques.*

Les tombes. — Les nécropoles romaines se situent à l'extérieur de l'enceinte de l'agglomération, le long des routes. La plus célèbre d'Italie est celle de la Via Appia Antica, au Sud de Rome. Aussitôt après sa mort, le défunt est exposé sur un lit spécial entouré de candélabres et de guirlandes de fleurs, puis il est enterré ou brûlé par les siens. Le corps est accompagné d'un mobilier funéraire qui doit servir à la seconde existence : vêtements, armes, outils pour les hommes ; jouets pour les enfants ; parures et objets de toilette pour les femmes.

Les monuments

De grands constructeurs. — L'art de la construction est poussé très loin chez les Romains. La rapidité avec laquelle s'élèvent leurs monuments est due moins au nombre d'hommes occupés sur les chantiers qu'à la spécialisation des ouvriers, aux méthodes de travail et à l'utilisation de machines élévatrices : leviers, treuils et palans, qui mettent en place les matériaux lourds. La voûte romaine est en plein cintre. A la fin de l'Empire, la brique sera utilisée, de préférence à la pierre. Les ordres architecturaux romains dérivent des ordres grecs *(voir p. 22)* dont ils se distinguent par quelques détails. C'est le Corinthien qui connut à Rome la plus grande faveur.

Les temples. — Rome adopte les dieux de toutes les mythologies. Les empereurs, élevés à partir de César au rang divin, sont l'objet d'un culte. Le temple *(croquis p. 22)* comprend toujours un sanctuaire fermé, la « cella », qui contient l'effigie du Dieu, et que précède un portique ou « pronaos ». L'édifice est entouré d'une colonnade (péristyle).

Les arcs de triomphe. — A Rome, ils étaient destinés à commémorer le « triomphe » de généraux ou d'empereurs vainqueurs ; des bas-reliefs y rappelaient leurs faits d'armes. Dans les provinces, comme à Aoste, Bénévent, ou Ancône, ce sont des arcs municipaux rappelant la fondation des cités ou honorant quelque membre de la famille impériale.

Les thermes. — Les thermes romains, publics et gratuits, sont un élément important de la vie sociale : on ne fait pas qu'y prendre des bains et s'exercer à la palestre, on y donne aussi rendez-vous, on y converse, lit, joue, traite ses affaires. Dans ces vastes bâtiments fastueusement décorés de marbre, mosaïques, statues et colonnes, le baigneur suit en principe un itinéraire médicalement établi : de la palestre on passe dans une salle tiède, le **« tepidarium »** qui prépare à l'étuve et au bain chaud ou **« caldarium » ;** puis, on repasse par une salle tiède avant de se plonger dans une piscine d'eau froide ou **« frigidarium »**.

Un système complexe de chauffage courant sous le dallage et le long des parois permet, à partir de chaudières souterraines (les hypocaustes), de porter l'atmosphère des pièces et l'eau des bassins aux températures souhaitées.

(Photo Giraudon)
Art romain : Caracalla.

L'amphithéâtre. — Cette création romaine est une grande construction à plusieurs étages, de forme légèrement ovale et fermée, destinée à recevoir les spectateurs des jeux du cirque. Il est surmonté d'un mur auquel peut être attaché un immense voile, le **« velum »** qui protège le public contre le soleil et les intempéries.

A l'intérieur, clôturant l'arène, un mur protège les spectateurs des premiers rangs contre les bêtes féroces lâchées sur la piste.

Trois galeries circulaires, ainsi que de nombreux escaliers et couloirs permettent aux spectateurs de gagner leur place sans bousculades, et aux différentes classes sociales de ne pas se mêler.

Les spectacles, fort prisés et annoncés par des affiches peintes qui détaillent le programme, consistent essentiellement en combats variés : animaux entre eux, gladiateurs contre fauves ou gladiateurs entre eux. En principe un duel de gladiateurs doit toujours se terminer par la mort de l'un des adversaires, mais le public peut demander sa grâce et le président des jeux lever le pouce en signe d'assentiment.

Le combattant victorieux reçoit une forte somme d'argent si c'est un professionnel, ou, s'il s'agit d'un esclave ou d'un captif, il obtient l'affranchissement.

On pouvait assister également à des courses de chars attelés, à des naumachies (combats navals), des jeux gymniques, ou des combats de boxe redoutables livrés avec des gantelets de cuivre.

Les théâtres. — Formant un hémicycle, ils comprenaient des gradins souvent terminés par une colonnade, l'**orchestre** réservé aux personnages illustres ou à la figuration, et **la scène**, surélevée par rapport à l'orchestre. Les acteurs évoluaient en avant d'un mur de scène richement décoré de colonnes, niches et sculptures, et revêtu de marbre et de mosaïques. La perfection de l'acoustique était obtenue grâce à un ensemble de facteurs architecturaux d'une grande subtilité. Les décors étaient tantôt fixes, tantôt mobiles et l'on pouvait, du sous-sol ou des cintres, faire fonctionner toutes sortes de machines qui n'ont rien à envier au théâtre moderne.

Si le théâtre sert avant tout à la représentation des comédies et des tragédies, on s'y rend également pour assister à des concours, des tirages de loterie ou des distributions de pain et d'argent.

Jusqu'en 100 avant J.-C., tous les acteurs portent des perruques différentes de formes et de couleurs suivant la nature du personnage qu'ils interprètent ; après cette date, ils adoptent un masque en carton-pâte qui les désigne également dans un rôle déterminé. Pour paraître plus majestueux, les acteurs de tragédie portent des cothurnes, sandales pourvues d'une très haute semelle de liège.

25

L'ART ITALIEN

Pour bien comprendre l'art italien, la profusion et la variété des œuvres qu'il n'a cessé de produire, du 12e s. à la fin du 18e s., il faut tenir clairement présentes à l'esprit les conditions historiques sur lesquelles il se greffe : d'une part, il est demeuré sans conteste l'héritier des civilisations grecque, étrusque et romaine dont il reprend, à chaque époque, un certain nombre de motifs essentiels et de caractères profonds ; d'autre part, la géographie même du pays, s'étirant des Alpes à la Sicile, a favorisé la pénétration de multiples influences extérieures. Après Byzance qui, dès la chute de l'Empire romain d'Occident, imprime son sceau pendant plusieurs siècles sur les rives septentrionales de l'Adriatique, ce sont les Ostrogoths, les Lombards, les Francs, les Arabes et les Normands qui apportent à chacune des régions conquises des solutions formelles originales.

C'est l'extraordinaire souplesse du caractère italien capable d'absorber les leçons étrangères et de les mettre à profit qui permettra à Florence, Sienne, Vérone, Ferrare ou Milan, puis Rome, Venise, Naples et Gênes, d'être l'une après l'autre le foyer d'une éclosion artistique particulière.

En dépit des particularismes régionaux, les artistes de la péninsule commencent à présenter, dès le 12e s., un certain nombre de traits communs qui iront en s'accentuant jusqu'à la Renaissance. C'est d'abord un goût unanimement partagé pour l'harmonie et la solidité des formes, ainsi qu'un sens inné de l'espace. Idéaliste, sinon mystique, l'Italien a la passion du beau : le paysage qui l'entoure lui dicte une mesure propre où le dessin net des contours est comme résorbé par le jeu des couleurs et la présence irradiante de la lumière. Rejetant les accents réalistes propres aux écoles du Nord, atténuant les excès purement décoratifs importés de l'Orient, l'artiste italien invente peu à peu un système de représentation qui lui permet de mettre en perspective son émotion. Ce souci d'idéalisation se manifeste particulièrement dans le culte voué à la féminité, qu'il soit d'inspiration religieuse ou profane.

En dépit de cette conception savante et maîtrisée de l'image, l'art est en Italie l'affaire de tous. En témoigne la place médiévale, cette fameuse **piazza** qui regroupe sur l'emplacement de l'antique forum romain les principaux édifices de la vie sociale : l'église et le baptistère d'abord, le palais communal ou celui du prince ensuite, auxquels s'ajoutent parfois un palais de Justice ou un hôpital ; une fontaine s'y élève souvent ; des marchés, des réunions s'y tiennent. C'est dans ce décor urbain que s'affirme avec le plus d'évidence le goût du peuple italien pour les prestiges de l'illusion, et son amour du spectacle. Dessinée comme une scène de théâtre, embellie de toutes sortes d'ornements, la piazza est le lieu où se concluent les affaires, où se prennent les décisions politiques, où se déroulent les événements sacrés de la communauté ; de plus, l'histoire s'y lit dans le réemploi des matériaux, la reprise des motifs ornementaux et la superposition des styles. C'est là que l'artiste, de qui l'on exige qu'il soit à la fois architecte, sculpteur et peintre, accomplit son œuvre aux yeux de tous.

Cependant, ces urbanistes de génie entretiennent également des rapports privilégiés avec la nature et le paysage. Dans une campagne par essence pittoresque, ils ont élevé, dès l'époque romaine, de somptueuses **villas** entourées de jardins en terrasses que des sources et des bassins rafraîchissent, que des plantations choisies avec soin et savamment agencées ombragent. En outre, toutes sortes de « fabriques » invitent au repos, à la méditation ou au spectacle tantôt intime, tantôt grandiose de la nature. Ainsi, de la villa d'Hadrien, proche de Rome, aux terrasses couvertes de fleurs des îles Borromées, en passant par le charme tout oriental de la villa Rufolo de Ravello, les élégantes constructions de la campagne florentine, les fantaisies maniéristes de Rome, Tivoli ou Bomarzo ornées de grottes et de statues, enfin les délicieuses résidences des rives du Brenta dessinées par Palladio, les architectes et les jardiniers italiens, indifférents à la grandeur solennelle que privilégie le classicisme français, ont créé une infinité de lieux où l'homme entretient un rapport paisible avec la nature.

BYZANCE

Lorsqu'au 4e s. le siège de l'Empire fut transféré de Rome à Constantinople, l'antique Byzance devint le centre d'une brillante civilisation. Alors qu'une grande partie de l'Italie était en proie aux invasions barbares, Ravenne fut choisie par Honorius, empereur d'Occident, comme capitale. Après la mort de Théodoric, roi ostrogoth acquis à la civilisation gréco-romaine, cette ville passa sous la domination du roi byzantin Justinien et de son épouse Théodora. Si les empereurs de Byzance ne purent se maintenir à Ravenne et en Vénétie julienne au-delà du 8e s., ils continuèrent cependant à exercer leur domination en Sicile et dans une partie de l'Italie du Sud jusqu'au 11e s.

L'art byzantin, né de la fusion de l'art chrétien primitif et de l'art gréco-oriental, se caractérise par un sens développé du sacré.

Architecture et sculpture. — Il s'agit essentiellement d'édifices religieux, bâtis en briques, sur plan basilical inspiré de la basilique romaine ou sur plan circulaire (mausolées, baptistères), et dont la sobre architecture extérieure ne laisse guère supposer l'éblouissement que procure, à l'intérieur, le revêtement des murs en mosaïque. Sur les panneaux des sarcophages, des transennes (clôtures de chœur) et des ambons (chaires), la sculpture au faible relief, en méplat, accuse un aspect nettement décoratif : figures symboliques et stylisées, animaux affrontés, etc.

Mosaïques. — C'est dans cette forme d'art somptueuse que les artistes byzantins donneront toute leur mesure. Composées de tesselles, fragments de pierres dures, émaillées, taillées irrégulièrement de façon à accrocher la lumière, elles revêtent culs-de-four, parois et coupoles, leurs ors scintillant doucement dans une pénombre mystérieuse. Des figures énigmatiques et grandioses se détachent sur un ciel bleu de nuit et sur un paysage qu'animent des arbres, des plantes et des animaux, rendus avec un sens de l'observation surprenant.

Les plus célèbres parmi ces mosaïques sont celles de Ravenne (5e et 6e s.), mais aux 11e et 12e s., le style byzantin continue à dominer à St-Marc de Venise, en Sicile (Cefalù, Palerme, Monreale) et même à Rome jusqu'au 13e s.

MOYEN ÂGE ROMAN ET GOTHIQUE (11e - 14e s.)

Comme tous les pays d'Europe, l'Italie du Moyen Age se couvre d'édifices religieux ; pourtant, le goût de l'équilibre propre à cette nation et l'exemple de la monumentalité romaine encore fortement présent, feront que les architectes italiens ne chercheront jamais à atteindre, dans leurs cathédrales gothiques, notamment, le sublime des grandes réalisations de l'art religieux en France.

Époque romane. — L'architecture romane connut en Italie des apports continuels venus d'Orient, et subit, au 12e s. surtout, des influences provençales et normandes.

| Style lombard | Style pisan | Style florentin | Style siculo-normand |

L'école la plus vivace est celle de Lombardie dont les maîtres d'œuvre, les **« maestri comacini »,** innovent un style dit **« style lombard »,** qui sera diffusé dans toute l'Italie du Nord et du centre : celui-ci a donné naissance à de grandes églises voûtées, flanquées de campaniles isolés, décorées à l'extérieur de bandes et d'arcatures, et aux façades très sculptées, précédées d'un porche reposant sur des lions, comme on peut en voir à Côme, à Milan, à Pavie, à Vérone...

Le **style pisan,** né de la conjugaison d'influences essentiellement lombardes pour l'architecture et orientalisantes pour la décoration, préconise les étagements de galeries à arcatures et colonnettes dans les façades, les suites de hautes arcades aveugles sur les flancs et les absides, et une décoration de losanges ou autres petits motifs en marqueterie de marbres polychromes.

Le **style roman florentin,** extrêmement original, mais qui n'eut pour ainsi dire aucun rayonnement hors de Florence, est caractérisé par des lignes pures inspirées de l'art antique et par la décoration alternée de marbres blanc et vert, pour les façades.

Dans le Latium et jusqu'à la Campanie règnent les **Cosmates** (12e et 13e s.), corporation de marbriers spécialisés dans l'assemblage de fragments de marbres multicolores (pavements, trônes épiscopaux, ambons ou chaires, chandeliers pascals) et dans l'incrustation d'émaux bleus, rouges et dorés aux colonnettes et aux frises des cloîtres.

En Italie méridionale et en Sicile, enfin, les influences lombardes, sarrasines et normandes se mêlent, les deux premières agissant surtout sur la décoration, la dernière sur le plan des édifices ; le tout aboutit au **style siculo-normand** *(voir aussi p. 223).*

La **sculpture** est étroitement liée à l'architecture religieuse et décorative.

Époque gothique. — Dans le domaine de l'**architecture,** ce sont les moines cisterciens qui introduisirent les formules gothiques en Italie au 13e s., à l'abbaye de Fossanova ; franciscains et dominicains les suivirent dans cette voie à Assise et Florence. A la même époque les architectes angevins généralisaient, dans une partie de l'Italie méridionale, les voûtes bombées et les façades à tourelles.

Cette double influence marqua l'œuvre d'**Arnolfo di Cambio,** architecte et sculpteur dont le talent s'exerça principalement à Florence et à Rome. Au 14e s., la cathédrale de Gênes et celle de Sienne découlent encore de l'art bourguignon, tandis qu'au 15e s., San Petronio de Bologne et le Dôme de Milan, flamboyant, mettent un terme à un style peu apprécié des Italiens. C'est d'ailleurs plutôt dans l'architecture civile, dans les palais et les loggias de nombreuses villes alors en plein essor, que se manifeste avec le plus d'originalité la manière gothique. A Venise *(voir croquis page suivante),* le style « gothique fleuri » qui allège les façades grâce à l'ouverture de nombreuses fenêtres ouvragées et de loggias, persistera jusqu'à la fin du 15e s.

(Photo Roy/Explorer)

Sienne. — La cathédrale.

27

| Roman | Gothique | Renaissance | Classique | Baroque |

Palais vénitiens

En **sculpture,** la dynastie des **Pisano** de Pise va donner une impulsion décisive, en recourant, soit au modèle antique (Nicola), soit à un réalisme d'une vigueur expressive extrême (Giovanni). Ces maîtres, suivis par **Tino di Camaino** de Sienne, **Andrea Orcagna** et **Arnolfo di Cambio** de Florence, inventent de nouveaux thèmes et réalisent des programmes ambitieux tels que chaires et monuments funéraires où foisonne une nouvelle humanité.

Les premiers témoignages de la **peinture** italienne apparaissent au 12e s. avec les crucifix peints. Insensiblement, le hiératisme issu de l'art byzantin s'assouplit ; le Romain **Pietro Cavallini** exécute à la fin du 13e s., dans un style ample qui rappelle l'antique, des fresques et des mosaïques, tandis que le Florentin **Cimabue** (1240-1302) fait apparaître un pathétique nouveau sur les murs de l'église supérieure d'Assise. C'est **Giotto** (1266-1337) qui recueillera les fruits de cette évolution, dans une œuvre où le mouvement, la profondeur de l'espace et l'émotion se font jour, à Assise, Padoue et Florence.

A Sienne, **Duccio** (né vers 1260), dont l'art est encore imprégné de byzantinisme, inaugure l'école de Sienne qui ne se départit jamais d'une certaine grâce linéaire et d'un goût marqué pour la couleur décorative. **Simone Martini** et les frères **Pietro** et **Ambrogio Lorenzetti** en sont les plus délicats représentants.

A Rimini, s'ouvre une école de miniaturistes renommée.

Le Trecento (14e s.) florentin a pour chefs de file **Andrea Orcagna** et **Andrea di Bonaiuto,** dit aussi Andrea da Firenze. Leur style, empreint de mysticisme et de réalisme, et que caractérisent des lignes élégantes, des couleurs vives et un grand raffinement décoratif, est connu sous le nom de **« gothique international ».** Plusieurs artistes des Marches, d'Ombrie, de Lombardie et du Piémont œuvreront dans le même esprit et propageront ce style, tels **Allegretto Nuzi, Gentile da Fabriano** et plus tard les Véronais Stefano da Zevio et **Pisanello,** portraitiste, animalier, médailleur prestigieux *(voir aussi p. 210),* ainsi que le Piémontais Giacomo Jaquerio.

LES PEINTRES ITALIENS DE LA RENAISSANCE

LE QUATTROCENTO (15ᵉ s.)

Une curiosité passionnée pour l'Antiquité autant que pour les contrées lointaines, une société urbaine fortement organisée autour d'un prince mécène, une nouvelle conception de l'homme occupant désormais le centre de l'univers et une pléiade d'artistes, de savants, de poètes, caractérisent la première Renaissance italienne qui trouve son expression la plus haute dans la ville des Médicis, Florence.

Architecture. — **Filippo Brunelleschi** (1377-1446) se révèle le grand rénovateur de l'art de bâtir : ses principes, fondés sur l'imitation de l'Antique, l'équilibre et la pureté des lignes, seront repris par ses successeurs : **Michelozzo** (1396-1472), **Leon Battista Alberti,** Antonio et Bernardo Rossellino, Giuliano et Benedetto da Maiano, de même qu'à Sienne par Francesco di Giorgio Martini et, à Urbino, Luciano Laurana.

Sculpture. — **Lorenzo Ghiberti** (1378-1455), dans l'exécution des portes du baptistère de Florence, s'éloigne de la tradition gothique à laquelle se rattachait encore le Siennois **Jacopo Della Quercia.** Mais, la figure la plus puissante de la sculpture de ce siècle reste **Donatello** (1386-1466) qui travailla dans toute l'Italie et plus particulièrement à Florence. Son contemporain **Luca Della Robbia** (1400-1482) se spécialise dans les ouvrages de terre cuite vernissée et coloriée, tandis qu'Agostino di Duccio, Desiderio da Settignano et Mino da Fiesole continuent la manière donatellienne.

A la fin du siècle, **Verrocchio** (1435-1488) fait preuve lui aussi d'une puissance réelle, notamment dans la statue équestre du Colleone à Venise. Hors Florence, il faut citer **Francesco Laurana,** auteur de portraits d'une sensibilité frémissante.

(D'après photo Hachette)

Florence. — Annonciation par Donatello.

Peinture. — C'est avec **Masaccio** (1401-1428) que la nouvelle peinture, s'efforçant de reproduire par la perspective l'illusion d'un espace réel, atteint, dans les fresques du Carmine de Florence, ses premiers succès. De son côté, **Paolo Uccello** (1397-1475) illustre cette nouvelle conception spatiale dans d'admirables scènes de batailles. Parallèlement, **Fra Angelico** (1387-1455), encore attaché à la tradition gothique, s'ouvre aux théories nouvelles de la Renaissance.

Ses successeurs, tels **Domenico Veneziano** et Fra **Filippo Lippi** (1406-1469), élargissent sa manière tout en conservant sa délicatesse de détail ; **Benozzo Gozzoli** (1420-1497), quant à lui, l'adapte à la description de brillantes fêtes profanes.

Élève de Filippo Lippi, **Sandro Botticelli** (1444-1510) possède un dessin d'une extrême pureté qui donne à ses personnages une grâce fragile, quasi irréelle, conférant à ses scènes allégoriques une atmosphère de profond mystère. Baldovinetti le suit, tandis qu'**Andrea del Castagno** (1423-1457) met l'accent sur le modelé vigoureux et la monumentalité. **Domenico Ghirlandaio** (1449-1494) révèle pour sa part une remarquable veine narratrice. **Piero della Francesca** (vers 1415-1492) vient de Sansepolcro : son art, d'une harmonie hautaine, au dessin d'une remarquable fermeté, exprime pleinement l'équilibre auquel a atteint la Renaissance toscane ; il influencera notamment le Romagnol Melozzo da Forlì.

A la cour des Gonzague, à Mantoue, **Mantegna** (voir p. 136) réalise des scènes pleines de grandeur et de rigueur. A Ferrare, **Cosmé Tura,** au réalisme accentué hérité d'influences nordiques, impose ses inventions troublantes.

A Venise, les premiers peintres à se libérer de la manière byzantine sont les **Vivarini.** Mais c'est la famille **Bellini** (voir p. 203) qui donne à la peinture vénitienne ses caractères fondamentaux de luminisme. **Carpaccio** (voir p. 203) et **Carlo Crivelli,** peintre élégant et précieux, au dessin minutieux et aux coloris raffinés, sont davantage des chroniqueurs.

Influence directe de maître à élève ▬ Squarcione ■ ... **Relations entre artistes ou écoles**

MANTEGNA ■ ■ Gentile Bellini

(13ᵉ S.)

ÉCOLE DE PADOUE

LE TRECENTO (14ᵉ S.)

ÉCOLE DE VENISE

Guariento

Paolo Veneziano

Lorenzo Veneziano

Altichiero — Giovanni da Bologna

Jacopo d'Avanzo

Jacobello del Fiore
Nicolò di Pietro

Pisanello

Gentile da Fabriano
(Ecole d'Ombrie)

ÉCOLE DE MURANO

Giovanni Alemagna
Antonio Vivarini

LE QUATTROCENTO (15ᵉ S.)

Squarcione

Jacopo Bellini

Nicolò Pizzolo

Antonello de Messine

Carlo Crivelli ■

Cosimo Tura
(École de Ferrare)

Gentile Bellini ■

Bartolomeo Vivarini

MANTEGNA **Carpaccio**

GIOV. BELLINI ■

Cima da Conegliano

Alvise Vivarini

ÉCOLE DE PARME

GIORGIONE

■ **Le Corrège** **TITIEN**

Lorenzo Lotto

■ Le Parmesan

Palma le Vieux

Previtali

Paris Bordone ■ Pordenone

Sebastiano del Piombo

Nicolò dell' Abbate

TINTORET ■ ■ Jacopo Bassano

LE CINQUECENTO (16ᵉ S.)

LE GRECO ■ **VÉRONÈSE**

29

LE CINQUECENTO (16e s.)

Au 16e s. s'épanouit pleinement la sensibilité humaniste qui déjà avait profondément marqué le siècle précédent. Les artistes sont de plus en plus attirés par la mythologie, l'art de l'Antiquité, la découverte de l'homme.

Le foyer de la Renaissance se déplace de Florence à Rome, où les papes rivalisent d'efforts pour orner palais et églises. L'artiste y gagne de plus en plus d'indépendance et de prestige.

A la fin du siècle, les modèles esthétiques de la Renaissance sont exportés dans toute l'Europe, aussi bien à Fontainebleau qu'aux Pays-Bas.

Architecture. — Au palais florentin du 15e s., avec son imposant appareil de bossages et sa puissante corniche, succède une construction beaucoup plus légère et classique qui s'inspire de l'élégance antique.

Bramante (1444-1514) invente notamment la « travée rythmique » (voir p. 113). Après avoir travaillé à Milan et à Urbino, il conçoit le premier plan central de la basilique St-Pierre de Rome. **Vignola** (1507-1573), qui travaille beaucoup à Rome, et **Palladio**, essentiellement à Vicence (voir p. 212) exaltent le classicisme antique dans d'importants traités d'architecture et construisent, en Vénétie, des églises, des palais et de luxueuses villas.

Sculpture. — **Michel-Ange** (1475-1564), qui partagea l'essentiel de son activité entre Florence et Rome, domine le siècle par la force de son génie créateur, idéaliste et tourmenté, qui se manifeste dans d'admirables sculptures comme le David, le Moïse ou la série des Esclaves sculptés pour le tombeau de Jules II.

Ni l'élégant et raffiné **Benvenuto Cellini** (1500-1571) ciselant son Persée à Florence, ni le puissant **Jean Bologne** ou **Giambologna** (1529-1608), né à Douai, auteur de nombreux groupes sculptés, ne soutiennent la comparaison avec cette œuvre à la fois titanesque et émouvante.

La peinture. — Le 16e s. a produit un nombre impressionnant de peintres de tout premier plan qui diffusèrent la nouvelle peinture humaniste dans plusieurs centres de l'Italie (Rome d'abord, puis Venise, Mantoue, et plus tard Parme) et aussi en France.

Trois artistes exceptionnels, mais complémentaires, ouvrent le siècle. **Léonard de Vinci** (1452-1519), fascinante personnalité qui illustre à merveille la curiosité des nouveaux humanistes, invente en peinture le « sfumato », modelé vaporeux qui rend sensible la distance séparant les objets ; après avoir travaillé à Florence et Milan, il se rend en France, appelé par François Ier. **Raphaël** (1483-1520) n'est pas uniquement un prodigieux portraitiste et le peintre de madones au dessin d'une extrême douceur ; c'est également un décorateur d'une fabuleuse invention, notamment dans les Stanze du Vatican où il fait preuve d'une science exceptionnelle de la composition. **Michel-Ange,** s'il fut avant tout sculpteur, entreprit seul la gigantesque décoration du plafond de la chapelle Sixtine où triomphent sa force pathétique et son sens du relief ; ses puissantes figures sont à l'origine du maniérisme romain.

(Photo Tetrel/Explorer)

Raphaël : La Femme au Voile
(Florence : Palais Pitti).

Il faut citer encore **Andrea del Sarto** et **Bronzino** à Florence, **Sodoma** à Sienne, **Le Corrège** (voir p. 140) à Parme, **Bernardino Luini** à Milan, etc.

L'école vénitienne du 16e s. (voir p. 203) développe les caractères de coloristes. **Giorgione** (p. 67) porte à une hauteur métaphysique la méditation sur le paysage. **Titien** (vers 1490-1576), élève des Bellini, reçut ensuite de la part de Giorgione une influence déterminante, avant de se lancer dans d'ambitieuses compositions mythologiques ou religieuses ; tout aussi à l'aise dans le portrait, il travailla pour nombre de princes italiens et pour plusieurs souverains d'Europe ; son art constitue le sommet de la peinture vénitienne. **Tintoret** (1518-1594) apporte violence et vertige au luminisme de ses prédécesseurs et s'en sert pour rendre plus dramatiques ses grandes compositions religieuses ; il influencera fortement son génial disciple, **Le Greco,** qui se réfugiera à Tolède. **Véronèse** (1528-1588) est avant tout un décorateur épris de luxe, qui aime à mettre en scène des assemblées nombreuses dans des architectures grandioses. **Jacopo Bassano** (1518-1592), peintre extrêmement attachant, traite des scènes nocturnes ou rustiques avec une grande liberté de touche et de composition.

LE MANIÉRISME (16e-17e s.)

Marquant l'achèvement de la Renaissance, en reprenant ses motifs dans une « manière » souvent excessive, cet art conduit au Baroque. S'il se répand largement en Europe, il est contenu en Italie par les réactions de l'Église catholique du concile de Trente qui préconise une épuration de l'art religieux : ce mouvement de la Contre-Réforme est illustré, en architecture, par l'église du Gesù à Rome, œuvre d'une austère solennité due à Vignola. De nombreuses fontaines et des parcs où le naturel se mêle à l'artificiel témoignent du goût maniériste pour la fête et le jeu.

Chez les peintres, apparaît souvent une nouvelle inquiétude, une impatience qui se traduit par l'étirement des figures, la bizarrerie des attitudes et un luminisme violent : **Beccafumi, Le Pontormo** (1494-1556), **Rosso Fiorentino** (1494-1540), **Le Parmesan** ou **Parmigianino** (voir p. 140) d'une part, Giulio Romano, Niccolò dell'Abbate, les frères Zuccaro d'autre part, sont les plus illustres représentants de cette période artistique.

LE BAROQUE (17e-18e s.)

Peinture. — En réaction contre les excès « maniéristes », l'école des Incamminati de Bologne, sous la direction des **Carrache,** avait inventé un art plus naturel et plus clair qui préparait au Baroque ; mais, la profonde révolution qui secoue plusieurs siècles d'idéalisme en Italie vient du **Caravage** (1573-1610) dont l'œuvre, d'un réalisme affirmé et souvent cruel, emprunte scènes et personnages au monde populaire de Rome ; un usage particulier de la lumière en violent contraste dramatise le tableau. Son exemple sera largement imité tant en Italie qu'en France par ces artistes auxquels on a donné le nom de « Caravagesques ».

Les effets de mouvements, de perspectives renversées, de volutes, de trompe-l'œil, caractérisent aussi bien l'architecture que la peinture baroques. Chez **Luca Giordano** à Florence et à Naples, chez les **Tiepolo** à Venise, ou encore chez **Mattia Preti** et **Ribera** à Naples, et enfin à Rome surtout, le mouvement trouve son expression majeure, la peinture accompagnant souvent l'architecture et se prêtant à la décoration de somptueux plafonds (Sant'Ignazio à Rome, par Andrea Pozzo).

Au cours du 18e s., avec **Pietro Longhi, Canaletto, Francesco Guardi,** se développe à Venise *(voir p. 203),* un art plus serein.

(Photo Everts/Rapho)

Lecce. — Fronton de la basilique Santa Croce.

Architecture et sculpture. — Sous l'influence des **jésuites,** l'architecture et la sculpture vont prendre un aspect fastueux et théâtral, grâce aux réalisations de **Carlo Maderno,** auteur de la façade de St-Pierre de Rome (1614), de **Borromini,** esprit tourmenté qui réalise le plan ellipsoïdal de l'église St-Charles-aux-Quatre-Fontaines, et, surtout, du plus productif d'entre eux, **Le Bernin** (1598-1680) qui conçoit l'ample colonnade de la place St-Pierre, l'audacieux baldaquin et des tombeaux à l'intérieur de la basilique, ainsi que de nombreuses sculptures et fontaines.

L'architecture baroque connaît au Piémont, grâce à Guarini et à **Juvara,** un intéressant développement. De même, dans la région de la Pouille (à Lecce notamment) et en Sicile, où surgissent, sous l'influence du style platéresque espagnol, des édifices d'une fastueuse fantaisie dans la recherche décorative.

L'ART MODERNE

L'Italie participe, à la fin du 18e s. et au début du 19e s., à la vague antiquisante qui envahit l'Europe. Le néoclassicisme italien est illustré par l'œuvre du sculpteur **Antonio Canova** (1757-1822) dont la statue de Pauline Borghese, à Rome, exprime bien la pureté linéaire et l'élégance un peu froide. Le 19e s. marque une rupture nette avec la richesse créatrice des siècles précédents.

En architecture, il faut citer le nom d'Alessandro Antonelli, auteur de curieux bâtiments à Milan et Novare, sa ville natale.

En peinture, une réaction à l'académisme apparaît avec les **Macchiaioli** qui renouent avec la couleur et avec la nature, en plantant leur chevalet à l'extérieur : les principaux protagonistes de ce mouvement sont **Giovanni Fattori,** Lega, Signorini. Certains artistes sont en contact avec le milieu impressionniste de Paris : plus qu'à De Nittis ou Boldini, peintres souvent mondains, c'est à Zandomenighi que profite le séjour parisien. A la fin du 19e s., **Segantini,** chef de l'école divisionniste, assure la transition avec le siècle suivant.

Le 20e s. commence de façon explosive avec la réaction décapante et antiesthétique des **futuristes** qui, sous la conduite du poète Marinetti, proclament haut leur foi en la machine, la vitesse et la foule : Boccioni, Balla, Severini, **Carrà** sont les protagonistes de cette avant-garde. **Giorgio De Chirico** invente la « peinture métaphysique ». **Modigliani** enferme ses figures dans un contour à la fois souple et fiévreux, tandis que Giorgio Morandi conduit, face à de simples objets réunis sur une table, une méditation secrète autour de l'invisible. Parmi les sculpteurs, on rappellera le nom d'Arturo Martini, Marino Marini, **Giacomo Manzù.** L'architecture a inspiré de nombreux talents, au nombre desquels on retiendra les noms de Pier Luigi Nervi et Gio Ponti.

LITTÉRATURE

Naissance et splendeur de la littérature italienne. — La langue italienne accède définitivement à une forme littéraire à l'époque et sur les lieux mêmes où la peinture, se libérant peu à peu des influences étrangères, affirme un caractère propre. A Assise, saint François (1182-1226) écrit son **Cantique des Créatures** en langue vulgaire, au lieu du latin traditionnel, afin que tous aient accès à la parole de Dieu. A Florence, puis dans les villes de son exil, **Dante Alighieri** (1265-1321) pose les bases d'une langue nationale, le toscan, qu'il place sous la double autorité de l'Antiquité et de la religion chrétienne, et donne à ce nouvel instrument le plus puissant chef-d'œuvre de la littérature italienne : la **Divine Comédie** (commencée vers 1307), récit du voyage d'un homme vivant, curieux et passionné, dans les mondes du péché, de la rédemption et de la béatitude, mais aussi véritable épopée de l'Occident chrétien et sommet du savoir spirituel de l'époque.

Au cours du 14ᵉ s., **Pétrarque,** précurseur de l'humanisme et le plus grand poète lyrique italien *(voir aussi p. 138),* et son ami **Boccace,** étonnant conteur aux accents parfois presque modernes *(voir aussi p. 68)* achèveront l'œuvre commencée par Dante en apportant à la langue italienne, le premier, dans les **Sonnets,** la souplesse et la profondeur de l'interrogation psychologique, le second, dans les contes du **Décaméron,** la vivacité narrative et l'acuité de la description.

La Renaissance et les lettres. — L'humanisme florentin, réinterprétant l'héritage antique, invente une poésie savante dans laquelle la tension des mots et des images reflète l'aspiration de l'âme à l'idéal. Politien, Laurent de Médicis et surtout Michel-Ange illustrent cette tendance néo-platonicienne dans d'admirables poésies. Mais la Renaissance florentine favorise également le développement d'autres discours de natures très diverses : scientifique avec Léonard de Vinci, théorique avec Leon Battista Alberti, philosophique avec Marsile Ficin, encyclopédique avec la fascinante personnalité de Pic de la Mirandole ; plus tard, le peintre Giorgio Vasari *(voir p. 83)* devient le premier historien de l'art.

Au 16ᵉ s., occupant des charges importantes auprès des princes, les conseillant ou les divertissant, des poètes et des écrivains portent la langue italienne à un degré de raffinement et d'élégance rarement atteint. Le plus célèbre d'entre eux est **Machiavel** *(voir aussi p. 83),* homme d'État lui-même et théoricien de la politique dont le nom a donné naissance au mot machiavélisme (devenu, par l'effet d'une simplification excessive, synonyme de ruse et de duplicité) ; dans son essai intitulé **Le Prince,** il définit avec clarté et intelligence les mécanismes qui gouvernent la société des hommes et les conséquences morales ou politiques qui découlent de ces relations. A Ferrare, c'est **L'Arioste** *(voir p. 80)* et **Le Tasse** *(voir p. 80)* qui donnent à la cour son éclat intellectuel. A Venise, L'Arétin (1492-1556) brosse le portrait implacable de ses contemporains ; quant à Baldassare Castiglione (1478-1529), il est l'auteur d'un ouvrage universellement répandu parmi les grands de l'époque, Le Courtisan.

De la Renaissance aux Risorgimento. — Au cours du 17ᵉ et dans les débuts du 18ᵉ s., qui marquent pour la littérature italienne une période de décadence, s'illustrent pourtant Galilée (1564-1642) et Giambattista Vico (1668-1744), dont la vision à la fois aiguë et profondément méditée fait progresser la pensée scientifique et philosophique.

Le 18ᵉ s. est dominé par la personnalité du dramaturge vénitien **Carlo Goldoni** (1707-1793), le « Molière italien », qui reprend, dans des pièces d'une veine comique alerte et subtile, les situations et les personnages de la commedia dell'arte *(voir p. 53),* alors très en vogue à Venise.

Dès la fin du 18ᵉ s., on voit naître chez les écrivains un nouveau sentiment national qui ira en se renforçant jusqu'à l'explosion du Risorgimento. Giuseppe Parini (1729-1799) et Vittorio Alfieri (1749-1803) précèdent Ugo Foscolo (1778-1827), violent et tourmenté, chez qui éclate l'orgueil patriotique (Les Tombeaux). Mais, c'est **Giacomo Leopardi** (1798-1837) qui, dans quelques-uns de ses Chants les plus beaux, exprime avec une lucidité précoce et une pureté lyrique inégalée la réelle rupture qui s'ouvre alors entre la foi ancienne et l'inquiétude de l'avenir.

Le Milanais **Alessandro Manzoni** (1785-1873) est l'auteur du roman le plus important du 19ᵉ s. italien, Les Fiancés.

Ecrivains modernes et contemporains. — Faisant la transition entre le 19ᵉ et le 20ᵉ s., le Sicilien **Giovanni Verga** (1840-1922) est, par ses romans et ses nouvelles, l'un des meilleurs représentants d'un genre nouveau, le « vérisme », inspiré du « naturalisme » français : dans sa série romanesque intitulée Les Vaincus, s'exprime sa vision pessimiste du monde et sa compassion à l'égard des déshérités.

En poésie, **Giovanni Pascoli** (1855-1912), voix inquiète et complexe, introduit au 20ᵉ s. qui voit naître, après l'intermède des « Crepuscolari », trois poètes au lyrisme intense et résolument moderne : Giuseppe Ungaretti, Eugenio Montale et Umberto Saba. Dans le domaine du roman, la première partie du 20ᵉ s. est dominée par Giovanni Papini, tandis que se développe une importante école de critique autour du philosophe Benedetto Croce. Gabriele D'Annunzio *(p. 105)* et Curzio Malaparte (1898-1957) occupent une place à part dans la littérature italienne du 20ᵉ s. Il en est de même du dramaturge sicilien **Luigi Pirandello** *(voir p. 224).*

L'œuvre de Cesare Pavese (1908-1950) a pour thème dominant la difficulté d'être, doulou-reusement exprimée dans son journal posthume paru sous le titre Le Métier de vivre.

Au cours des dernières décennies, le roman italien a donné la preuve d'une belle vitalité avec des personnalités aussi diverses que Pratolini, (Chronique des pauvres amants), **Alberto Moravia** (Les Indifférents, L'Ennui), Guido Piovene (Pitié contre pitié), Ignazio Silone (Fontamara), Dino Buzzati (Le Désert des Tartares), Mario Soldati (Le Festin du comman-deur), Pasolini (Les Ragazzi), Carlo Levi (Le Christ s'est arrêté à Eboli), Italo Calvino (Le Vicomte pourfendu), Leonardo Sciascia (Les Oncles de Sicile), ou Elsa Morante (L'Ile d'Arturo, Aracoeli).

Pour tout ce qui fait l'objet d'un texte dans ce guide (villes, sites, curiosités, rubriques d'histoire ou de géographie, etc.), reportez-vous aux pages de l'index.

LA TABLE

La cuisine italienne est savoureuse et variée : le repas traditionnel se compose d'un **antipasto** ou hors-d'œuvre (crudités, charcuterie, légumes confits, etc.) d'un **primo** (primo piatto : le premier plat), essentiel, que sont le riz, mais surtout les pâtes sous toutes leurs formes et accommodées de multiples façons ; d'un **secondo** (viande ou poisson) que l'on peut accompagner d'un **contorno** (légume ou salade). Après le fromage — **formaggio** —, sont servis les fruits ou **frutta**, ainsi que de nombreux desserts : gâteau ou **dolce,** glace ou **gelato,** gâteau glacé ou **semifreddo.**

Un vin de la région et de l'année est servi en carafe (« sfuso »), en quart (« quarto »), demi (« mezzo ») ou litre (« litro »), mais on peut également demander des crus de qualité en bouteille. Les eaux minérales, innombrables, sont d'usage courant. Le café, l'inimitable **espresso** se boit très serré.

QUELQUES SPÉCIALITÉS RÉGIONALES

Piémont. — La cuisine est faite au beurre. On savoure la **fonduta,** fondue de fromage au lait, œufs et truffes blanches (tartufi bianchi). Les cardi, cardes, sont préparés à la bagna cauda, sauce chaude à l'huile ou au beurre, anchois, ail, truffes. Le Montferrat fournit le célèbre **gorgonzola,** et des vins délectables : Barolo, Barbaresco, Barbera, Grignolino, Freisa rouges ; **Asti,** blanc, nature ou mousseux (Spumante), au goût de raisin prononcé.

Lombardie. — Milan, où la cuisine se fait au beurre, a donné son nom à plusieurs préparations dites « alla milanese » : minestrone, potage de légumes verts, lard et riz ; **risotto** au safran ; **costoletta,** côte de veau panée, aux œufs et au fromage ; **ossobuco,** jarret de veau avec os à moelle. Le **panettone** est un gâteau fourré de raisins secs et de cédrat confit. Le fromage le plus usuel est, ici encore, le **gorgonzola.** Peu de vins, sinon les vins de la Valteline et ceux qui sont produits sur la rive droite du Pô, dans la région de Pavie.

Vénétie. — Comme dans la plaine du Pô, on déguste la **polenta,** semoule de maïs accompagnée ou non de petits oiseaux ; les risi e bisi, riz et petits pois ; le **fegato alla veneziana,** foie de veau sauté aux oignons. Les crustacés, anguilles, morues (baccalà) sont excellents. La région de Vérone produit les meilleurs vins : **Valpolicella** et Bardolino, rosés ou rouges, bouquetés et légèrement pétillants ; Soave, blanc et généreux.

Ligurie. — Gênes a comme spécialité majeure les **lasagne al pesto,** pâtes plates mises au four et assaisonnées de pesto, sauce à base d'huile dans laquelle ont mariné basilic, pignons, ail, fromage de brebis. Les produits de la mer sont renommés, comme la **zuppa di datteri,** soupe de couteaux (coquillages) que les Ligures arrosent d'un Cinqueterre ou d'un Coronata, vins blancs puissants et liquoreux.

Émilie et Romagne. — Région gastronomique dont les charcuteries sont les plus réputées d'Italie : **salami** et **mortadelle** de Bologne, zamponi (pieds de porcs farcis) de Modène, **prosciutto** (jambon) de Parme. Variées et savoureuses sont les pâtes, servies, « alla bolognese », avec jus de viande et de tomate. Le **parmesan** (parmigiano) est un fromage à la fois fort et fin. L'Émilie produit le **Lambrusco,** vin rouge pétillant et fruité, et l'Albano blanc.

Toscane. — Là est née la cuisine italienne, à la cour des Médicis. Florence offre ses spécialités « alla fiorentina » : la baccalà (morue) à l'huile, ail et poivre ; la bistecca ou costata (entrecôte) très épaisse, grillée à l'huile, sel et poivre ; les **fagioli,** haricots à l'huile avec ail, oignon, et bouquet. Livourne présente ses **triglie** (rougets) et son **cacciucco** (soupe de poissons), et Sienne son **panforte,** gâteau au sucre candi, aux amandes, miel, melon ou cédrat confits. Le **Chianti** est universellement connu.

Ombrie, Marches. — Le plat régional est la **porchetta,** cochon de lait entier, cuit à la broche. Les vins sont généralement blancs : le fameux **Orvieto** d'Ombrie, le Verdicchio des Marches, le délicieux Moscato de Saint-Marin.

Latium. — Variées sont les spécialités romaines : **fettucine,** pâtes en lanières ; **gnocchi** alla romana ; **saltimbocca,** escalope entourée de jambon, au Marsala et à la sauge ; **abbacchio** (agneau) au four ou avec sauce aux anchois (« alla cacciatora ») ; carciofi alla Giudia, artichauts cuits à l'huile, avec ail et persil. Le principal fromage est le **pecorino,** au lait de brebis. Les vins, blancs, ceux de Montefiascone *(p. 214)* et des **Castelli** (Frascati).

Abruzzes, Molise. — Dans le chapitre des pâtes, on note les **maccheroni alla chitarra,** faits à la main et découpés en lanières, et les pincisgrassi, cuits au four avec jus de viande et béchamel. Les **latticini,** fromages frais de montagne, sont très goûtés.

Campanie. — Naples est le lieu d'élection des **spaghetti,** notamment accommodés « alle vongole » (aux coquillages). Trattorias et pizzerias servent la costata alla pizzaiola (entrecôte aux tomates, ail, origan). La fameuse **mozzarella,** fromage au lait de bufflonne, frais et pressé, est servie en hors-d'œuvre avec des tomates, ou « in carrozza » (sorte de croque-monsieur) ; surtout, elle entre dans la composition de la **pizza,** en même temps que tomates, anchois, huile d'olive et origan.

Les vins de volcan ont une saveur un peu soufrée, particulièrement délicate : Capri rouge et blanc, Ischia blanc, **Lacryma Christi** blanc et Gragnano rouge (vins du Vésuve).

Pouille, Basilicate, Calabre. — Les huîtres (ostriche) de Tarente sont savoureuses. Le plat le plus original est le **capretto ripieno al forno,** chevreau rôti et farci aux aromates.

Sicile. — Elle est riche de fruits (citrons, oranges, mandarines, olives, amandes), pâtisseries et glaces (au jasmin notamment) ou sorbets (en particulier la granita, glace pilée au parfum de fruit). La véritable **cassata** sicilienne est un gâteau de Savoie avec fromage blanc, mousse au chocolat et fruits confits, à demi glacé. Autres spécialités : le **cuscusu,** plat de semoule garnie de poisson et agrémentée d'une sauce piquante. Le vin le plus renommé est le **Marsala,** sombre et corsé, mais le **Malvasia,** les vins blancs de volcan (Etna) et le Lipari sont également délicieux.

Sardaigne. — *Voir p. 217.*

Légende

Curiosités

★★★ **Vaut le voyage**
★★ **Mérite un détour**
★ **Intéressant**

Itinéraire décrit, point de départ de la visite

sur la route	en ville

Château - Ruines	Édifice religieux
Calvaire - Fontaine	Bâtiment (avec entrée principale)
Panorama - Vue	Remparts - Tour
Phare - Moulin	Porte de ville
Grotte - Nuraghe	Statue - Petit bâtiment
Fort	Jardin, parc, bois
Curiosités diverses	Lettre identifiant une curiosité

Autres symboles

Autoroute (ou assimilée) (Autostrada)	Bâtiment public
Grand axe de circulation	Hôpital - Marché couvert
Voie à chaussées séparées	Cimetière
Voie en escalier - Sentier	Golf
Voie piétonne - impraticable	Hippodrome
Col - Altitude	Piscine de plein air, couverte
Gare - Gare routière	Table d'orientation
Tramway	Port de plaisance
Transport maritime : Voitures et passagers Passagers seulement	Bac
	Stade - Château d'eau
Aéroport	Téléphone
Chemin de fer à crémaillère, funiculaire	Bureau principal de poste restante (Fermo posta)
Téléphérique, télécabine, télésiège	Information touristique
	Parc de stationnement

Dans les guides MICHELIN, sur les plans de villes et les cartes, le Nord est toujours en haut. Les voies commerçantes sont imprimées en couleur dans les listes de rues.

Les plans de villes indiquent essentiellement les rues principales et les accès aux curiosités, les schémas mettent en évidence les grandes routes et l'itinéraire de visite.

Abréviations

H Hôtel de Ville (Municipio)	M Musée (Museo)	POL. Police (dans les grandes villes : Questura)
J Palais de Justice (Pal. di Giustizia)	P Préfecture (Prefettura)	T Théâtre (Teatro)
		U Université (Università)

Sigle concernant les conditions de visite : voir nos explications en fin de volume.

En ville, sauf indication contraire,
nos itinéraires de visite sont à suivre à pied.

CURIOSITÉS

description

par ordre alphabétique

Venise. — La place Saint-Marc.

Massif le plus élevé des Apennins, la région des Abruzzes a conservé, en raison de son isolement géographique et de la rudesse de son climat, la beauté de ses paysages et la vivacité de ses traditions. Bornée au Nord par la formidable barrière calcaire du Gran Sasso, elle s'étend de L'Aquila à Sulmona, et, de là, jusqu'à Alfedena et au Parc national des Abruzzes, offrant une grande diversité de paysages où alternent les gorges, les ravins en à-pic, les lacs, les forêts, les hauts plateaux désertiques et les pâturages.

Situé non loin de Rome et relié à elle par une autoroute, le massif s'est équipé ces dernières années d'installations de sports d'hiver, et de nombreuses stations accueillent désormais les skieurs en provenance de la capitale.

Visite. — La carte ci-contre situe, outre les localités et sites décrits, d'autres lieux particulièrement pittoresques (indiqués dans le plus petit caractère noir).

★★ LE GRAN SASSO
De L'Aquila à Castelli *159 km — compter 1/2 journée*

C'est le plus haut massif des Abruzzes dont le principal sommet, le **Corno Grande,** culmine à 2 914 m. S'abaissant doucement au Nord en longues échines ravinées, abruptement au Sud sur d'immenses plateaux glaciaires bordés de profondes vallées, il offre le contraste frappant d'un versant magnifiquement verdi de bois et de prairies et d'un autre d'une désolation grandiose.

★ **L'Aquila.** — *Page 44.*

Après Paganica, la route suit des gorges et s'élève jusqu'à Fonte Cerreto.

★★ **Campo Imperatore.** — *Accès de Fonte Cerreto, par la route.*

Ⓥ Celle-ci traverse un grandiose paysage de montagnes où errent de grands troupeaux de chevaux ou de moutons. C'est de Campo Imperatore que Mussolini s'évada le 12 septembre 1943, grâce à un coup de main audacieux d'aviateurs allemands qui se posèrent près de l'hôtel où le Duce était interné.

Revenir à Fonte Cerreto.

La route épouse ensuite les contreforts du Gran Sasso, le long de la verdoyante **vallée du Vomano**★★, puis s'encaisse dans de magnifiques gorges où se découvrent d'extraordinaires bancs rocheux stratifiés (5 km après Tintorale).

A la sortie de Montorio, prendre à droite la S 491, route d'Isola del Gran Sasso.

★ **Castelli.** — Bâti sur un promontoire boisé au pied du mont Camicia, Castelli est connu depuis le 13ᵉ s. pour ses faïences richement ornées et colorées.

LES GRANDS PLATEAUX
Circuit au départ de Sulmona *138 km — compter 1 journée*

Entre Sulmona et Castel di Sangro, s'étendent, à plus de 1 000 m d'altitude, les Grands Plateaux parcourus par les vaches que gardent des bergers habiles à fabriquer la fameuse « scamorza », fromage blanc en forme d'œuf vendu principalement à Rivisondoli.

★ **Sulmona.** — *Page 185.*

La route, après des passages en balcon, en tunnels et sur viaducs, débouche sur le plus important des Grands Plateaux, le **Plan des (Piano dei) Cinquemiglia,** ainsi nommé parce qu'il est long de cinq milles romains (8 km).

En vue du vieux village de Rivisondoli, prendre à gauche la route S 84.

★ **Pescocostanzo.** — Jolie bourgade aux rues dallées ou pavées, et aux maisons anciennes, où l'artisanat est resté florissant (fer forgé, cuivre, bois, dentelle, orfèvrerie). La collégiale **Santa Maria del Colle,** sur un plan Renaissance, présente quelques survivances romanes et des ajouts baroques (buffet d'orgue, plafond et grille de la nef gauche).

Castel di Sangro. — La ville domine un bassin encadré de montagnes. La cathédrale, de plan en croix grecque, est entourée de portiques Renaissance.

★ **Alfedena.** — Cette petite ville groupe ses maisons autour d'un château en ruine. Au Nord, des sentiers mènent à l'antique Alfedena dont subsistent des murs mégalithiques et une nécropole.

★ **Scanno.** — Au cœur d'un site de montagne, dominant le joli **lac de Scanno★** formé par l'éboulement qui barra le cours du fleuve Sagittario, cette station de villégiature a su préserver les témoignages de son passé, notamment ses rues étroites et escarpées, bordées de maisons et d'églises, où l'on voit passer des femmes encore vêtues du costume local de couleur noire, sans doute d'origine orientale. Dans la rue principale, on remarque une curieuse fontaine du 14e s. décorée en style byzantin.

Entre le lac de Scanno et Anversa degli Abruzzi, les **gorges (gole) du Sagittario★★** offrent, sur 10 km, une profondeur impressionnante et de multiples sinuosités.

Anversa degli Abruzzi. — Le portail de l'église, daté de 1540, présente un tympan sculpté (Mise au tombeau) et des sculptures de masques et de personnages bibliques.

★★★ PARC NATIONAL DES ABRUZZES
(PARCO NAZIONALE D'ABRUZZO)

Au cœur du massif, une réserve naturelle a été créée en 1921, dans le but de sauvegarder la faune, la flore et les sites de la région. S'étendant sur environ 40 000 ha, dont les 2/3 sont recouverts de forêts (hêtres, érables), le parc national des Abruzzes accueille l'aigle royal, le loup des Apennins, l'ours marsicain, le chamois des Abruzzes, le chat sauvage ; chevreuils et cerfs y vivent également en paix.

Ⓥ **Accès et visite.** — En voiture, les principaux accès sont Gioia Vecchio au Nord, Villetta Barrea et Barrea à l'Est, Forca d'Acero à l'Ouest.
De cette immense réserve naturelle, réglementée par quatre zones de protection, selon l'importance des sites à conserver et le genre d'activité ayant licence de s'y exercer, le visiteur peut sillonner une grande partie, grâce à quelques routes carrossables et à de nombreux sentiers bien tracés. Des refuges, des aires de camping ou de pique-nique, des « centres de visite » ont également été aménagés. L'observation des animaux sauvages et la découverte botanique ne sont guère concevables qu'à pied (ou à cheval dans certains endroits), en empruntant des sentiers balisés et de préférence sous la conduite de guides agréés.

Pescasseroli. — Centre principal de la vallée du Sangro et siège du parc national, Pescasseroli est situé dans une cuvette aux bords recouverts de hêtraies et de pinèdes. Le bourg vit du travail du bois, et du tourisme. Ville natale de Benedetto Croce, philosophe et homme politique (1866-1952).

AUTRES CURIOSITÉS

★ **Bominaco.** — A quelque 500 m au-dessus du hameau de Bominaco se dressent deux
Ⓥ églises romanes, ultimes témoignages d'un **monastère** bénédictin détruit au 15e s. L'**église San Pellegrino** est un oratoire datant du 13e s. dont l'intérieur présente des **fresques★** du 13e s. également, de facture maladroite mais au dessin minutieux, évoquant la vie du Christ et représentant un Saint Christophe géant. Une des églises romanes les plus caractéristiques de la région, **Santa Maria★**, des 11e et 12e s., possède un élégant chevet, une façade ornée d'une grande baie entourée de quatre lions en pierre faisant saillie. A l'intérieur, clair et dépouillé, on peut admirer un bel **ambon★** cubique du 12e s. reposant sur quatre colonnes aux chapiteaux palmés et richement décoré de rinceaux et de fleurons en relief.

Ⓥ **Corfinio.** — Au-delà du bourg, s'élève la **basilique de San Pelino** ou **« Basilica Valvense »**, de style roman, sur le flanc droit de laquelle se détache la chapelle St-Alexandre (12e s.). Faire le tour de l'église pour admirer l'**abside★** ; à l'intérieur, belle chaire du 12e s.

Popoli. — Petite ville commerçante dont le centre, la Piazza Grande, s'orne de l'église San Francesco, à façade gothique avec couronnement baroque. A côté de la place, la **Taverna ducale★** est un élégant édifice gothique orné de blasons et de bas-reliefs, qui servait d'entrepôt aux dîmes du prince.

Ⓥ **Alba Fucens.** — Ruines d'une colonie romaine fondée en 303 avant J.-C. Parmi les fondations, d'origine cyclopéenne, on remarque les restes de la basilique, du forum, des thermes, du marché couvert, ainsi que les rues dallées, puits et latrines.

★ **ALATRI** Latium   23 335 h.

Carte Michelin n° ▯▯▯ pli 26.

Bâtie au 6ᵉ s. avant J.-C., cette importante cité a conservé une partie de son enceinte de murs cyclopéens (4ᵉ s. avant J.-C). L'**acropole★**, de plan trapézoïdal, à laquelle on accède à pied par la grandiose porte de Civita, est l'une des mieux conservées d'Italie. On y jouit d'une très belle **vue★★** sur Alatri et le val de Frosinone.

Dans cette ville aux escaliers en raidillons et aux ruelles ornées de maisons gothiques s'élève, outre le **palais Gottefredi** du 13ᵉ s. *(largo Luigi di Persiis)*, l'**église Ste-Marie-Majeure★** (Santa Maria Maggiore), de transition roman-gothique, dont la façade s'ouvre par trois porches ; à l'intérieur, on découvre d'intéressants **bois sculptés★** du 12ᵉ au 15ᵉ s. Sur la route de contournement, l'**église St-Sylvestre** (San Silvestro), du 13ᵉ s., construite en pierres sèches, abrite des fresques du 13ᵉ au 16ᵉ s.

ALBA Piémont   31 182 h.

Carte Michelin n° ▯▯▯ pli 12.

C'est l'antique cité romaine d'Alba Pompeia qui donna à Rome l'empereur Pertinax (126) ; aujourd'hui, relais gastronomique réputé pour ses **« tartufi bianchi »,** truffes blanches (foire en automne) et ses vins (Barolo, Barbaresco, Barbera). La ville s'orne de plusieurs **tours seigneuriales,** d'églises et de maisons médiévales. A l'intérieur de la cathédrale — **Duomo San Lorenzo** — de style gothique, on remarque des stalles de marqueterie datant de la Renaissance, sculptées avec une grande virtuosité.

Au Sud d'Alba s'étendent les **Langhe,** région de collines calcaires couvertes de marnes et plantées de vignobles. En empruntant la route d'Alba à Ceva, on suit les crêtes de ces collines offrant une belle **vue★** sur les deux versants et on traverse de nombreux petits villages jouissant d'une situation panoramique.

★ **ALTILIA SAEPINUM** Molise

Carte Michelin n° ▯▯▯ pli 27 — 25 km au Sud de Campobasso.

Les ruines de la cité romaine de Saepinum occupent une douzaine d'hectares de plaines fertiles au pied du Matese, non loin des maisons de l'actuel village d'Altilia, bâties avec des matériaux prélevés sur les édifices antiques. Bourgade samnite occupée par les Romains qui en firent un municipe et la fortifièrent au 1ᵉʳ s., Saepinum connut son apogée vers la fin du 5ᵉ s. Elle fut détruite au 9ᵉ s. par les Sarrasins.

ⓥ **VISITE** *1 h 1/2 (accès par le Sud-Ouest)*

Porte Terravecchia. — Cette porte ruinée commandait l'extrémité Sud du Cardo (l'une des deux voies les plus importantes de la cité), orienté Nord-Sud.

★**Basilique, forum, temple.** — Ils se trouvaient au carrefour formé par le Cardo et le Decumanus, voie principale traversant la ville d'Est en Ouest et qui a conservé ses pavés. A gauche, subsistent les vingt colonnes ioniques du péristyle de la **basilique.** A droite, s'étend le forum, vaste place dallée rectangulaire que bordent, le long du Decumanus *(dans lequel on tourne à droite)* : les ruines de la curie ; celles d'un temple dédié à Jupiter, Junon et Minerve ; l'exèdre de la « maison du pressoir » dont les quatre silos à huile, en brique, sont encore visibles. Suivent les restes d'une fontaine sculptée d'un hippogriffe et ceux d'une maison samnite à impluvium.

Porte Benevento. — A l'extrémité Est du Decumanus s'ouvre son arche ornée, côté ⓥ campagne, d'une tête casquée. Un **musée** attenant retrace l'historique des fouilles et conserve (à l'étage) des sculptures, stèles et fragments de mosaïques.

Mausolée d'Ennius Marsus Volmarso. — Ce bel édifice semi-circulaire crénelé, s'élevant au-delà de la porte Benevento, repose sur un socle carré, gardé par deux lions de pierre très abîmés.

Revenir au carrefour principal et continuer à suivre le Decumanus.

On passe au sein du quartier d'habitation ; à droite, restes de boutiques.

★**Porte Boiano.** — Dédiée au futur empereur Tibère et à son frère Drusus, elle s'ouvre par une arche en plein cintre entre deux tours rondes. De son sommet, on domine la partie occidentale de l'enceinte et les ruines du centre de la ville.

Enceinte fortifiée. — Rectangulaire, d'un périmètre total de 1 250 m, en bel appareil de pierres en losanges, elle est jalonnée de vingt-cinq tours rondes arasées, et percée de quatre portes elles aussi fortifiées ; la partie occidentale est la mieux conservée.

Mausolée de Numisius Ligus. — *A l'extérieur de l'enceinte, en prenant à droite, en direction du Nord.* Tombeau quadrangulaire, couronné de quatre acrotères, d'une élégante simplicité.

★**Théâtre (Teatro).** — Petit hémicycle adossé au côté intérieur du mur d'enceinte et qui a conservé son entrée monumentale en pierre blanche.

ⓥ **Musée.** — *A l'avant du théâtre.* Au rez-de-chaussée, intéressantes sculptures décorant des sarcophages et des cippes funéraires. A l'étage, photos et documents concernant les fouilles.

De l'autre extrémité du théâtre, on gagne le Cardo que l'on prend à gauche.

Porte Tammaro. — Simple arche donnant accès au village de Sepino.

Amalfi qui a donné son nom à l'admirable Côte Amalfitaine *(voir ci-dessous)* est une petite ville d'allure espagnole dont les hautes maisons blanches sont juchées sur les pentes d'un vallon qui fait face à une mer très bleue, composant un **site**★★★ merveilleux, jouissant d'un climat très agréable, vivement apprécié des vacanciers.

La république maritime d'Amalfi. — C'est la plus ancienne d'Italie : fondée en 840 et placée dès la fin du 9ᵉ s. sous l'autorité d'un doge, elle atteignit son apogée au 11ᵉ s., époque à laquelle la navigation en Méditerranée était réglée par les Tables Amalfitaines (Tavole Amalfitane), le plus ancien code maritime du monde. Entretenant un commerce régulier avec les ports de l'Orient, plus particulièrement avec Constantinople, Amalfi possédait un arsenal où étaient construites de nombreuses et importantes galères qui servirent notamment au transport des croisés.

CURIOSITÉS

★**Cathédrale St-André (Duomo Sant'Andrea).** — Fondée au 9ᵉ s., agrandie aux 10ᵉ et 13ᵉ s. puis maintes fois transformée, elle témoigne du goût des cités maritimes pour la splendeur orientale. Elle abrite des reliques de l'apôtre saint André, transférées de Constantinople à Amalfi en 1206. La façade, refaite au 19ᵉ s. sur le modèle de l'ancienne, s'élève au sommet d'un imposant escalier et frappe par son appareil de pierres polychromes formant des motifs géométriques variés. A gauche, le campanile est tout ce qui reste de la construction d'origine. Un vaste atrium précède l'église dans laquelle on pénètre par une belle **porte**★ de bronze (11ᵉ s.), provenant de Constantinople. A l'intérieur, de style baroque, on peut admirer deux colonnes antiques, deux candélabres et deux ambons du 12ᵉ s.

ⓥ Par l'atrium, on pénètre dans le **cloître du Paradis**★★, bâti en 1268, où se mêlent l'austérité romane et la fantaisie arabe, et dont les galeries abritent quelques beaux sarcophages.

★**Rues Genova et Capuano.** — Partant de la piazza del Duomo, elles constituent le centre animé et commerçant de la ville. La variété des façades, les balcons et niches fleuris en font un lieu pittoresque. De part et d'autre, des ruelles, escaliers, passages sous voûtes aboutissent à des placettes ornées de fontaines.

Piazza Flavio Gioia. — Elle porte le nom de l'Amalfitain à qui on attribue le perfectionnement de la boussole ; à gauche de la porte de la Marine, l'**arsenal** où étaient autrefois installés les chantiers navals.

★★★ CÔTE AMALFITAINE (COSTIERA AMALFITANA)

79 km — compter 1 journée

Entre Sorrente et Salerne, la route suit en corniche les accidents de la plus belle côte d'Italie : la Côte Amalfitaine. Sur un parcours de 30 km environ, le voyageur découvre des paysages magnifiques où se succèdent des rochers à l'aspect fantastique plongeant à pic dans la mer, des gorges profondes franchies par des ponts vertigineux, des tours sarrasines perchées sur des pitons : ce relief accidenté et sauvage est dû à l'érosion de la chaîne calcaire des monts Lattari dont la Côte Amalfitaine constitue l'extrême rebord. Mais, à cette âpreté s'opposent la douceur des villages de pêcheurs et la luxuriance d'une végétation où alternent orangers, citronniers, oliviers, amandiers, vignes et toutes les fleurs de la Méditerranée. Dans cette région que fréquentent volontiers les étrangers et les artistes, la gastronomie joue un rôle important : la table est constituée avant tout de poissons fins, de crustacés et de coquillages ; on y déguste également la « mozzarella », *(voir p. 33)*

(Photo Roy/Explorer)

La Côte Amalfitaine.

que l'on accompagne des vins rouges de Gragnano ou des vins blancs de Ravello, Positano, etc.

Visite. — La carte ci-après situe, outre les localités et sites décrits, d'autres lieux particulièrement pittoresques (indiqués dans le plus petit caractère noir).

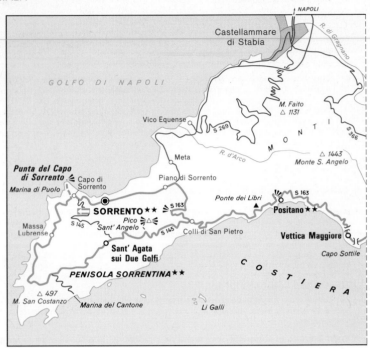

★★Sorrente et sa presqu'île. — *Page 184.*

★★Positano. — Ancienne bourgade de marins, Positano est aujourd'hui l'une des stations les plus fréquentées de la Côte Amalfitaine. Ses petites maisons cubiques et blanches d'allure mauresque se perdent au creux de verdoyants jardins qui descendent en terrasses vers la mer.

Vettica Maggiore. — Ses maisons sont dispersées sur les pentes. On a, de l'esplanade, une belle **vue★★** sur la côte et la mer.

★★Vallone di Furore. — Entre deux tunnels, la « gorge de la Fureur » est la plus impressionnante coupure de la côte, par la sombre profondeur de ses parois rocheuses resserrées et escarpées, par le mugissement d'une mer sauvage qui, les jours de gros temps, déferle avec force. Une bourgade de pêcheurs s'est pourtant installée là, à l'endroit où débouche le lit d'un torrent. Les maisonnettes accrochées aux pentes et les barques de couleurs vives tirées sur la grève surprennent un peu dans ce paysage farouche. Pour découvrir les divers aspects du site, on peut suivre le sentier qui longe un des côtés de la gorge.

★★Grotte d'Émeraude (Grotta dello Smeraldo). — Cette grotte marine, située au fond d'une crique rocheuse battue par la mer, se visite en bateau. L'eau, d'une transparence exceptionnelle, est éclairée indirectement, par réflexion des rayons qui lui donnent cette admirable couleur émeraude. Le fond de la grotte qui paraît tout proche malgré 10 mètres de profondeur n'a pas toujours été recouvert par la mer, ainsi qu'en témoignent les stalagmites surgissant curieusement de l'eau ; son immersion est la conséquence du bradisisme *(voir page 129)*, auquel est soumise la région.

★Atrani. — Au débouché de la vallée du Dragon, Atrani est un agréable village de pêcheurs qui possède deux églises anciennes : Santa Maria Maddalena et San Salvatore ; cette dernière, fondée au 10e s., conserve une porte de bronze qui semble inspirée par celle de la cathédrale d'Amalfi. Une route admirable, en lacet, conduit jusqu'à Ravello.

★★★Ravello. — *Page 159.*

★Cap d'Orso. — Composé de roches bizarrement découpées, il offre un point de vue intéressant sur la baie de Maiori.

Vietri sul Mare. — Étagée à l'extrémité de la Côte Amalfitaine sur laquelle elle offre de magnifiques **vues★★**, Vietri est renommée pour son artisanat traditionnel de la céramique.

★Salerne. — *Page 178.*

LES GUIDES VERTS MICHELIN

Paysages
Monuments
Routes touristiques
Géographie
Histoire, Art
Itinéraires de visite
Plans de villes et de monuments

Un choix de guides pour vos vacances en France et à l'étranger.

★ **ANAGNI** Latium   18 975 h.

Carte Michelin n° ▓▓▓ pli 26 — 65 km au Sud-Est de Rome.

Située sur un éperon dominant la vallée du Sacco, Anagni est une petite ville d'aspect médiéval. Plusieurs papes y naquirent, dont Boniface VIII qui excommunia Philippe le Bel et que Dante place aux Enfers en raison de ses abus de pouvoir.
Le principal édifice de la ville est la **cathédrale★★** (Cattedrale) qui occupe l'emplacement de l'ancienne acropole. Construite au cours des 11e et 12e s. en style roman, elle fut remaniée au 13e s. avec des ajouts gothiques. En en faisant le tour, on remarquera les trois absides romanes à bandes et arcatures lombardes, la statue de Boniface VIII (14e s.) au-dessus de la loggia du flanc gauche et le puissant campanile roman détaché de la construction. L'intérieur se compose de trois nefs dont le **pavement★** (13e s.), aux motifs variés, est l'œuvre des Cosmates *(voir p. 27)*. Le maître-autel est surmonté d'un ciborium (baldaquin) roman ; le **trône épiscopal,** ainsi que le **chandelier pascal** à colonne torse, décoré d'incrustations polychromes, reposant sur deux sphinx et surmonté d'un petit atlante, ont été exécutés par Pietro Vassaletto dans le style des Cosmates. La **crypte★★★**, au pavement cosmate également, est ornée de magnifiques **fresques** (13e s.) évoquant des scènes de l'Ancien Testament, illustrant la vie des saints et montrant quelques personnages scientifiques, comme Galien et Hippocrate. Le **trésor** conserve quelques beaux objets de culte dont la chape de Boniface VIII.
Le **quartier médiéval★**, presque entièrement composé d'édifices du 13e s, est particulièrement évocateur. On y trouve notamment le **palais de Boniface VIII** dont la façade est caractérisée par deux galeries superposées et ajourées, l'une d'immenses baies en plein cintre, l'autre de jolies fenêtres géminées à colonnettes ; à l'un des angles de la piazza Cavour, le **palais communal** (Palazzo Comunale), des 12e s.-13e s., repose sur une énorme **voûte★** et présente une façade postérieure de style cistercien.

★ **ANCÔNE** Marches   105 657 h.

Carte Michelin n° ▓▓▓ pli 16 — Plans dans le guide Rouge Michelin Italia.

Principale ville des Marches, Ancône est bâtie sur un promontoire en forme de coude (en grec « ankon ») qui lui a donné son nom. Fondée au 4e s. avant J.-C., république maritime autonome au Moyen Age, c'est aujourd'hui un port commercial actif d'où l'on embarque pour la Yougoslavie ou la Grèce. Ancône est aussi spécialisée dans l'industrie des accordéons, guitares et orgues électroniques.

CURIOSITÉS

★**Cathédrale (Duomo San Ciriaco).** — Placée sous le vocable de saint Cyriaque, martyr au 4e s. et patron de la cité, elle a été édifiée en style roman alliant des éléments architecturaux byzantins (plan en croix grecque) et lombards (bandes et arcatures des murs extérieurs). La façade est précédée d'un majestueux **porche** gothique en pierre rose reposant sur des lions. L'intérieur est scandé par des colonnes monolithes de marbre à **chapiteaux** romano-byzantins. En passant sous la coupole, remarquer l'habileté du passage du carré au tambour supportant la calotte. Dans le chœur, tombeau de l'ermite G. Giannelli (1509) dû au sculpteur dalmate Giovanni da Traù.

★**Loge des Marchands (Loggia dei Mercanti).** — Édifiée au 15ᵉ s., elle présente une belle façade de style gothique vénitien, œuvre de Giorgio Orsini.

★**Église Santa Maria della Piazza.** — Cette petite église romane du 10ᵉ s. à la ⓥ charmante façade (1210) ornée de sculptures populaires s'élève sur les restes de deux **sanctuaires primitifs** des 5ᵉ et 6ᵉ s., conservant des pavements à mosaïques.

ⓥ **Musée national des Marches (Museo Nazionale delle Marche).** — *A l'extrémité Sud de la piazza del Senato.* Aménagé dans le palais Ferretti, il abrite d'intéressantes collections préhistoriques et archéologiques.

ⓥ **Galerie communale Francesco Podesti.** — *Via Ciriaco Pizzecolli.* Œuvres de C. Crivelli, Titien, L. Lotto, C. Maratta, Le Guerchin. Galerie d'art moderne (toiles de Bartolini, Campigli, Cassinari, Tamburini).

Église San Francesco delle Scale. — *Via Ciriaco Pizzecolli, non loin de la pinaco-thèque.* Cette église construite au 15ᵉ s. possède un splendide portail gothique vénitien, chef-d'œuvre de Giorgio Orsini.

Arc de Trajan. — Il se dresse à l'extrémité septentrionale du lungomare Vanvitelli, en l'honneur de Trajan qui fit aménager le port en l'an 115.

EXCURSIONS

★**Portonovo.** — *12 km au Sud-Est.* Site pittoresque formé par le rivage rocheux du ⓥ massif du **Conero.** Un chemin privé conduit à travers bois à la charmante **église Santa Maria★** bâtie au 11ᵉ s. sur plan presque carré inspiré des églises normandes.

ⓥ **Jesi.** — *32 km au Sud-Ouest.* Petite ville d'aspect médiéval dont la **pinacothèque★** est remarquable par son important ensemble d'œuvres de Lorenzo Lotto, peintre vénitien de la première moitié du 16ᵉ s., qui assimila la leçon de l'art allemand. Voir également le **palais de la Seigneurie★** (Palazzo della Signoria), élégant édifice Renaissance construit par Francesco di Giorgio Martini, élève de Brunelleschi.

Chaque année,
*le **guide Rouge Michelin Italia***
révise sa sélection d'établissements

— *servant des repas soignés à prix modérés,*
— *pratiquant le service compris au prix nets,*
— *offrant un menu simple à prix modeste,*
— *accordant la gratuité du garage...*

Tout compte fait, le guide de l'année, c'est une économie.

★ ANZIO Latium

Carte Michelin n° 988 pli 26.

Adossée à un promontoire et face à la mer, Anzio forme avec **Nettuno** une agréable station balnéaire dotée d'un port de plaisance.

C'est l'antique Antium, cité volsque où se réfugia Coriolan après avoir renoncé à entreprendre une lutte fratricide contre Rome. C'est également la patrie de Néron qui y possédait une villa où furent trouvés l'Apollon du Belvédère, la Fanciulla (jeune fille) d'Anzio et le Gladiateur Borghese, aujourd'hui respectivement au Vatican, au Musée national romain à Rome et au Louvre.

Anzio a enfin donné son nom au débarquement effectué par les Anglais et les Américains le 22 janvier 1944, qui permit, au prix de longs combats, la reconquête de Rome le 4 juin suivant. Plusieurs cimetières, monuments et musées commémorent le sacrifice des soldats tombés au cours de cette opération militaire.

EXCURSION

★**Ile de Ponza.** — *Accès : voir le guide Rouge Michelin Italia.*

Au large du golfe de Gaète, cette île d'origine volcanique présente une échine verdoyante et des falaises blanches ou gris-bleuté, bordées d'étroites plages, ou plongeant à pic dans la mer. Au Sud-Est de l'île, le village de **Ponza**★ aligne en amphithéâtre ses maisons cubiques gaiement colorées autour d'un petit port fréquenté par les bateaux de pêche, de cabotage, de plaisance, et par ceux qui assurent la liaison avec le continent. L'île est particulièrement appréciée des amateurs de pêche sous-marine.

★ AOSTE (AOSTA) Val d'Aoste

Carte Michelin n° 988 pli 2 et n° 219 pli 2 — Plans dans le guide Rouge Michelin Italia.

Située au centre du val qui porte son nom, Aoste, capitale de la région, conserve son plan d'ancien « castrum » romain et quelques monuments de cette époque. Actif foyer religieux au Moyen Age, Aoste a donné naissance à saint Anselme, archevêque de Cantorbéry, mort en 1109. C'est aujourd'hui un actif centre industriel et, depuis la percée du tunnel du Mont Blanc en 1965, un noyau touristique d'importance, au carrefour de la route menant au col du Grand Saint-Bernard et en Suisse.

★**Monuments romains.** — Groupés au centre de la ville, ce sont principalement la **porte Pretoria** et le majestueux **arc d'Auguste,** tous deux datant du 1er s. avant J.-C., le **pont romain,** le **théâtre** et les ruines de l'**amphithéâtre.**

⊘**Collégiale St-Ours (Collegiata di Sant'Orso).** — Construite sur plusieurs étages, cette église abrite de très belles **stalles** de bois sculpté (15e s.) et un jubé baroque. A côté de la **crypte** datant du 11e s., une porte donne accès à un charmant petit **cloître**★ roman dont les **chapiteaux**★★ historiés illustrent des scènes bibliques et profanes.

Le **prieuré St-Ours** (Priorato di Sant'Orso) est un bâtiment de style Renaissance aux **fenêtres**★ élégantes.

⊘**Cathédrale** (**Cattedrale**). — Construite au 12e s., elle a été maintes fois remaniée et présente une façade néo-classique (1848). Dans le chœur on remarque un pavement à mosaïque du 12e s., des stalles gothiques du 15e s. et le tombeau de Thomas II de Savoie (14e s.). La ⊘sacristie abrite un riche **trésor.** Cloître du 15e s.

★★VAL D'AOSTE

La vallée centrale de la Doire Baltée, ses vallées adjacentes et secondaires forment la région du Val d'Aoste, située au cœur des hauts sommets des Alpes françaises et suisses : Mont Blanc, Cervin (Cervino), Mont Rose (Monte Rosa), Grand Combin, Dent d'Hérens, Grand Paradis (Gran Paradiso), Grande Sassière, etc. Cette situation privilégiée offre de nombreux et grandioses **points de vue**★★★. En outre, la nature préservée des vallées retirées, les nombreux châteaux de la vallée centrale, les vals jalonnés de villages aux toits de lauzes et balcons de bois, le mode de vie encore traditionnel et les innombrables possibilités d'excursions en téléphérique, à pied et en voiture, les routes splendides aboutissant au pied des glaciers éblouissants, font du Val d'Aoste un pays captivant, accessible grâce au tunnel du Mont Blanc et aux cols du Grand et du Petit St-Bernard.

Le montagnard valdôtain, religieux, attaché à ses coutumes et soucieux de ses libertés (le Val d'Aoste est depuis 1948 une région autonome sur le plan administratif) parle encore le provençal. Habitant de typiques maisons couvertes de dalles de pierre plates appelées lauzes, il vit principalement de l'élevage et fabrique un fromage nommé fontina, avec lequel on fait la fondue. Durant les soirées d'hiver, il sculpte le bois.

Visite. — La carte des pages 42-43 situe, outre les localités et sites décrits, d'autres lieux particulièrement pittoresques (indiqués dans la plus petit caractère noir).

★★**Parc national du Grand-Paradis (Parco Nazionale del Gran Paradiso).** — Il englobe, sur près de 70 000 ha, l'ancienne réserve royale de chasse. On peut y accéder par le Val de Rhêmes, le Val Savarenche, le Val de Cogne, ou encore par Locana et la route du col du Nivolet. Refuge de très nombreux animaux sauvages, dont les derniers bouquetins survivent en Europe, et réserve des espèces les plus rares de la flore alpine.

DE COURMAYEUR A IVRÉE

162 km — compter une journée

★★**Courmayeur.** — *Plans dans le guide Rouge Michelin Italia.* De cette station connue des alpinistes et des skieurs, on peut effectuer diverses excursions. Par téléphérique : traversée du massif du Mont Blanc *(à partir de la Palud, voir le guide Vert Michelin Alpes)* ; la Cresta d'Arp. En voiture : le Val Veny ; le Val Ferret ; la Testa d'Arpi ; la route du Petit St-Bernard, l'un des principaux passages des Alpes déjà utilisé dans l'Antiquité par les Romains.

L'itinéraire suit la vallée de la Doire Baltée (Dora Baltea). A la sortie de St-Pierre, après avoir laissé à droite la route du val de Cogne, apparaissent à gauche le **château de Sarre** qui fut résidence d'été des comtes de Savoie ; puis, à droite, la **forteresse d'Aymavilles** (14e s.) cantonnée de grosses tours rondes crénelées.

★**Aoste.** — *Page 43.*

★**Château de Fénis.** — Cette imposante forteresse renferme des meubles de bois sculpté typiques de la production valdôtaine. La cour intérieure est remarquable par ses fresques illustrant la Légende Dorée.

★★**Breuil-Cervinia.** — Station de sports d'hiver admirablement située à 2 050 m d'altitude. Excursions en téléphérique au Plateau Rosa (Plan Rosa), et au col de Furggen à 3 491 m d'altitude.

★**St-Vincent.** — Son Casino de la Vallée, au cœur d'un beau parc, est très fréquenté.

Le long de la route s'égrènent les châteaux de Montjovet puis de **Verrès** (14e s.) qui, curieusement, n'a ni tours d'angle ni donjon.

★**Château d'Issogne.** — Construit à la fin du 15e s. par Georges de Challant, il est remarquable par sa cour ornée d'une fontaine surmontée d'un grenadier en fer forgé, sa galerie à arcades décorée de scènes paysannes (fresques du 15e s.) et son mobilier valdôtain.

★**Forteresse de Bard.** — Démantelée en 1800 par Napoléon, reconstruite au 19e s., elle commande la haute vallée de la Doire Baltée.

Pont-St-Martin. — Cette petite ville doit son nom au pont romain protégé par une chapelle dédiée à saint Jean Népomucène.

Ivrée (Ivrea). — Au débouché de la vallée d'Aoste, cette cité industrielle est située à l'Ouest de la plus grande muraille moraïnique d'Europe, la « serra d'Ivrea ».

★ **L'AQUILA** Abruzzes   64 963 h.

Carte Michelin n° ▨▨▨ pli 26 — Schéma p. 36 — Plan dans le guide Rouge Michelin Italia.

Fondée au 13e s. par l'empereur Frédéric II de Hohenstaufen qui lui donna pour emblème l'aigle impérial, L'Aquila fut en partie ceinte de remparts par Charles Ier d'Anjou qui en devint le maître dès 1266. Construite en belle pierre dorée, elle conserve de nombreuses églises romanes et Renaissance ainsi que des palais qui portent le chiffre de saint Bernardin de Sienne (IHS, Iesus Hominum Salvator) qui y prêcha et y mourut en 1444.

★★**Basilique St-Bernardin (San Bernardino).** — Élevée entre 1454 et 1472, cette magnifique église est dotée d'une remarquable façade très animée due à Cola dell'Amatrice (1527). A l'intérieur, en forme de croix latine, ample et lumineux, on peut admirer un beau plafond de bois baroque, le **mausolée★** de saint Bernardin, orné de figures dues au sculpteur local Silvestro dell'Aquila, et l'élégant **sépulcre★** de Maria Pereira par le même Silvestro.

★**Château (Castello).** — Bel exemple d'architecture militaire du 16e s., à plan carré et renforcé de puissants bastions aux angles. Dans les vastes salles est installé le **Musée national des Abruzzes★★**, composé d'une section archéologique et d'une section médiévale — principalement des objets caractéristiques de l'art des Abruzzes, d'un grand intérêt — et moderne.

★**Basilique Santa Maria di Collemaggio.** — Elle se détache admirablement sur une vaste place ; érigée en style roman dès 1287 sous l'impulsion de Pierre de Morone, le futur pape Célestin V, elle présente une merveilleuse **façade★★** de pierres blanches et roses, rythmée par des rosaces et des portails en plein cintre ajoutés au siècle suivant.

★**Fontaine des 99 tuyaux (Fontana delle 99 cannelle).** — Cette imposante fontaine remaniée au 15e s. crache l'eau par 99 masques : allusion à la création miraculeuse de la ville qui serait apparue dotée de 99 quartiers, 99 châteaux, places, églises et fontaines ; aujourd'hui encore, chaque soir, une cloche tinte 99 fois à la tour du Palais de Justice.

AQUILEIA Frioul — Vénétie Julienne

Carte Michelin n° 988 pli 6.

Cette ancienne colonie romaine doit son nom à l'aigle (aquila) qui traversa le ciel au moment de sa fondation (181 avant J.-C.). Marché florissant sous l'Empire et quartier général d'Auguste lors de sa lutte contre les Germains, Aquileia devint par la suite le siège d'un patriarcat ecclésiastique (554-1751) parmi les plus importants d'Italie.

★★**Basilique.** — Construite au 11e s. sur les ruines d'un édifice du 4e s., cette église romane, précédée d'un porche et dotée d'un campanile isolé, a été remaniée au 14e s. L'intérieur à trois nefs, en forme de croix latine, est décoré d'un splendide **pavement**★★ en mosaïques (4e s.) qui compte parmi les plus grands et les plus riches de la Chrétienté occidentale : de nombreuses scènes religieuses y sont représentées. La charpente et les arcades sont du 14e s., les chapiteaux romans, la décoration du transept Renaissance. La **crypte** carolingienne du 9e s. est ornée de **fresques**★★ romanes. De la nef gauche, on accède à la **Cripta degli Scavi** où sont rassemblés des objets de fouilles, notamment de splendides **pavements**★★ en mosaïques du 4e s.

★**Ruines romaines.** — Aux abords de la basilique, des fouilles ont mis en valeur les restes de l'Aquileia romaine : la Via Sacra (derrière la basilique) qui mène au port fluvial, des maisons et le forum (Foro).

Les **musées archéologique et paléochrétien** constituent une importante réunion d'objets provenant des fouilles d'Aquileia : remarquer notamment, dans le musée archéologique, une belle série de portraits dont ceux de Tibère et d'Auguste jeune.

★ AREZZO Toscane

Carte Michelin n° 988 pli 15.

D'abord l'un des centres les plus actifs de la civilisation étrusque, puis riche cité romaine, commune libre dès la fin du 11e s. mais annexée en 1384 par Florence à la suite d'une longue lutte, Arezzo a conservé de nombreux témoignages de son passé historique et a donné naissance à plusieurs hommes illustres parmi lesquels on compte Guido d'Arezzo (vers 990), inventeur du système de notation musicale, Pétrarque (1304), L'Arétin (1492), Giorgio Vasari *(voir p. 46)*, et probablement Mécène (69 — 8 avant J.-C.), le légendaire protecteur des artistes.

AREZZO

CURIOSITÉS

Église St-François (San Francesco) (ABY). — Vaste église à une seule nef, destinée à la prédication franciscaine, élevée dans le style gothique du 14e s.

★★★**Fresques de Piero della Francesca.** — Ce cycle de fresques, exécutées entre 1452 et 1466 sur les parois de l'abside, est sans conteste l'un des chefs-d'œuvre de la peinture de tous les temps. Dans ces scènes illustrant l'histoire de la Vraie Croix (Mort et ensevelissement d'Adam, Salomon et la reine de Saba, le songe de Constantin, la victoire de Constantin sur Maxence, l'invention de la Croix, la victoire d'Heraclius sur Chosroès, l'Annonce de la mort du Christ à Marie), l'artiste, formé à l'école de Florence et qui avait subi en outre la leçon luministe de Domenico Veneziano, atteint à un équilibre maîtrisé de la composition et des couleurs : les figures solides, aux gestes et aux regards comme immobilisés dans le réseau serré de l'ordre perspectif, sont traités avec un réalisme profond qui touche parfois, dans le costume notamment, à l'humour.

★**Église Santa Maria della Pieve** (BY B). — Cette belle église romane (12e s.) est flanquée d'un puissant campanile. Sa **façade**★★, de style pisan, est animée par trois étages de colonnettes ornées de motifs variés et dont l'écartement diminue avec la hauteur. A l'autel, polyptyque de Pietro Lorenzetti (14e s.).

★**Piazza Grande** (BY). — Derrière S. Maria della Pieve s'ouvre la Piazza Grande, entourée de maisons médiévales, de palais Renaissance et des « Logge » dues à Vasari (16e s.), où se déroule, en costumes historiques, la **Joute du Sarrasin,** attaque d'un mannequin par des cavaliers *(voir le chapitre Principales manifestations touristiques, en fin de volume).*

Ⓥ**Musée archéologique (Museo Archeologico)** (AZ M¹). — En bordure de l'**amphithéâtre romain** (ABZ), des 1er et 2e s. Remarquable collection de statuettes étrusques (6e et 5e s. avant J.-C.) et de vases arétins d'époque romaine.

Cathédrale (Duomo) (BY). — Vaste édifice élevé dès le 13e s. au sommet de la ville. L'intérieur est riche en **œuvres d'art**★ : vitraux du Berrichon Marcillat, fresque de Piero della Francesca représentant la Madeleine, tombeau (arca) de saint Donat (14e s.).

Église St-Dominique (San Domenico) (BY). — Du 13e s., elle abrite des fresques de l'école de Duccio et un admirable **crucifix**★★ peint (vers 1260) attribué à Cimabue.

Ⓥ**Maison de Vasari (Casa del Vasari)** (AY A). — Fastueusement décorée par son propriétaire, le peintre-sculpteur-architecte et premier historien de l'art italien, **Giorgio Vasari** (1511-1574), elle abrite également quelques œuvres de maniéristes toscans.

Église Ste-Marie-des-Grâces (Santa Maria delle Grazie). — *1 km par le viale Mecenate* (AZ) *en direction du Sud.* L'église est précédée d'un gracieux **portique**★, dû au Florentin Benedetto da Maiano (15e s.). A l'intérieur, **retable**★ en marbre d'Andrea Della Robbia.

Ⓥ**Musée d'Art médiéval et moderne** (AY M²). — Installé dans le palais Bruno-Ciocchi, Renaissance. Nombreuses peintures du 13e au 19e s., sculptures, céramiques, meubles et orfèvrerie ; armes, petits bronzes et numismatique.

★★ ASCOLI PICENO Marches   53 988 h.

Carte Michelin n° ▨▨▨ pli 16 — Plan dans le guide Rouge Michelin Italia.

Située dans une étroite vallée au confluent du Tronto et du Castellano, Ascoli Piceno est une ville à la fois austère et agréable, ceinte de remparts et possédant un noyau urbain médiéval riche en églises, palais, demeures et rues pittoresques.

★★**Piazza del Popolo.** — Allongée et harmonieuse, pavée de larges dalles, la place du Peuple est entourée de monuments gothiques et Renaissance. Lieu de rencontre de la population, elle sert de cadre aux principales fêtes de la cité. Tout autour s'élèvent plusieurs monuments : le **palais des Capitaines du peuple**★ (Palazzo dei Capitani del Popolo), austère construction du 13e s. dont l'important portail Renaissance (surmonté par la statue du pape Paul III) a été ajouté en 1549 par Cola dell'Amatrice. Au fond de la place, l'**église St-François**★ (San Francesco), commencée en 1262 et consacrée en 1371, présente certains éléments d'influence lombarde ; au flanc droit de l'église, est accolée la **Loge des Marchands**★ (Loggia dei Mercanti), élégante construction du 16e s. qui rappelle les exemples toscans (chapiteaux).

★**Vieux Quartier (Vecchio Quartiere).** — Il s'étend entre le fleuve Tronto et le **corso Mazzini**★, bordé de maisons anciennes, dont au n° 224 le palais Malaspina du 16e s. A l'entrée de la **via delle Torri** s'élève la façade Renaissance de **St-Augustin** (Sant'Agostino) qui conserve une fresque de Cola dell'Amatrice représentant le Christ portant sa croix. En suivant la via delle Torri on aboutit à **St-Pierre-Martyr** (San Pietro Martire), du 14e s., et, au-delà, à l'église romane **St-Vincent et St-Anastase**★ (Santi Vincenzo ed Anastasio) ornée d'une curieuse façade du 14e s. à compartiments. Le long de la via Soderini remarquer la **tour Ercolani**, la plus haute des nombreuses tours féodales de la ville, et le **palais Longobardo** (12e s.), de style roman-lombard. Précédé d'une porte médiévale, un pont romain à une seule arche, le **pont de Solestà**★, surplombe le fleuve Tronto à plus de 25 m : son extrémité, s'offre une belle vue sur les vieux quartiers.

Cathédrale (Duomo). — Élevée au 12e s. Sa façade grandiose est due à Cola dell'Amatrice. A l'intérieur, magnifique **polyptyque**★ de **Carlo Crivelli** (1473) : le peintre vénitien, au réalisme minutieux, s'installa à Ascoli Piceno dès 1470, et son exemple favorisa l'essor artistique de la région. A gauche de la cathédrale, le **baptistère**★ octogonal sur base carrée est l'un des plus beaux d'Italie. Non loin de là, via Buonaparte, le **palais Buonaparte** est un bel exemple d'architecture Renaissance du 16e s.

Ⓥ**Pinacothèque.** — Installée dans le palais communal sur la piazza Arringo. Peintures de l'école de Crivelli ; œuvres de C. Maratti, Titien, van Dyck, Bellotto, Guardi, J. Callot. Chape du pape Nicolas IV, admirable travail anglais du 13e s.

La ville d'Assise, gracieusement étalée sur les pentes du mont Subasio, est imprégnée du souvenir de **saint François,** comme en témoignent les nombreux récits de sa vie et de ses miracles. Sous l'influence de l'ordre religieux qu'il avait fondé, la cité a vu s'épanouir un art nouveau qui marque un tournant dans l'histoire esthétique de l'Italie.

Né en 1182, François, jeune homme riche et brillant rêvant d'une carrière militaire, se convertit en 1201 à la suite d'une fièvre grave. Il eut plusieurs apparitions de la Vierge et du Christ, notamment à La Verna où il reçut les stigmates. Pourtant, ce mystique possédait également une sensibilité tendre et populaire, tournée vers la nature, dont il célébra la simplicité dans des textes écrits en langue ombrienne ; en outre, il encouragea une très jeune fille d'une rare beauté, Claire, à fonder l'ordre des clarisses. Lui-même mourut en 1226 après avoir établi, dès 1210, l'ordre des frères mendiants appelés franciscains.

(Photo Schneiders/Artephot)

Saint François parlant aux oiseaux,
par le Maître de Saint François (13e s.)
(Basilique inférieure).

La leçon spirituelle du fils du drapier d'Assise, faite de renoncement, d'acceptation humble et de joie mystique a déterminé une nouvelle vision artistique qui s'exprime dans la pureté et l'élégance de l'art gothique. Tout d'abord austères et nues, destinées à la prédication populaire, les églises s'enrichirent au cours du 13e s. d'un nouveau faste traduisant, grâce aux récits légendés de saint Bonaventure, l'amour tendre et intime de saint François pour la nature et ses créatures. Dès la fin du 14e s., Assise réunit les maîtres de Rome et de Florence qui, sur le chantier de la basilique San Francesco, infléchirent définitivement la rigueur byzantine vers un art plus dramatique et empreint d'une émotion spirituelle dont Cimabue d'abord, puis Giotto, furent les interprètes les plus puissants.

★★★ BASILIQUE ST-FRANÇOIS (SAN FRANCESCO) (A)

visite : 1 h 1/2

L'ensemble, consacré en 1253, se présente comme une superposition de deux édifices, reposant sur d'immenses arcades. Son plan, imaginé aussitôt après la mort du saint, est l'œuvre du frère Elie qui orienta l'ordre franciscain vers le faste et la décoration.

Basilique inférieure. — L'intérieur, sombre et trapu, à nef unique précédée d'un narthex allongé, est composé de quatre travées sur plan carré que recouvrent entièrement des **fresques**★★★ des 13e et 14e s.

La chapelle de St-Antoine Abbé, située dans le narthex, donne accès au **cloître des Morts**★★★ (15e s.), à deux étages, où règnent la douceur et le silence.

De la nef, on accède à la première chapelle gauche qui présente des **peintures**★★ de Simone Martini évoquant la vie de saint Martin, fresques remarquables par la finesse du dessin, l'harmonie de la composition et le jeu varié des couleurs. Plus loin, au-dessus de la chaire, Couronnement de la Vierge, fresque due à Maso, élève de Giotto (14e s.). La **voûte**★★ du chœur est ornée de scènes symbolisant le Triomphe de saint François et les Vertus qu'il pratiqua, œuvres d'un disciple de Giotto. Dans le transept droit on admire une **Madone avec quatre anges et saint François**★★, majestueuse composition de Cimabue. Le transept gauche est décoré de **fresques**★★ représentant, à la voûte, l'histoire de la Passion : riches d'invention narrative et de détails, elles sont attribuées à l'école de Pietro Lorenzetti ; aux parois, les fresques, dues au maître lui-même, frappent par leur expression dramatique (**Descente de Croix**).

Ⓥ Du transept gauche, on accède au grand cloître de style Renaissance et au **trésor**★★ abritant de nombreux objets de culte et une collection de peintures (14e et 15e s.)

Basilique supérieure. — Faisant contraste avec les volumes trapus de l'église inférieure, le vaisseau élancé de cette haute nef unique offre le spectacle d'une structure gothique accomplie, baignée de lumière grâce aux fenêtres élevées qui trouent les parois. L'abside et le transept sont décorés de fresques (malheureusement abîmées) par Cimabue et son école. Dans le transept gauche on admire une **Crucifixion**★★★ du maître, d'une grande intensité tragique.

De 1296 à 1304, **Giotto** et ses aides ont représenté sur les parois de la nef un cycle de 28 **fresques**★★★ évoquant la vie de saint François. Par la définition claire et aérée de chaque scène et le souci toujours plus affirmé de réalisme, ces peintures ouvrent une nouvelle voie au langage figuratif de l'art italien que la Renaissance va porter, deux siècles plus tard, à son sommet.

Sortant de l'église, sur l'esplanade, on peut admirer l'harmonieuse façade percée d'un portail et d'une belle rosace de dessin cosmatesque *(voir p. 27)*.

AUTRES CURIOSITÉS

★★**Château médiéval (Rocca Maggiore)** (B). —
Ⓥ Bel exemple d'architecture militaire du 14ᵉ s.
Du sommet du donjon, on jouit d'une **vue★★**
splendide sur la ville et sa campagne.

★★**Église Ste-Claire (Santa Chiara)** (BC). —
Précédée d'une terrasse d'où s'offre une jolie
vue sur la campagne ombrienne, cette église
construite de 1257 à 1265 reprend la structure
gothique de l'église supérieure de San Francesco. L'intérieur conserve de nombreuses
œuvres d'art, notamment des fresques du
14ᵉ s. d'inspiration giottesque, représentant la
vie et l'histoire de sainte Claire.
Dans la petite église St-Georges contiguë,
située du côté droit de la nef, on peut voir le
crucifix qui, selon la légende, parla à saint
François et, dans la crypte, le tombeau de
sainte Claire.

★**Cathédrale (Duomo San Rufino)** (C). — Elle
date du 12ᵉ s. Sa **façade★★** romane est l'une
des plus belles d'Ombrie, harmonieusement
rythmée par ses ouvertures et ses ornements.
L'intérieur, sur plan basilical, a été refait en
1571. A droite en entrant se trouvent les fonts baptismaux où furent baptisés saint
François, sainte Claire et l'empereur Frédéric II.

★**Piazza del Comune** (B 3). — Ornée d'une jolie fontaine, la place occupe l'emplacement
de l'ancien forum : le **temple de Minerve★** (B A), transformé en église, présentant un
portique constitué de six colonnes corinthiennes, est l'un des mieux conservés d'Italie.

★**Via San Francesco** (AB). — Pittoresque rue bordée de maisons médiévales et
Ⓥ Renaissance. Au nᵒ 13 A, l'**oratoire des Pèlerins** (B B) contient des fresques du 15ᵉ s.,
notamment de Matteo da Gualdo.

★**Église St-Pierre (San Pietro)** (A). — Église romane érigée par les bénédictins. A
l'intérieur, charmant triptyque de Matteo da Gualdo.

EXCURSIONS

★★**Ermitage (Eremo) des Carceri.** — *4 km à l'Est.* La route s'élève parmi les oliviers,
Ⓥ les chênes, les cyprès et les genêts, et conduit à cet ermitage, grottes où saint
François venait méditer et prier en compagnie de ses disciples. La minuscule église,
creusée dans le roc, existait déjà à l'époque où les « Carceri » servaient de lieu de
retraite au saint.

★**Couvent St-Damien (Convento di San Damiano).** — *2 km au Sud par la Porta Nuova.*
Ⓥ Isolé, au milieu des cyprès et des oliviers, le couvent et la petite église attenante sont
intimement liés à l'histoire de saint François qui y reçut sa vocation, et à celle de
sainte Claire, qui y mourut en 1253.
L'intérieur, humble et austère, constitue un émouvant exemple de couvent franciscain
au 13ᵉ s.

★**Basilique Ste-Marie des Anges (Santa Maria degli Angeli).** — *5 km au Sud-Ouest,*
Ⓥ *dans la plaine.* Construite au 16ᵉ s. sur l'emplacement de la chapelle de la Portioncule
(Porziuncola), dans laquelle saint François consacra sainte Claire « épouse du Christ »,
elle renferme deux remarquables œuvres d'art : au-dessus de l'autel, une éclatante
fresque★ brossée en 1393 sur les thèmes du Pardon d'Assise et de l'Annonciation, et,
dans la crypte, un ravissant **polyptyque★** en terre cuite émaillée d'Andrea Della Robbia
avec pour sujet central le couronnement de sainte Claire.
On visitera également la chapelle du Transito où saint François décéda le 3 octobre
1226, la petite cour où se trouve le rosier qui perdit ses épines le jour où le saint s'y
jeta pour échapper à la tentation, et la grotte où il se retirait pour prier.

★**Spello.** — *12 km au Sud-Est.* Petite ville pittoresque qui conserve quelques traces de
son passé romain (remparts, portes) et dont l'église Ste-Marie-Majeure (première
église à droite en remontant la via Consolare) abrite des **fresques★★** pleines de verve
réaliste et de fraîcheur dues à Pinturicchio, illustrant la vie du Christ (parois) et
représentant des Sibylles (à la voûte).

Foligno. — *18 km au Sud-Est.* Sur la piazza della Repubblica, s'élèvent le **palais Trinci**
bâti au 14ᵉ s. par les seigneurs de la ville, ainsi que la **cathédrale** (Duomo) ornée d'un
magnifique portail à décor géométrique de style lombard.
Foligno est notamment connue pour son **Jeu de la Quintana,** qui consiste en un tournoi
au cours duquel des cavaliers en costumes du 17ᵉ s. et représentant les dix quartiers
de la ville tentent d'enfiler sur leur lance un anneau tenu par la main tendue d'une
statue de bois sculptée au 17ᵉ s., la « Quintana ». La veille au soir, un cortège de plus
de mille personnages également en costumes du 17ᵉ s. parcourt la ville. *Voir le
chapitre Principales manifestations touristiques, en fin de volume.*

*Pour trouver la description d'une ville ou d'une curiosité isolée,
consultez l'index alphabétique à la fin du volume.*

ASSISI

		Merry del Val (Via)	. .	A 13
		Porta Perlici (Via)	. .	C 14
		Portica (Via)	. . . . . .	B 16
Fontebella (Via)	. . . .	B	S. Apollinare (Via)	. .	B 17
Frate Elia (Via)	. . . . .	A 7	S. Chiara (Piazza)	BC	19
Mazzini (Corso)	. . . .	B 12	S. Francesco (Pza)	. .	A 20
			S. Gabriele della		
Brizi (Via)	. . . .	B 2	Addolorata (Via)	BC	21
Comune			S. Giacomo (Via)	. .	A 23
(Piazza del)	. . . . .	B 3	S. Pietro (Piazza)	. .	A 24
Fosso Cupo (Via del)	AB	6	S. Ruffino (Via)	. . .	B 26
Galeazzo Alessi (V.)	.	C 8	Seminario		
Garibaldi			(Via del)	. . . .	B 28
(Piazzetta)	. . . . .	B 9	Torrione (Via del)	. .	C 30
Giotto (Via)	. . . .	B 10	Villamena (Via)	. . . .	C 31

ATRI Abruzzes   11 516 h.

Carte Michelin nº 🔲🔲🔲 pli 27.

Atri bénéficie d'une belle position en vue de la mer et se trouve bordée à l'Ouest, en direction de Teramo, d'un étrange et fascinant **paysage**★★, appelé les **« Bolge »** d'Atri, petites collines au sommet aplati recouvert de végétation, couronnant des flancs abrupts et ravinés ; ces « Bolge » ou « Scrimoni » (striures) résultent de l'érosion par ruissellement d'un plateau formé à l'ère tertiaire.

★ **Cathédrale (Cattedrale)**. — Élevé aux 13e et 14e s., sur les restes d'une construction romaine, cet édifice est un bel exemple de transition roman-gothique. Un portail roman, surmonté d'une rosace, orne la façade sobrement compartimentée. Le campanile, commencé sur plan carré, s'orne d'un élégant couronnement polygonal. A l'intérieur, rythmé par de grandes arcades gothiques, on admire, dans l'abside, les **fresques**★ du peintre abruzzien Andrea Delitio (1450-1473), illustrant, avec un remarquable réalisme dans les expressions et les détails, la vie de la Vierge et celle de Jésus.

BARI Pouille   369 576 h.

Carte Michelin nº 🔲🔲🔲 pli 29 — Plan p. 50 — Plan d'ensemble dans le guide Rouge Michelin Italia.

Chef-lieu de la Pouille, centre agricole et industriel, Bari doit toutefois sa principale activité à son port qui assure la liaison avec la Yougoslavie et la Grèce. La Foire du Levant (Fiera del Levante), qui a lieu en septembre, est une importante manifestation créée en 1930 afin de favoriser les échanges commerciaux avec les autres pays de la Méditerranée. Bari se compose d'une vieille ville serrée sur son promontoire et d'une ville moderne aux larges avenues en damier ouvertes au 19e s. Bari fut le centre de la domination byzantine dans le Sud italien et une cité très prospère au Moyen Age, en raison, notamment, du pèlerinage de Saint-Nicolas de Bari et de l'embarquement des croisés vers l'Orient.

★**LA VIEILLE VILLE (CITTÀ VECCHIA) (CDY)** visite : 1 h 1/2

★★ **Basilique St-Nicolas (San Nicola) (DY A)**. — Situé au cœur de la vieille ville, cet édifice commencé en 1087 fut consacré en 1197 à saint Nicolas, évêque de Myra en Asie Mineure, particulièrement vénéré pour la résurrection de trois enfants découpés en morceaux par un boucher. Ses reliques furent ramenées par des marins de Bari dans leur ville natale qui décida de lui élever un sanctuaire. L'église est l'un des exemples les plus remarquables de l'art roman et a servi de prototype à toute l'architecture religieuse de la région. La façade, sobre et puissante, flanquée de deux tours, n'est égayée que par quelques baies géminées et un portail sculpté dont les colonnes s'appuient sur des taureaux.

Sur le flanc gauche s'ouvre le riche portail des Lions (12e s.). L'intérieur est à trois nefs, avec triforium et beau plafond à caissons ajouté au 17e s. Un important ciborium (baldaquin) du 12e s. surmonte le maître-autel, derrière lequel se trouve un **trône épiscopal★** en marbre blanc du 11e s. Dans l'abside gauche, peinture du Vénitien Bartolomeo Vivarini. Dans la crypte, tombeau de saint Nicolas.

★ **Cathédrale (Cattedrale) (DY B).** — De style roman (11e-12e s.) avec adjonctions postérieures, elle a été remaniée par la suite. L'intérieur, à trois nefs terminées par trois absides en cul-de-four, est animé par un faux triforium surmontant les arcades et abrite de nombreuses œuvres d'art dont une chaire rassemblant des fragments des 11e et 12e s., et un baldaquin reconstitué avec des éléments du 13e s.

Dans la sacristie, précieux rouleau de parchemin du 11e s., d'origine byzantine, dans une écriture particulière à l'Italie du Sud médiévale dite écriture « bénéventine » ; les images sont inversées par rapport au texte pour être vues des fidèles lorsqu'on déroulait le parchemin pour les chanteurs.

★ **Château (Castello) (CY).** — Élevé en 1233 par Frédéric II sur des édifices byzantins et normands préexistants, il conserve de l'époque souabe une grande cour trapézoïdale et deux des tours d'origine, mais a été renforcé au 16e s.

AUTRES CURIOSITÉS

Pinacothèque. — *Lungomare Nazario Sauro (DY), au-delà de la piazza A. Diaz.* Aménagée au 4e étage du Palazzo della Provincia *(ascenseur),* elle abrite des œuvres d'art byzantin (sculptures et peintures), un **Christ★** en bois peint (12-13e s.), une peinture de Giovanni Bellini (Le Martyre de St-Pierre), des toiles de l'école napolitaine (17e-18e s.).

Musée archéologique (DZ M¹). — *Au 1er étage de l'université.* Collections grécoromaines, résultant des fouilles effectuées dans l'ensemble de la Pouille.

EXCURSIONS

La route qui conduit de Bari à Barletta traverse quelques jolies petites villes côtières que les menaces venues de la mer, depuis les raids des Sarrasins durant le haut Moyen Age jusqu'aux incursions des Turcs à la fin du 15e s., amenèrent à se fortifier : **Giovinazzo,** dont le port de pêche est dominé par une petite cathédrale du 12e s. ; **Molfetta,** que couronnent les tours carrées de sa cathédrale de style roman apulien en calcaire blanc ; **Bisceglie,** pittoresque port de pêche possédant une cathédrale, terminée au 13e s., dont la façade s'orne d'un beau portail central posé sur deux lions.

BARLETTA Pouille   84 900 h.

Carte Michelin n° 🔲🔲🔲 plis 28, 29 — Plan dans le guide Rouge Michelin Italia.

Aux 12e et 13e s. Barletta fut une ville importante, base de départ des croisés se rendant en Orient, que de nombreux ordres militaires ou hospitaliers avaient choisie comme siège de leur institution.

Aujourd'hui centre commercial et agricole, la ville conserve quelques édifices médiévaux religieux ou civils comme : la **cathédrale** (Duomo), des 12-14e s., en style apulien, avec traces d'influence bourguignonne dans le chœur notamment ; la **basilique San Sepolcro** (à la jonction du corso Vittorio Emanuele et du corso Garibaldi), des 12e-14e s., qui abrite un beau **reliquaire**★ de la Sainte Croix dont le socle est couvert d'émaux de Limoges ; le **Castello**★, imposante construction édifiée par Frédéric II et renforcée par Charles d'Anjou.

Le **musée municipal**★ (Museo Civico) rassemble une collection de céramiques apuliennes, mais surtout un bel ensemble de peintures de Giuseppe de Nittis, né à Barletta (1846-1884), portraitiste de l'élégance parisienne et paysagiste influencé par les Macchiaioli *(voir p. 31).*

Le **Colosse**★★ (Colosso ou Statua di Eraclio) est une gigantesque statue mesurant plus de 4,5 m de haut et représentant un empereur byzantin mal identifié (peut-être Valentinien). Cet ouvrage, vraisemblablement du 4e s., offre un intérêt exceptionnel car il témoigne du passage de l'art romain décadent à l'art chrétien primitif : la rigidité du personnage y est atténuée par la forte intériorité de l'expression.

★ BASSANO DEL GRAPPA Vénétie   38 619 h.

Carte Michelin n° 🔲🔲🔲 pli 5.

Bassano, réputée pour ses céramiques et son eau-de-vie (la « grappa »), est bâtie sur la Brenta dans un site charmant. La ville, formée de rues étroites aux maisons peintes et de places bordées d'arcades, a son centre piazza Garibaldi dominée par la tour carrée d'Ezzelino (13e s.) et où s'élève l'**église St-François** (San Francesco), des 12e-14e s., précédée d'un élégant porche datant de 1306 ; à l'intérieur, Christ de Guariento (14e s.). Le **pont couvert** (Ponte Coperto), construit au 13e s. mais plusieurs fois démoli, est très populaire en Italie.

★**Musée municipal (Museo Civico).** — Installé dans le couvent contigu à l'église St-François, il abrite au 1er étage la **pinacothèque** qui conserve des œuvres de la famille Da Ponte, peintres natifs de Bassano, dont Jacopo, dit **Jacopo Bassano,** est au 16e s. le membre le plus éminent. On peut admirer plusieurs chefs-d'œuvre de cet artiste, favori de Louis XIV et inventeur d'un réalisme pittoresque soumis à des forces lumineuses violentes et contrastées, en particulier un **Saint Valentin baptisant sainte Lucile.** D'autres peintres vénitiens sont représentés : Guariento, Vivarini, Giambono (14e s. et 15e s.), Pietro Longhi, Tiepolo, Marco Ricci (18e s.). Voir également deux belles toiles du Gênois A. Magnasco (18e s.) et la salle consacrée aux sculptures de Canova.

EXCURSIONS

★★★**Mont Grappa** (alt. 1 775 m). — *32 km au Nord.* Après avoir traversé des forêts de conifères et d'austères pâturages, la route mène au sommet d'où l'on découvre par beau temps un magnifique **panorama** s'étendant jusqu'à Venise et Trieste.

★**Asolo.** — *14 km à l'Est.* Dominée par son château fort, cette petite ville pittoresque, aux rues bordées de palais décorés de fresques, garde le souvenir du poète Robert Browning et de la Duse — célèbre interprète des rôles de D'Annunzio — qui repose dans le cimetière de Sant'Anna.

Marostica. — *7 km à l'Ouest.* Petite cité au charme médiéval dont la **place centrale**★ (piazza Castello) sert d'échiquier géant lors de la **Partita a Scacchi,** originale partie d'échecs en costumes *(voir le chapitre Principales manifestations touristiques, en fin de volume).*

Cittadella. — *13 km au Sud.* Ville forte construite en 1220 par les Padouans pour répondre à Castelfranco, élevée par les Trévisans, elle conserve une belle **enceinte**★ de briques.

Possagno. — *18 km au Nord-Ouest.* Patrie du sculpteur **Antonio Canova.** Sur une éminence se trouve le **Temple de Canova,** construit sur les plans du maître ; il abrite son tombeau et sa dernière sculpture, la **Déposition**★.

*Chaque année, le **guide Michelin Camping Caravaning France***
vous propose un choix révisé de terrains
et une documentation à jour sur leur situation,
leurs aménagements, leurs ressources, et leur agrément.

Carte Michelin n° 988 pli 5 — Plan dans le guide Rouge Michelin Italia.

Cette agréable cité est située sur une avancée dominant le confluent du Piave et de l'Ardo, dans un beau cadre de hautes montagnes ; au Nord s'étendent les Dolomites, au Sud les préalpes de Belluno. Commune libre au Moyen Age, elle se place dès 1404 sous la protection de la république de Venise.

Pour jouir des beautés de la ville, emprunter la via Rialto, par la porte Dojona (13e s., transformée au 16e s.), parcourir la **piazza del Mercato★** bordée de maisons Renaissance à arcades et ornée d'une fontaine datant de 1409, suivre la via Mezzaterra, la S. Croce jusqu'à la porte Rugo. La via del Piave offre une ample **vue★** sur la vallée du Piave et les montagnes environnantes. La **piazza del Duomo★** est entourée du **palais des Recteurs★**, de style vénitien (fin 15e s.), du **palais des Évêques** et de la cathédrale (Duomo), datant du 16e s. mais flanquée d'un campanile baroque dessiné par Juvara ; elle renferme quelques beaux tableaux de l'école vénitienne, dont une toile de Jacopo Bassano et, dans la crypte, un **polyptyque★** du 15e s. de l'école de Rimini. Le palais des Juristes abrite le **musée municipal** (Museo Civico), composé d'une pinacothèque (peintres locaux et vénitiens), d'une riche collection numismatique et de documents évoquant le Risorgimento *(voir p. 19)*.

EXCURSION

Feltre. — *31 km au Sud-Ouest*. Groupée autour de son château, la ville a conservé une partie de ses remparts et, via **Mezzaterra★**, des maisons anciennes ornées de fresques. La **piazza Maggiore★** frappe par l'ordonnance scénographique de ses bâtiments et des nombreuses arcades, escaliers, balustrades qui l'animent. Le **musée** *(23 via L. Luzzo, près de la porte Oria)* rassemble des tableaux de L. Luzzo, originaire de Feltre, de P. Marescalchi, G. Bellini, Cima da Conegliano, M. Ricci et Jan Metsys ; en outre, le musée possède une section historique rassemblant des documents sur l'histoire de la ville, et une section archéologique.

Carte Michelin n° 988 pli 27.

Antique capitale des Samnites, qui freinèrent longtemps l'expansion des Romains (en 321 avant J.-C., ceux-ci furent condamnés à passer sous le joug des Fourches Caudines), occupée par les Romains après leur victoire sur Pyrrhus (275 avant J.-C.), en pleine gloire sous Trajan qui en fit le point de départ de la via Traiana vers Brindisi, siège d'un duché lombard à partir de 571 puis importante principauté, Bénévent fut aussi le théâtre d'une fameuse bataille (1266) à l'issue de laquelle Charles d'Anjou, appelé par le pape Urbain IV, s'empara du titre de roi de Sicile au détriment du roi Manfred.

★★**Arc de Trajan (Arco di Traiano).** — *A l'extrémité de la via Traiano s'embranchant sur le corso Garibaldi.* Érigé en 114, c'est l'arc de triomphe le mieux conservé d'Italie ; il porte des sculptures à la gloire de l'empereur, d'une haute valeur artistique.

★**Musée du Samnium (Museo del Sannio).** — Installé derrière l'**église Ste-Sophie** *(piazza Matteotti)*, édifice du 8e s. reconstruit au 17e s. sur plan polygonal. Dans les dépendances d'un **cloître★** aux admirables colonnades soutenant des arcades de style mauresque, le musée du Samnium présente d'importantes collections archéologiques et un bel ensemble de peintures de l'école napolitaine.

Théâtre romain (Teatro Romano). — *Près de la via Port'Arsa.* Construit au 2e s. par Hadrien, c'est l'un des plus vastes qui aient été conservés.

Carte Michelin n° 988 pli 3 — Plan p. 54-55.

Située en bordure de la plaine lombarde, au débouché des vallées Brembana et Seriana, Bergame est l'une des principales villes de Lombardie, cité d'art en même temps qu'actif centre commercial et industriel. Elle se compose d'une **ville basse** moderne, accueillante, aérée, et d'une **ville haute** ancienne, silencieuse, très pittoresque, riche en monuments évocateurs du passé.

De la cité romaine à la domination vénitienne. — Aux environs de 1200 avant J.-C., une tribu de Ligures s'installe à l'emplacement de l'actuelle ville haute. Vers 550, les Gaulois s'emparent du village, auquel ils donnent le nom de Berghem. Nommée Bergomum par les Romains qui s'en rendent maîtres en 196 avant J.-C., détruite par les Barbares, elle connaît une période de tranquillité au 6e s. avec les Lombards, et plus particulièrement sous le gouvernement de la reine Théodolinde. Commune libre du 11e au 13e s., elle entre dans la Ligue lombarde *(voir p. 19)* en lutte contre Frédéric Barberousse. Guelfes (partisans du pape) et gibelins (partisans de l'empereur) s'affrontent, déchirant la ville. Sous la domination de **Bartolomeo Colleoni** (1400-1475), elle tombe tour à tour aux mains des Visconti de Milan et de la république de Venise à qui le célèbre condottiere loue successivement ses services et qui finit par la rendre définitivement à la Sérénissime. Bergame passe sous gouvernement autrichien en 1814, puis, en 1859, est libérée par Garibaldi.

Bergame et ses peintres. — Outre une pléiade d'artistes natifs de la région de Bergame, comme Previtali, Moroni, Cariani, Baschenis, Fra Galgario..., divers peintres œuvrèrent dans la ville, notamment L. Lotto, Giovanni da Campione et Amadeo.

Scapin   Pantalon   Fracasse   Polichinelle   Scaramouche   Mezzetin

Masques et Bergamasques. — C'est à Bergame qu'est née au 16e s. la **Commedia dell'Arte.** Il s'agit d'une improvisation ou « imbroglio » sur un thème réglé d'avance et appelé « scenario », de traits de moquerie bouffonne ou « lazzi », proférés par des personnages masqués incarnant des types populaires : le valet (Arlequin), paysan du val Brembana obtus mais rusé ; le fanfaron (Polichinelle), la soubrette (Colombine), l'amoureux (Pierrot), le fourbe (Scapin), le reître (Fracasse ou Scaramouche), le bouffe (Pantalon), le musicien (Mezzetin). Cette forme de théâtre, dont les aspects caricaturaux ressortissent parfois à la trivialité, exerça une notable influence en France aux 17e et 18e s.

Bergame est également la patrie du compositeur lyrique Donizetti (1797-1848). La musique populaire y est elle aussi vivante, notamment avec la Bergamasque, danse rapide et enjouée qu'accompagnent les « pifferi », sorte de fifres, petits instruments en roseau.

★★★VILLE HAUTE (CITTÀ ALTA) (ABY)

interdite à la circulation automobile — visite : 3 h

On y accède en voiture *(deux parkings)* ou par un funiculaire *(gare située viale Vittorio Emanuele II)* qui aboutit à la pittoresque **piazza del Mercato delle Scarpe** (place du Marché aux chaussures) **(BY 38)**.

Protégée par son enceinte vénitienne du 16e s., dominée par un château fort, la ville haute, aux ruelles tortueuses bordées de vieilles demeures, rassemble les plus beaux monuments de Bergame.

★★Piazza del Duomo (AY). — Sur cette séduisante place communiquant avec la piazza Vecchia par les arcades du palais de la Ragione, s'élèvent d'admirables monuments.

★★Chapelle (Cappella) Colleoni. — L'architecte de la chartreuse de Pavie, **Amadeo,** éleva de 1470 à 1476 ce joyau de la Renaissance lombarde destiné à servir de mausolée à Bartolomeo Colleoni. L'élégante **façade,** revêtue de précieux marbres polychromes, présente une décoration pleine d'allégresse, enrichie de fines sculptures : « putti », colonnettes cannelées et torsadées, pilastres sculptés, vases et candélabres, médaillons, bas-reliefs où se mêlent, dans un goût propre à l'art de cette époque, éléments sacrés et profanes (allégories, épisodes de l'Ancien Testament, représentation de personnages illustres de l'Antiquité, scènes de la légende d'Hercule auquel le condottiere aimait à s'identifier).

L'intérieur, somptueux, est décoré de sculptures en méplat d'une extraordinaire délicatesse, de fresques allégoriques de Tiepolo, et de **stalles** Renaissance en marqueterie. Le **monument du Colleoni,** œuvre d'Amadeo, est surmonté de la statue équestre du condottiere, en bois doré ; délicatement ciselés, les bas-reliefs des sarcophages portent des scènes du Nouveau Testament séparées par des niches qu'occupent des statuettes représentant les Vertus ; entre les deux sarcophages, figurent les portraits des enfants du condottiere ; sa fille préférée, Medea, morte à l'âge de quinze ans, repose auprès de lui dans un tombeau (à gauche), merveille de pureté délicate, également dû à Amadeo.

★Basilique Ste-Marie Majeure (Santa Maria Maggiore). — L'édifice remonte au 12e s., mais Giovanni da Campione lui a ajouté, au 14e s., les deux beaux **porches** Nord et Sud à loggias et reposant sur des lions, dans le style roman lombard.

L'intérieur, remanié dans le style baroque (fin 16e - début 17e s.), offre une riche décoration de stucs et d'ors. Les murs du bas-côté gauche, du chœur et du bas-côté droit sont revêtus de neuf splendides **tapisseries★★** florentines (1580-1586), d'un très beau dessin, exécutées d'après des cartons d'Alessandro Allori et contant la vie de la Vierge. Sur le mur du fond de la nef, la somptueuse tapisserie flamande représentant la **Crucifixion★★** fut tissée à Anvers (1696-1698) sur des cartons de L. Van Schoor. Noter, dans le bas-côté gauche, un étonnant confessionnal baroque du 18e s. D'intéressantes fresques du 14e s. ornent le transept. Quatre superbes **panneaux de marqueterie★★** illustrant l'Ancien Testament sont enfermés dans la balustrade du chœur : ils furent exécutés au début du 16e s. d'après des dessins de Lorenzo Lotto.

Sortir de l'église sur la piazza del Duomo pour admirer le charmant **Tempietto Santa Croce,** de plan quadrilobé, bâti vers l'an 1000 en style roman, ainsi que le portail Sud (14e s.) de Ste-Marie-Majeure et son **chevet★** aux absidioles agrémentées de gracieuses arcades.

★Baptistère (Battistero) **(B)**. — Couronné de statues, ce charmant édifice octogonal que souligne une galerie en marbre rouge de Vérone ornée de grâciles colonnettes et de statues (14e s.) représentant les Vertus est une reconstruction de l'œuvre de Giovanni da Campione (1340). Élevé, à l'origine, au fond de la nef centrale de Ste-Marie-Majeure mais jugé trop encombrant, il fut démoli en 1660 et rebâti en 1898 à son actuel emplacement.

Cathédrale (Duomo). — Elle possède un riche intérieur du 18e s. Très belles stalles baroques sculptées par les Sanzi.

BERGAMO

★**Piazza Vecchia** (AY). — C'est le centre historique de la ville. Le **palais de la Ragione** (AY C), le plus ancien palais communal d'Italie, remonte à 1199, mais a été reconstruit au 16ᵉ s. : arcades et harmonieuses baies trilobées, balcon central surmonté du Lion de saint Marc (symbole de la domination vénitienne). Un escalier couvert (14ᵉ s.) donne accès au majestueux **beffroi** du 12ᵉ s. avec son horloge du 15ᵉ s. En face, le **palais Scamozziano** (AY D) est de style palladien *(voir p. 212).* La fontaine ornant le centre de la place fut offerte en 1780 à la ville par le doge de Venise, Alvise Contarini.

Ⓥ**Via Bartolomeo Colleoni** (**AY** 10). — Cette rue est bordée d'anciennes demeures dont celle, aux nᵒˢ 9 et 11, de B. Colleoni (fresques à la gloire du condottiere).

Forteresse (Rocca) (**BY**). — Construite au 14ᵉ s., remaniée par les Vénitiens, elle offre d'intéressantes **vues★** sur les villes haute et basse.

★VILLE BASSE visite : 1 h 1/2

De pittoresques ruelles entourent l'Académie Carrrare, tandis qu'une zone moderne et commerçante s'étend autour de la piazza Matteotti.

★★Académie Carrare (Accademia Carrara) (**CY**). — Ⓥ Installée dans un palais néo-classique, elle renferme des peintures du 15ᵉ au 18ᵉ s., italiennes et étrangères.

Après les œuvres du début du 15ᵉ s. qui se rattachent encore au gothique international *(voir p. 28)*, on s'attardera devant deux célèbres portraits : **Julien de Médicis,** au profil accusé, par Botticelli, et **Lionel d'Este,** élégant et raffiné, par Pisanello. Leur succèdent des œuvres de l'école vénitienne : des Vivarini, de Carlo Crivelli, d'Antonello de Messine, de Giovanni Bellini (douces Madones à l'expression songeuse, d'une facture voisine de celles de son beau-frère Mantegna), de Gentile Bellini (portraits fins et incisifs), de Carpaccio (le Doge Leonardo Loredan) et de L. Lotto. Suivent des œuvres de la fin du 15ᵉ s. et du début du 16ᵉ s., de Cosmé Tura, maître de l'école de Ferrare (Vierge à l'Enfant, au réalisme accentué et au modelé anguleux influencés par l'art flamand), du Lombard Bergognone (lumière douce), du Bergamasque Previtali.

Pour le 16ᵉ s., on admirera les tableaux du Vénitien Lorenzo Lotto (dont une splendide **Sainte Famille avec sainte Catherine),** du Bergamasque Cariani, également bon portraitiste, des maîtres vénitiens Titien et Tintoret. Raphaël influencera, par ses coloris et la délicatesse de son dessin, Garofalo (Benvenuto Tisi), surnommé le Raphaël de Ferrare, tandis que le Piémontais Gaudenzio Ferrari et Bernardino Luini, le principal représentant de la Renaissance en Lombardie, s'inspirent de l'art de Léonard de Vinci. La section des **portraits** (16ᵉ s.) est remarquablement illustrée : par l'école de Ferrare, spécialisée dans ce domaine, et par le Bergamasque Moroni (1523-1578). Parmi les étrangers, Clouet (portrait de Louis de Clève) et Dürer figurent en bonne place. De l'école de Bergame des 17ᵉ et 18ᵉ s., œuvres de Daschenis (1017-1077) et excellents portraits de Fra Galgario (1655-1743). On s'arrêtera devant l'ensemble flamand-hollandais du 17ᵉ s. (œuvres de Rubens, Van Dyck, Brueghel de Velours...) que domine la délicieuse marine de Carlo Van Goyen. La visite s'achève sur un aperçu de la peinture vénitienne du 18ᵉ s. : scènes d'intérieur de Pietro Longhi, « vues » de Carlevarijs, Bernardo Bellotto, Canaletto, et charmantes marines de Francesco Guardi.

★Vieux quartier. — Il s'étend autour de la longue **via Pignolo★** (**BC YZ**), sinueuse et bordée de palais anciens, des 16ᵉ et 18ᵉ s. principalement, et d'églises riches en œuvres d'art : **San Bernardino** (**CY**) conserve dans son chœur une belle Vierge entre des saints, peinte en 1521 par L. Lotto ; **Santo Spirito** (**CZ**) possède un Saint Jean-Baptiste entouré de saints et un polyptyque de Previtali, un polyptyque représentant la Vierge par Bergognone, et une Vierge à l'Enfant de L. Lotto.

★Piazza Matteotti (**BZ**). — Au centre de la ville moderne, cette immense place, où s'élèvent l'**église S. Bartolomeo** (superbe Vierge entre des saints de L. Lotto) et le **théâtre Donizetti** (**T**), est bordée par le **Sentierone,** promenade favorite des Bergamasques.

EXCURSION

★Val Brembana. — *25 km au Nord*. Quitter Bergame par la route S 470 qui longe une vallée industrialisée, jalonnée de curieuses strates calcaires bicolores. L'importante station thermale de **San Pellegrino Terme★** est bâtie dans un beau cadre de montagnes.

★★ **BOLOGNE** Emilie-Romagne   447 971 h.

Carte Michelin n⁰ 988 plis 14,15 — Plans d'ensemble dans le guide Rouge Michelin Italia.

Située à l'extrême Sud de la plaine du Pô, au pied des premières pentes de l'Apennin, la capitale de l'Emilie-Romagne est une ville aux multiples visages : ses nombreuses tours médiévales, ses églises, ses longues rues à arcades flanquées de somptueux palais érigés entre le 14ᵉ et le 17ᵉ s. rappellent l'importance politique et culturelle de cette cité indépendante. Célèbre pour son université, l'une des plus anciennes d'Europe, qui comptait déjà quelque 10 000 étudiants au 13ᵉ s., elle donna le jour à de nombreux savants, parmi lesquels Guglielmo Marconi (1874-1937).

Considérée comme le sanctuaire de la gastronomie italienne, Bologne est aussi un centre industriel et commercial actif, bien desservi par le réseau ferroviaire et autorou-tier : de nombreuses foires, salons et expositions internationales s'y déroulent tout au long de l'année.

UN PEU D'ART ET D'HISTOIRE

L'Étrusque Felsina fut conquise au 4ᵉ s. avant J.-C. par les Gaulois boïens qui furent à leur tour chassés par les Romains dès 190 avant J.-C. La Bononia romaine tomba ensuite aux mains des Barbares et ne se releva vraiment qu'au 12ᵉ s. Conduite par un gouvernement communal indépendant, la cité se développa rapidement au cours du 13ᵉ s. et se dota alors de remparts et de tours, s'enrichit de palais et d'églises et se fit universellement connaître par le renom de son université où l'on enseignait le droit romain. Dans la lutte qui opposait les gibelins, partisans de l'empereur, et les guelfes, souhaitant l'autonomie communale, ce furent ces derniers qui finalement l'emportèrent et vainquirent à Fossalta en 1249 l'armée de l'empereur Frédéric II, retenant prisonnier son fils Enzo qui mourut en captivité à Bologne 23 ans plus tard.

Au 15ᵉ s., à l'issue de luttes violentes entre familles rivales, la ville tomba aux mains des **Bentivoglio** dont l'un des membres, Jean II Bentivoglio, ouvrit Bologne à la Renais-sance toscane. Les Bentivoglio furent à leur tour détrônés en 1506 par le pape **Jules II ;** dès lors, la cité releva de la papauté jusqu'à l'arrivée de Bonaparte. Après quelques mouvements de rébellion, sévèrement réprimés par les Autrichiens, la cité fut réunie au Piémont en 1860.

Bologne a vu naître les papes Grégoire XIII, auteur du calendrier grégorien (1582), Grégoire XV (17ᵉ s.) et Benoît XIV (18ᵉ s.). En 1530, à la suite de sa victoire de Pavie sur François Iᵉʳ et du sac de Rome, Charles Quint obligea le pape Clément VII à le couronner dans la basilique San Petronio de Bologne.

L'École de Bologne en peinture. — On désigne sous ce nom la réaction esthétique, représentée par la famille de peintres bolonais, les **Carrache,** contre les excès du maniérisme toscan. Elle s'attacha à une clarification de la composition et à une plus grande vraisemblance des thèmes. De nombreux artistes, notamment les Bolonais L'Albane, Le Guerchin, Le Dominiquin et Guido Reni, se rallièrent alors à ce que l'on nommait l'Académie des « Incamminati » dont l'enseignement était fondé sur l'étude directe de la nature. L'exemple d'Annibale Carrache, le décorateur du palais Farnèse à Rome et le plus brillant des trois frères, eut une influence décisive sur l'art nouveau : par la clarté de ses tons et la vitalité de son programme décoratif, il annonce en effet la venue du baroque.

★★★LE CENTRE MONUMENTAL *visite : 1 journée*

Les deux places contiguës, **piazza Maggiore** et **piazza del Nettuno**★★★, forment, avec la **piazza di Porta Ravegnana**★★, le cœur de Bologne, composant un ensemble d'une rare harmonie.

★★**Fontaine de Neptune** (Fontana del Nettuno) (DT A). — Due au sculpteur flamand Jean Bologne : avec son Neptune de bronze, surnommé le Géant, tout en muscles, et ses sirènes pressant leurs seins pour en faire jaillir l'eau, c'est une œuvre puissante et un peu rude, à l'image de la ville.

★**Palais communal (Palazzo Comunale)** (DT). — Sa façade est composée de bâti-ments de différentes époques : 13ᵉ s. à gauche, 15ᵉ s. à droite ; au centre, le grand portail du 16ᵉ s., dont la partie inférieure est due à Galeazzo Alessi, est surmonté d'une statue du pape Grégoire XIII ; à gauche du portail, en haut, charmante Vierge à l'Enfant par Niccolò dell'Arca (1478). Au fond de la cour, sous la galerie à gauche, une superbe rampe à degrés donne accès aux riches salons du 1ᵉʳ étage et se poursuit jusqu'au 2ᵉ étage où s'ouvrent (au fond de la vaste salle Far-nèse couverte de fresques du 17ᵉ s.) les somptueuses salles abritant les collections communales d'Art (sculptures, bel ensemble de **peintures**★ de l'école émi-lienne).

A gauche du palais communal, s'élève le sévère palais des Notaires (**DU B**), des 14ᵉ-15ᵉ s.

(D'après photo T.C.I.)

Bologne. — Portail central
de la basilique S. Petronio.

★ **Palais du Podestat** (Palazzo del Podestà) (ET). — Sa façade Renaissance donnant sur la piazza Maggiore présente un rez-de-chaussée à arcades séparées par des colonnes corinthiennes et surmontées d'une balustrade ; l'étage comporte des pilastres et un attique percé d'oculi. Contigu au palais du Podestat, le **palais du roi Enzo** (ET D), du 13e s., possède une belle cour intérieure et un magnifique escalier menant à une galerie à gauche de laquelle s'ouvre une cour dominée par la tour de l'Arengo.

★★ **Basilique San Petronio** (DU). — Commencée en 1390 sur un plan d'Antonio di Vincenzo (1340-1402), la construction de l'édifice fut interminable et les voûtes ne furent posées qu'au 17e s. La façade, dont la partie supérieure n'a pas reçu son revêtement en marbre, est surtout remarquable par son **portail**★★ central, ouvrage majeur du sculpteur siennois Jacopo Della Quercia (1425-1438) qui a orné linteau, ébrasements et piédroits de scènes robustes et expressives.

L'intérieur, l'un des plus vastes connus, contient de nombreuses **œuvres d'art**★ : fresques de Giovanni da Modena (15e s.), dans les 1re et 4e chapelles de gauche ; Saint Sébastien (école ferraraise, fin 15e s.), dans la 5e chapelle gauche ; Madone (1492) de Lorenzo Costa dans la 7e chapelle et tombeau d'Élisa Baciocchi, sœur de Napoléon ; au maître-autel, baldaquin de Vignola (16e s.). L'orgue, à droite dans le chœur, est l'un des plus anciens d'Italie (15e s.).

★ **Musée municipal d'Archéologie** (Museo Civico Archeologico) (EU M¹). — Antiquités égyptiennes, gréco-romaines (belle copie romaine de la tête d'Athéna de Phidias), étrusques, dont une situle (vase à puiser de l'eau) en bronze et historiée.

Près du musée se trouve le **palais de l'Archiginnasio** (EU V), du 16e s., qui abrite une importante bibliothèque (10 000 manuscrits) et le **Teatro Anatomico,** salle d'anatomie bâtie aux 17e-18e s.

★★ **Tours penchées** (ET R). — Sur la pittoresque piazza di Porta Ravegnana, s'élèvent deux hautes tours nobles, vestiges des luttes qui opposaient au Moyen Age les familles ennemies guelfes et gibelines ; la plus élevée, la **tour des Asinelli** datant de 1109, atteint presque 100 m : 486 marches conduisent à son sommet d'où l'on jouit d'un admirable **panorama**★★ sur la ville ; la seconde, dite **Garisenda**, a 50 m et une inclinaison de plus de 3 m. Au n° 1, **palais des Drapiers** (ET S) de style Renaissance.

Sur la place contiguë, la **Mercanzia**★ (EU C) ou loge des Marchands (14e s.) est ornée de nombreux écussons des corporations, et de statues.

★ **Église St-Étienne** (Santo Stefano) (EU). — Ensemble d'églises construites à l'imitation du Saint Sépulcre de Jérusalem, qui donnent sur une place bordée de palais Renaissance : l'**église du Crucifix,** du 11e s., remaniée ; l'**église du Saint Sépulcre,** du 12e s., de forme polygonale et renfermant le tombeau de saint Pétrone, patron de Bologne : elle donne accès à la charmante cour de Pilate et à un cloître roman transformé en **musée** (peintures, statues, objets de culte) ; au fond de la cour, l'**église de la Trinité** (13e s.), qui abrite une Adoration des Mages, curieux groupe sculpté du 14e s. en bois polychrome ; enfin, l'**église St-Vital et Agricola** (8e-11e s.), aux lignes sobres et robustes.

AUTRES CURIOSITÉS

★★**Pinacothèque nationale.** — *Accès par la via Zamboni* (ET). L'école bolonaise y est
bien illustrée. Les caractéristiques des œuvres présentées sont : pour le 14e s., les
fonds dorés, les couleurs vives, la préciosité gothique, les survivances byzantines ;
pour la Renaissance, le maniérisme, l'idéalisme et la science de la composition ; pour
l'époque baroque, chez les Carrache, le réalisme, la vigueur et la couleur, et, chez leurs
élèves, l'académisme.
Les premières salles sont réservées aux primitifs bolonais (14e s.) : Vitale da Bologna
(belles fresques), Simone dei Crocifissi, Giovanni da Bologna.
Les salles suivantes sont consacrées aux débuts de la Renaissance : à l'école de
Venise (les Vivarini, Cima da Conegliano) et à celle de Ferrare, au réalisme accentué
(Ercole dei Roberti, Francesco Cossa, Lorenzo Costa), mais aussi à des artistes bolonais
comme Francia (Adoration de l'Enfant).
A la célèbre Extase de sainte Cécile par Raphaël, d'une beauté toute classique,
succèdent une série de fresques exécutées au 16e s. par Nicolò dell' Abate, sur le
thème du Roland furieux de l'Arioste *(voir p. 80).*
Vient enfin l'école bolonaise du 17e s. représentée par les Carrache, auxquels une salle
entière est consacrée, Guido Reni, L'Albane, Le Dominiquin et leurs élèves, ainsi que
par Le Guerchin avec son chef-d'œuvre — Saint Guillaume d'Aquitaine — au savant
éclairage.

★**Église St-Jacques-le-Majeur (San Giacomo Maggiore)** (ET). — Fondée en 1267, elle
est ornée d'un beau portique Renaissance (1481) sur son flanc gauche. A l'intérieur, la
chapelle Bentivoglio★ abrite un retable de Francia (fin 15e s.), l'une des meilleures œuvres
de cet artiste, et les fresques dues en partie à Lorenzo Costa. En face de la chapelle,
dans le déambulatoire, **tombeau★** du juriste A. Bentivoglio de Jacopo Della Quercia.
Dans l'oratoire Ste-Cécile, remarquables **fresques★** (1506) par Francia et L. Costa.

★**Strada Maggiore** (EU). — Élégante rue bordée de palais gothiques et classiques. Au
no 44, dans un palais datant de 1658, on visite le **musée d'Art industriel** et la **galerie
Davia Bargellini :** meubles bolonais (16e-18e s.), théâtre de marionnettes (18e s.), collection de serrures et de poignées de porte ; peintures, parmi lesquelles une série de
Vierge à l'Enfant par les Vivarini, Garofalo, Francia, Vitale da Bologna.

★**Église St-Dominique (San Domenico)** (EU). — L'église, commencée au début du
13e s. et remaniée au 18e s., abrite le célèbre et magnifique **tombeau★★** (arca) du
saint : œuvre de Nicola Pisano (1267), complétée pour le couronnement (1468-1473)
par Niccolò da Bari à qui fut ensuite donné le surnom de Niccolò dell'Arca, et par
Michel-Ange (deux saints et un ange, exécutés en 1494). La chapelle à droite du
chœur contient un beau tableau de Filippino Lippi : le **Mariage mystique de sainte
Catherine★** (1501).

★**Palais Bevilacqua** (DU). — Beau palais Renaissance à bossages, de style florentin.

Église St-François (San Francesco) (DT). — Le maître-autel porte un beau **retable★** de
marbre (1392), œuvre gothique du sculpteur vénitien Paolo delle Masegne.

EXCURSION

Madonna di San Luca. — *5 km au Sud-Ouest. Quitter le centre de la ville par la
via Saragozza* (DV). L'église, du 18e s., est reliée à la ville par un **portique★** de
666 arcades. Dans le chœur, on peut voir la Madone de St-Luc, peinture du 12e s.
exécutée dans la manière byzantine. Belle **vue★** sur Bologne et les Apennins.

BOLSENA Latium   4 042 h.

Carte Michelin no 988 pli 25.

Face au lac d'origine volcanique le plus grand d'Italie, dont le niveau se trouve sans
cesse modifié par des secousses telluriques, l'ancienne Volsinies étrusque accueille
sur sa plage et le long de ses rives ombragées baignées d'une lumière transparente et
douce, de nombreux visiteurs. La ville ancienne serre sur une petite hauteur ses
maisons de couleur sombre ; on en a une jolie vue, de la route S2 reliant Viterbe à
Sienne.

Le miracle de Bolsena. — Il est à l'origine de la fête du Corpus Domini (Fête-Dieu).
Un prêtre venant de Bohême avait des doutes sur la transsubstantiation. Alors qu'il
célébrait la messe à Ste-Christine, l'hostie se mit à saigner, signe miraculeux du
mystère de l'incarnation du Christ.

★**Église Ste-Christine (Santa Cristina).** — Originaire des environs de Bolsena, sainte
Christine vécut au 3e s. et fut victime des persécutions ordonnées par Dioclétien.
L'édifice date du 11e s., mais sa façade, que rythment des pilastres sculptés avec
grâce, est Renaissance. L'intérieur repose sur des colonnes romaines. De la nef
gauche, on pénètre dans la **chapelle du Miracle** où l'on révère le pavement teinté du
sang de l'hostie, puis dans la grotte où se trouvent l'autel du miracle et une statue
gisante de sainte Christine attribuée aux Della Robbia.

★ BOLZANO (BOZEN) Trentin-Haut-Adige   103 009 h.

Cartes Michelin n° 988 pli 4 et n° 218 pli 20 — Schéma p. 76 — Plan dans le guide Rouge Michelin Italia.

Capitale du Haut-Adige, située sur la route du Brenner au confluent de l'Isarco et de l'Adige, au creux d'une conque aux pentes recouvertes de vignobles et de vergers, Bolzano conserve dans son architecture urbaine la trace de l'influence exercée par le Tyrol et l'Autriche, du 16e s. jusqu'en 1918. Aujourd'hui ville industrielle, commerçante et touristique grâce à la proximité des Dolomites, elle a son centre entre la **piazza Walther** et la caractéristique **via dei Portici**★ bordées de belles maisons.

★ **Cathédrale (Duomo).** — En grès rosé, coiffée de tuiles polychromes, de style roman-gothique, elle s'orne de plusieurs portails et est surmontée d'un élégant campanile à jour (14e et 16e s.). L'intérieur, à trois nefs, est décoré de fresques de Corrado Erlin (1424) et contient une belle **chaire sculptée**★ gothique d'un réalisme nordique affirmé.

ⓥ **Église et cloître des Dominicains.** — *Piazza Domenicani.* L'église contient plusieurs intéressants ensembles de fresques : d'école giottesque dans la chapelle San Giovanni, de Giovanni Stocinger (14e-15e s.) dans la nef, et de Frédéric Pacher dans le cloître.

ⓥ **Église des Franciscains.** — *1, via Francescani.* Dans cette église commencée au 13e s., on peut admirer un remarquable **retable**★ en bois sculpté de Giovanni Klocker (fin 15e s.). Charmant petit cloître aux élégantes voûtes compartimentées.

Église (Chiesa parrocchiale) de Gries. *Accès par le corso Libertà.* Cette église gothique abrite un autel dont le **retable sculpté**★ (1471) est l'œuvre de Michel Pacher de Brunico.

*Afin de donner à nos lecteurs l'information la plus récente possible, les **Conditions de Visite** des curiosités décrites dans ce guide ont été groupées en fin de volume.*

Les curiosités soumises à des conditions de visite y sont énumérées soit sous le nom de la localité soit sous leur nom propre si elles sont isolées.

Dans la partie descriptive du guide, p. 35 à 139, le signe ⓥ placé en regard de la curiosité les signale au visiteur.

★★ BRENTA (Riviera du) Vénétie

Carte Michelin n° 988 pli 5 — 35 km à l'Est de Padoue.

Entre Strà et Fusina, le long du canal du Brenta, se succèdent un certain nombre de **villas**★, érigées dans le style classique et harmonieux de Palladio *(voir p. 212)*, où les patriciens vénitiens aimaient à se retirer l'été, y donnant de somptueuses fêtes nocturnes agrémentées de musiques de Vivaldi, Pergolèse ou Cimarosa.
ⓥ La **visite** peut être effectuée en bateau au départ de Venise ou de Padoue, ou par la route qui longe le Brenta et traverse les localités de Strà, Dolo, Mira, Malcontenta.

ⓥ **Strà.** — **Villa Nazionale**★ dotée d'un majestueux jardin à perspective et bassin. Le palais (18e s.) possède de vastes **appartements**★ décorés de peintures dont l'**Apothéose de la famille Pisani**★★, chef-d'œuvre de Giambattista Tiepolo.

ⓥ **Mira.** — **Palais Foscarini** et villa **Costanzo** (ou Widmann-Foscari), du 18e s., dont la **salle de bal**★ est entièrement décorée de fresques.

ⓥ **Malcontenta.** — **Villa Foscari**★, élevée en 1574 par Palladio. Appartements décorés de fresques par B. Franco et G.B. Zelotti. Son nom lui vient de la femme d'un des membres de cette famille qui fut fort « mécontente » d'y être reléguée.

★ BRESCIA Lombardie   204 278 h.

Carte Michelin n° 988 pli 4.

Au pied des Préalpes lombardes, la ville de Brescia, siège d'une importante activité industrielle, est bâtie sur le plan régulier de l'ancien « castrum » romain de Brixia. Dominée au Nord par la masse d'un château (Castello) médiéval, elle s'enorgueillit de nombreux monuments romains, romans, Renaissance ou baroques, groupés dans le centre urbain qui est aussi l'endroit le plus animé de la ville.

UN PEU D'HISTOIRE

Le temple Capitolin et les vestiges de l'ancien forum témoignent du temps de splendeur que connut la romaine Brixia sous l'Empire.
Au 8e s. Brescia devint un duché lombard, et aux 12e et 13e s. une commune libre, membre de la Ligue lombarde *(voir p. 19)*, particulièrement prospère et active grâce à ses manufactures d'armes qui fournirent l'Europe entière jusqu'au 18e s. De 1426 à 1797, Brescia fut soumise à la domination de la république de Venise et se dota alors de nombreux édifices civils et religieux ; d'excellents peintres créèrent l'école de Brescia dont les protagonistes furent, au 15e s. Vincenzo Foppa, au 16e s. Romanino et Moretto, Savoldo et Civerchio.

CURIOSITÉS

★**Piazza della Loggia** (BY 9). — La **Loggia** (BY **H**), aujourd'hui palais municipal, a été construite entre la fin du 15ᵉ s. et le début du 16ᵉ s. sur les plans de Bramante pour la partie inférieure, de Sansovino et Palladio pour l'étage supérieur. En face, s'élève le **palais de l'Horloge** surmonté de deux « Mori » vénitiens. Au Sud de la place, **palais du Monte Vecchio** (1484) et du **Monte Nuovo** (1497), autrefois mont-de-piété (BY **B**). Au nord de la place, s'étend un pittoresque quartier populaire aux nombreuses voûtes et maisons anciennes.

Piazza del Duomo (BY 5). — Le **Duomo Nuovo** (17ᵉ s.) y écrase de sa masse de marbre blanc le **Duomo Vecchio**, édifice roman du 12ᵉ s., bâti sur un sanctuaire plus ancien et nommé aussi la Rotonda en raison de sa forme. A l'intérieur, magnifique sarcophage en marbre rose surmonté d'un gisant d'évêque et, dans le chœur, toiles des peintres de Brescia, Moretto et Romanino. A gauche du Duomo Nuovo, le **Broletto** (**P**) est un édifice austère, de style roman, surmonté d'une solide tour carrée et présentant, en façade, un balcon des Proclamations.

★**Pinacothèque Tosio Martinengo** (Pinacoteca) (CZ). — On y voit surtout des œuvres représentatives de l'**école de Brescia,** caractérisée par la richesse des tonalités et l'équilibre solide de la composition : Moretto, peintre de scènes religieuses et de portraits, et Romanino, auteur de fastueuses scènes religieuses à la vénitienne, sont présents avec de nombreux tableaux, ainsi que V. Foppa et Savoldo. Mais on peut également admirer des œuvres de Clouet, Raphaël, le Maître d'Utrecht, L. Lotto, et Tintoret.

★**Via dei Musei** (CY). — Cette rue pittoresque offre à l'amateur d'archéologie deux musées intéressants. Le **Musée romain★** (**M¹**), installé dans les ruines du **temple Capitolin★** (73 après J.-C.), contient notamment une belle **Victoire** ailée et six **bustes** romains en bronze. Une fois dépas-

Palestro (Corso) .... **BY**
Zanardelli (Corso) .... **BZ** 21
10 Giornate (Via delle) .... **BY** 22

sés les vestiges du forum, le **musée d'Art chrétien** (**M²**) occupe l'église de Santa Giulia (16ᵉ s.) ; ses collections contiennent quelques pièces d'art de grande valeur, tels des **ivoires★★** des 4ᵉ et 5ᵉ s., la **croix de Desiderius★★** (8ᵉ s.), richement ornée, des médailles de Pisanello et des petits bronzes d'Antonio Riccio (16ᵉ s.).

Églises. — Brescia s'enorgueillit en outre de plusieurs églises romanes, Renaissance ou baroques qui contiennent presque toutes des œuvres intéressantes, notamment des peintures de l'école locale. **San Francesco★** (AY), du 13ᵉ s., conserve une Pietà de l'école de Giotto (14ᵉ s.). Trois saints par Moretto et une Vierge à l'Enfant de Romanino. **Santa Maria dei Miracoli** (AYZ **A**), datant des 15ᵉ et 16ᵉ s., offre une belle **façade★** de marbre. **San Nazaro-San Celso** (AZ **N**) possède un chef-d'œuvre de Moretto, le **Couronnement de la Vierge★** ; Sant'Alessandro (BZ **G**) recèle une **Annonciation★** (15ᵉ s.) de Jacopo Bellini et une **Déposition de Croix★** par Civerchio. **Sant'Agata** (BY **R**), au riche **intérieur★**, renferme un polyptyque de la **Vierge de Miséricorde★** de l'école de Brescia (16ᵉ s.) et la **Vierge au Corail★**, ravissante fresque du 16ᵉ s. Citons encore **San Giovanni Evangelista** (BY **E**), pour ses tableaux de Moretto et Romanino, l'église de la **Madonna delle Grazie** (AY **C**) pour son intérieur baroque, et l'**église des Carmini** (BY **D**) à la silhouette orientale.

★ BRESSANONE (BRIXEN) Trentin — Haut-Adige   16 232 h.

Carte Michelin n° 988 plis 4, 5 — Schéma p. 76 — Plan dans le guide Rouge Michelin Italia.

Au confluent de la Rienza et de l'Isarco, Bressanone est une gracieuse petite ville qui jouit d'un climat sec et vivifiant et d'un exceptionnel ensoleillement.
Les rues et les places ont gardé leur physionomie ancienne, de style tyrolien.

Cathédrale (Duomo). — Intérieur baroque orné de marbres, stucs, dorures et fresques. A droite de la cathédrale, un beau **cloître★** roman (12e s.), présentant d'intéressantes fresques du 14e s. au 16e s., donne accès au **trésor★** (beaux objets de culte et reliquaires) et à la chapelle St-Jean-Baptiste du 11e s. (fresques romanes du 13e s. et gothiques du 14e s.).

Palais des Princes-Évêques (Palazzo Vescovile). — *Entrée via Vescovado.* Belle **cour★** à trois étages d'arcades ornées de statues. L'édifice abrite le **musée diocésain★** : au 1er étage, remarquable ensemble de **sculptures★★** sur bois polychromes (art tyrolien roman et gothique) et série de **retables sculptés★** en ronde-bosse, de l'époque de la Renaissance ; au rez-de-chaussée, amusante collection de **crèches★** des 18e et 19e s.

EXCURSIONS

★★★ Plose (alt. 2 446 m). — *Au Sud-Est.* Le téléphérique de Valcroce, puis la télécabine de Plose permettent de découvrir un **panorama★★★** sur les Dolomites au Sud et, au Nord, sur les sommets autrichiens.

★Couvent de Novacella. — *3 km au Nord.* Fondé en 1142, remanié aux 15e et 18e s. : voir l'église Notre-Dame de style baroque bavarois, la bibliothèque, le cloître (fresques de M. Pacher) et la chapelle St-Michel (fin 12e s.).

Carte Michelin nº ▓▓▓ pli 30 — Plans dans le guide Rouge Michelin Italia.

Important port militaire et commercial situé dans le talon de la botte : des services maritimes assurent quotidiennement la liaison avec la Grèce. La ville joue d'ailleurs depuis l'Antiquité ce rôle d'ouverture sur le bassin méditerranéen. C'est Trajan qui, substituant à la vieille Via Appia une nouvelle route, la Via Traiana, à partir de Bénévent, contribua à accroître l'importance de Brindisi dès 109 après J.-C. Après la conquête normande, la ville devint, au même titre que Barletta, un point d'embarquement pour les croisés de Terre Sainte et vit partir la 6e croisade (1228) conduite par l'empereur Frédéric II de Souabe. Avec Tarente et Bari, elle constitue un des sommets du fameux « triangle » de mise en valeur industrielle du Mezzogiorno.

★ **Colonne romaine (Colonna Romana).** — Dressée près du port, cette haute colonne de marbre, se terminant par un chapiteau à figures, marquait le terme de la Via Appia-Traiana.

⊘ **Musée archéologique (Museo Archeologico).** — *Piazza Duomo.* Il regroupe de nombreux objets de fouilles, notamment une précieuse collection de vases apuliens et messapiens.

★ La CALABRE

Carte Michelin nº ▓▓▓ plis 38, 39, 40.

La Calabre couvre l'extrême pointe Sud-Ouest de la péninsule italienne, du golfe de Policastro à Reggio di Calabria. Le prolongement de l'autoroute du Sud jusqu'à la capitale de la région a facilité l'accès à ce pays, qu'un relief accidenté et de rares voies de communication rendaient jusqu'ici malaisé à visiter. Cette situation particulière a longtemps tenu la région à l'écart, mais on aurait tort de croire, comme le faisait un voyageur français du début du 19e s., que « l'Europe finit à Naples ». On pourrait même prétendre l'inverse si l'on se rappelle que les premières colonies, fondées au 8e s. avant J.-C. par les Grecs, le furent précisément sur le littoral ionien de l'actuelle Calabre. S'il n'est pas possible de se rendre compte sur place, comme en Sicile (à Ségeste, Agrigente ou Sélinonte) de l'existence de la Grande Grèce sur la péninsule, les musées de Reggio, Tarente ou Naples témoignent de cette influence qui dura longtemps : ce n'est en effet qu'au 3e s. avant J.-C. que Rome entreprit la conquête de l'Italie du Sud, sans pouvoir toutefois assurer une domination totale et pacifique avant que Sylla ne prenne en main l'administration de ces provinces (1er s. avant J.-C.). Après la fin de l'Empire, la Calabre passa, comme les régions voisines, sous la domination des Lombards, des Sarrasins, des Byzantins, avant d'être réunie au royaume normand des Deux-Siciles avec lequel elle a été rattachée à l'Italie en 1860.

Les massifs montagneux qui occupent le centre de la presqu'île laissent peu de place aux plaines maritimes ; c'est pourquoi on observe des variations extrêmes de températures selon les saisons, et, suivant les régions, une végétation très différente : sévères montagnes et vastes alpages dans le massif de la Sila, grandes forêts de châtaigniers sur l'Aspromonte, vallées pierreuses et escarpées le long du littoral, et plaines fruitières en bordure du golfe de Tarente. Grâce à la réforme agraire entreprise ces dernières années, la Calabre a quelque peu endigué sa très forte émigration de populations et s'est arrachée à un isolement que sa situation géographique, climatique et politique avait provoqué.

★★ **Massif de la Sila.** — Au Nord de Catanzaro, à quelques kilomètres de la mer, le haut plateau granitique de la Sila porte la plus grande forêt (en latin silva) d'Italie, où les vastes étendues de pins, de sapins, de hêtres et de chênes verts alternent avec des pâturages et des lacs déserts et tranquilles ; mise en valeur par une récente réforme agricole, cette région, autrefois inaccessible, est devenue un lieu de villégiature, en hiver comme en été. A l'Est de la Sila, **San Giovanni in Fiore**, la capitale, est bâtie autour d'une abbaye créée par Joachim de Flore, lequel fonda un ordre religieux encore plus strict que celui des cisterciens, dans le but de relever et de purifier l'église. La Badia Fiorense a conservé un remarquable portail ogival et, dans l'abside, quelques fenêtres cisterciennes. Au bord de l'immense **lac Arvo★**, aux rives découpées et boisées, s'est développé le petit centre touristique de Lorica (station de ski).

★ **Aspromonte.** — L'extrême pointe de la Calabre est formée par le massif de l'Aspromonte, culminant à près de 2 000 m. Le versant tyrrhénien plonge rapidement dans la mer, en formant de larges terrasses ; du côté de la mer Ionienne, en revanche, la pente est plus douce. Richement couvert de châtaigniers, chênes, pins et hêtres, l'Aspromonte est un réservoir d'eau d'où rayonnent de profondes vallées creusées par les « fiumare », ces larges lits de torrents, à sec l'été, mais qui peuvent se remplir de courants très violents et causer d'importants dégâts. La route S 183, de la S 112 à Melito di Porto Salvo, permet d'admirer la variété et la beauté des paysages, et de jouir de remarquables et étonnants **panoramas★★★**.

★ **Côte violette (Costa Viola).** — C'est la couleur foncée des hauts versants rocheux qui a valu ce surnom à cette ultime section du littoral tyrrhénien, de Gioia Tauro à Villa San Giovanni.

Gioia Tauro. — Localité balnéaire dont l'arrière-pays est couvert d'oliveraies aux arbres centenaires.

Palmi. — Perchée au-dessus de la mer, cette petite ville dispose d'une belle plage de
⊘ sable et d'un petit port de pêche. En outre, elle possède un intéressant **musée municipal** *(Casa della Cultura, via San Giorgio)* dont la **section ethnographique★** évoque la vie traditionnelle en Calabre (costumes, artisanat, céramiques, etc.).

★ **Bagnara Calabra.** — Occupant une situation pittoresque face à la mer, Bagnara est le centre de la pêche à l'espadon.

★**Scilla.** — Cette petite ville de pêcheurs est construite au pied d'un rocher, monstre féminin qui dévorait les vaisseaux que Charybde, près de Taormine sur la côte sicilienne, n'avait pas engloutis ; d'où l'expression « tomber de Charybde en Scylla ».

Villa San Giovanni. — Départ des « traghetti » porteurs de voitures, pour la Sicile.

★**Rocca Imperiale.** — *25 km au Nord de Trebisacce.* Village pittoresque qui monte à l'assaut de la colline au sommet de laquelle se dresse un puissant château érigé par Frédéric II de Souabe.

★**Tropea.** — Au sommet d'une falaise, cette petite ville, qui connut son heure de splendeur sous les Angevins et les Aragonais, possède une belle **cathédrale★** (Cattedrale) de caractère normand, avec trois absides incrustées de pierres polychromes.

Altomonte. — *30 km au Sud de Castrovillari.* Au-dessus du gros bourg d'Altomonte, se dresse une imposante cathédrale angevine, construite au 14e s. et dédiée à **Santa Maria della Consolazione.** Sa façade est ornée d'un portail et d'une élégante rosace. L'intérieur, à nef unique et chevet plat, abrite le beau **tombeau★** de Filippo Sangineto. A côté de l'église, le petit **musée** contient un **saint Ladislas★** attribué à Simone Martini, ainsi que d'autres œuvres précieuses.

Catanzaro. — *Plan dans le guide Rouge Michelin Italia.* Comme beaucoup d'autres villes de la Calabre, Catanzaro est perchée sur une colline à une certaine distance de la mer, à l'abri des invasions et de la malaria. Fondée au 9e s. par les Byzantins, la ville prospéra à la fin du 15e s., grâce à une université et à une industrie de la soie réputées dans l'Europe entière. Après avoir glorieusement résisté aux assauts français du maréchal de Lautrec en 1528, la ville perdit de son éclat au 17e s., à cause de la peste, et aux 18e et 19e s. en raison des nombreux tremblements de terre qui la secouèrent. Néanmoins, la ville moderne, traversée par le corso Mazzini, n'est pas dénuée d'un certain charme.

La **villa Trieste★**, jardin public ombragé, offre l'agrément de sa situation en balcon, et l'**église San Domenico,** dite aussi **église du Rosaire,** recèle le très beau retable de la **Madone du Rosaire★**, probablement l'œuvre d'un peintre de l'école napolitaine du 17e s.

Cosenza. — *Plan dans le guide Rouge Michelin Italia.* La cité moderne, d'allure américaine, est surplombée par la vieille ville dont les rues et les palais rappellent la prospérité que connurent les époques angevine et aragonaise : Cosenza était alors considérée comme la capitale artistique et religieuse de la Calabre. La **cathédrale** (Duomo), des 12e-13e s., rendue à sa forme première par une restauration récente, abrite le **tombeau★** d'Isabelle d'Aragon, morte en couches à l'entrée de Cosenza alors qu'elle revenait de Tunis avec la dépouille de son beau-père, le roi Saint Louis.

Crotone. — *Page 74.*

Gerace. — *Au Nord-Ouest de Locri, sur la route S 111.* Jadis refuge des habitants de Locri contre les invasions sarrasines, Gerace a été abandonnée pour le rivage aujourd'hui assaini. La **cathédrale** (Cattedrale), l'une des plus vastes de la Calabre, remonte au Normand Robert Guiscard (11e s.) ; bien que plusieurs fois remaniée, elle a conservé son plan basilical à trois nefs séparées par de belles colonnes antiques. Non loin de là, se dresse l'**église San Francesco,** possédant un joli portail et renfermant un **maître-autel★** du 17e s. en marbre polychrome.

Locri. — *Côte Est de l'Aspromonte.* Aujourd'hui modeste station balnéaire, Locri fut fondée par les Grecs au 7e s. avant J.-C. La ville, régie par des lois sévères édictées par Zaleucos, fut la rivale de Crotone qu'elle vainquit lors de la bataille de Sagra, et tint tête aux tentatives d'annexion des tyrans syracusains. Après avoir pris le parti d'Hannibal, comme les autres villes de la côte Ionienne, pendant la 2e guerre punique, elle perdit son importance et fut détruite par les Sarrasins au 9e s. de notre ère. La plupart des antiquités de Locri sont au musée de Reggio di Calabria. Néanmoins, une zone archéologique intéressante s'étend au Sud de la ville.

Paola. — Saint François de Paule y naquit vers 1416 ; un **couvent,** visité par de nombreux pèlerins, s'élève à deux kilomètres au-dessus de la ville. Vaste ensemble de bâtiments, la basilique, à la belle façade baroque, abrite les reliques du saint. Cloître et ermitage creusé en grottes où sont réunis de nombreux et impressionnants ex-voto.

★**Pentedattilo.** — *10 km au Nord-Ouest de Melito di Porto Salvo.* Situé dans une vallée austère et brûlée, ce petit village groupe ses maisons au pied d'un rocher gigantesque, miné par l'érosion, évoquant une main aux doigts dressés vers le ciel (pentedattilo signifie « cinq doigts » en grec).

Reggio di Calabria. — *Page 162.*

Rossano. — *96 km au Nord-Ouest de Crotone.* Cette ville, étagée sur les pentes d'une colline couverte d'oliviers, fut au Moyen Age la capitale du monachisme grec en Occident, où les moines basiliens chassés ou persécutés vinrent se réfugier, occupant des grottes que l'on visite encore. Rossano a conservé de cette période une parfaite petite église byzantine, **San Marco,** au chevet plat sur lequel font saillie trois absides semi-cylindriques, percées de jolies baies. A droite de la cathédrale (Cattedrale), le **musée diocésain** (Museo Diocesano), ancien archevêché, abrite le précieux **Codex Purpureus★**, évangéliaire du 6e s. aux pages de couleurs vives.

A 20 km à l'Ouest de la ville, la route mène à une petite église, le **Patirion,** unique vestige d'un grand couvent basilien, présentant trois belles absides ornées d'arcs aveugles et, à l'intérieur, quelques mosaïques figurant divers animaux.

Serra San Bruno. — Entre la Sila et l'Aspromonte, dans les montagnes calabraises des Serre, Serra San Bruno est un petit bourg qui s'est développé, au milieu de **forêts★** de hêtres et de conifères, autour d'un **ermitage** fondé par saint Bruno. Une chartreuse du 12e s. *(1 km du bourg)* et la grotte *(4 km au Sud-Ouest de la chartreuse)* où l'ermite se retirait, évoquent le souvenir de saint Bruno qui mourut en 1101.

Sibari. — *15 km au Sud de Trebisacce.* Fondée au 8e s. avant J.-C., au cœur d'une plaine d'une fertilité extraordinaire qui fut la principale source de l'exceptionnelle richesse de l'antique **Sybaris,** la ville fut rasée en 510 avant J.-C. par la cité voisine de Crotone. On visite un petit **musée archéologique** (Museo Archeologico) et une **zone de fouilles** (Scavi) au Sud de la ville.

Stilo. — *15 km à l'Ouest de Monasterace Marina.* Sur le versant rocailleux d'une vallée profonde, la ville, bastion des moines basiliens, est célèbre par son église byzantine, la **Cattolica★**. De dimensions réduites mais de proportions parfaites, en forme de croix grecque dans le plus pur style byzantin, l'édifice est surmonté de cinq petites coupoles. A l'intérieur, quatre colonnes antiques supportent les arcades et les voûtes.

(D'après photo T.C.I.)

Stilo. — La Cattolica.

CAMONICA (Val) Lombardie

Carte Michelin nº 988 pli 4.

Cette vallée conduit de Lovero à Edolo ; industrialisée dans sa partie basse, elle devient plus pittoresque à mesure qu'on la remonte : de nombreux châteaux en ruine jalonnent alors ses versants. Dans le val Camonica et les vallées adjacentes ont été découvertes de très nombreuses gravures rupestres d'un grand intérêt.

★★**Parc national des Gravures rupestres (Parco Nazionale delle Incisioni Rupestri di Naquane).** — *Visite : 2 h. On y accède à partir de Capo di Ponte.* Les roches, lissées par l'érosion glaciaire, présentent des scènes extrêmement vivantes (évoquant la vie religieuse ou quotidienne, la chasse ou la guerre) qui appartiennent à une civilisation présente dans cette région à l'âge du bronze ancien (1800 avant J.-C.), et jusqu'à l'âge du fer (900-200 avant J.-C.). Ces images sont gravées dans le rocher grâce à la technique du piquetage.

Breno. — Le centre principal du val est dominé par un château du 10e s. et possède deux églises intéressantes : Sant'Antonio (14e-15e s.) et San Salvatore.

CAPOUE (CAPUA) Campanie   18 904 h.

Carte Michelin nº 988 pli 27 — 38 km au Nord de Naples.

A 5 km de la célèbre Capoue romaine où Hannibal s'amollit dans des délices qui lui furent funestes, cette petite ville triangulaire, encerclée de murailles, conserve un certain cachet grâce à ses ruelles étroites, ses arcs, ses vieux palais et ses églises, pour la construction desquels de nombreux vestiges romains ont été réemployés.

Cathédrale (Duomo). — Élevé au 9e s., mais plusieurs fois détruit et reconstruit, cet édifice possède un campanile lombard dont la base englobe des fragments antiques. Dans l'atrium, colonnes aux beaux **chapiteaux corinthiens** (3e s.). A l'intérieur, de forme basilicale, nombreuses œuvres d'art.

★**Musée de la Campanie (Museo Campano).** — *A l'angle de la via Duomo et de la via Roma.* La section archéologique réunit une étonnante série de **déesses-mères** datant du 7e au 1er s. avant J.-C. et une charmante **mosaïque.** La section médiévale abrite de belles **sculptures,** restes de l'imposante porte de ville construite par Frédéric II de Souabe vers 1239 pour marquer l'entrée de son royaume. La **piazza dei Giudici** constitue un bel ensemble urbain avec l'église baroque de Sant'Eligio, un arc gothique surmonté d'une loggia et l'hôtel de ville (16e s.).

CAPRAROLA Latium   4 391 h.

Carte Michelin nº 988 pli 25 — 19 km au Sud-Est de Viterbe.

★**Villa Farnèse.** — Bâtie entre 1559 et 1575 pour le cardinal Alexandre Farnèse, sur un dessin de Vignola, cette villa est un exemple caractéristique de la culture maniériste de la fin du 16e s. L'édifice, à cinq étages et sur plan pentagonal, s'ordonne autour d'une cour ronde. A l'intérieur, à gauche du salon d'entrée, un **escalier hélicoïdal★★,** dessiné par Vignola, est soutenu par trente colonnes doubles et décoré de grotesques et de paysages peints par Antonio Tempesta. Les peintures qui ornent plusieurs salles de ce palais, dues à Taddeo (1529-1566) et Federico Zuccari (vers 1540-1609) ainsi qu'à Bertoja (1544-1574), constituent l'une des ultimes manifestations de ce maniérisme raffiné et sophistiqué caractéristique de la fin de la Renaissance italienne.

Le parc. — D'une superficie de 18 ha, il est composé de terrasses et de fontaines, et embelli par une charmante **palazzina** dessinée par Vignola.

Carte Michelin n° 988 pli 27 — Schéma page suivante — Accès : voir le guide Rouge Michelin Italia.

Par sa situation proche de la côte de la presqu'île de Sorrente *(voir schéma p. 131)*, par la beauté de son relief accidenté, par la douceur de son climat et la variété de sa végétation luxuriante, l'île de Capri a toujours séduit. Deux empereurs romains y séjournèrent : Auguste, d'abord, qui l'échangea contre Ischia, puis Tibère qui y passa les dix dernières années de sa vie. Depuis le 19e s. de nombreuses célébrités des arts, peintres, écrivains, musiciens, acteurs, aiment à s'y retrouver en toutes saisons. Capri est aujourd'hui un haut lieu du tourisme international.

★MARINA GRANDE

C'est le port où l'on débarque, au Nord de l'île. Ses maisons blanches ou colorées se détachent sur de hautes falaises qui leur font un cadre grandiose.

> *Un funiculaire mène à Capri (piazza Umberto 1º). Un bus dessert Anacapri, avec arrêt à Capri (via Roma).*

PROMENADES EN BATEAU

★★**Grotte Bleue (Grotta Azzurra).** — *Au départ de Marina Grande. Accès également possible par route (8 km au départ de Capri).* C'est la plus fameuse des nombreuses grottes qui s'ouvrent sur la côte très escarpée de l'île. La lumière, pénétrant par réfraction, donne à l'eau un admirable coloris bleu clair.

★★★**Tour de l'île.** — *Au départ de Marina Grande.* Ce périple permet de découvrir une côte accidentée le long de laquelle se succèdent les grottes, les écueils aux formes fantastiques, de petites criques paisibles ou de hautes falaises tombant à pic dans la mer. L'île n'est pas grande, pourtant : à peine 6 km de long et 3 km de large. Le climat, particulièrement tempéré, favorise le développement d'une flore très variée, faite de pins, de lentisques, genévriers, arbousiers, asphodèles, myrtes et acanthes. Effectuant le tour de l'île dans le sens des aiguilles d'une montre, le bateau rencontre d'abord la **grotte du Bœuf marin** (Grotta del Bove Marino), ainsi nommée en raison du mugissement de la mer par gros temps ; on contourne ensuite la pointe du Cap, dominée par le **mont Tibère** (monte Tiberio). Ayant laissé derrière soi l'impressionnant Saut de Tibère *(ci-dessous)*, on approche de la Punta di Tragara au Sud, où surgissent les célèbres **Faraglioni,** îlots aux formes hérissées et fantastiques, sculptées par les flots. La **grotte de l'Arsenal** (grotta dell' Arsenale) (**BZ**) était un nymphée au temps de Tibère. On passe devant le petit port de Marina Piccola *(p. 66)* avant d'atteindre la côte Ouest, plus basse. Le bateau termine son trajet par la côte Nord où s'ouvre la Grotte Bleue *(ci-dessus).*

★★★CAPRI

La ville ressemble à un décor d'opérette : petites places et maisonnettes blanches, avec, en coulisses, des ruelles rustiques évoquant le style mauresque. A cet attrait, s'ajoute, au hasard des promenades, celui qu'offre la juxtaposition de lieux fréquentés par une foule animée et de sites sauvages et solitaires, propices à la rêverie.

★**Piazza Umberto Iº** (**BZ**). — C'est le centre, minuscule lui aussi, de la ville où, à l'heure de l'apéritif, se rassemble le Tout-Capri. Tout autour, des ruelles animées, comme l'étroite **via Le Botteghe★** (**BZ 10**), abritent des boutiques de souvenirs ou d'articles de luxe.

★★**Belvédère Cannone.** — On y accède par la **via Madre Serafina★** (**BZ 12**), presque entièrement sous voûtes. Il permet de découvrir un aspect plus silencieux et plus secret de Capri.

★★**Belvédère de Tragara.** — *Accès par la via Camerelle* (**BZ**) *et la via Tragara.* La vue est magnifique sur les Faraglioni.

★★**Villa Jovis.** — C'est l'ancienne résidence de l'empereur Tibère ; les fouilles ont permis de retrouver les logements des serviteurs, des citernes alimentant les bains, les appartements impériaux disposant d'une loggia donnant sur la mer. De l'esplanade où a été édifiée une église, **panorama★★** sur l'île entière.
En descendant par le grand escalier en arrière de l'église, on peut voir le **saut de Tibère★** où l'empereur avait coutume, dit-on, de précipiter ses victimes.

CAPRI

Camerelle (Via)	**BZ**
Croce (Via)	**BZ**
Fuorlovado (Via)	**BZ 9**
Le Botteghe (Via)	**BZ 10**
Umberto Iº (Pza)	**BZ**
Vittorio Emanuele (Via)	**BZ 23**
Castello (Via)	**BZ 3**
Cerio (Via)	**BZ 4**
Certosa (Via)	**BZ 6**
Madre Serafina (Via)	**BZ 12**
S. Francesco (Via)	**BZ 14**
Serena (Via)	**BZ 16**
Sopramonte (Via)	**BZ 17**
Tiberio (Via)	**BZ 18**
Tragara (Via)	**BZ 21**

Vous cherchez un parking...
les principaux sont indiqués
sur les plans de ce guide.

★**Arc naturel (Arco Naturale).** — Rocher creusé d'une arche gigantesque et suspendu au-dessus de la mer. Dans la **grotte de Matromania,** située en contrebas, les Romains vénéraient Cybèle.

⊘**Chartreuse St-Jacques (Certosa di San Giacomo)** (BZ D) et **Jardins d'Auguste (Giardini Augusto)** (BZ B). — Du 14e s., la chartreuse possède deux cloîtres dont le plus petit abrite des statues romaines retrouvées dans un nymphée de la Grotte Bleue.
Les Jardins d'Auguste procurent une belle **vue★★** sur la pointe de Tragara et les Faraglioni *(p. 65)* ; en contrebas, la **via Krupp★** (BZ), accrochée à la paroi rocheuse, conduit à Marina Piccola.

★**Marina Piccola.** — Jolies petites plages et abri pour les barques de pêche.

★★★ ANACAPRI

Plan dans le guide Rouge Michelin Italia.

Par la via Roma et une très belle route de corniche, on accède à ce joli bourg aux ruelles fraîches, moins envahies que celles de Capri.

★**Villa San Michele.** — *Accès à partir de la piazza della Vittoria.*
⊘Construite à la fin du siècle dernier par le médecin et écrivain suédois Axel Munthe (mort en 1949), qui y vécut jusqu'en 1910 et en a décrit l'ambiance dans le fameux livre de San Michele, cette villa est garnie de meubles du 17e et 18e s., de copies d'œuvres antiques et de quelques sculptures romaines originales. Son jardin se termine par une pergola dominant vertigineusement la mer et d'où le **panorama★★★** est splendide, sur Capri, Marina Grande, le mont Tibère et les Faraglioni.
Au-dessous de la villa aboutit la **Scala Fenicia,** sentier en escalier qui compte près de 800 marches et qui fut longtemps la seule voie reliant Anacapri au port. Sur ces marches, Axel Munthe rencontra la vieille Maria « Porta Lettere », qui avait charge de distribuer le courrier mais ne savait pas lire et dont il fit une des figures de son roman.

⊘**Église San Michele.** — Beau **pavement★** de majolique (1761) représentant le Paradis terrestre d'après un dessin de Solimena.

★★★**Mont Solaro.** — Un télésiège, au départ d'Anacapri, survole agréablement les jardins
⊘à la riche végétation et mène au sommet d'où l'on bénéficie d'un inoubliable **panorama★★★** sur l'île de Capri, le golfe de Naples et, au-delà, jusqu'à l'île de Ponza, les Apennins et les monts du Sud de la Calabre.

★**Belvédère de Migliara.** — *1 h à pied AR* — *Passer sous le télésiège pour prendre la via Caposcuro.* **Vue★** remarquable sur le phare de la Punta Carena et sur des falaises vertigineuses.

CARRARE Toscane 68 621 h.

Carte Michelin n° ▢▢▢ pli 14.

A la lisière du massif calcaire des Alpes Apuanes, tourmentées et spectaculaires, Carrare est située dans un riant bassin. Sa renommée lui vient de l'exploitation, entreprise dès l'Antiquité, de ses **marbres** blancs d'une pureté et d'un grain que seuls égalent ceux de Paros, en Grèce. Michel-Ange venait y choisir les blocs dans lesquels il sculptait ses chefs-d'œuvre.

Cathédrale (Duomo). — Elle présente une façade de style pisan, ornée d'une belle rosace en marbre finement ouvragée, et un élégant campanile du 13e s. A l'intérieur, plusieurs statues intéressantes du 14e s.

⊘**Carrières de marbre (Cave di marmo).** — Le paysage farouche et le travail gigantesque effectué par les hommes offrent un extraordinaire spectacle. Des **carrières de Fantiscritti★★** *(5 km au Nord-Est),* farouches et impressionnantes, et de celles de **Colonnata★** *(8,5 km à l'Est),* dans un décor verdoyant, les blocs sont acheminés vers la plaine. **Marina di Carrara** *(7 km au Sud-Ouest)* est le port d'exportation des marbres qui s'y entassent dans d'énormes dépôts.

⭐**Sarzana.** — *16 km au Nord.* Autrefois base avancée de Gênes et rivale de Pise, cette ville active conserve de nombreux témoignages de son importance passée. La **cathédrale** (Cattedrale) abrite un **retable**★ en marbre (1432), finement sculpté par Riccomani ; à droite du chœur, une chapelle recèle une ampoule qui aurait contenu le sang du Christ ; dans la chapelle à gauche du chœur, on admire un **crucifix**★, chef-d'œuvre de la peinture romane, par Guglielmo de Lucques (1138). La **forteresse de Sarzanello**★, élevée en 1322 par le condottiere de Lucques Castruccio Castracani, se trouve sur une hauteur au Nord-Est de la ville : c'est un curieux exemple d'architecture militaire, avec ses profonds fossés et ses courtines massives, cantonnées de tours rondes. Du donjon, on jouit d'un **panorama**★★ magnifique sur la ville et les premiers contreforts des Apennins.

★★ CASAMARI (Abbaye de) Latium

Carte Michelin n⁰ 988 pli 26.

Élevée dans un lieu solitaire, selon la règle bénédictine, l'abbaye de Casamari fut consacrée en 1217 par le pape Honorius III. Ce sont les moines cisterciens qui bâtirent les nouvelles constructions suivant le modèle établi à Fossanova *(p. 93)* et les principes d'austérité préconisés par saint Bernard, enjoignant à la communauté de se suffire à elle-même.

Bel exemple du premier gothique italien, l'église est précédée d'un porche d'entrée surmonté d'une galerie à baies géminées où fut aménagé, dès la Renaissance, le logis de l'abbé. La façade, typiquement bourguignonne, est très simple, avec son beau portail en plein cintre au tympan très orné, sa tour de croisée et sa rosace.

L'intérieur est à trois nefs, séparées par d'imposants piliers cruciformes avec colonnes engagées qui supportent des voûtes d'ogives très hautes. Le plan est en croix latine présentant un chœur peu profond et plat, quelque peu troublé par un baldaquin plus tardif. L'abside et les bras du transept sont éclairés par des fenêtres surmontées d'une roue.

A droite de l'église, se trouve le cloître aux colonnes jumelées, avec son puits et son jardin fleuri. Sur le côté Est s'ouvre, à son emplacement traditionnel, une remarquable salle capitulaire dont les voûtes ogivales ornées de fines nervures reposent sur quatre piliers fasciculés.

★ CASERTA Campanie   65 332 h.

Carte Michelin n⁰ 988 pli 27.

Au cœur d'une plaine fertile, Caserta est le Versailles du royaume de Naples.

★★**La Reggia.** — C'est Charles III de Bourbon qui, en 1752, ordonna à l'architecte Vanvitelli la construction de ce palais, aux dimensions exceptionnelles. Cet édifice, l'un des plus grandioses d'Italie, est bâti sur un plan rectangulaire (249 × 190 m) élevé sur cinq étages. Ses façades avec avant-corps à colonnes sont d'une grandeur un peu monotone, en dépit des quelque 250 fenêtres qui les percent. Les bâtiments s'ordonnent autour de quatre cours de belles proportions. Un magnifique vestibule permet d'accéder à celles-ci et au somptueux **escalier d'honneur**★. Les appartements, richement décorés, renferment un mobilier Empire.

★**Le parc.** — Le parc et ses jardins sont également dus à Luigi Vanvitelli et à son fils : s'y déploient, jusqu'à la grande **cascade**★★ *(78 m de haut)*, toute une série de fontaines et de bassins ornés de statues, notamment un groupe de Diane et Actéon par Vanvitelli. A droite de la cascade, pittoresque **jardin anglais**★★ créé par Marie-Carolino d'Autriche.

★**Caserta Vecchia.** — *10 km au Nord.* Cette petite ville, dominée par les vestiges de son château du 9ᵉ s., offre le charme désuet de ses ruelles à demi abandonnées, courant entre de vieux murs de tuf brun.

★ CASTELFRANCO VENETO Vénétie   28 697 h.

Carte Michelin n⁰ 988 pli 5.

L'agréable citadelle de Castelfranco, entourée de douves et animée de quelques jolies maisons à arcades, s'enorgueillit d'avoir donné le jour au peintre **Giorgione** et de posséder dans sa **cathédrale** (Duomo) l'une des rares œuvres qui lui soit quasi unanimement attribuée par la critique : **Vierge à l'Enfant entre saint François et saint Libéral**★★. Né vers 1477, Giorgione mourut à 32 ans, sans doute de la peste, laissant une vingtaine de chefs-d'œuvre qui exercèrent une influence déterminante non seulement sur la peinture vénitienne (Titien tout d'abord, qui fut son élève et acheva sans doute quelques-unes de ses compositions, Giovanni Bellini dans ses dernières œuvres, Sebastiano del Piombo, Palma le Vieux, Savoldo, Dosso Dossi, etc.), mais également, par l'usage si particulier de la lumière, sur tout le cours de la peinture européenne. Giorgione accomplit, au cours de sa brève carrière, une synthèse admirable de la figure et de la nature : celles-ci, grâce à un dessin d'une extrême souplesse et à une maîtrise souveraine des couleurs, paraissent se fondre comme si la réalité extérieure du paysage devenu thème central du tableau émanait de la méditation intérieure et paisible des personnages. Dans la toile du Duomo, remontant à la première période du peintre, cette aspiration à la fusion est déjà sensible dans la répartition des personnages sur deux plans fortement opposés : les saints Libéral et François dans l'ombre de la salle carrelée et la Vierge, placée sur un trône élevé, se détachant sur un fond de paysage.

Visiter également la **maison natale du peintre,** aménagée en musée *(piazza del Duomo).*

★ CASTELLAMMARE DI STABIA Campanie 68 928 h.

Carte Michelin nᵒ 988 pli 27 — Schéma p. 131.

C'est l'antique ville d'eau romaine de Stabiae.
Après avoir été osque, étrusque et samnite, Stabiae passa sous domination romaine au 4ᵉ s. avant J.-C. mais, s'étant révoltée contre la capitale, elle fut anéantie par Sylla au 1ᵉʳ s. avant J.-C. Elle fut reconstruite en petites agglomérations, auxquelles s'ajoutèrent bientôt de luxueuses villas édifiées sur les hauteurs et où séjournaient les riches patriciens, avant de disparaître sous les cendres de l'éruption du Vésuve en 79. Le naturaliste Pline l'Ancien, venu observer le phénomène par bateau, périt asphyxié par les gaz.
Au 18ᵉ s., les Bourbons entreprirent des fouilles, remirent en état le port et fondèrent des chantiers navals encore actifs aujourd'hui.

★**Antiquarium.** — *2, via Marco Mario.* Matériel mis au jour par les fouilles de l'antique Stabiae, dont surtout une magnifique série de **peintures murales** provenant des villas voisines, et de très beaux **bas-reliefs** en stuc.

Villas romaines. — *2 km à l'Est, par la route de Gragnano.* La **villa d'Ariane** (di Arianna) était une riche demeure admirablement située face au golfe de Naples et au Vésuve. La **villa de San Marco,** construite sur deux niveaux dans une architecture raffinée et agrémentée de jardins et piscines, devait également être une somptueuse villa de campagne.

★★ CASTELLI ROMANI Latium

Carte Michelin nᵒ 988 pli 26.

La région des Castelli Romani s'étend au Sud-Est de Rome sur les flancs des monts Albains (Colli Albani), d'origine volcanique. Cette série de places fortes fut édifiée au cours du Moyen Age par les familles nobles qui fuyaient l'insécurité et le désordre de l'ancienne capitale. Chacun de ces bourgs occupe une position protégée sur le pourtour d'un immense cratère, lui-même criblé de cratères secondaires qui forment, entre autres, les lacs d'Albano et de Nemi. Des pâturages et des châtaigneraies occupent les sommets, tandis qu'en bas poussent les oliviers et la vigne produisant un excellent vin.
Les Romains aiment beaucoup s'y rendre dès que la saison est chaude : ils trouvent là tranquillité et fraîcheur, une lumière exceptionnelle, des lieux de promenades et des auberges de campagne aux tonnelles ombragées.

CIRCUIT AU DÉPART DE ROME

122 km — compter une journée

Sortir de Rome par la Via Appia, en direction de **Castel Gandolfo.** Cette petite cité est la résidence d'été du souverain pontife ; on pense que Castel Gandolfo occupe l'emplacement de l'antique Albe-la-Longue, puissante rivale de Rome qui opposa les trois Curiaces aux trois fils de Rome, les Horaces, dans le fameux combat évoqué par Tite-Live. **Albano Laziale,** élevée sur le terrain de l'antique villa de Domitien, possède une jolie église (**Santa Maria della Rotonda★**), une **Villa Comunale★** et (près du Borgo Garibaldi) la prétendue tombe des Horaces et des Curiaces. **Ariccia** présente une belle place dessinée par Le Bernin, un palais ayant appartenu aux Chigi et une église placée sous le vocable de l'Assomption. **Velletri** est une agglomération prospère, au Sud des monts Albains, située au cœur des vignobles.

A partir de Velletri, revenir en arrière par la Via dei Laghi.

Cette belle route qui serpente à travers les bois de châtaigniers et de chênes permet de rejoindre **Nemi,** petit village dans un site charmant sur les pentes du lac de même nom. Elle monte ensuite en direction du **mont Cavo** (alt. 949 m) où s'élevait autrefois un temple de Jupiter, transformé depuis en couvent et aujourd'hui en hôtel : de l'esplanade, belle **vue★** sur la région des Castelli et jusqu'à Rome. Après **Rocca di Papa,** pittoresquement située face aux lacs, la route traverse **Grottaferrata,** qui a conservé une abbaye fondée au 11ᵉ s. par des moines grecs. Une fois passé **Tusculo,** fief des comtes de Tusculum qui dominèrent la région des Castelli, on parvient à **Frascati,** agréablement disposée sur les flancs d'une colline en direction de Rome ; célèbre pour ses vins, la petite cité s'orne de quelques belles villas des 16ᵉ et 17ᵉ s., notamment la **villa Aldobrandini★** dont le parc est aménagé en terrasses aux arbres bien taillés.
Au retour on passe, avant d'entrer dans Rome, devant les studios de Cinecittà, le Hollywood italien.

CERTALDO Toscane 15 895 h.

Carte Michelin nᵒ 988 pli 14.

Le petit bourg de Certaldo, dans la vallée boisée de l'Elsa, a vu vieillir et mourir **Boccace,** l'un des trois grands créateurs (avec Dante et Pétrarque) de la langue italienne. Fils de marchand, éduqué à la cour angevine de Naples, Giovanni Boccaccio marque un goût particulier, et caractéristique de cette nouvelle Renaissance bourgeoise et urbaine, pour l'analyse ironique des caractères humains soumis aux passions les plus diverses et les plus changeantes ; son ouvrage principal, le **Décaméron,** recueil de dix fois dix nouvelles racontées avec une verve limpide et dans une langue pleine et rythmée par dix jeunes gens exilés de Florence en raison de la peste, exalte l'intelligence de l'esprit et de l'amour, victorieux de la bassesse et des habitudes.
On visite, dans le haut de la ville, la **maison de Boccace** transformée en musée, l'église San Jacopo où il fut enterré et le **palais Pretorio,** reconstruit au 16ᵉ s.

CERVETERI Latium

13 929 h.

Carte Michelin n° 988 pli 25.

L'antique Cerveteri, Caere, était un centre étrusque puissant, bâti sur une hauteur à l'Est de l'agglomération actuelle. Son apogée se situe aux 7e et 6e s. avant J.-C., époque à laquelle la cité connaît une vie culturelle et religieuse intense. Mais, au 4e s., commence son déclin. Ce n'est qu'au début de notre siècle que des fouilles sont entreprises, les objets trouvés allant enrichir le musée étrusque de la Villa Giulia à Rome *(p. 176)*, principalement.

Témoignage important de la croyance des Étrusques en la survie de l'âme, une admirable nécropole s'étend à 2 km au Nord de la ville. La **nécropole de la Banditaccia**★★ se présente comme une cité, avec une voie principale ouvrant sur de nombreuses tombes en forme de tumulus, dressées au cœur d'une végétation dont l'ordonnance et les couleurs dégagent une grande sérénité ; les tombes à tumulus, qui créent l'étrangeté de ce lieu, datent généralement du 7e s. avant J.-C. : un tertre conique et herbu repose sur un socle de pierre parfois cerné de moulures, au-dessous duquel se trouvent les chambres funéraires. D'autres tombes consistent en chambres souterraines, accessibles par une porte simplement ornée. Les chambres sont desservies par un vestibule et renferment souvent deux lits funéraires disposés côte à côte et marqués d'une petite colonne s'il s'agit d'un homme (soutien de la famille), d'un petit toit si le défunt était une femme (protection du foyer). Parmi les tombes sans tumulus, visiter la **tombe des Reliefs**★★, décorée de peintures et de stucs évoquant de multiples aspects de la vie quotidienne.

CHIAVENNA Lombardie

7 687 h.

Cartes Michelin n° 988 pli 3 et n° 218 pli 14.

Au cœur d'une région de vallées sauvages, Chiavenna est la clef (chiave) des cols du Splügen et de la Maloja, entre l'Italie et la Suisse.
La **collégiale St-Laurent** (San Lorenzo), d'origine romane, reconstruite au 16e s. après un incendie, contient notamment un Hercule de marbre provenant d'Alba Fucens. Le **baptistère** renferme une **cuve baptismale**★ romane (1156) présentant d'intéressants bas-reliefs. Le **trésor** recèle une belle reliure d'évangéliaire du 12e s.
A proximité, le rocher **Paradiso**, autrefois fortifié, est aménagé en **jardin botanique et archéologique,** offrant de belles **vues**★ sur le site de la ville.

★★**Route du col du Splügen (Passo dello Spluga).** — *De Chiavenna au col, 30 km.* C'est l'une des routes les plus spectaculaires des Alpes, notamment dans sa **section Campodolcino-Pianazzo**★★★, grimpant en lacets au flanc d'une paroi abrupte.

CHIETI Abruzzes

55 262 h.

Carte Michelin n° 988 pli 27 — Plan dans le guide Rouge Michelin Italia.

Bâtie au sommet d'une colline d'oliviers, Chieti propose au touriste des panoramas variés. Le corso Marrucino est l'artère la plus animée de la ville.

Musée archéologique des Abruzzes (Museo Archeologico degli Abruzzi). — Installé dans un des bâtiments de la **Villa Comunale,** au cœur de beaux **jardins**★, il rassemble de nombreuses œuvres de production régionale, sculptées du 6e s. avant J.-C. au 4e s. de notre ère. Remarquer notamment un Hercule de marbre provenant d'Alba Fucens *(p. 37)*, un portrait de Sylla, un Hercule en bronze et, surtout, le fameux **Guerrier de Capestrano**★, étrange statue en pierre calcaire du 6e s. avant J.-C., précieux témoignage de la civilisation picénenne qui s'était développée dans le centre de la péninsule avant la domination romaine.

Vestiges romains. — Trois **temples** (Templi Romani), contigus et minuscules, ont été retrouvés en 1935 près du corso Marrucino (derrière la Poste). Plus à l'Est, se trouvent quelques réservoirs d'eau destinés à alimenter les thermes qui sont assez bien conservés.

CHIUSI Toscane

9 284 h.

Carte Michelin n° 988 pli 15.

Située sur une haute colline couverte d'oliviers, Chiusi, aujourd'hui calme et accueillante, fut l'une des plus puissantes des douze cités souveraines d'Étrurie.

★**Musée étrusque (Museo Etrusco).** — *Via Porsenna.* Il réunit de nombreux objets provenant des nécropoles voisines : sarcophages, cippes et urnes funéraires, de pierre et d'albâtre, sculptures, canopes à têtes humaines, ex-voto d'argile ainsi que toutes sortes d'ustensiles, de vases, de lampes et de bijoux où s'expriment la fantaisie et le goût réaliste du peuple étrusque.
On peut se rendre en voiture, accompagné d'un gardien du musée, à quelques-uns des tombeaux qui subsistent à 3 km de la ville. Le plus intéressant, composé de quatre pièces décorées, est le **tombeau du Singe** (Tomba della Scimmia), du 5e s. avant J.-C.

*Dans le **guide Rouge Michelin ITALIA** de l'année*
vous trouverez un choix d'hôtels agréables, tranquilles, bien situés
avec l'indication de leur équipement :
piscines, tennis, plages aménagées, aires de repos...
ainsi que les périodes d'ouverture et de fermeture des établissements.

★★ CINQUE TERRE Ligurie

Carte Michelin n° 988 pli 13 - Schéma p. 165.

Au Nord-Ouest du golfe de La Spezia, les Cinque Terre restent aujourd'hui encore d'un accès difficile : c'est sans doute pourquoi cette côte escarpée, plantée de vignobles et qui abrite quelques villages de pêcheurs, a gardé presque intactes ses traditions et son paysage farouche et surprenant.

★★**Vernazza.** — *Accès uniquement par train ou par bateau.* C'est le village le plus attrayant des Cinque Terre, avec ses hautes maisons colorées et son église, agglutinées autour d'une anse bien protégée contre les assauts de la mer.

(Photo Aerfoto/Artephot)

Les Cinque Terre. — Manarola.

★**Manarola.** — Bourg de pêcheurs, entouré de vignobles en terrasses, et possédant une petite église du 14e s. De la gare, une splendide **promenade**★★ *(1/4 h à pied)* offre de beaux points de vue sur la côte et les autres villages.

★**Riomaggiore.** — *Accès par une bretelle sur la route La Spezia-Manarola.* Les vieilles maisons de ce bourg médiéval s'entassent dans l'étroit vallon d'un torrent. Le minuscule port de pêche est blotti dans une crique aux étranges rochers noirs stratifiés, typiques de la région.

★ CIVIDALE DEL FRIULI Frioul - Vénétie julienne   11 187 h.

Carte Michelin n° 988 pli 6 - 17 km au Nord-Est d'Udine.

C'est l'ancien Forum Julii, qui a donné son nom au Frioul, situé en surplomb de la rivière Natisone. Longtemps indépendante, la ville devint plus tard la résidence des patriarches d'Aquileia ; dès le 15e s., elle fut soumise à la république de Venise. Atteinte par le séisme de 1976, Cividale a été reconstruite.

Cathédrale (Duomo). — Reconstruite au 16e s. en style Renaissance par Piero Lombardo (1435-1515), elle conserve une façade partiellement gothique, et son intérieur reprend des éléments gothiques préexistants. Le maître-autel porte un retable en argent doré véneto-byzantin du 12e s. Le petit **musée Chrétien** d'art lombard (dans la nef droite) contient, parmi d'autres objets précieux, le baptistère du patriarche Callisto, octogonal, reconstitué avec des éléments byzantins, et l'« autel » (8e s.) du duc Ratchis, en marbre et aux parois sculptées de scènes de la vie du Christ.

★**Musée archéologique (Museo Archeologico Nazionale).** — *A gauche de la cathédrale.* Il abrite notamment une collection de pièces d'orfèvrerie représentatives de l'art lombard du 7e s., parmi lesquelles la croix en or de Gisulfo et une plaque d'ivoire sculptée et gemmée ayant appartenu au duc Orso (9e s.). On remarque aussi un ensemble de manuscrits du Moyen Age (psautier « de Sainte Elisabeth », du 13e s., orné de miniatures).

★★**Tempietto.** — *Près de la piazza San Biagio.* Cet élégant édifice lombard du 8e s., formé d'une salle carrée en croisées d'ogives, s'orne d'une admirable **décoration** lombarde : fresques et stucs stylisés font de cet oratoire un exemple architectural unique en son genre.

L'estimation de temps indiquée pour chaque itinéraire
correspond au temps global nécessaire
pour bien apprécier le paysage et effectuer les visites recommandées.

CIVITAVECCHIA Latium   50 076 h.

Carte Michelin n° ▓▓▓ pli 25.

Civitavecchia, l'antique Centumcellae, devenue dès le règne de Trajan le principal port
de Rome, assure aujourd'hui la liaison avec la Sardaigne. Le port est défendu par le
fort Michel-Ange, solide construction Renaissance commencée par Bramante, conti-
nuée par Sangallo le Jeune et Le Bernin, achevée enfin par Michel-Ange en 1557.
Nommé consul à Civitavecchia en 1831, Stendhal mit à profit ses moments de liberté
pour y composer de nombreuses œuvres, notamment la Chartreuse de Parme.

Ⓥ **Musée national archéologique (Museo Nazionale Archeologico).** — *2 A, largo Plebiscito*. Il réunit des collections étrusques et romaines provenant des fouilles de la
région ; remarquer une étonnante série d'ancres romaines.

Ⓥ **Thermes de Trajan** (ou **Terme Taurine**). — *3 km au Nord-Est*. Composés de deux
ensembles dont le premier (à l'Ouest) remonte à la période républicaine et le second,
mieux conservé, est dû au successeur de Trajan, Hadrien.

COMACCHIO Émilie-Romagne   21 349 h.

Carte Michelin n° ▓▓▓ pli 15.

Bâtie sur le sable et l'eau, vivant depuis toujours de la pêche des anguilles, Comacchio
rappelle Chioggia. Ses maisons colorées, ses canaux franchis par de curieux ponts,
parfois triples, ses barques de pêche font son charme.

★ **Le Polésine.** — Les étendues qui entourent Comacchio sont formées par l'ancien
delta du Pô qui, autrefois pauvre et malsain, a été transformé en une région agricole.
La route Chioggia-Ravenne (90 km) qui la traverse offre à perte de vue un paysage
plat, désert, ponctué de temps à autre par une grande ferme isolée. Des futaies de
peupliers et de pins parasols colorent, particulièrement au printemps, la monotonie de
ce pays où l'on pratique, dans les nombreux canaux qui le sillonnent, la pêche à
l'anguille. A **Mesola** *(28 km au Nord de Comacchio)*, s'élève un robuste château de
brique, bâti en 1583 par les Este. Dans la partie méridionale du delta, les **« Valli di
Comacchio »** forment une zone lagunaire, la plus importante d'Italie, d'une mélancolique
beauté.

★ CÔME Lombardie   94 634 h.

Cartes Michelin n° ▓▓▓ pli 3 et ▓▓▓ plis 8, 9 — Schéma p. 103 — Plan dans le guide
Rouge Michelin Italia.

Cité florissante sous les Romains, Côme connut son apogée au 11e s. Détruite par les
Milanais en 1127, reconstruite par l'empereur Frédéric Barberousse, elle fut reprise
par Milan en 1355, dont elle suivit dès lors le destin.
Connus dès le 7e s., les **« maestri comacini »** étaient des maçons-architectes-sculpteurs
qui diffusèrent le style lombard *(voir p. 27)* non seulement en Italie mais dans toute
l'Europe. Leur nom désigne sans doute les « maçons associés », les co-macini.

★★ **Cathédrale (Duomo).** — Commencée à la fin du 14e s., complétée sous la Renaissance
et couronnée au 18e s. par l'élégante coupole due au Turinois Juvara, elle possède une
remarquable **façade★★** richement décorée dès 1484 par les **frères Rodari.** Ceux-ci sont
également les auteurs de la virtuose décoration du **portail Nord** (dit « della Rana », en
raison de la grenouille, « rana », qui apparaît sur l'un des pilastres) et du **portail Sud.**
L'**intérieur★**, solennel, présente une architecture gothique et une décoration plutôt
Renaissance. Outre les bannières tendues entre les piliers et les magnifiques **tapisse-
ries★** des 16e et 17e s., il abrite de nombreuses œuvres d'art dont des toiles de B. Luini
(**Vierge à l'Enfant entourée de saints★**), et G. Ferrari, ainsi qu'une pathétique **Descente de
Croix★**, sculptée par Tommaso Rodari (1498).
Accolé à la façade, le **Broletto★★**, ancien palais communal du 13e s., est constitué d'un
rez-de-chaussée à arcades et d'un étage qu'ornent de belles fenêtres à triples baies.

★ **San Fedele.** — Au cœur d'un quartier pittoresque, l'église San Fedele (12e s.), de
style roman lombard, est ornée d'un curieux portail d'abside agrémenté de belles
sculptures en méplat. L'intérieur, à trois nefs, conserve un splendide **chœur★** roman
polygonal, flanqué d'absidioles et souligné par une double rangée d'arcades.

★ **Basilique Sant' Abbondio.** — Chef-d'œuvre de l'architecture romane lombarde,
cette église, consacrée en 1093, présente une noble et sobre **façade★** précédée d'un
beau portail. L'intérieur est à cinq nefs, séparées par de hautes et élégantes colonnes.
Remarquable ensemble de **fresques★** du 14e s., évoquant la vie du Christ.

Ⓥ **Villa Olmo.** — *3 km au Nord, par la route S 35, puis à droite la S 340*. Imposant
édifice néo-classique de la fin du 18e s. Petit théâtre, et jardins d'où l'on a une belle
vue★ sur Côme et le lac.

CONEGLIANO Vénétie   36 051 h.

Carte Michelin n° ▓▓▓ pli 5 — 28 km au Nord de Trévise.

Au cœur de collines plantées de vergers et de vignobles produisant un excellent vin
blanc, cette petite ville est la patrie du peintre **Cima da Conegliano** (1459-1518), admirateur de Giovanni Bellini, coloriste séduisant qui place ses personnages sur fond de
Ⓥ paysages idéalisés par une lumière cristalline. La **cathédrale** (Duomo) possède une belle
Ⓥ **Conversation sacrée★** de ce peintre. Voir également le **château** qui abrite deux
petits **musées**, et d'où l'on découvre un beau **panorama★** sur le site de la ville. La **Scuola
dei Battuti** (des Flagellés), voisine du Duomo, est ornée de **fresques★** lombardes et
vénitiennes des 15e et 16e s.

★★★ CORTINA D'AMPEZZO Vénétie   8 005 h.

Carte Michelin n° 🔢 pli 5 — Schéma p. 77 — Plan dans le guide Rouge Michelin Italia.

Admirablement située à 1 210 m d'altitude dans la combe d'Ampezzo, au cœur du massif des Dolomites dont elle est la capitale, Cortina est une élégante station d'hiver et d'été, remarquablement équipée. Plusieurs excursions au départ de la localité permettent d'apprécier le somptueux **décor montagneux**★★★ qui l'entoure.

★★★ **Tondi di Faloria.** — Du sommet, on jouit d'un panorama grandiose. Magnifiques ⓥ champs de ski.

★★★ **Tofana di Mezzo.** — Le téléphérique porte à 3 244 m, d'où se dévoile un panorama ⓥ superbe sur les montagnes environnantes.

★★ **Belvédère Pocol.** — *S'y rendre au coucher du soleil, de préférence.* Il permet de ⓥ découvrir une très belle vue sur la vallée de Cortina.

★ CORTONA Toscane   22 819 h.

Carte Michelin n° 🔢 pli 15 — Plan dans le guide Rouge Michelin Italia.

Entourée d'une ceinture de remparts médiévaux, Cortona est une petite ville d'aspect tranquille accrochée aux pentes d'une colline plantée d'oliviers, d'où la vue s'étend jusqu'au lac Trasimène.

Dès le 14e s., Cortona devient un centre actif qui attire de nombreux artistes et, parmi eux, Fra Angelico. Plus tard, en 1450, la ville voit naître **Luca Signorelli** (mort accidentellement en 1523), dont la vision dramatique et le sens affirmé du modelé annoncent l'art de Michel-Ange. Originaires de Cortona également, l'architecte Domenico Bernarbei, dit Boccador, qui éleva l'hôtel de ville de Paris à la demande de François 1er et, surtout, **Pietro da Cortona** (1596-1669), peintre et architecte à l'imagination féconde, l'un des maîtres du baroque romain.

CURIOSITÉS

En bordure des remparts, la **piazza del Duomo** offre une belle vue sur la vallée. La **cathédrale** (Duomo), romane, remaniée à la Renaissance, abrite quelques œuvres d'art.

★★ **Musée diocésain (Museo Diocesano).** — *Face au Duomo.* Remarquable collection de ⓥ peintures où l'on peut admirer une belle **Annonciation** du Beato Angelico ainsi qu'une de ses Madone entourée de saints. L'école siennoise est représentée par des œuvres de Duccio, Pietro Lorenzetti, Sassetta. Le musée réunit aussi un ensemble choisi de peintures de **Signorelli** et une remarquable **Extase de sainte Marguerite** par le Bolonais G.M. Crespi (1665-1747). Voir également un beau sarcophage romain du 2e s. avec des bas-reliefs contant l'histoire de Bacchus.

Palais des Préteurs (Palazzo Pretorio). — Édifié au 13e s. et remanié par la suite, il possède une façade gothique du 13e s. ornée de blasons et une autre datant du ⓥ 17e s., donnant sur la piazza Signorelli. Il abrite le **musée de l'Académie étrusque**★ qui réunit des objets étrusques, mais aussi romains, égyptiens, du Moyen Age et de la Renaissance. Parmi les objets étrusques, il faut signaler une curieuse lampe à huile en bronze (5e s. avant J.-C.) ornée de seize becs anthropomorphes.

Sanctuaire Ste-Marguerite (Santa Margherita). — Il renferme le beau **tombeau**★ gothique (1362) de la sainte.

Église St-François (San Francesco). — *Au carrefour de la via G. Maffei et de la via Berrettini.* Commencée en 1245 par frère Elie, le compagnon de saint François qui dirigea le chantier d'Assise, c'est un édifice gothique, remanié au 17e s., et qui abrite quelques œuvres d'art dont une Annonciation de Pietro da Cortona.

Église St-Dominique (San Domenico). — *Largo Beato Angelico.* Elle recèle, dans l'abside droite une Madone avec des anges et des saints de Luca Signorelli, à l'autel un triptyque de Lorenzo di Niccolò, et une fresque attribuée à Fra Angelico.

★ **Église Santa Maria del Calcinaio.** — *3 km en direction de l'Ouest.* Construite entre 1485 et 1513 par Francesco di Giorgio Martini, dans un style qui rappelle fortement celui de Brunelleschi, cette église est admirable par l'élégance et l'harmonie de son dessin, l'équilibre de ses proportions. Une coupole surmonte l'intérieur, lumineux et élancé, sur plan en croix latine. A l'oculus de la façade, remarquable **vitrail** (1516) du Berrichon **Guillaume de Marcillat** (1467-1529) ; né à la Châtre en Berry, ce dominicain était passé maître dans l'art du vitrail, au point que le pape Jules II le fit venir à Rome pour qu'il travaille aux côtés de Raphaël et de Michel-Ange. Vasari qualifiait ses œuvres de « merveilles tombées du ciel pour la consolation des hommes. »
Non loin de l'église, vers l'Ouest, mausolée étrusque de forme circulaire (4e s.), dit « tombe de Pythagore ».

★ CRÉMONE Lombardie   79 370 h.

Carte Michelin n° 🔢 plis 13, 14.

La ville actuelle, important centre agricole situé au cœur d'une région fertile, regroupe son activité commerciale et son animation autour de la piazza Roma. D'abord cité gauloise, puis latine, la ville fut au Moyen Age une commune libre, constamment ravagée pourtant par les luttes intestines entre les guelfes et les gibelins. En 1334, elle fut conquise par les Visconti. Réunie au duché de Milan au 15e s., Crémone connut à nouveau sous la Renaissance une brillante activité artistique. Aux 18e et 19e s., les Français et les Autrichiens se la disputèrent jusqu'à la période du Risorgimento *(voir p. 19)* auquel les Crémonais participèrent activement.

CREMONA

Le renom de Crémone lui vient avant tout de ses luthiers qui, dès la fin du 16e s., perfectionnèrent violons et violoncelles. Les Amati, les Guarnieri et surtout Antonio **Stradivarius** produisirent successivement d'admirables instruments au son d'une perfection inégalée. L'École internationale de Lutherie (*piazza Marconi — BZ 19*) perpétue aujourd'hui la tradition. Crémone donna également le jour à Claudio **Monteverdi** (1597 — 1643), inventeur, avec l'Orfeo et le Retour d'Ulysse, de l'opéra moderne.

★★ PIAZZA DEL COMUNE (BZ 7) *visite : 1 h*

Les monuments qui la bordent en font une des plus belles places d'Italie.

★★★ **Torrazzo** (BZ). — Relié à la façade de la cathédrale par une galerie Renaissance, le Torrazzo est un admirable campanile élevé à la fin du 13e s. Son corps massif est allégé par un élégant couronnement octogonal ajouté au 14e s. De son sommet (112 m), belle **vue**★ sur la ville.

★★ **Cathédrale (Duomo)** (BZ). — Ce magnifique édifice lombard, commencé en style roman et achevé en gothique (de 1107 à 1332), possède une riche façade de marbre blanc, précédée d'un porche ; de nombreux éléments ajoutés en forment l'ornementation, notamment une frise de l'école d'Antelami, une grande rose du 13e s. et, au portail central, quatre statues-colonnes qui rappellent celles de Chartres.
L'**intérieur,** de vastes proportions, abrite des **fresques**★ dues à l'école de Crémone (B. Boccaccino, les Campi, les Bembo et Romanino da Brescia, Pordenone et Gatti). Noter également les belles **tapisseries**★ bruxelloises du 17e s. et, à l'entrée du chœur, un élégant **haut-relief**★★ d'Amadeo, l'architecte-sculpteur de la chartreuse de Pavie.

★ **Baptistère** (BZ L). — Cette belle construction octogonale, ornée d'un porche lombard et d'une galerie à colonnes, a été modifiée à la Renaissance.

Palais communal (Palazzo Comunale) (BZ H). — Bâti au 13e s., puis remanié, il abrite quatre célèbres **violons** des luthiers crémonais (Stradivarius, Guarnieri, les Amati). A gauche de ce palais, la jolie **Loggia dei Militi** (BZ K) remonte au 13e s.

AUTRES CURIOSITÉS

★ **Musée municipal (Museo Civico)** (ABY M). — Installé dans un palais du 16e s., il comprend plusieurs sections : **pinacothèque** (œuvres de l'école crémonaise), arts mineurs (**ivoires** français), **trésor de la cathédrale,** et **musée Stradivarius.**

Monuments Renaissance. — La ville est embellie par de nombreux palais Renaissance dont le **palais Fodri**★ (BZ D), le **palais Stanga** (AY E), le **palais Raimondi** (AY F) ainsi que de quelques églises comme **Sant'Agostino** (AZ B), riche de plusieurs œuvres d'art : **portraits**★ de Francesco Sforza et de son épouse par Bonifacio Bembo, **retable**★ du Pérugin. Hors les murs, sur la route de Casalmaggiore, s'élève l'**église San Sigismondo** *(2 km, sortir par* ③ *du plan)* dont l'**intérieur**★ apparaît comme un véritable salon décoré de fresques par l'école crémonaise du 16e s. (Campi, Gatti, Boccaccino).

CROTONE Calabre   59 899 h.

Carte Michelin n° 〖988〗 pli 40.

Colonie achéenne de la Grande Grèce fondée en 710 avant J.-C., Crotone a été célébrée dans l'Antiquité pour sa richesse, la beauté de ses femmes et les prouesses de ses athlètes, tel Milon de Crotone, chanté par Virgile. Vers 532 avant J.-C., Pythagore y fonda plusieurs communautés religieuses adonnées aux mathématiques et qui, devenues plus tard trop puissantes, furent chassées vers Métaponte. Rivale de Locri, qui la vainquit au milieu du 6ᵉ s. avant J.-C., Crotone réussit à éliminer Sybaris, son autre concurrente. Ayant accueilli Hannibal lors de la 2ᵉ guerre punique, elle fut annexée peu après par Rome. C'est aujourd'hui un port maritime florissant, doté de nombreuses industries, et une station balnéaire fréquentée.

⊘ **Musée archéologique (Museo Archeologico).** — *Via Risorgimento.* Ses collections sont consacrées à l'archéologie de la région, principalement aux colonies de la Grande Grèce : céramiques, terres cuites, monnaies, sculptures.

EXCURSIONS

Cap Colonna. — *40 km au Sud.* A l'extrémité de ce promontoire s'élève une colonne dorique, unique vestige d'un énorme temple dédié à Héra Lacinia (6ᵉ ou 5ᵉ s. avant J.-C.) qui eut un rayonnement considérable dans tout le Sud de la Péninsule (vestiges au musée archéologique).

★**Santa Severina.** — *34 km au Nord-Ouest.* La cathédrale, du 13ᵉ s., conserve un remarquable **baptistère**★ du 8ᵉ s., d'inspiration byzantine, sur plan circulaire, et dont la coupole s'appuie sur huit colonnes d'origine antique. Voir également le château normand.

★ CUMES (CUMA) Campanie

Carte Michelin n° 〖988〗 pli 27 — 7 km au Nord de Pouzzoles — Schéma p. 130.

Cumes, l'une des premières colonies grecques en Italie, fondée au 8ᵉ s. avant J.-C., ne tarda pas à dominer la région phlégréenne *(p. 129),* y compris Naples, et marqua toute la contrée de son empreinte hellénique. Sa splendeur atteignit son faîte sous le tyran Aristodème. Néanmoins les Romains la soumirent en 334 et, depuis lors, elle ne cessa de décliner jusqu'en 915 de notre ère, date à laquelle elle fut pillée par les Sarrasins. Les vestiges de la cité occupent, non loin de la mer, un site d'une sereine solennité. On visite les ruines de la ville haute — l'acropole — où s'élevaient la plupart des temples ; mais, là où s'étendait la partie basse de Cumæ, les restes d'un amphithéâtre, d'un temple Capitolin, de thermes, ont été retrouvés.

★★**Acropole.** — Établie sur une colline de lave et de tuf d'origine volcanique, dans un ⊘ paysage solitaire, elle est précédée par une allée de lauriers. Après une voûte s'ouvre à gauche l'**antre de la Sibylle**★, un des lieux les plus vénérés du monde antique, où la prophétesse rendait ses oracles. La galerie, creusée par les Grecs vers le 6ᵉ ou le 5ᵉ s. avant J.-C., se termine par une salle rectangulaire à trois niches.
Ayant rejoint par un escalier la Voie Sacrée, on accède à un belvédère offrant une belle **vue**★ sur la mer et où sont rassemblés quelques objets de fouilles, puis aux vestiges du **temple d'Apollon,** transformé plus tard en église chrétienne. Le **temple de Jupiter,** qui s'élevait plus loin, subit le même sort : on reconnaît même, vers le centre, la grande vasque des fonts baptismaux et, à proximité du sanctuaire, quelques tombes chrétiennes.

★**Arco Felice.** — En prenant la petite route en direction de Naples, on peut admirer cet arc élevé au-dessus de l'antique Via Domitiana ; vestiges de l'ancienne chaussée romaine.

★★★ Les DOLOMITES

Carte Michelin n° 〖988〗 plis 4, 5.

Ce massif calcaire, déchiqueté et grandiose, recherché des alpinistes et des skieurs, s'anime de teintes changeantes, rosées, violentes ou douces, suivant l'éclairage. De très bonnes routes, des sentiers bien tracés, d'immenses panoramas, un excellent équipement hôtelier s'offrent au voyageur.

UN PEU DE GÉOGRAPHIE

Les Dolomites sont approximativement délimitées par l'Adige et son affluent l'Isarco à l'Ouest, le massif de Brenta au Sud-Ouest, la vallée de la Piave à l'Est, la Rienza (Val Pusteria) au Nord. Le massif est formé, en majeure partie, de roches calcaires appelées « dolomies », du nom du géologue français Gratet de Dolomieu qui, le premier, en étudia la composition à la fin du 18ᵉ s. Quelques noyaux de terrains volcaniques apparaissent au centre et à l'Ouest, des schistes au Sud-Ouest (Cima d'Asta). La nature du sol et la vigueur de l'érosion ont déterminé les paysages : rochers à pic, découpés, affectant la forme de tours, de clochers ou de dômes et, à leur pied, des versants adoucis couverts d'alpages, de conifères et de cultures. L'escarpement des pentes en altitude a empêché la formation de glaciers.

Les massifs. — Au Sud-Est, se dressent le Pelmo (3 168 m) et le Civetta (3 220 m) tandis qu'au Sud, près du Cima della Vezzana, les « Pale di San Martino », striées de fissures, se divisent en trois chaînes séparées par un haut plateau. Les massifs du Latemar (2 842 m) et du Catinaccio (2 981 m), où se dressent les fameuses « Tours du Vaiolet », encadrent le col (Passo) de Costalunga. Au Nord de ce dernier, se trouvent le

Sasso Lungo et le colossal massif (Gruppo) de Sella : une route en fait le tour. A l'Est, les Dolomites de Cortina ont pour sommets principaux les Tofane, le Sorapiss et le Cristallo. Enfin, au centre, le massif (Gruppo) de la **Marmolada** (alt. 3 342 m) constitue le point culminant des Dolomites.

Le **Cadore** prolonge les Dolomites à l'Est et au Sud-Est de Cortina ; son axe est la vallée de la Piave, sa capitale Pieve di Cadore. Les plus hauts sommets de ce massif sont l'Antelao (3 263 m) et les « Tre Cime di Lavaredo » *(illustration p. 16)*.

Faune et flore. — La faune est celle des Alpes : aigle royal, chamois, chevreuil, épervier, coq de bruyère dans les forêts. Au printemps, les prairies sont couvertes de fleurs : edelweiss, gentianes bleu foncé, crocus blancs ou mauves, campanules bleues, anémones aux six pétales, saxifrages blanches étoilées ou fleurs des rochers à cinq pétales, soldanelles mauves et frangées, lys martagon... Dans les vallées, peuplées de maisons à balcons de bois et galeries couvertes, poussent cultures maraîchères et vignobles.

Visite. — Le schéma des pages suivantes situe, outre les localités et sites décrits, d'autres lieux particulièrement pittoresques (indiqués dans le plus petit caractère noir).

★★★ ROUTE DES DOLOMITES
De Bolzano à Cortina *210 km — compter 2 jours*

C'est le principal itinéraire de visite des Dolomites. Merveille de technique routière, cette route admirable, universellement connue, relie Bolzano à Cortina d'Ampezzo en suivant la dépression centrale du massif, à travers des paysages majestueux et variés. Déjà empruntée à l'époque de la Renaissance par les marchands se rendant de Venise en Allemagne, elle commença à être aménagée en 1895. Utilisée pour des besoins militaires en 1915-1918, elle fut améliorée après la deuxième Guerre mondiale.

★ **Bolzano.** — *Page 59.*

★ **Gorge du Val d'Ega.** — Étroit défilé de grès rose défendu par le **château de Cornedo.**

★ **Nova Levante.** — Dominé par le Catinaccio, ce village riant avec son clocher à bulbe et ses maisons coquettes éparpillées au bord d'un torrent est une petite station de villégiature fréquentée.

★★★ **Lac de Carezza.** — Ce lac minuscule est enchâssé dans la mer sombre des bois de conifères et dominé, à l'arrière-plan, par les cimes découpées en fines aiguilles des massifs du Latemar et du Catinaccio.

★ **Col de (Passo di) Costalunga.** — Appelé aussi passo di Carezza ; **vue**★ vers le Catinaccio d'un côté, le Latemar de l'autre. Sur les versants du col, les terrains peu stables sont soutenus par des fascines.

★ **Vigo di Fassa.** — Très bien située dans le val de Fassa, cette localité est un centre d'alpinisme et d'excursions dans le massif du Catinaccio *(téléphérique).*

★★ **Canazei.** — Au cœur du massif, encadrée par le Catinaccio, les tours du Vaiolet, le massif de Sella et la Marmolada, Canazei est le point de départ des excursions et des difficiles escalades dans les chaînes de la Marmolada.

L'église au toit en bardeaux et au clocher à bulbe offre une façade peinte d'un Saint Christophe.

A Canazei, prendre à droite la route S 641.

Elle offre de très belles **vues**★★ sur la Marmolada et son glacier, Au débouché d'un long tunnel, surgit le **lac de Fedaia**★ que domine la masse de la Marmolada.

★★★ **La Marmolada.** — Ce massif, le plus élevé des Dolomites, possède un glacier et une piste de ski très rapide.

De Malga Ciapela, un **téléphérique** permet d'atteindre 3 265 m, d'où l'on bénéficie d'un des plus beaux **panoramas**★★★ sur les montagnes de Cortina (Tofane, Cristallo), les pains de sucre du Sasso Lungo, l'énorme masse tabulaire de Sella, et, tout à fait à l'arrière-plan, les sommets des Alpes autrichiennes jusqu'au Grossglockner.

Revenir à Canazei puis, à 5,5 km, prendre à gauche.

La route conduit dans le **val Gardena**★★★, une des plus célèbres vallées des Dolomites pour la beauté de ses paysages, ses aménagements pour les sports d'hiver et, en été, ses possibilités d'excursions. Ses pentes sont couvertes de forêts, de cascades, et de maisons montagnardes caractéristiques. On y parle encore le langage ladin, et ses habitants n'ont pas renoncé à leurs usages et à leurs costumes ancestraux. Ce sont d'habiles artisans du bois.

★★★ **Col de (Passo di) Sella.** — Il fait communiquer le val de Fassa avec le val Gardena et offre un superbe **panorama**★★★, l'un des plus étendus et des plus caractéristiques des Dolomites, embrassant le massif de Sella, le Sasso Lungo et la Marmolada.

★ **Selva di Val Gardena.** — Station de villégiature au pied de l'impressionnante masse verticale du massif de Sella. L'artisanat y est très vivant : objets en bois, étains, émaux. Dans l'**église**, beau **retable**★ gothique flamboyant.

★★ **Ortisei.** — Au centre du val, le village s'étire au milieu des sapins. Un **téléphérique** conduit à l'**Alpe di Siusi**★★ dominant la vallée de l'Isarco et le val Gardena, station de sports d'hiver et centre d'excursions l'été.

Revenir à la route des Dolomites.

★★★ **Col du (Passo) Pordoi.** — A 2 239 m d'altitude, ce col, le plus haut de la route des Dolomites, occupe un site impressionnant entre d'énormes blocs de rochers à parois verticales et des sommets tronqués.

Col de (Passo di) Falzarego. — Sauvage et désolé, il offre, au Sud, une vue sur la Marmolada et son glacier.

★★★ **Cortina d'Ampezzo et excursions.** — *Page 72.*

Adige/Etsch
Alpe di Siusi/Seiseralm
Badia (Val)/Gadertal
Bolzano/Bozen
Braies (Lago di)/Pragser Wildsee
Bressanone/Brixen
Brunico/Bruneck
Campo Fiscalino/Fischleinboden
Carezza (Lago di)/Karersee
Catinaccio/Rosengarten

Cervina (Punta)/Hirzerspitze
Chiusa/Klausen
Cornedo/Karneid
Corvara in Badia/Kurfar
Costalunga (Passo di)/Karerpass
Croda Rossa/Hohe Geisel
Dobbiaco/Toblach
Ega (Val d')/Eggental
Gadera/Gaderbach
Gardena (Passo di)/Grödnerjoch

AUTRES SITES ET LOCALITÉS

★★★**Lac de Braies.** — A 1 495 m d'altitude, ce lac est entouré de sévères montagnes. Ses rives capricieuses enserrent une eau vert émeraude, d'une limpidité de cristal.

★★**Lac de Misurina.** — Lac fréquenté, près de Cortina, au milieu des pentes couvertes de prés-bois, et dominé au Nord par les « Tre Cime di Lavaredo ». Une route privée et à ⓥ péage conduit à travers les mélèzes à un **paysage**★★★ dantesque de rocs tourmentés.

★★**Val de Sesto.** — Riant vallon peuplé de nombreux villages de style tyrolien, dont **Sesto**★ est le principal centre. Au Sud de ce village la route du val Fiscalino, tortueuse, s'achève à **Campo Fiscalino**★★, dans un cirque grandiose de montagnes déchiquetées. Le val di Sesto rejoint le val Pusteria à **San Candido**★, près de la frontière autrichienne, riche de trois églises intéressantes : une de style montagnard aux toits en bardeaux et au clocher à bulbe, une autre de style baroque autrichien, une autre romane.

★★**Vallée du Cordevole.** — La route qui, de Caprile, rejoint Belluno, est extrêmement pittoresque avec ses villages suspendus et ses gorges impressionnantes. **Alleghe** est un bon centre d'excursions situé au bord d'un **lac**★ vert pâle.

★★**San Martino di Castrozza.** — Dans un site superbe, San Martino, point de départ de nombreuses excursions, offre l'attrait d'un folklore resté vivace (costumes).

★**Bressanone.** — *Page 61.*

★**Chiusa.** — Charmante petite ville d'aspect tyrolien.

★**Pieve di Cadore.** — Située à l'extrémité d'un lac artificiel. C'est la patrie de **Titien** : l'église ⓥ conserve une de ses œuvres, et sa maison natale abrite un **musée**.

Gardena (Val)/Grödnertal
Isarco/Eisack
Lavaredo (Tre Cime di)/Drei Zinnen
le Odle/Geislerspitze
Nova Levante/Welschnofen
Ortisei/St-Ulrich
Plan de Corones/Kronplatz
Plose (Cima d.)/Plose Bühel
Rienza/Rienz
Riscone/Reischach
San Candido/Innichen

San Cassiano (Cima)/Kassianspitze
San Giacomo (Cima)/Jakobspitze
Sta-Cristina/St-Christina
Sarentina (Valle)/Sarntal
Sasso Lungo/Langkofel
Sella (Passo di)/Sellajoch
Selva in Val Gardena/Wolkenstein in Gardena
Sesto (Val di)/Sextental
Talvera/Talfer
Tre Scarperi (Cima)/Dreischusterspitze
Vipiteno/Sterzing

★**San Vito di Cadore.** — Au pied de l'Antelao, ce joli village possède deux petites églises à toits pentus recouverts de bardeaux.

Dobbiaco. — Au centre du village, grande église baroque de style autrichien.

Vipiteno. — *30 km au Nord-Ouest de Bressanone.* Sa pittoresque **Grand-Rue**★ est bordée de maisons tyroliennes (15ᵉ et 16ᵉ s.) à arcades, oriels et enseignes de fer.

★ **ELBE (Ile d')** Toscane   28 907 h.

Carte Michelin.nº 988 pli 24.

Avec ses plages, ses sites solitaires et silencieux, son climat sec et doux, Elbe est davantage un lieu de séjour qu'un but d'excursions. Faisant autrefois partie d'un continent disparu, la Tyrrhénide, l'île principale de l'archipel toscan présente, comme la Corse, la Sardaigne, les Baléares et les massifs des Maures et de l'Estérel, un profil découpé abritant de petites criques, des grottes ou des plages, et une végétation méditerranéenne composée de palmiers, d'eucalyptus, de cèdres, de magnolias et surtout d'oliviers et de vignes produisant des vins parfumés et puissants comme le Moscato blanc et l'Aleatico. Son relief, granitique, culmine au mont Capanne *(p. 78)* et l'Est de l'île, riche en fer, possède des mines exploitées depuis les Étrusques.

L'île d'Elbe est en outre liée au souvenir de Napoléon qui y fut exilé après son abdication de Fontainebleau. Du 3 mai 1814 au 26 février de l'année suivante en effet, l'empereur déchu régna en prince souverain sur l'île, entouré d'une petite cour et d'une garnison d'environ 1 000 soldats.

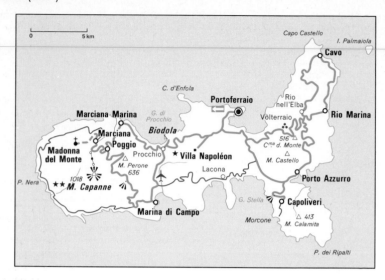

Visite. — Au départ de Portoferraio, suivre les itinéraires indiqués sur le schéma : le **circuit de l'Ouest** *(66 km, environ 4 h)* et le **circuit de l'Est** *(68 km, environ 3 h).*

Portoferraio. — Au fond d'une baie admirable, la capitale de l'île conserve des restes de murailles et deux forteresses. Dans la partie haute de la ville, on visite le petit **musée Napoléonien des Moulins** (Museo Napoleonico dei Mulini), simple maison avec terrasses et jardins qu'occupa Napoléon, et qui conserve la bibliothèque ainsi que quelques souvenirs personnels du grand homme.

Après **Biodola,** qui offre une vaste plage de sable, la route gagne **Marciana Marina,** port protégé par deux jetées dont l'une supporte une tour ronde ruinée, puis escalade les pentes boisées du mont Capanne.

★★**Mont Capanne.** — Alt. 1 018 m. *Accès par télécabine au départ de Marciana.* Du sommet, proche de la gare d'arrivée, splendide **panorama**★★ sur toute l'île, la côte toscane à l'Est, la côte orientale de la Corse à l'Ouest.

Marciana. — Joli bourg bien situé offrant une belle **vue**★ sur **Poggio,** village perché sur un éperon, Marciana Marina et le golfe de Procchio. Petit **musée archéologique** (objets préhistoriques, poteries grecques, etc.).

Madonna del Monte. — A partir de la route du château surplombant Marciana, un chemin rocheux mène à ce sanctuaire érigé sur le versant Nord du mont Giove. Près de la chapelle du 16e s., on voit une curieuse fontaine en hémicycle datée de 1698 et l'« ermitage » que Napoléon habita en juin 1814 avec Marie Walewska.

Marina di Campo. — En bordure d'une plaine plantée d'oliviers et de vignobles et au fond d'un golfe pittoresque, Marina di Campo est un petit port de pêche que prolonge une belle plage fréquentée.

★**Villa Napoléon de San Martino.** — Dans un cadre de collines plantées de chênes verts et de vignes, cette modeste maison qui fut la résidence d'été de l'empereur possède une belle vue sur la baie de Portoferraio. En contrebas, palais de style néo-classique, malencontreuse construction du prince Demidoff, gendre du roi Jérôme.

Capoliveri. — Non loin de ce bourg, **panorama**★★ dit des « Trois Mers » permettant d'admirer les trois golfes de Portoferraio, Marina di Campo et Porto Azzurro.

Porto Azzurro. — Joli port dominé par une forteresse, aujourd'hui pénitencier.

Rio Marina. — Agréable village et port minier que protège une tour à merlons. Après **Cavo,** petit port abrité par le cap Castello, on rentre à Portoferraio par une **route**★★ élevée *(en mauvais état)* procurant des vues remarquables sur les ruines de Volterraio, la baie de Portoferraio et la mer.

FAENZA Emilie-Romagne 54 922 h.

Carte Michelin n° ▨▨▨ pli 15 — Plan dans le guide Rouge Michelin Italia.

Faenza a donné son nom à la céramique vernissée ou émaillée dont elle s'est fait une spécialité dès le 15e s. : la **faïence.** Également nommées majoliques parce qu'à la Renaissance les potiers italiens s'inspiraient des pièces importées de l'île de Majorque, les céramiques de Faenza sont réputées pour la finesse de leur pâte, leur émail remarquable, l'éclat de leurs couleurs et la variété de leurs décorations.

Chaque été, une exposition de la production actuelle dans les galeries de la piazza del Popolo et un concours international de la céramique d'art témoignent de cette vocation que perpétuent aujourd'hui encore à Faenza près d'une centaine d'artistes et d'artisans.

★★**Musée international de la Céramique (Museo Internazionale delle Ceramiche).** — Ses collections permettent d'étudier l'évolution de la céramique dans le monde. Le premier étage renferme un très bel ensemble de majoliques italiennes de la Renaissance, des exemplaires de la production locale, des pièces d'art populaire et une collection d'Extrême-Orient. Au rez-de-chaussée est présentée la céramique contemporaine d'Italie et un remarquable ensemble de pièces françaises dues à Matisse, Picasso, Chagall, Léger, Lurçat et l'école de Vallauris.

★ Pinacothèque communale (Pinacoteca Comunale). — Importante collection : œuvres
Ⓥ de Giovanni da Rimini, Palmezzano, Dosso Dossi, Rosselino, et quelques tableaux
d'écoles étrangères (portraits de Pourbus).

Cathédrale (Cattedrale). — Élevée au 15ᵉ s. par l'architecte florentin Giuliano da
Maiano. Sa façade est restée inachevée. A l'intérieur, tombeau de l'évêque saint Savin
par Benedetto da Maiano (1471). Sur la piazza della Libertà, charmante fontaine
baroque du 17ᵉ s.

Piazza del Popolo. — Bordée par le palais du Podestat (12ᵉ s.) et le palais municipal
(13ᵉ-15ᵉ s.), elle frappe par sa forme allongée et ses arcades surmontées de galeries.

★ FANO Marches 52 295 h.

Carte Michelin n° ▨▨▨ pli 16 — Plan dans le guide Rouge Michelin Italia.

Aujourd'hui ville et station balnéaire appréciée, Fano fut du 13ᵉ s. au 15ᵉ s. un fief des
Malatesta de Rimini. Montaigne y passa en avril 1581.

★ Cour des Malatesta (Corte Malatestiana). — Cet ensemble Renaissance (15ᵉ s.),
composé d'une cour-jardin et d'un palais, forme un décor de théâtre idéal. Le palais
Ⓥ abrite le **musée municipal** (Museo Civico) comprenant une section d'archéologie, de
numismatique, de sculptures et de peintures du 14ᵉ au 18ᵉ s., dont une toile connue
du Guerchin, l'**Ange gardien** (1641).

Église Santa Maria Nuova. — 16ᵉ-18ᵉ s. Elle abrite des **œuvres★** du Pérugin,
remarquables par la finesse du dessin et la douceur des coloris : au 3ᵉ autel de droite,
Vierge à l'Enfant (1497) ; au 2ᵉ autel de gauche, Annonciation (1498).

Fontaine de la Fortune. — Sur la piazza 20 Settembre, s'élève la fontaine de la
Fortune (16ᵉ s.). La déesse protectrice est représentée juchée sur un globe, prenant un
vent changeant dans son manteau.

Arc d'Auguste (Arco d'Augusto). — *A l'extrémité de la rue du même nom.* Du 1ᵉʳ s.
après J.-C., il est formé d'une porte charretière et de deux passages pour piétons ; on
en trouve l'état primitif reproduit dans un bas-relief de la façade de l'église San
Michele, contiguë. A gauche de l'arc, restes de l'enceinte romaine.

★ FERMO Marches 35 137 h.

Carte Michelin n° ▨▨▨ pli 16.

Centre culturel et artistique des Marches, Fermo occupe un **site★** privilégié, sur les
pentes d'une colline qui domine la campagne et la mer.

★ Piazza del Duomo. — De cette esplanade, close par la cathédrale, on jouit de
vues★★ superbes sur la région d'Ascoli, les Apennins, la mer et la presqu'île de Conero.

Cathédrale (Duomo). — De style roman-gothique (1227), elle possède une majestueuse **façade★** en pierre blanche d'Istrie ; un portail finement sculpté montre le Christ
et les Apôtres au linteau et, dans les piédroits, diverses scènes ou personnages
symboliques. A l'intérieur (18ᵉ s.), il faut signaler le sarcophage (14ᵉ s.) de Giovanni
Visconti, seigneur de la ville, le pavement en mosaïque (5ᵉ s.) en avant du chœur, une
vierge byzantine des 13ᵉ ou 14ᵉ s., et, dans la crypte, un sarcophage sculpté du 4ᵉ s.

Piazza del Popolo. — Cette place, située au centre de la ville, est entourée de
galeries et d'élégants portiques. De nombreux palais, dont le Palazzo Comunale
(15ᵉ s.) et le Palazzo degli Studi (16ᵉ s.), y ont leur façade : entre ces deux édifices
s'étend le corso Cefalonia, rue pittoresque bordée de tours nobles, palais et églises
anciennes.

EXCURSION

Montefiore dell'Aso. — *20 km au Sud.* Cette petite ville recèle dans son église un
chef-d'œuvre du peintre Crivelli qui se réfugia dans les Marches après avoir été
condamné à Venise en 1457 : il s'agit d'un **polyptyque★★**, hélas incomplet, tout ciselé
et rehaussé d'or, qui représente six saints ; le meilleur panneau est sans conteste celui
qui montre la pêcheresse Madeleine portant de somptueux vêtements brochés d'or et
de soie, et tenant le vase d'aromates.

★★ FERRARE Emilie-Romagne 147 328 h.

Carte Michelin n° ▨▨▨ pli 15.

Au cœur d'une plaine fertile non loin du Pô, Ferrare a gardé de sa période Renaissance,
pendant laquelle la cour des Este rivalisa de faste et de culture avec Milan, Venise ou
Mantoue, un plan urbain pratiquement inchangé. Ses rues rectilignes bordées de
maisons en briques rouges, ses palais sévères et ses grandes places vides qui ont
inspiré le peintre Giorgio De Chirico, dégagent une atmosphère particulière, de secrète
mélancolie.

Une dynastie de mécènes. — D'abord commune indépendante, Ferrare appartint
de 1208 à 1598 à la **Maison d'Este** qui, en dépit de plusieurs drames familiaux
sanglants, sut embellir la ville de nombreux édifices et accueillir peintres et écrivains.
Niccolò III (1393-1441) supprima sa femme et son amant mais éduqua deux fils, **Lionello**
et **Borso,** qui furent des administrateurs bienfaisants et des mécènes éclairés.

FERRARA

Ercole Ier, après avoir fait assassiner son neveu, encouragea les artistes, de même que ses filles Béatrice et Isabelle. **Alfonso Ier** fut le troisième mari de Lucrèce Borgia, enfin Ercole II épousa Renée de France qui protégea Marot et les calvinistes.

Les deux plus grands écrivains de la seconde Renaissance italienne, L'**Arioste** et **Le Tasse,** bénéficièrent de la protection des Este. Le premier (1474-1533) fut toute sa vie au service de ces princes, notamment du duc Alfonso Ier, profitant de son rare temps libre pour écrire son chef-d'œuvre, le **Roland furieux :** prenant prétexte des récits de chevalerie et des amours de Roland et d'Angélique, le poète y donne libre cours à une imagination enjouée qui entremêle, dans une langue admirablement ciselée et pleine de mouvement, les descriptions de combats et de paysages, l'évocation de monstres merveilleux et les situations sentimentales qui affectent ses héros. Le Tasse (1544-1595), né à Sorrente, fit plusieurs séjours à Ferrare ; au cours du premier, il rédigea **La Jérusalem délivrée** qui relate la prise de Jérusalem par les chrétiens et les amours de Renaud et Armide : long poème où s'exprime avec un lyrisme nouveau et une grande musicalité la personnalité enthousiaste, violente et ténébreuse du Tasse, dont les dernières années furent assombries par des crises de folie qui lui valurent d'être enfermé.

L'école ferraraise de peinture. — Dominée par la puissante personnalité de **Cosmé Tura** (1425-1495), elle se caractérise par un réalisme minutieux emprunté aux écoles du Nord, mais mis au service d'un expressionnisme âpre, issu de Mantegna : une violente tension habite les figures qui paraissent sculptées dans la matière minérale. **Francesco Cossa** (1435-1477), **Ercole de' Roberti** (1450-1496), **Lorenzo Costa** (1465-1530) en sont les principaux représentants. Au 16e s., **Dosso Dossi** et **Garofalo** infléchissent cette dureté graphique grâce à un lyrisme des couleurs s'apparentant aux exemples vénitiens ou romains.

CURIOSITÉS

★★**Cathédrale (Duomo) (BYZ).** — De style roman-gothique lombard (12e s.), sa **façade**★★ triple, revêtue de marbre, est remarquable par ses sculptures et par la disposition et la variété des ouvertures. Sur le flanc droit s'étend le portique de la loge des Marchands, du 15e s. L'intérieur, refait au 18e s., contient quelques œuvres d'art et, surtout, au-dessus du narthex, un **musée**★ qui conserve d'amusants **bas-reliefs des Mois**★ (12e s.), ainsi que deux statues de Jacopo Della Quercia, mais qui doit sa renommée aux quatre panneaux de toiles, de **Cosmé Tura : l'Annonciation** et **Saint Georges combattant le dragon.**

Face à la cathédrale, le **palais communal (BY H)** du 13e s. fut l'ancienne résidence des ducs.

★**Château des Este (Castello Estense)** (BY B). — Cette puissante bâtisse protégée par
quatre châtelets à ponts-levis et par des douves, fut la résidence des Este. On visite
les salles, ornées de fresques dues aux Filippi, et le jardin suspendu.

★**Palais Schifanoia** (BZ E). — Cet édifice des 14e-15e s., où les Este aimaient à venir
se délasser, renferme aujourd'hui le **musée municipal** (Museo Civico) : à côté de quelques
objets archéologiques et Renaissance intéressants, on y admire surtout les splendides
fresques★★ du salon des Mois. Cycle complexe à la gloire de Borso d'Este, cette série
de douze « mois », dont il ne reste malheureusement qu'une partie, met en relation
savante trois registres — le quotidien, l'astrologie et la mythologie —, et témoigne du
haut niveau de culture atteint par la Renaissance ferraraise. Confiées à plusieurs
artistes — dont Franscesco Cossa et de'Roberti — sous la direction de Cosmé Tura,
ces scènes sont d'une extraordinaire délicatesse dans le détail et d'une merveilleuse
vivacité dans le dessin et la couleur.
Tout près du palais, la basilique **Santa Maria in Vado** (BZ), des 15e-16e s., recèle un
vaste intérieur couvert de fresques et de peintures.

★**Palais des Diamants (Palazzo dei Diamanti)** (BY F). — Ainsi nommé en raison des
quelque 12 500 blocs de marbre qui revêtent la façade, taillés à facettes comme des
diamants, ce somptueux édifice (15e-16e s.) abrite la **pinacothèque nationale★** : œuvres
de la Renaissance émilienne et ferraraise des 15e et 16e s. (Tura, de'Roberti, Garofalo,
Dosso Dossi). Dans la grande salle d'honneur, splendides **fresques★★** (13e-14e s.)
provenant d'églises ferraraises.

★**Corso Ercole Io d'Este** (BY). — Artère principale du quartier Nord de la ville, bordée
de beaux palais Renaissance.

★**Palais de Ludovic le More (Palazzo di Ludovico il Moro)** (BZ M). — Dans ce beau
palais élevé à la fin du 15e s. pour l'époux de Beatrice d'Este, a été installé un **musée
archéologique :** importante **collection de vases attiques★** (5e-4e s. avant J.-C.).

★**Casa Romei** (BZ L). — Charmante maison du 15e s. avec cours à portiques et
loggias.

★**Palazzina di Marfisa d'Este** (BZ N). — C'est une ravissante résidence d'un seul
étage (1559), entourée d'un jardin ombragé où Marfisa d'Este recevait ses amis, et
notamment le poète Le Tasse.

Sant'Antonio in Polesine (BZ S). — Bel ensemble architectural formé d'un couvent
et d'une église dont trois chapelles sont ornées de fresques (14e-15e s.) des écoles du
Nord de l'Italie.

Maison de L'Arioste (Casa dell'Ariosto) (AY Q). — Agrémentée d'un jardin où le
poète cultivait roses et jasmins, elle abrite aujourd'hui un centre culturel.

★ **FIESOLE** Toscane   14 899 h.

Carte Michelin no 988 plis 14, 15 — 8 km au Nord de Florence — Plan dans le guide
Rouge Michelin Italia.

La route qui, de Florence, grimpe en lacets au sommet de la colline de Fiesole aux
pentes recouvertes de champs d'oliviers, de somptueux jardins et de longues files de
cyprès, offre un **paysage★★★** incomparable, entrevu dans maints tableaux des maîtres
de la Renaissance italienne. Fondée aux 7e et 6e s. avant J.-C. par les Étrusques, qui
avaient choisi sa position élevée pour des raisons de stratégie et de salubrité, Fiesole
fut le centre le plus important de l'Étrurie septentrionale. Longtemps, elle domina sa
rivale, la future Florence, qui finit par la conquérir au 12e s.

★★**Vue sur Florence.** — Une petite terrasse qui avoisine le couvent St-François permet
de découvrir la ville posée au creux du bassin de l'Arno, dans toute son ampleur et la
subtilité de sa lumière.

★**Couvent St-François (San Francesco).** — Cet humble couvent franciscain au minuscule cloître est admirablement situé au sommet de la colline.

Cathédrale (Duomo). — Fondée au 11e s., agrandie aux 13e et 14e s., elle a été
restaurée à la fin du 19e s. L'**intérieur★**, très dépouillé, est de plan basilical avec chœur
surélevé, et possède des colonnes supportant des chapiteaux pour la plupart antiques.
Il abrite en outre deux jolies **œuvres★** sculptées par Mino da Fiesole.

Zone archéologique (Zona Archeologica). — Située dans un **cadre★** enchanteur, elle
rassemble un **théâtre romain★** (vers 80 avant J.-C.), où l'on donne encore des représentations, un petit **temple étrusque** et les vestiges de thermes bâtis par les Romains au
1er s. de notre ère. Le **musée★** abrite une intéressante collection d'objets provenant
de fouilles, allant de l'époque étrusque à l'époque médiévale.

Musée Bandini. — *Face à l'entrée de la zone archéologique.* Il regroupe des œuvres
toscanes des 14e et 15e s. ; sculptures et terres cuites au rez-de-chaussée, et peintures
au 1er étage : remarquer les **Triomphes** de Pétrarque illustrés par Jacopo del Sellaio.

San Domenico di Fiesole. — *2,5 km au Sud-Ouest (voir le plan d'agglomération de
Florence dans le guide Rouge Michelin Italia).* C'est dans cette église, bâtie au 15e s.
puis transformée au 17e s., que Fra Angelico prononça ses vœux : une **Vierge avec
l'Enfant et des saints★**, par ce maître, orne la 1re chapelle à gauche. **Baptême du Christ** de
Lorenzo di Credi dans la 2e chapelle à droite.

Badia Fiesolana. — *3 km au Sud-Ouest (voir le plan d'agglomération de Florence
dans le guide Rouge Michelin Italia).* Cet ancien couvent bénédictin fut en partie rebâti
au 15e s. grâce à la prodigalité de Côme l'Ancien qui y fit de fréquents séjours. La
façade de l'église romane primitive, à motifs géométriques de marbre vert et blanc, a
été incorporée à la nouvelle façade, que la mort de Côme laissa inachevée. L'intérieur
et le cloître sont très représentatifs du style inauguré par Brunelleschi.

★★★ **FLORENCE** (FIRENZE) Toscane 440 910 h.

Carte Michelin n° 988 plis 14, 15 — Plan p. 86-87 — Plans d'ensemble dans le guide Rouge Michelin Italia.

Florence est sans doute la ville où le génie italien se manifeste avec le plus d'éclat et la plus grande pureté. Pendant plus de trois siècles, du 13e au 16e s., elle sera le berceau, d'une exceptionnelle prodigalité, de toutes sortes d'esprits créateurs qui façonneront non seulement le visage de l'Italie d'alors, mais également celui de la civilisation moderne de l'Europe entière. Les caractéristiques majeures de ce mouvement, auquel on donnera plus tard le nom de Renaissance, sont d'une part une ouverture au monde, un dynamisme spéculatif qui obligent les inventeurs à fonder leurs nouvelles recherches sur la réinterprétation du passé ou l'élargissement des frontières habituelles ; d'autre part, un souci d'universalité qui les entraîne à multiplier leurs champs d'intérêt.

Dante n'est pas seulement un immense poète, mais également un grammairien doublé d'un historien qui réfléchit sur les origines et les pouvoirs de sa langue ; c'est aussi un polémiste actif au cœur de la cité. Giotto est peintre, comme il est architecte.

Le prince qui incarne la splendeur de Florence, Laurent le Magnifique, fut à la fois un fin diplomate et un politique réaliste, un ami des arts et des artistes, mécène et poète lui-même qui participa étroitement à l'Académie de Carreggi, où philosophes (comme Marsile Ficin, Pic de la Mirandole) et écrivains (comme Politien et d'autres encore) jetaient les bases d'un nouvel humanisme. Cette recherche d'un équilibre entre la nature et l'ordre trouve sa plus belle illustration en **Michel-Ange,** peintre, architecte, sculpteur, poète et penseur, dont l'œuvre traduit une inquiétude proprement florentine.

Florence est située au cœur d'une **campagne★★★** admirable, baignée d'une lumière diaphane et ambrée, empreinte de sérénité et d'équilibre : les collines basses qui l'entourent sont ornées de rangées d'oliviers, de vignes et de cyprès qui paraissent avoir été consciemment dessinées, disposées pour le plaisir de l'œil selon une harmonie voulue par l'homme. Les architectes et les peintres florentins ont tenté de traduire dans leurs œuvres cet équilibre de la nature : que ce soit le campanile de la Badia par Arnolfo di Cambio ou celui de la cathédrale par Giotto, la façade de Santa Maria Novella par Alberti ou la coupole de Santa Maria del Fiore dessinée par Brunelleschi, tous ces ouvrages semblent répondre, par la pureté et l'élégance de leurs lignes, à la beauté du paysage et à la palpitation de la lumière.

La recherche de la perspective conduite par les peintres florentins au cours du Quattrocento (15e s.) répond d'une part à cette fascination exercée par le paysage, et de l'autre au souci intense de reproduire fidèlement les formes perçues par l'œil. Cette réunion d'esprits si divers, aux intérêts multiples, désireux d'étendre indéfiniment le champ de leurs connaissances au cœur d'une cité florissante grâce à l'activité de ses artisans et de ses marchands, et grâce aussi à la gestion efficace de ses princes mécènes, fait de Florence le principal foyer de l'activité intellectuelle et artistique qui, pendant plusieurs siècles, va influencer de nombreuses inventions humaines.

(Photo Malin/Rapho)

Florence. — Vue générale.

UN PEU D'HISTOIRE

Fondée par César au 1er s. avant J.-C., cette colonie, qui prit le nom de Florentia, occupait la rive droite de l'Arno à la hauteur de l'actuel Ponte Vecchio : des soldats vétérans y stationnaient, chargés de surveiller le passage de la Via Flaminia reliant Rome au Nord de l'Italie et à la Gaule.

Ce n'est pourtant qu'au début du 11e s. que la ville acquit une autorité en Toscane, quand le comte Ugo, marquis de Toscane, y établit sa résidence et que, vers la fin de ce même siècle, la comtesse Mathilde y affirma son indépendance. Au cours du 12e s. Florence prospéra sous l'influence de la nouvelle classe des marchands et s'enrichit de quelques édifices comme le baptistère et San Miniato. Les métiers s'organisèrent en puissantes corporations, les « Arti », sur qui s'appuya le pouvoir législatif lorsque la ville s'érigea en commune libre ; au 13e s. les arts de la laine et de la soie employaient le tiers de la population et, par l'exportation de leurs produits dans toute l'Europe et au-delà, contribuèrent à l'essor extraordinaire de la cité. Ces artisans furent aidés dans leur effort par les banquiers florentins qui, succédant aux prêteurs lombards et juifs, acquirent rapidement une grande renommée en créant les premières lettres de change et le célèbre « florin », frappé aux armes de Florence, dont la valeur dura jusqu'à ce que le supplante le ducat vénitien, à la fin du 15e s. Les principaux banquiers furent les Bardi-Peruzzi qui avancèrent d'énormes sommes à l'Angleterre au début de la guerre de Cent Ans ; les Pitti, les Strozzi, les Pazzi et, bien sûr, les Médicis, occupèrent bientôt avec eux les premières places.

En dépit de ces richesses, Florence n'échappa pas aux luttes intestines entre les gibelins, partisans de l'empereur, et les guelfes soutenant le pape. Les guelfes, tout d'abord vainqueurs, chassèrent les gibelins, lesquels reprirent le pouvoir à Montaperti en 1260 après s'être associés à d'autres cités ennemies de Florence, Sienne notamment. S'étant ressaisis, les guelfes revinrent à Florence en 1266 et modifièrent sensiblement l'aspect de la cité en abattant les maisons-tours construites par les nobles gibelins. Ayant instauré une république, ils créèrent le gouvernement de la Signoria où siégèrent des Prieurs, jusqu'à ce qu'une nouvelle dissension divise guelfes noirs et guelfes blancs, ces derniers s'opposant à la papauté : cette tragédie valut à Dante, du parti des Blancs, un exil définitif dès 1302. La peste de 1348, qui emporta la moitié des Florentins, mit fin à ces oppositions.

Parmi les nombreuses familles riches de la ville, celle des **Médicis** donna à Florence plusieurs de ses maîtres qui exercèrent leur pouvoir à la fois sur la finance et sur les arts. Le fondateur de cette « dynastie », Giovanni de' Bicci, était à la tête d'une banque prospère lorsqu'il légua en 1429 son patrimoine à son fils, **Côme l'Ancien**, qui sut faire de l'héritage familial l'entreprise la plus florisssante de la cité. Il exerça discrètement, par personnes interposées, un pouvoir personnel, mêlant habilement ses propres intérêts à ceux de la communauté, assurant à Florence une sorte d'hégémonie pacifique. Mais son mérite principal est d'avoir su s'entourer d'intellectuels et d'artistes auxquels il confiait de nombreux mandats : passionné de construction, ce « père de la patrie » fit édifier de nombreux monuments à l'intérieur de la ville. Son fils, Pierre le Goutteux, ne lui survécut que cinq ans et laissa le pouvoir à **Laurent le Magnifique** (1449-1492) qui, après avoir échappé à la conjuration des Pazzi *(voir page suivante)* régna comme un prince, bien que toujours officieusement. Il se distingua par une politique habile, conservant à Florence ses prérogatives parmi les villes d'Italie, mais conduisit à la ruine l'empire financier des Médicis. Doué d'une grande sensibilité, épris d'humanisme, amoureux des lettres et des arts, il s'entoura d'une cour de poètes et de philosophes et contribua de la sorte à faire de Florence la capitale incontestée de la première Renaissance.

A sa mort, ressentie dans toute l'Europe, le dominicain **Savonarole,** profitant d'une période de troubles, provoque la chute des Médicis. Ascète et fanatique, ce moine devenu prieur de St-Marc inverse le goût des Florentins en stigmatisant le plaisir des sens et la passion esthétique, au point que ceux-ci brûlent, sur la piazza della Signoria en 1497, tableaux, instruments de musique, livres de poésie, etc. Ce censeur sera à son tour soumis au supplice du feu, l'année suivante, au même endroit.

Revenus au pouvoir officiel grâce à Charles Quint, les Médicis règneront jusqu'au milieu du 18e s. **Côme Ier** (1519-1574) redonne à Florence l'éclat qu'elle avait perdu, soumet Sienne et devient le premier grand-duc de Toscane ; il perpétue également la tradition du mécénat en protégeant de nombreux artistes. François Ier (1541-1587), dont la fille Marie sera reine de France, épouse en secondes noces la belle Vénitienne Bianca Cappello. Enfin, le dernier Médicis d'envergure, Ferdinand Ier (1549-1609) épouse une princesse française, Christine de Lorraine.

Après les Médicis, le grand-duché passa à la Maison de Lorraine, puis à Napoléon jusqu'en 1814, et revint aux Lorraine jusqu'en 1859. Incorporée au royaume d'Italie, Florence en assuma le rôle de capitale de 1865 à 1870.

FLORENCE, CAPITALE DES ARTS

La formation relativement tardive de la ville comme entité culturelle (11e s.), et son passé romain sans réels vestiges, ont sans doute facilité l'apparition d'un langage artistique indépendant qui se développa avec force pendant plusieurs siècles. L'un de ses caractères principaux fut ce souci de clarté et d'harmonie qui guida autant les écrivains que les architectes, les peintres et les sculpteurs.

Dante Alighieri (1265-1321) a jeté les bases de la langue italienne dans plusieurs ouvrages traitant de l'éloquence et en a fait un magistral premier usage dans le récit de la Vita Nuova, relatant sa rencontre avec une jeune fille, Béatrice Portinari, qui sera l'inspiratrice de la **Divine Comédie** ; cet immense poème, sous la conduite de Virgile, puis de Béatrice, l'auteur visite successivement l'Enfer, le Purgatoire et le Paradis ; la description des cercles infernaux où sont châtiés les réprouvés, celle de la montagne du Purgatoire où des foules entières attendent la rédemption, enfin la vision éclatante de la splendeur divine au cœur des cieux, ont inspiré pendant des siècles, non seulement la littérature italienne, mais tous les écrivains du monde. Avec le lyrisme de Pétrarque *(p. 138)* et l'ironie des contes de Boccace *(p. 68)*, Dante a façonné dès le 14e s. un outil linguistique d'une exceptionnelle mobilité.

Machiavel (1469-1527) a transcrit dans une prose noble et vigoureuse ses expériences d'homme d'État ; dans son ouvrage majeur, **le Prince** (1513), il s'adresse à Laurent II de Médicis, petit-fils du Magnifique, et lui conseille d'exercer une politique efficace sans se préoccuper de morale quant aux moyens pour y parvenir. **Francesco Guicciardini** (1483-1540) écrivit une importante histoire de Florence et de l'Italie, et **Giorgio Vasari** (1511-1574) fut plus tard, avec ses Vies des plus excellents peintres, le premier véritable historien de l'art, organisant la peinture en écoles locales et lui donnant son origine au 13e s., dans l'œuvre de Cimabue, que Dante avait déjà loué dans la Divine Comédie.

C'est en effet à partir de **Cimabue** (1240-1302) que se développe l'école florentine de peinture, s'écartant de plus en plus de la manière byzantine aux sinuosités décoratives, pour atteindre avec **Giotto** (1266-1337) un réalisme sans fioritures où seuls comptent désormais le mouvement et l'expression. Plus tard, **Masaccio** (1401-1428) accentuera cette recherche en étudiant la profondeur de l'espace et le modelé. La représentation du monde grâce au principe de la perspective préoccupera dès lors tous les peintres florentins, ainsi que les sculpteurs, architectes et théoriciens qui contribueront à perfectionner sans relâche la définition de l'espace. Le Quattrocento voit fleurir une pléiade d'artistes dont certains, comme **Paolo Uccello** (1397-1475), **Andrea del Castagno** (1423-1457), **Piero Della Francesca** *(voir p. 29),* originaire des Marches, paraissent obsédés par le jeu des raccourcis et le réseau des lignes, alors que d'autres, comme **Fra Angelico** (1387-1455), plus tard **Filippo Lippi** (1406-1469) et **Benozzo Gozzoli** (1420-1497), héritiers du gothique international *(voir p. 28),* cèdent plus volontiers aux plaisirs de l'arabesque et à la séduction des couleurs vives. Ces tendances opposées sont réconciliées en un harmonieux équilibre dans l'œuvre du peintre en qui Florence aime à se reconnaître, **Sandro Botticelli** (1444-1510) : empruntant ses thèmes à l'Antiquité, comme l'humanisme en vogue à la cour de Laurent le préconisait, il invente des fables dans lesquelles des figures énigmatiques, aux formes souples et serpentines, paraissent soumises à une vibration qui anime l'espace tout entier ; une certaine mélancolie freine pourtant l'élan du mouvement, atténue l'éclat des couleurs. Autour de Botticelli, les frères **Pollaiuolo, Ghirlandaio** (1449-1494), **Filippino Lippi** (1457-1504) assurent à la peinture florentine sa variété et sa continuité. Au 16e s., la seconde Renaissance, dont Rome et les villes du Nord seront les centres, se prépare à Florence : **Léonard de Vinci** *(p. 30),* **Michel-Ange** *(p. 30 et 82)* et **Raphaël** *(p. 30)* y font leurs premières armes, créant des œuvres dont s'inspireront les jeunes peintres maniéristes *(voir p. 30)* comme le **Pontormo, Rosso Fiorentino, Andrea del Sarto** (1486-1530) ou le curieux portraitiste des Médicis, **Bronzino** (1503-1572).

Cependant, l'affirmation d'une école florentine de peinture est indissociable de l'effort mené conjointement par les architectes qui créent un style, inspiré de l'antique, où mesure, rythme, respect des proportions et décors géométriques sont réunis : la construction des espaces intérieurs ou des façades répond à un souci constant de mise en place perspective, dont **Leon Battista Alberti** (1404-1472) fut le théoricien incontesté en même temps que le magistral praticien. Toutefois, c'est **Filippo Brunelleschi** (1377-1446) qui incarna le plus parfaitement l'esprit florentin, en dotant la ville de constructions alliant rigueur et légèreté, comme en témoigne l'admirable coupole de Santa Maria del Fiore en qui Florence semble avoir trouvé sa définition.

Tout au long du Quattrocento, les édifices s'enrichirent de sculptures admirables conçues pour être harmonieusement intégrées aux projets architecturaux ; les portes du baptistère firent l'objet d'un concours où s'affrontèrent les meilleurs : si **Ghiberti** (1378-1455) l'emporta, **Donatello** (1386-1466) donna par la suite de nombreuses preuves de son génie réaliste et stylisé ; de même **Luca Della Robbia** (1400-1482) et sa dynastie, **Verrocchio** (1435-1488) et de nombreux autres artistes ornèrent édifices religieux et civils de Florence. Au 16e s. **Michel-Ange**, issu de cette tradition, en offrit l'exemple achevé avec la nouvelle sacristie (1520-1555) de San Lorenzo dont il dessina l'architecture et assura la décoration sculptée. Plus tard encore, **Benvenuto Cellini** (1500-1571), **Jean Bologne** (1529-1608) et **Bartolomeo Ammannati** (1511-1592) maintinrent cette unité des genres qui donne à Florence son exceptionnelle beauté.

VISITE

Florence est une ville d'art d'une telle importance que la seule visite de ses principales curiosités nécessite au moins quatre jours ; néanmoins, celles-ci étant relativement proches les unes des autres et presque toutes situées dans le centre où la circulation est complexe, nous conseillons vivement les déplacements à pied. Un calendrier doit être établi en fonction des heures d'ouverture des monuments.

★★★ENSEMBLE MONUMENTAL DE LA PIAZZA DEL DUOMO (HX) *visite : 1/2 journée*

Au cœur de la ville, la cathédrale forme, avec le campanile et le baptistère, un extraordinaire ensemble de marbres blanc, vert et rose où l'on peut saisir le passage de l'art florentin du Moyen Age à celui de la Renaissance.

★★ Cathédrale (Duomo) (HX A). — Symbole de la richesse et de la puissance de Florence aux 13e et 14e s., la cathédrale **Santa Maria del Fiore** est l'un des plus vastes édifices du monde chrétien. Commencée en 1296 par Arnolfo di Cambio, elle fut consacrée en 1346. Gothique dans son ensemble, l'édifice constitue un éclatant exemple de l'originalité de ce style à Florence : ampleur des volumes, goût pour l'horizontalité et pour la décoration polychrome.

Extérieur. — Contourner la cathédrale par la droite afin d'admirer l'effet produit par l'immense marqueterie de marbre qui revêt l'édifice et par le **chevet★★★** d'une extraordinaire ampleur. L'harmonieuse **coupole★★★** qui s'élève au-dessus du vaisseau coûta 14 ans de travail à son inventeur Brunelleschi, qui remédia à l'excès de la poussée en construisant deux calottes reliées entre elles par des étais invisibles.

Intérieur. — La nudité du vaisseau contraste avec la somptuosité de l'extérieur. De hautes voûtes gothiques retombent sur des arcades de forte portée, elles-mêmes soutenues par d'énormes piliers. Le vaste chœur octogonal, ceint d'une élégante clôture de marbre du 16e s., est surmonté par l'immense coupole couverte d'une **fresque** représentant le Jugement dernier ; on peut accéder à la galerie intérieure, d'où l'on a une vue impressionnante sur la nef, et de là au **sommet de la coupole** d'où l'on jouit d'un magnifique **panorama★★** sur la ville.

De chaque côté du maître-autel, les portes des sacristies ont leur tympan orné de terres cuites aux bleus légers par Luca Della Robbia : Ascension et Résurrection. Dans le chœur, se déroula un épisode dramatique de la **conjuration des Pazzi** : ceux-ci, rivaux des Médicis, tentèrent d'assassiner Laurent le Magnifique le dimanche 26 avril 1478, au moment de l'Élévation ; Laurent, bien que blessé par deux moines, réussit à se réfugier dans une sacristie, mais son frère Julien tomba sous les coups des spadassins. La chapelle axiale contient un chef-d'œuvre de Ghiberti, le sarcophage de saint Zanobi, premier évêque de Florence : un des bas-reliefs représente le saint ressuscitant un enfant.

On descend la nef gauche : dans la 1re travée, une fresque de 1465 montre Dante expliquant la Divine Comédie à Florence. Plus loin à droite, deux fresques de Paolo Uccello (1436) et d'Andrea del Castagno (1456) représentent des condottieri.

Près du dernier pilier, a été placée une copie de la Pietà de Michel-Ange, dont l'original se trouve au musée de l'Œuvre de la cathédrale *(ci-dessous)*.

Par un escalier situé de l'autre côté de la nef centrale, entre le 1er et le 2e pilier, on accède à la **crypte de Santa Reparata,** restes d'une basilique romane démolie lors de la construction de l'actuelle cathédrale et résultant elle-même de la transformation d'une basilique paléochrétienne (5e-6e s.). Les fouilles ont révélé notamment des fragments de pavement à mosaïques appartenant à l'édifice d'origine et la tombe de Brunelleschi (derrière une grille donnant sur la salle au bas de l'escalier, à gauche).

★★**Campanile (HX B).** — Svelte et élancé (82 m de hauteur), il contraste harmonieusement avec la coupole de Brunelleschi, ses lignes droites équilibrant les courbes de celle-ci. Giotto en fit les plans et en commença la construction en 1334, mais mourut en 1337. Ce campanile gothique, achevé à la fin du 14e s., surprend par sa décoration géométrique où dominent les lignes horizontales. Des copies ont remplacé les bas-reliefs de la partie inférieure de l'édifice, sculptés, au 1er registre par Andrea Pisano et Luca Della Robbia, au 2e par des élèves d'Andrea Pisano, selon une conception d'ensemble due à Giotto ; les originaux sont au musée de l'Œuvre de la cathédrale. Du sommet du campanile, beau **panorama**★★ sur la cathédrale et la ville.

★★**Baptistère (HX C).** — Revêtu de marbre blanc et vert, il est d'un style roman sobre et équilibré. Ses **portes de bronze**★★★ sont universellement connues. La porte Sud *(actuelle entrée),* sculptée par Andrea Pisano (1330) évoque en style gothique la vie de saint Jean-Baptiste (en haut) et les Vertus (en bas). Les encadrements, d'une grande virtuosité, sont de Vittorio Ghiberti, le fils de l'auteur des autres portes.

La porte Nord (1403-1424) est la première exécutée par Lorenzo Ghiberti, à la suite d'un concours auquel participèrent Brunelleschi, Donatello et Jacopo Della Quercia ; des scènes de la vie du Christ y sont évoquées, avec une noblesse et une harmonie de composition extraordinaires.

Face à la cathédrale, la porte Est (1425-1452) est celle que Michel-Ange déclarait digne d'être la **« Porte du Paradis ».** Ghiberti y a évoqué l'Ancien Testament ; dans les niches, Prophètes et Sibylles. L'auteur s'est représenté, chauve et malicieux, dans un médaillon.

Intérieur. — Avec ses 25 m de diamètre, ses marbres noir et blanc, son pavement décoré de motifs orientaux, il est grandiose et majestueux. La coupole est couverte de magnifiques **mosaïques**★★★ du 13e s. : de part et d'autre du grand Christ en Majesté, est représenté le Jugement dernier ; sur les cinq registres concentriques qui couvrent les cinq autres pans de la coupole, on reconnaît, en lisant du sommet vers la base, les Hiérarchies célestes, la Genèse, la Vie de Joseph, des scènes de la vie de la Vierge et de Jésus, la Vie de saint Jean-Baptiste.

A droite de l'abside, le tombeau de l'antipape Jean XXIII, ami de Côme l'Ancien, est une œuvre remarquable réalisée en 1427 par Donatello aidé de Michelozzo.

Au Sud du baptistère, s'élève la **Loggia del Bigallo (HX E)** du 14e s. ; sous ses arcades gothiques étaient exposés les enfants perdus ou abandonnés.

★★**Musée de l'Œuvre de la cathédrale (Museo dell'Opera del Duomo) (JX M1).** — Il réunit des objets provenant de la cathédrale, du campanile et du baptistère.

Au rez-de-chaussée sont rassemblées : des statues de l'ancienne façade de la cathédrale (le pape Boniface VIII par Arnolfo di Cambio, les quatre Évangélistes), du matériel utilisé par Brunelleschi lors de la construction de la coupole ainsi que son masque mortuaire, des pièces d'orfèvrerie.

A mi-étage est exposée la célèbre **Pietà**★★ que Michel-Ange, âgé de 80 ans, laissa inachevée.

Dans la grande salle du 1er étage, on peut voir trois célèbres statues par Donatello : l'impressionnante **Madeleine**★ pénitente, en bois, et les prophètes Jérémie et Habacuc, ce dernier surnommé « Zuccone » (« grosse courge ») à cause de la forme de son crâne. Dans la même salle sont placées les fameuses **« Cantorie »**★★, tribunes de chanteurs provenant de la cathédrale ; à gauche, celle de Luca Della Robbia (les panneaux séparés, en bas, sont les originaux, la tribune a été reconstituée au-dessus avec des moulages) : groupes d'enfants chanteurs, danseurs, musiciens, d'un charme exquis ; en face, celle de Donatello est plus mouvementée et moins naturelle mais les motifs décoratifs sont d'un bel effet.

Dans la salle située à gauche, sont exposés les admirables **bas-reliefs**★★ provenant du campanile : ceux d'Andrea Pisano et de Luca Della Robbia, de forme hexagonale, représentent avec un pittoresque savoureux la création d'Adam et Eve et les différentes activités humaines ; les autres, en forme de losange, figurent les Planètes, les Vertus, les Arts Libéraux, les Sacrements. La salle s'ouvrant à droite de la salle des « Cantorie » renferme le célèbre **autel**★★ en argent contant la vie de saint Jean-Baptiste, monument de l'orfèvrerie florentine des 14e-15e s.

LE CENTRE POLITIQUE AUTOUR DE LA PIAZZA DELLA SIGNORIA *visite : 1 journée*

★★**Piazza della Signoria (HY).** — Centre politique de Florence, avec comme toile de fond l'admirable architecture du Palazzo Vecchio, la Loggia della Signoria et, en coulisse, le palais des Offices, cette place grandiose est ornée de nombreuses statues qui en font un véritable musée de sculptures en plein air : vers le centre de la place, statue équestre de Côme Ier, d'après Jean Bologne, à l'angle du Palazzo Vecchio, fontaine de Neptune (1576) par Ammannati ; devant le palais lui-même, ont été placées une copie du « Marzocco » (le lion emblème de Florence) de Donatello, et une autre du David de Michel-Ange.

★★**Loggia della Signoria** (HY D). — Bâtie à la fin du 14e s., elle fut lieu d'assemblée, puis corps de garde des « Lanzi », lansquenets de Côme Ier. Elle abrite des statues antiques et Renaissance : il faut noter l'Enlèvement d'une Sabine (1583) et Hercule et Nessus par Jean Bologne mais surtout, vers l'avant, l'extraordinaire **Persée**★★★ montrant la tête de Méduse, œuvre exécutée par Benvenuto Cellini entre 1545 et 1553.

★★★**Palazzo Vecchio** (HJT). — Sa masse puissante surmontée d'un élégant beffroi de 94 m domine la place. Construit de 1299 à 1314, probablement d'après un projet d'Arnolfo di Cambio, c'est un édifice gothique d'allure sévère, caractérisé par l'absence d'ouvertures au niveau inférieur, une série de baies géminées à l'étage, et un chemin de ronde à mâchicoulis et créneaux d'où surgit la tour.

L'intérieur, Renaissance, contraste avec l'extérieur par son faste et son raffinement. La **cour**★, refaite au 15e s. par Michelozzo, fut décorée au siècle suivant par Vasari ; son centre est occupé par une élégante fontaine surmontée d'un génie ailé (16e s.), copie d'une œuvre de Verrocchio (original à l'intérieur du palais).

D'abord siège du gouvernement de la ville, la « Signoria », l'édifice devint au 16e s. la résidence de Côme Ier qui en fit un séjour mieux adapté aux besoins de la cour. C'est de cette époque que datent la plupart des décorations dues à Giorgio Vasari. Lorsque Côme abandonna cette demeure pour se transporter au palais Pitti, l'édifice, appelé jusque-là Palazzo della Signoria, prit le nom de Palazzo Vecchio.

Les salles ont été somptueusement décorées de sculptures par Benedetto et Giuliano da Maiano (15e s.), et de peintures par Vasari et Bronzino (16e s.) à la gloire de Florence et des Médicis. Au 1er étage, l'immense salle des « Cinq cents » (Sala dei Cinquecento), peinte par plusieurs artistes dont Vasari, conserve un groupe sculpté par Michel-Ange : le Génie terrassant la Force ; les parois du magnifique **Studiolo**★★ (cabinet de travail) de François de Médicis, dû à Vasari, ont été peintes par des maniéristes florentins, dont Bronzino, auteur des portraits de Côme Ier et d'Éléonore de Tolède ; l'appartement de Léon X a été décoré, par Vasari et ses aides, de scènes évoquant des épisodes de l'histoire des Médicis. Au 2e étage, on visite l'appartement des Prieurs, où l'on remarque la **salle des Lys** avec son magnifique **plafond**★ à caissons dû à Giuliano da Maiano ; la **salle des Garde-robes**★, tapissée de **cartes géographiques** du 16e s. ; les appartements d'Éléonore de Tolède décorés par Vasari, à l'exception de la chapelle ornée de fresques par Bronzino ; l'appartement de Côme Ier, dit des Éléments en raison des scènes allégoriques dont Vasari et ses aides ont décoré la 1re salle (dans la salle de Jupiter, trois **tapisseries**★ ont été tissées au 16e s. par la manufacture des Médicis).

★★★**Musée des Offices** (Galleria degli Uffizi) (HY). — C'est l'un des plus beaux musées de peinture du monde. Il permet de suivre l'évolution de la peinture italienne, des précurseurs jusqu'au 17e s., grâce aux collections qu'ont rassemblées plusieurs générations de Médicis. C'est François Ier (1541-1587) qui décida la première réunion des œuvres, auxquelles vinrent s'ajouter plus tard les collections du grand-duc Ferdinand Ier, celles de Ferdinand II et de Côme III. En 1737, la dernière des Médicis, Anna Maria Ludovica, Grande Électrice Palatine, légua définitivement les richesses réunies par sa famille à la ville de Florence. La Galleria degli Uffizi est aménagée dans un palais Renaissance, élevé par Vasari en 1560 et qui abritait les bureaux (uffizi) de l'administration médicéenne.

Au 1er étage sont installés les cabinets de dessins et d'estampes ; au 2e, les peintures et sculptures, dans deux galeries et les salles qu'elles desservent.

FIRENZE

Les galeries. — Les murs sont garnis d'une admirable série de **tapisseries** du 16e s. : on remarque plus particulièrement, dans la 1re galerie, les Mois, puis les Fêtes données à la cour de Henri II et Catherine de Médicis, d'école flamande (on reconnaît les Tuileries, les châteaux d'Anet et de Fontainebleau) ; dans la 2e galerie, la Passion du Christ, de la manufacture florentine de tapisseries. Statues classiques, copies romaines pour la plupart ; belle série de bustes de l'époque impériale.

Salles de la première galerie de peinture. — La première salle est consacrée à l'archéologie, les dix suivantes à la peinture florentine et toscane de la fin du 13ᵉ s. au 16ᵉ s., les dernières à des écoles italiennes et étrangères des 15ᵉ et 16ᵉ s.

Fin 13ᵉ-14ᵉ s. toscan : les œuvres de Cimabue, Giotto, Duccio (Madones, salle 2), et la célèbre **Annonciation** de Simone Martini (salle 3), chef-d'œuvre de la peinture gothique, sont à remarquer spécialement.

15ᵉ s. florentin : on admire, salle 7, la fameuse **Bataille de San Romano** par Paolo Uccello (les deux autres panneaux sont au Louvre et à Londres) ainsi que des œuvres de Fra Angelico (Couronnement de la Vierge) et de Piero Della Francesca (Portrait du duc d'Urbino) ; salle 8, sur un chevalet, entre deux Adoration de l'Enfant de Filippo Lippi, sa fameuse **Vierge à l'Enfant** et un Couronnement de la Vierge.

(Photo Edimedia)

La Naissance de Vénus (détail).

La **salle des Botticelli★★★** (10-14) est la gloire du musée. Les plus grandes œuvres de ce maître de la Renaissance y sont rassemblées : la Vierge du Magnificat, composition en rond d'une exceptionnelle harmonie ; l'allégorie de la **Naissance de Vénus** et celle du **Printemps**, œuvres de maturité, sans doute les plus représentatives du lyrisme poétique de l'artiste ; l'admirable Vierge à la Grenade. Dans la même salle, le célèbre **Triptyque Portinari** de Van der Goes témoigne des rapports d'influence qui existèrent entre les peintres italiens de la Renaissance et les primitifs flamands.

La salle suivante renferme le Baptême du Christ de Verrocchio et, chefs-d'œuvre de Léonard de Vinci, l'**Adoration des Mages,** inachevée, et la célèbre **Annonciation.**

La « **Tribune** » (salle 18) : de forme octogonale, elle a été dessinée par Buontalenti (1588). On y voit la fameuse **Vénus des Médicis,** sculpture grecque du 3ᵉ s. av. J.-C., et de nombreux portraits de membres de la famille Médicis par Pontormo, Bronzino, Vasari...

Écoles italiennes et étrangères des 15ᵉ-16ᵉ s. : salle 19, Pérugin et Signorelli ; salle 20, Cranach (**Adam et Eve,** Luther) et Dürer (**Adoration des Mages**) ; salle 21, Giovanni Bellini (**Allégorie sacrée**) et Giorgione ; salle 22, portraits par Van Orley, Holbein, Joos van Cleve ; salle 23, Le Corrège (le Repos en Égypte, Adoration de l'Enfant), Bernardino Luini, Boccacino (la Zingarella).

Cabinet des Miniatures. — *Visible à travers une grille.* Œuvres du 15ᵉ au 19ᵉ s.

Salles de la deuxième galerie de peinture. — *Parallèlement à la 1ʳᵉ galerie.* Les onze premières salles sont réservées au Cinquecento (16ᵉ s.) italien : Michel-Ange (salle 25 : **Sainte Famille**) ; Raphaël (salle 26 : **Léon X, Madone au Chardonneret**) ; les maniéristes florentins (salles 26 et 27 : Andrea del Sarto avec sa célèbre Vierge aux Harpies, Pontormo, etc.), émiliens (salles 29 à 31 : Parmigianino, Dosso Dossi), vénitiens. Splendides Titien (salle 28 : Flora, **Vénus d'Urbino,** portraits), Véronèse (salle 34 : Sainte Famille avec sainte Barbe), Tintoret (salle 35 : **Léda et le cygne,** portraits).

Vient ensuite la peinture, italienne et étrangère, des 17ᵉ et 18ᵉ s. L'école flamande du 17ᵉ s. est représentée (salle 41) par Rubens (**Isabelle Brandt**) et Van Dyck (portraits).

La grande salle de Niobé accueille un groupe de sculptures. La salle suivante est consacrée au **Caravage** (Bacchus adolescent) et à **Claude Lorrain ;** la peinture hollandaise et **Rembrandt** (portraits et autoportraits) occupent la salle 44, et la salle 45, réservée au 18ᵉ s., présente des œuvres de Nattier, Chardin, Canaletto et Guardi.

ⓥ **Couloir de Vasari (Corridoio Vasariano) (HY).** — Reliant le Palazzo Vecchio au palais Pitti, ce corridor regroupe sur près d'un kilomètre de cimaises une exceptionnelle collection de portraits.

★★★ **Palais et musée du Bargello (JY M).** — Cet austère palais, ancienne résidence du
ⓥ podestat, puis du chef de la police (bargello), est un bel exemple d'architecture civile du Moyen Age (13ᵉ-14ᵉ s.) ; sa **cour★★**, ornée d'un portique et d'une loggia, est l'une des plus pittoresques d'Italie. Le musée aménagé dans les salles du palais est d'un grand intérêt pour qui veut connaître la sculpture florentine et italienne de la Renaissance.

Rez-de-chaussée. — Là, sont réunies des œuvres des sculpteurs florentins les plus différents du 16ᵉ s : Michel-Ange et Benvenuto Cellini ; du premier, on peut admirer un **Bacchus ivre,** un Brutus, un Apollon et le Tondo Pitti ; du second, un Narcisse, le **bas-relief du Persée** de la Loggia della Signoria et le buste de Côme Iᵉʳ.

1ᵉʳ étage. — Une vaste et haute salle abrite une exceptionnelle collection de **sculptures★★★** de **Donatello** et de ses élèves (Desiderio da Settignano, Agostino di Duccio), ainsi que des œuvres de Luca Della Robbia. Du maître qui domina de son génie la première Renaissance italienne, on admirera le Saint Jean-Baptiste enfant, le **Marzocco,** le **David** en bronze, chef-d'œuvre de la maturité, et le **Saint Georges** d'Orsanmichele.

Le reste de l'étage est occupé par la collection léguée à la fin du 19ᵉ s. par le Lyonnais Louis Carrand : émaux, bijoux et remarquables ivoires.

2ᵉ étage. — Les salles VII à XI renferment des terres cuites des Della Robbia, Giovanni et Andrea, des œuvres de **Verrocchio,** dont le célèbre **David** en bronze, une série de petits bronzes Renaissance et une remarquable collection d'armes et d'armures.

DE SAN LORENZO A SANTA MARIA NOVELLA

visite : 1/2 journée

★★★**St-Laurent (San Lorenzo)** (HX). — L'**église**★★, commencée vers 1420 par Brunelleschi, située près du palais Médicis, fut la paroisse de cette grande famille et leur servit, pendant plus de trois siècles, de monumental sépulcre. L'intérieur illustre parfaitement la sobriété du style inauguré ici par **Brunelleschi.** La rigueur de cette architecture, réfléchie, mesurée, volontaire, à l'échelle de l'homme, trouve son accomplissement dans l'**Ancienne sacristie**★★ *(au fond du transept gauche)* dont la décoration est en partie due à Donatello. De ce dernier on admire, dans la nef, deux **chaires**★★ dont les panneaux en bronze sont des œuvres d'une admirable virtuosité et d'un grand sens dramatique.

★★**Bibliothèque Laurentienne.** — Fondée par Côme l'Ancien, elle fut agrandie par Laurent le Magnifique. On y accède par un charmant **cloître**★ du 15ᵉ s. *(portail à gauche de l'église).* Dans l'entrée, qui présente la particularité d'être traitée comme l'extérieur d'un édifice, un majestueux **escalier**★, dessiné avec une suprême élégance par Michel-Ange et réalisé par Ammannati, conduit à la grande **salle de lecture,** due elle aussi à Michel-Ange, où sont exposés, par roulement, quelques-uns des 10 000 manuscrits.

★★**Chapelles Médicis.** — *Entrée piazza Madonna degli Aldobrandini.* Ce terme englobe la chapelle des Princes et la Nouvelle sacristie.

La **chapelle des Princes**★ (17ᵉ-18ᵉ s.) frappe par son aspect funèbre et grandiose. Revêtue entièrement de pierres dures et de marbres précieux, elle renferme les monuments funéraires de Côme Iᵉʳ et de ses descendants.

La **Nouvelle sacristie**★★, premier travail de Michel-Ange en tant qu'architecte, est en fait une chapelle funéraire qui fut commencée en 1520 et laissée inachevée par l'artiste à son départ de Florence en 1534.

Michel-Ange, usant du contraste entre le gris de la « pietra serena » et la blancheur des marbres et des murs, a donné un rythme d'une pathétique solennité à l'espace dans lequel il a placé les célèbres **tombeaux des Médicis**★★★ dont il est également l'auteur : celui de Julien de Médicis, duc de Nemours (mort en 1516), représenté sous la figure de l'Action, entouré des allégories du Jour et de la Nuit, et celui de Laurent II (mort en 1519), en Penseur au pied duquel se tiennent le Crépuscule et l'Aurore. Une extraordinaire puissance en même temps qu'une pesanteur tragique se dégagent de cet ensemble exceptionnel.

Du tombeau qui devait être celui de Laurent le Magnifique, seul a vu le jour l'admirable groupe de la Vierge à l'Enfant : le plus célèbre des Médicis repose, avec son frère Julien, dans le simple sarcophage qui se trouve au-dessous.

★★**Palais Médicis (Palazzo Medici-Riccardi)** (HX). — Représentatif du style de la Renaissance florentine, austère, muni au rez-de-chaussée de ses « rustica », énormes bossages s'allégeant vers le haut, ce noble édifice fut commencé en 1444 par Michelozzo, sur l'ordre de son ami Côme l'Ancien. Les Médicis y demeurèrent de 1459 à 1540 et Laurent le Magnifique y tint sa cour de poètes, de philosophes et d'artistes. Dans la deuxième moitié du 17ᵉ s. l'édifice passa aux mains des Riccardi qui lui firent subir d'importantes transformations.

Chapelle. — *1ᵉʳ étage : 1ᵉʳ escalier à droite dans la cour.* Minuscule, elle a été décorée d'admirables **fresques**★★★ (1459) par **Benozzo Gozzoli.** Le Cortège des Rois Mages est une évocation brillante de la vie florentine où se mêlent membres de la famille Médicis et illustres personnages venus d'Orient pour le concile réuni à Florence en 1439.

★★**Salle de Luca Giordano.** — *1ᵉʳ étage : 2ᵉ escalier à droite dans la cour.* La voûte de cette galerie aménagée à la fin du 17ᵉ s. par les Riccardi et fastueusement ornée de stucs dorés, de panneaux sculptés et de grands miroirs peints, est entièrement couverte par une fresque représentant l'Apothéose de la 2ᵉ dynastie des Médicis, composition baroque d'une singulière fraîcheur de couleurs, réalisée avec une extraordinaire virtuosité par Luca Giordano en 1683.

★★**Santa Maria Novella** (GX). — L'église de Ste-Marie-Nouvelle et le couvent attenant, fondés au 13ᵉ s. par les dominicains, ferment au Nord-Ouest une belle place allongée où avaient lieu autrefois des courses de chars.

★★**Église.** — Commencée en 1246, elle ne fut achevée qu'en 1360, à l'exception de la **façade** aux lignes harmonieuses et aux motifs géométriques de marbres blanc et vert, dessinée au 15ᵉ s. par Alberti (partie supérieure).

C'est un vaste édifice (100 m de longueur), fait pour la prédication. Sur le mur de la 3ᵉ travée de la nef gauche, on peut voir la fameuse **fresque**★ de la Trinité avec la Vierge, saint Jean et les donateurs, dans laquelle Masaccio, adoptant les théories nouvelles de la Renaissance, déploie une magistrale technique de la perspective. Dans le transept gauche, la chapelle Strozzi (surélevée) est ornée de **fresques**★ (1357) par le Florentin Nardo di Cione qui a décrit avec ampleur le Jugement dernier ; sur l'autel le **polyptyque**★ est dû à Orcagna, frère de Nardo di Cione. La sacristie renferme un beau **crucifix**★ *(au-dessus de la porte d'entrée)* de Giotto et une élégante **niche**★ en terre cuite émaillée de Giovanni Della Robbia. Dans la chapelle Gondi *(1ʳᵉ à gauche du maître-autel)* est exposé le célèbre **crucifix**★★ de Brunelleschi, saisissant d'élégance et de vérité, pour lequel Donatello conçut, dit-on, une telle admiration qu'il en laissa choir les œufs qu'il portait. Le chœur est décoré d'admirables **fresques**★★★ de **Ghirlandaio** qui, sur le thème de la vie de la Vierge et de celle de saint Jean-Baptiste, a brossé avec fraîcheur et un sens très vif de la narration, un éblouissant tableau de la vie florentine à l'époque de la Renaissance.

Deux cloîtres flanquent l'église. Le plus beau est le **cloître Vert**★, ainsi appelé à cause des fresques qui le décorent, dues à Paolo Uccello et à ses élèves. Sur ce cloître s'ouvre la **chapelle des Espagnols** couverte de **fresques**★★ à la fin du 14ᵉ s. par **Andrea di Bonaiuto** (dit aussi Andrea da Firenze) ; celles-ci, d'un symbolisme compliqué, évoquent le triomphe de l'Église et l'action des dominicains.

LE PONTE VECCHIO, LE PALAIS PITTI ET LE JARDIN DE BOBOLI *visite : 2 h*

★**Ponte Vecchio** (HY). — Comme son nom l'indique c'est le plus ancien pont de Florence, reconstruit plusieurs fois sur l'Arno, au lieu où son lit est le plus étroit. Sa curieuse silhouette lui vient des petites boutiques d'orfèvres qui le bordent et du Corridoio Vasariano *(voir p. 88)*, construit par Vasari pour relier le Palazzo Vecchio au palais Pitti, qui court au-dessus.

★★**Palais Pitti** (GHZ). — Cet édifice Renaissance (15e s.), d'aspect rude et imposant, avec ses énormes bossages et ses nombreuses fenêtres, fut construit sur les plans de Brunelleschi par la famille rivale des Médicis, les Pitti. C'est Éléonore de Tolède, la femme de Côme Ier, qui, par l'adjonction des ailes, l'agrandit aux proportions d'une résidence princière où la cour se déplaça en 1560.

★★★**Galerie Palatine.** — *1er étage.* Portant le nom de la dernière représentante des Médicis, la Grande Électrice Palatine, cette somptueuse galerie abrite une extraordinaire collection de peintures, disposées sans souci d'ordre didactique ou chronologique. On peut y admirer des **ensembles★★★** prodigieux de **Raphaël** et de **Titien**. Du premier, dans la salle de Jupiter, la **Femme au voile** *(illustration p. 30)*, dans la salle de Saturne, la **Madone du Grand-Duc** et la **Vierge à la chaise**. Du second, portraits de **La Belle**, de **l'Arétin** et le **Concert** (salle de Vénus), l'**Homme aux yeux gris** (salle d'Apollon). Parmi la foule des tableaux suspendus aux parois des salles fastueusement décorées par Pietro da Cortona, on remarque encore deux grandes Marines de Salvatore Rosa (salle de Vénus), des portraits par Van Dyck (salle d'Apollon), les Quatre Philosophes de Rubens et le Cardinal Bentivoglio de van Dyck, une Déposition par Fra Bartolomeo et deux grands paysages de Rubens (salle de Vénus) ; plus loin, un étonnant **Amour dormant** du Caravage (salle de l'Éducation de Jupiter), une Vierge à l'Enfant de Filippo Lippi (salle de Prométhée), un Saint Sébastien de Sodoma (salle Castagnoli), ainsi que de nombreuses œuvres des écoles italiennes et étrangères dues au Pérugin, à Dosso Dossi, Andrea del Sarto, Rosso Fiorentino, Pontormo, Bronzino, Véronèse, Guido Reni, Sustermans, Vélasquez, etc.

Ⓥ**Appartements monumentaux.** — *1er étage.* Ils sont somptueusement décorés de tableaux, d'œuvres d'art et d'admirables tapisseries.

★★**Musée de l'Argenterie** (Museo degli Argenti). — *Rez-de-chaussée et entresol.* Il conserve un ensemble exceptionnel de travaux en pierres dures, d'ivoires, de cristaux, d'orfèvreries, constitué en grande partie par le trésor des Médicis.

★**Galerie d'Art moderne.** — *2e étage.* Œuvres, toscanes pour la plupart, illustrant les courants qui ont animé la peinture et la sculpture italiennes au siècle dernier. On remarque dans la partie consacrée au néo-classicisme et au romantisme, les Benvenuti, Canova, Bezzuoli, Hayez, Bartolini. Le mouvement des **Macchiaioli** *(voir p. 31)* est représenté par une exceptionnelle série d'**œuvres★★** dues à Fattori, Lega, Signorini, Cecioni...

★**Jardin de Boboli** (Giardino di Boboli) (GHZ). — S'étendant derrière le palais Pitti, ce jardin en terrasses à l'italienne, dessiné en 1549 par Tribolo, est orné de statues antiques et Renaissance. Au bout d'une allée, à gauche du palais, s'ouvre la grotte de **Buontalenti**, grotte artificielle aménagée par cet artiste. Traversant l'amphithéâtre, on monte vers le sommet du jardin. Sur la droite, le **Viottolone★** — allée de pins et de cyprès — descend au **piazzale dell'Isolotto★**, bassin circulaire avec une petite île portant des orangers, des citronniers et une fontaine de Jean Bologne. Dans un pavillon est installé un **musée de Porcelaines★** (HZ M²). Au sommet de la colline, le **Forte del Belvedere**, ancien bastion protégeant la ville, constitue, avec l'élégante villa qui le domine (due à l'architecte Buontalenti) un admirable belvédère d'où l'on peut contempler un vaste **panorama★★** sur la ville et la campagne environnante.

LE QUARTIER DE SAN MARCO *visite : 2 h*

★★**Couvent et Musée de St-Marc** (Convento e Museo di San Marco) (JV). — Occupant un couvent de dominicains, reconstruit vers 1436, dans un style très dépouillé, par Michelozzo, ce musée rassemble des **œuvres★★★** de **Fra Angelico** qui, entré dans les ordres chez les dominicains de Fiesole, puis installé à St-Marc, y couvrit les murs des cellules de scènes édifiantes. Son art, hérité de la tradition gothique, est empreint d'humilité et de douceur mystique qui caractérisent la personnalité de ce moine-peintre. L'utilisation raffinée des couleurs, la délicatesse extrême du dessin, le recours encore hésitant aux lois de la perspective et le dépouillement des thèmes donnent à cette œuvre — et particulièrement en cet endroit silencieux propice à la méditation — un grand pouvoir d'apaisement.

Rez-de-chaussée. — L'ancienne salle des Hôtes s'ouvre à droite du cloître et présente de nombreux panneaux sur bois de Fra Angelico, notamment le triptyque de la **Descente de Croix**, l'éloquent **Jugement dernier** et une série d'autres tableaux à thèmes religieux. Dans la salle capitulaire, sévère Crucifixion et dans le réfectoire, **Cène★** de Ghirlandaio.

1er étage. — L'escalier est dominé par une **Annonciation**, chef-d'œuvre d'équilibre et de sobriété. Les cellules se répartissent le long de trois corridors à la magnifique charpente. Parmi les plus belles compositions, remarquer, dans le corridor de gauche, l'Apparition du Christ à la Madeleine *(1re cellule à gauche)*, la Transfiguration *(6e cellule à gauche)*, le Couronnement de la Vierge *(9e cellule à gauche)*. Au fond du corridor suivant, cellules de Savonarole qui fut prieur du couvent. Dans le corridor de droite s'ouvre la très belle **bibliothèque★**, l'une des plus harmonieuses réalisations de Michelozzo.

★★**Galerie de l'Académie** (Galleria dell'Accademia) (JV). — Grâce à une présentation judicieuse des œuvres, ce musée permet de comprendre la personnalité extraordinaire de **Michel-Ange**, déchiré entre la pesanteur de la matière et la tentation de l'idéal. La **grande galerie★★★** permet de passer entre les puissantes figures des **Esclaves**

(1513-1520) et le Saint Mathieu, tous restés à l'état d'ébauche et qui semblent vouloir s'arracher à leur gangue de marbre ; au fond de la salle, dans une abside construite en 1873 pour le recevoir, se dresse le monumental **David** (1501-1504), symbole de la force juvénile et maîtrisée, admirable témoignage de la vision humaniste du sculpteur. La **pinacothèque★** présente des œuvres d'artistes toscans du 15e s., dont le coffre peint Adimari et deux peintures de Botticelli.

★**Piazza della Santissima Annunziata** (JV). — Belle place ornée d'une statue équestre de Ferdinand Ier par Jean Bologne et de deux fontaines baroques. Autour, se dressent l'église de la Ss. Annunziata, l'Hôpital des Innocents et le palais de la confrérie des Serviteurs de Marie.

Église de la Santissima Annunziata (JV S). — Reconstruite au 15e s. par Michelozzo, elle abrite une image miraculeuse de la Vierge. Elle est précédée d'un atrium décoré de **fresques★** (abîmées) dues à Rosso Fiorentino, Pontormo, Andrea del Sarto, Franciabigio, Baldovinetti.

Hôpital des Innocents (Ospedale degli Innocenti) ou des Enfants trouvés (JV M4) . — Précédé d'un élégant **portique★** de Brunelleschi orné de **médaillons★★** (enfants au maillot), terres cuites d'Andrea Della Robbia, il abrite une **galerie d'Art** réunissant quelques œuvres intéressantes de peintres florentins.

SANTA CROCE ET LA PROMENADE DES COLLINES
visite : 2 h

★★**Ste-Croix (Santa Croce)** (JY). — L'église et les cloîtres de S. Croce donnent sur l'une des plus anciennes places de la ville.

★★**Église.** — C'est l'église des franciscains. Commencée en 1294, elle a été achevée dans la 2e moitié du 14e s. La façade et le campanile datent du 19e s. L'**intérieur,** immense (140 m sur 40 m) car destiné à la prédication, comprend une nef simple et dégagée et une abside élancée éclairée par de beaux vitraux (15e s.). Le sol est dallé de 276 pierres tombales et le long des murs s'alignent de somptueux tombeaux.
Bas-côté droit : contre le 1er pilier, Vierge à l'Enfant d'A. Rossellino (15e s.) ; en face, tombeau de Michel-Ange (mort en 1564) par Vasari ; face au 2e pilier, cénotaphe (19e s.) de Dante (mort en 1321, enterré à Ravenne) ; contre le 3e pilier, belle **chaire★** par Benedetto da Maiano (1476), et, en face, monument à V. Alfieri (mort en 1803) par Canova ; face au 4e pilier, monument (18e s.) à Machiavel (mort en 1527) ; face au 5e pilier, élégant bas-relief de l'**Annonciation★★** en pierre rehaussée d'or, par Donatello ; face au 6e pilier, **tombeau de Leonardo Bruni★★** (humaniste et chancelier de la république, mort en 1444) par B. Rossellino et, à côté, tombeau de Rossini (mort en 1868).
Bras droit du transept : au fond, chapelle Baroncelli avec les **fresques★** (1338) de la Vie de la Vierge par Taddeo Gaddi ; à l'autel, **polyptyque★** du Couronnement de la Vierge (atelier de Giotto).
Sacristie *(accès par le corridor à droite du chœur)* : du 14e s., elle est ornée de **fresques★** parmi lesquelles on note une Crucifixion de Taddeo Gaddi et, dans la belle chapelle Rinuccini, des scènes de la vie de la Vierge et de Marie-Madeleine par Giovanni da Milano (14e s.).
Au fond du corridor, harmonieuse chapelle Médicis construite par Michelozzo (1434) avec un beau **retable★** en terre cuite vernissée d'Andrea Della Robbia.
Chœur : la Ire chapelle à droite de l'autel abrite les touchantes **fresques★★** (vers 1320) de Giotto contant la vie de saint François ; dans la 3e chapelle, tombeau de Julie Clary, épouse de Joseph Bonaparte. Le chœur proprement dit est couvert de **fresques★** (1380) d'Agnolo Gaddi contant la légende de la Sainte Croix.
Bras gauche du transept : à l'extrémité, se trouve le célèbre **crucifix★★** de Donatello que Brunelleschi voulut surpasser à Santa Maria Novella.
Bas-côté gauche *(en retour)* : après le 2e pilier, beau **monument à Carlo Marsuppini★** par Desiderio da Settignano (15e s.) ; face au 4e pilier, pierre tombale de L. Ghiberti (mort en 1455) ; le dernier tombeau (18e s.) est celui de Galilée (mort en 1642).

★★**Chapelle des Pazzi.** — *Au fond du 1er cloître (entrée à droite de l'église).* Édifié par Brunelleschi, ce petit édifice que précède un portique à coupole est un chef-d'œuvre de la Renaissance florentine par l'originalité de la conception, la pureté des lignes, la noblesse des proportions et l'harmonie de la décoration (terres cuites émaillées de l'atelier des Della Robbia).

Grand cloître. — *Entrée au fond du 1er cloître, à droite.* D'une grande élégance, il a été dessiné par Brunelleschi, peu avant sa mort (1446), et achevé en 1453.

Musée de l'Œuvre de Ste-Croix (Museo dell'Opera di S. Croce). — Installé dans les bâtiments donnant sur le 1er cloître, notamment dans l'ancien réfectoire des moines, il abrite entre autres œuvres le célèbre **crucifix★** de Cimabue, gravement endommagé par les inondations de 1966 qui affectèrent particulièrement Santa Croce.

★★**Promenade des Collines (Passeggiata ai Colli).** — Sur la rive gauche de l'Arno *(voir plans dans le guide Rouge Michelin Italia).* Cette splendide « via dei Colli », tracée par Giuseppe Poggi entre 1865 et 1870, offre de nombreuses échappées sur la ville, notamment du piazzale Michelangiolo.
Non loin de la place, bâtie dans un **site★★** remarquable dominant Florence, s'élève l'église **San Miniato al Monte★★** construite dans un très beau style roman florentin (11e-13e s.). Sa façade, d'une rare élégance, rappelle, par sa décoration géométrique de marbres vert et blanc, le baptistère. L'intérieur, également orné de marbres polychromes, a un pavement du 13e s. Dans la nef gauche, **chapelle du cardinal de Portugal★**, bel ensemble Renaissance. Au pied du chœur, la chapelle du Crucifix a été dessinée par Michelozzo. La chaire et la clôture du chœur forment un **ensemble★★** admirable par le travail d'incrustations de marbres du début du 13e s. A l'abside, mosaïque du Christ bénissant. Dans la **sacristie, fresques★** de Spinello Aretino (1387). **Crypte** du 11e s. aux fines colonnes à chapiteaux antiques.

AUTRES CURIOSITÉS

★★**Palais Strozzi** (HY F). — Dernier construit des palais privés de la Renaissance (fin 15ᵉ s.), c'est aussi l'un des plus beaux, avec son appareil à bossages, sa corniche et son élégante cour intérieure.

★★**Fresques de Santa Maria del Carmine** (GY). — L'intérêt exceptionnel de cette
Ⓥ église, ravagée par un incendie au 18ᵉ s., réside dans les fresques **de la chapelle Brancacci,** évoquant la vie de saint Pierre. L'artisan principal de ce cycle est le peintre **Masaccio** qui, à l'âge de 27 ans, en 1427, donna l'impulsion à la peinture de la Renaissance. Que ce soit dans l'**Adam et Eve chassés du Paradis,** le **Paiement du tribut,** le **Baptême des néophytes** ou la **Guérison des infirmes,** ses figures sont d'une réalité saisissante et reflètent une gravité intérieure que traduisent des formes solides et simples, servies par des couleurs sourdes et une science nouvelle de l'éclairage. Les autres fresques sont de Masolino (1424) et Filippino Lippi (1481).

★★**Cène de San Salvi (Cenacolo di San Salvi).** — *A l'Est de la ville (voir le plan*
Ⓥ *d'agglomération de Florence dans le guide Rouge Michelin Italia,* FU A*). Accès par la piazza Beccaria, la via V. Gioberti et, dans son prolongement de l'autre côté de la piazza L.B. Alberti, la via Aretina, puis la via San Salvi. Entrée au nº 16.* Splendide fresque (1520) d'**Andrea del Sarto,** représentant la Cène, œuvre d'un équilibre savant et d'une intense vérité dramatique, peinte dans le réfectoire de cet ancien couvent.

★**Orsanmichele** (HY G). — Cet ancien entrepôt de blé, reconstruit au 14ᵉ s. dans un style de transition entre le gothique et la Renaissance, est orné à l'extérieur par les statues des patrons des corporations, qui en font un véritable musée de sculptures : œuvres de Donatello, Ghiberti, Verrocchio, etc. A l'intérieur, splendide **tabernacle★★** gothique paré de marbres polychromes.

Église de la Trinité (Santa Trinità) (HY N). — L'intérieur, très sobre, abrite la **chapelle de l'Annonciation★,** ornée de fresques de Lorenzo Monaco, et la **chapelle Sassetti★★,** décorée de scènes de la vie de saint François par Ghirlandaio.

★**Musée archéologique (Museo Archeologico)** (JVX M³). — *38 via della Colonna.*
Ⓥ Importante réunion de pièces grecques, égyptiennes, étrusques et romaines. On y admire la **Chimère d'Arezzo★★,** chef-d'œuvre de la sculpture étrusque (5ᵉ s. avant J.-C).

★**Église Santo Spirito** (GY). — L'intérieur de cette église, élevée dès 1444 sur un plan de Brunelleschi, rappelle San Lorenzo. Nombreuses **œuvres d'art★,** dont une Madone et saints de Filippino Lippi *(5ᵉ chapelle du transept droit).*

La Badia (HJ L). — C'est l'église d'une ancienne abbaye (badia) fondée au 10ᵉ s. Son **campanile★** est l'un des plus élégants de Florence. L'intérieur abrite plusieurs œuvres d'art, notamment un tableau de Filippino Lippi, l'**Apparition de la Vierge à saint Bernard★** *(à gauche en entrant),* un fin **relief★★** en marbre par Mino da Fiesole et deux **tombeaux★** sculptés par le même artiste.

★**Cène de Ste-Apollonie (Cenacolo di Sant'Apollonia)** (HV R). — Cet ancien réfectoire
Ⓥ est orné d'une Cène d'Andrea del Castagno (1430), aux couleurs d'une dureté presque minérale, caractéristiques de ce peintre.

★**Cène de Ghirlandaio** (GX A). — L'ancien réfectoire du couvent contigu à l'**église**
Ⓥ **Ognissanti** (refaite au 17ᵉ s.) renferme *(entrée au nº 42, à gauche de l'église)* une Cène par Ghirlandaio.

★**Musée de la Demeure florentine (Museo dell'Antica Casa fiorentina)** (HY M⁵). —
Ⓥ Cette haute maison du 14ᵉ s. abrite un musée évoquant la vie d'une riche famille florentine.

★**Loge du Marché neuf (Loggia del Mercato Nuovo)** (HY X). — Construite au 16ᵉ s. au cœur du centre des affaires, cette loggia aux élégantes arcades Renaissance abrite un marché aux produits de l'artisanat florentin.

★**Musée d'Histoire des Sciences (Museo di Storia della Scienza)** (HY M⁶). — Riche
Ⓥ ensemble d'instruments scientifiques et souvenirs évoquant la vie de Galilée.

★**Atelier des pierres dures (Opificio delle Pietre dure)** (JVX M⁷). — Suivant une tradition
Ⓥ antique remise à l'honneur par Laurent le Magnifique, les Florentins taillent, sculptent, assemblent les quartz, porphyre, onyx, jaspe etc... L'« Opificio » se consacre essentiellement à la restauration. Un petit musée expose quelques œuvres remarquables.

★**Maison des Buonarroti (Casa Buonarroti)** (JY). — Cette demeure achetée par
Ⓥ Michel-Ange, mais où il ne vécut jamais, contient quelques œuvres du sculpteur.

EXCURSIONS

Voir le plan d'agglomération de Florence dans le guide Rouge Michelin Italia.

★★**Villas des Médicis (Ville Medicee).** — Aux 15ᵉ et 16ᵉ s., les Médicis émaillèrent la campagne florentine d'élégantes villas, souvent agrémentées de très beaux jardins.

Ⓥ **Villa della Petraia.** — *3 km au Nord.* En 1576, le cardinal Ferdinand de Médicis chargea Buontalenti de transformer cet ancien château en villa. Dans le **jardin★** (16ᵉ s.), remarquable fontaine par Tribolo, avec une Vénus en bronze de Jean Bologne.

Ⓥ **Villa de Castello.** — *5 km au Nord.* Cette villa, embellie par Laurent le Magnifique et restaurée au 18ᵉ s., possède un très beau jardin orné de fontaines et de statues.

★**Villa de Poggio a Caiano.** — *17 km au Nord-Ouest, par la route de Pistoia, S 66.* La villa
Ⓥ a été bâtie par Sangallo pour Laurent le Magnifique. Loggia décorée par les Della Robbia. A l'intérieur, splendide salon, beau plafond à caissons et **fresques** de Pontormo représentant Vertumne et Pomone, dieux des vergers féconds.

Ⓥ **Chartreuse de Galluzzo (Certosa di Galluzzo).** — *6 km au Sud, par la route de Sienne.* Fondée au 14ᵉ s., mais transformée. Dans le palais attenant, fresques de Pontormo. Les habitations des moines entourent un **cloître★** Renaissance.

Carte Michelin n° ▨▨▨ pli 15 — Plan dans le guide Rouge Michelin Italia.

Située le long de la Via Emilia, Forlì fut aux 13e et 14e s. une seigneurie indépendante ; en 1500, Catherine Sforza défendit héroïquement la citadelle contre César Borgia.

Basilique San Mercuriale. — *Piazza Aurelio Saffi.* Dominée par un haut campanile roman, la façade possède un portail dont la lunette est ornée d'un superbe **bas-relief** du 13e s. A l'intérieur, nombreuses œuvres d'art, dont plusieurs peintures de Marco Palmezzano et le tombeau de Barbara Manfredi par Francesco di Simone Ferrucci.

Pinacothèque. — *72, corso della Repubblica.* Œuvres de peintres émiliens et romagnols du 13e au 15e s. Noter un délicat **Portrait de jeune fille** par Lorenzo di Credi.

EXCURSIONS

Cesena. — *19 km par la Via Emilia.* La ville est groupée au pied de la colline portant le vaste château des Malatesta (15e s.). La **bibliothèque Malatestiana★** *(piazza Buffalini),* Renaissance, comprend à l'intérieur trois longues nefs dont les voûtes sont portées par des colonnes cannelées aux beaux chapiteaux. On peut y voir de précieux manuscrits dont quelques-uns proviennent de la fameuse école de miniaturistes de Ferrare, ainsi que le missorium, plat en argent doré, du 4e s. probablement.

Bertinoro. — *14 km au Sud-Est.* Cette petite ville est renommée pour son panorama et son vin jaune (Albana). Au centre de la localité, une « colonne de l'Hospitalité » est munie d'anneaux correspondant chacun à un foyer du pays ; l'anneau auquel le voyageur attachait sa monture déterminait la famille dont il devait être l'hôte. De la terrasse voisine, **vue★** étendue sur la Romagne.

★★ FOSSANOVA (Abbaye de) Latium

Carte Michelin n° ▨▨▨ pli 26.

Dans un site solitaire, comme le prescrit la règle cistercienne, l'abbaye de Fossanova est la plus ancienne de cet ordre en Italie. Les moines de Cîteaux s'installèrent en cet endroit en 1133. En 1163, ils commencèrent à bâtir leur abbatiale qui servit de modèle à de nombreuses églises italiennes. Bien qu'assez fortement restaurée, elle a conservé intacts son architecture et son plan d'origine conçus d'après les impératifs d'austérité voulus par saint Bernard. L'ordonnancement des bâtiments est fonction de l'activité autonome de la communauté, divisée en moines profès, vivant cloîtrés, et en moines convers, attachés aux travaux manuels.

Église. — Consacrée en 1208, elle est de style bourguignon, mais sa décoration rappelle parfois la facture lombarde avec quelques effets d'inspiration mauresque.
A l'extérieur, le plan en croix latine à chevet plat, la tour octogonale de la croisée du transept, les rosaces et le triplet du chevet sont typiquement cisterciens. L'intérieur, haut, lumineux et sobre, a une nef équilibrée par des bas-côtés à voûtes d'arêtes.

Cloître. — Avec ses trois côtés romans et le quatrième, au Sud, pré-gothique (fin 13e s.), il est très pittoresque. La forme et la décoration de ses colonnettes sont lombardes. La belle salle capitulaire, gothique, ouvre sur le cloître ses baies jumelées. Isolé, le bâtiment des hôtes accueillit saint Thomas d'Aquin qui y rendit l'âme le 7 mars 1274.

★ GAÈTE Latium
23 950 h.

Carte Michelin n° ▨▨▨ pli 27.

Cette ancienne place de guerre, encore en partie fortifiée, est admirablement située à l'extrémité du promontoire fermant l'harmonieux **golfe★** que longe une route procurant des vues magnifiques. L'agréable plage de Serapo, au sable fin, borde la ville au Sud.

Cathédrale (Duomo). — Elle est intéressante surtout par son campanile roman-mauresque (10e et 15e s.) orné de faïences et analogue aux clochers siciliens ou amalfitains. A l'intérieur, le **chandelier pascal★** (fin 13e s.) est remarquable par ses dimensions et par ses 48 bas-reliefs contant la vie du Christ et celle de saint Erasme, patron des navigateurs.

Près de la cathédrale, s'étend un pittoresque quartier médiéval.

Château (Castello). — Remontant au 8e s., il subit de nombreuses transformations. Le château inférieur est dû aux Angevins, le château supérieur aux Aragonais.

Mont Orlando. — Au sommet, on voit encore le tombeau du consul romain Munatius Plancus (Mausoleo di Lucio Munazio Planco), compagnon de César, qui fonda les colonies de Lugdunum (Lyon) et d'Augusta Raurica (Augst, près de Bâle).

EXCURSION

Sperlonga. — *16 km au Nord-Ouest.* Ce petit village est situé sur un éperon percé de nombreuses grottes.

Grotte de Tibère et musée archéologique. La grotte se trouve en contrebas de la route Gaète-Terracina *(après le dernier tunnel et à gauche).* C'est là que l'empereur romain Tibère échappa de justesse à la mort, des blocs rocheux s'étant détachés de la voûte de la grotte.
Le musée est situé au bord de la route. On peut y voir plusieurs statues des 4e et 2e s. avant J.-C., des bustes et têtes remarquables et des masques de scène fort réalistes, ainsi que la reconstruction d'un groupe colossal figurant le châtiment infligé par Ulysse au cyclope Polyphème.
A l'autre sortie du tunnel (vers Gaète), ruines incendiées de la villa de Tibère.

Carte Michelin n° ▓▓▓ pli 28.

Tout blanc sous le ciel bleu, planté comme un ergot dans la botte italienne, le Gargano forme une des régions naturelles les plus attachantes de l'Italie, par ses vastes horizons, ses forêts profondes et mystérieuses, sa côte découpée et solitaire.

Du point de vue physique, le Gargano est complètement indépendant des Apennins : c'est un plateau calcaire creusé de gouffres où disparaissent les eaux.

L'actuel promontoire formait jadis une île, qui fut rattachée au continent par les alluvions des fleuves descendant des Apennins.

Aujourd'hui, le Gargano apparaît comme un massif coupé de hautes vallées où s'est amassée la terre arable permettant les cultures. Son extrémité orientale est couverte de forêts. Les maigres pâturages et les landes des plateaux sont parcourus de troupeaux de moutons, de chèvres et de cochons noirs.

Au même système géologique appartiennent les **îles Tremiti,** très pittoresques *(accès : voir le guide Rouge Michelin Italia).*

VISITE

Au départ de Monte Sant' Angelo, suivre l'itinéraire indiqué sur le schéma (146 km — compter une journée)

★ **Monte Sant'Angelo.** — Page 121.

★★ **Foresta Umbra.** — Unique dans la région de la Pouille, cette forêt, vaste futaie de hêtres vénérables, couvre plus de 10 000 ha de vallons. Bien entretenue, elle est aménagée pour le tourisme. Un **centre d'information** pour visiteurs est installé dans la maison forestière (Casa Forestale) située un peu au-delà de la bifurcation pour Vieste.

★ **Peschici.** — Bourg de pêcheurs, devenu station balnéaire, qui occupe un site remarquable sur un éperon rocheux s'avançant dans la mer.

★ **Vieste.** — Dans une situation semblable à celle de Peschici, cette petite cité ancienne, serrée sur la falaise, est dominée par un château du 13ᵉ s. Au Sud de la localité, immense plage de sable où se dresse un piton calcaire, le **Faraglione di Pizzomunno.**

De Vieste à Mattinata, très beau **parcours**★★ en corniche dominant une côte découpée. A 8 km, la **Testa del Gargano,** tour carrée, marque l'extrémité orientale du massif : belle **vue**★ sur la **Cala di San Felice,** crique fermée par un éperon calcaire percé d'une arche.

De **Pugnochiuso,** paradis pour vacanciers, on gagne la **baie des Zagare**★ (Baia delle Zagare), autre site pittoresque.

Mattinata. — La descente sur Mattinata offre une belle **perspective**★★ sur cette grande bourgade agricole, formant une tache lumineuse au cœur d'une plaine plantée d'oliviers, encadrée de montagnes.

★★ **GÊNES** (GENOVA) Ligurie   746 785 h.

Carte Michelin n° ▓▓▓ pli 13 — Schémas p. 164-165 — Plan p. 96 — Plan d'ensemble dans le guide Rouge Michelin Italia.

Premier port d'Italie, ville de contrastes, Gênes « la Superbe » étage sur les pentes d'un amphithéâtre de montagnes ses pittoresques quartiers où de nombreux et somptueux palais côtoient de modestes ruelles.

UN PEU D'HISTOIRE

Gênes doit son expansion et son prestige à sa flotte qui, dès le 11ᵉ s., manifesta sa puissance dans les eaux tyrrhéniennes afin de les débarrasser de la présence sarrasine.

En 1104, la flotte génoise comprend déjà 70 vaisseaux sortis de ses chantiers navals, qui constituent un redoutable pouvoir auquel ont recours, dès le 14ᵉ s., les puissances étrangères, comme les rois de France Philippe le Bel et Philippe de Valois. Les croisades vont fournir aux Génois l'occasion d'établir des rapports commerciaux avec les villes de la Méditerranée orientale. Assurant l'indépendance de leur ville, qui devient la « République de saint Georges » (1100), marins, commerçants, financiers, banquiers, unissent leurs efforts pour établir l'hégémonie maritime de Gênes. D'abord alliée à Pise dans la lutte contre les Sarrasins (11ᵉ s.), Gênes entre en conflit avec celle-ci à propos de la Corse (13ᵉ s.), puis se heurte à Venise (14ᵉ s.) à laquelle elle cherchera longtemps à disputer le monopole du commerce en Méditerranée. L'empire colonial génois s'étendra jusqu'en mer Noire.

Au 14e s., les marins de Gênes assurent la distribution des marchandises précieuses provenant de l'Orient et possèdent le monopole de l'alun servant à fixer les teintures ; à terre, les premières « sociétés de commandite » apparaissent : dès 1408, est créée la « Banque St-Georges », réunion de sociétés créancières de l'État qui gèrent les finances et administrent les comptoirs, et à l'intérieur de laquelle les marchands se transforment en banquiers ingénieux, utilisant des procédés modernes tels que les lettres de change, les chèques, les assurances, pour accroître leurs bénéfices. Cependant, les luttes intestines des grandes familles génoises vont conduire la cité à se choisir, à partir de 1399, un doge élu à vie, et à rechercher, principalement au 15e s., des protections étrangères.

En 1528, la ville reçoit du grand amiral **Andrea Doria** (1466-1560) une constitution aristocratique qui en fait une « République marchande ». Andrea Doria est l'une des plus glorieuses figures de Gênes, reflet de son esprit d'entreprise et de son indépendance : amiral, condottiere et législateur, intrépide et avisé, il se distingua contre

(Photo Giraudon)
Andrea Doria (Sebastiano del Piombo).

les Turcs en 1519, puis seconda François Ier et, après la défaite de Pavie, protégea la retraite de ses troupes. Mais, en 1528, ulcéré par les injustices du roi de France à son égard, il passa au service de Charles Quint qui le combla d'honneurs. Après sa mort, avec la concurrence des ports atlantiques, s'amorce le déclin du port, que Louis XIV fait détruire en 1684. En 1768, Gênes cède, par le traité de Versailles, la Corse à la France. Sous l'impulsion de Giuseppe Mazzini, la ville fut en 1848 l'un des foyers les plus actifs du Risorgimento *(voir p. 19)*.

Les beaux-arts à Gênes. — Le déclin commercial de la cité coïncide, aux 16e et 17e s., avec une intense activité artistique qui se manifeste par la construction de nombreux palais et églises ainsi que par la venue de peintres étrangers, principalement flamands. Rubens publie en 1607 un ouvrage sur les « Palazzi di Genova » ; Van Dyck fait le portrait de la noblesse génoise entre 1621 et 1627. Puget travaille de 1661 à 1667 pour des familles patriciennes telles que les Doria ou les Spinola.

L'école génoise, caractérisée par un dramatisme fiévreux et l'emploi de couleurs sourdes et fondues, est représentée par Luca Cambiaso (16e s.), Strozzi (1581-1644), Castiglione Genovese, admirable graveur, et surtout Magnasco (1667-1749) dont la touche rapide, intense et colorée, ainsi que le lyrisme dramatique, annoncent le modernisme.

L'architecte Alessi (1512-1572) égala dans ses meilleurs moments Sansovino et Palladio par la noblesse de l'ordonnance et l'ingéniosité des solutions imaginées pour intégrer ses monuments au décor urbain.

★★LA VILLE ANCIENNE *visite : une journée*

Elle s'étend à l'Est du vieux port et remonte en un lacis de ruelles étroites et pittoresques jusqu'à la via Garibaldi et la piazza De Ferrari.

★★**Le port** (EXY). — La route surélevée (*Strada Sopraelevata* — EXYZ) qui le longe permet d'avoir une bonne vue d'ensemble sur les principaux bassins de cet immense complexe maritime qui en fait le premier port d'Italie, s'étendant sur près de 50 km. A l'Est, le Vieux port (Porto Vecchio) comporte un bassin pour les bateaux de plaisance, des chantiers navals et les quais d'embarquement des bacs à destination des îles ou de l'Afrique ; à l'Ouest, le port moderne (Porto Nuovo) est relié à une grande zone industrielle constituée par des entreprises de sidérurgie, de chimie lourde et des raffineries de pétrole. L'activité est énorme : importation de matières premières (hydrocarbures, charbon, minerais, céréales, métaux, bois, etc.) et exportation de produits manufacturés tels les machines, les véhicules, les textiles.

La **visite** du port peut s'effectuer en bateau.

★**Quartier des marins** (FY). — Son noyau est le palais San Giorgio, du 13e s., remanié au 16e s., jadis siège de la fameuse banque St-Georges. Derrière le palais s'élève, sur la piazza Banchi (des banques), la Loggia dei Mercanti ou des Marchands, où se perpétue le commerce des fleurs et légumes.

★**Piazza San Matteo** (FY). — Petite place harmonieuse au cœur de la ville, bordée de palais (13e-15e s.) ayant appartenu à la famille des Doria ; au n° 17, palais Renaissance offert par la Commune de Gênes à Andrea Doria.

L'**église San Matteo** présente une façade de style génois (alternance d'assises noires et blanches) ; la crypte conserve le tombeau et l'épée d'Andrea Doria.

★**Cathédrale St-Laurent (San Lorenzo)** (FY). — Élevée du 12e au 16e s., elle présente une splendide **façade**★★ gothique de style génois où l'on reconnaît pourtant l'influence française dans la disposition des portails (13e s.) et de la grande rose. Au portail central, Arbre de Jessé et scènes de la vie du Christ (aux piédroits), Martyre de saint

GENOVA

0   200 m

NERVI   LA SPEZIA   S. Maria di Carignano

Laurent et Christ entre les symboles évangéliques (au tympan). A l'angle droit de la façade, le « rémouleur », du 13e s., rappelle l'Ange au cadran solaire de Chartres, chargé de la même fonction. La coupole qui surmonte la croisée du transept a été dessinée par Alessi.

A l'**intérieur★**, sévère et majestueux, la nef repose sur des colonnes de marbre. La **chapelle St-Jean-Baptiste★** contient les ossements du saint.

Ⓥ Le **trésor★** possède le fameux « **Sacro Catino** », coupe offerte par la reine de Saba à Salomon et dans laquelle le Christ aurait bu durant la Cène.

★Via Garibaldi (FY). — L'ancienne Via Aurea a été redessinée par Alessi au 16e s. et bordée de somptueux palais qui en font l'une des plus belles rues d'Italie.

Au nº 1, s'élève le **palais Cambiaso** par Alessi (1565) ; au nº 3, le **palais Parodi** (1578) ; au
Ⓥ nº 4, le **palais Cataldi** par Alessi (1588), présentant un joli vestibule et une éblouissante **galerie★** dorée. Au nº 6, le **palais Doria** et, au nº 7, le **palais Podesta** (1565-1567) sont
Ⓥ l'œuvre du même architecte, G. B. Castello. L'**hôtel de ville** (H) (ancien palais Doria Tursi), au nº 9, est orné d'une belle cour à arcades et conserve le violon de Paganini,
Ⓥ ainsi que des manuscrits de Christophe Colomb. Au nº 11, le **palais Bianco** abrite une très belle **pinacothèque★** (œuvres flamandes et hollandaises de Provost, Van der Goes, Gérard David, Van Dyck, Rubens, françaises, espagnoles, et quelques toiles du Génois
Ⓥ Strozzi). Au nº 18, le **palais Rosso** abrite lui aussi une **galerie d'Art★** où sont exposés des tableaux de l'école vénitienne (Titien, Véronèse, Tintoret) et génoise, une œuvre de Dürer et de remarquables **portraits★** dus au pinceau de Van Dyck ; des collections de sculptures baroques, de céramiques ligures, des médailles, etc., y sont également présentées.

Via Balbi (EX). — Reliée à la via Garibaldi par la via Cairoli, cette artère est également
Ⓥ bordée de palais intéressants, notamment le **palais Royal** (Palazzo Reale), de 1650, anciennement Balbi Durazzo, situé au nº 10, et qui abrite une salle Van Dyck. Au nº 5, l'imposant **palais de l'Université★** (17e s.) possède une cour et un escalier majestueux. Au nº 1, palais Durazzo Pallavicini, du 17e s.

★**Galerie du palais Spinola** (Galleria Nazionale di Palazzo Spinola) (FY). — La décoⓋration des appartements de cette belle demeure (16ᵉ-18ᵉ s.), les œuvres qui y sont exposées, le mobilier d'époque, composent un ensemble très suggestif. Les **plafonds**★ peints à fresque (17ᵉ-18ᵉ s.) sont dus à Tavarone, L. Ferrari et S. Galeotti. La **collection de peintures**★ rassemble des œuvres d'artistes italiens et flamands de la Renaissance : un pathétique « **Ecce Homo** » d'Antonello de Messine, une Madone et, surtout, le somptueux polyptyque de l'**Adoration des Mages**★★ de Joos van Cleve, enfin une Crucifixion de Brueghel le Jeune ; datant du 17ᵉ s., plusieurs toiles de Strozzi, Castiglione Genovese et un ravissant **Portrait d'enfant** par Van Dyck, complètent la visite.

AUTRES CURIOSITÉS

Piazza De Ferrari (FY). — Cette place est bordée par les restes de l'Opéra, en partie détruit en 1944, et par plusieurs palais, notamment le palais Ducal (1778) dont la façade monumentale donne sur la piazza Matteotti. L'**église Sant'Ambrogio**, élevée par Tibaldi en 1597, renferme, dans son intérieur somptueux, une Assomption de Guido Reni et, de Rubens, une Circoncision et un Saint Ignace exorcisant.

Église San Donato (FZ). — Élevée aux 12ᵉ et 13ᵉ s., cette église possède un ravissant **campanile**★ octogonal de style roman ; l'intérieur, roman, ne manque pas de charme : remarquer une Vierge à l'Enfant (14ᵉ s.) dans la chapelle à droite du chœur.

Église de la Santissima Annunziata (EFX). — Cette église du 17ᵉ s. est l'une des plus riches de Gênes. Sa fastueuse décoration intérieure mêlant avec bonheur ors, stucs et fresques, constitue un exemple caractéristique du baroque génois.

Église Santa Maria di Carignano. — *Accès par la via Ravasco* (FZ **39**). Cette église monumentale fut élevée au 16ᵉ s. sur les plans d'Alessi. A l'intérieur, belle statue de Puget représentant **saint Sébastien**★.

Villetta Di Negro (GXY). — C'est, au-dessus de la piazza Corvetto, une sorte de belvédère-labyrinthe, avec palmiers, cascades et grottes artificielles. De la terrasse, Ⓥbelle **vue**★ sur la ville et la mer. Au sommet de la Villetta Di Negro, le **musée Chiossone**★ (M) a été aménagé : art chinois, collections japonaises d'armes, remarquable réunion d'estampes, objets en ivoire et en laque.

Ⓥ**Castello** (FX). — *Montée en ascenseur*. De la terrasse, belle **vue**★ sur la ville.

★**Cimetière de Staglieno** (Cimitero di Staglieno). — *1,5 km au Nord. Accès : à partir de la piazza Corvetto* (GY), *voir plans dans le guide Rouge Michelin Italia*. Curieux cimetière, où les somptueux mausolées contrastent avec les simples tumuli de glaise.

★ GRADO Frioul — Vénétie julienne   9 639 h.

Carte Michelin nº ▨▨▨ pli 6.

Fondée par les habitants d'Aquileia lors des invasions barbares, Grado fut du 5ᵉ au 9ᵉ s. la résidence du patriarche de cette ville. Aujourd'hui, actif petit port de pêche et station balnéaire et thermale à la renommée croissante, Grado est située au cœur de la lagune, dans un paysage qui ne manque pas de grandeur.

★**Quartier ancien.** — Les étroites ruelles (calli) qui se ramifient entre le port-canal et la cathédrale le rendent pittoresque. La cathédrale (Duomo) Santa Eufemia, à plan basilical, remonte au 6ᵉ s. ; elle conserve des colonnes de marbre aux chapiteaux byzantins, un pavement de mosaïque du 6ᵉ s., un ambon du 10ᵉ s. et un précieux **retable**★ en argent doré, travail vénitien du 14ᵉ s. Tout proche de la cathédrale, le baptistère du 6ᵉ s., précédé par une allée de sarcophages et de tombeaux est orné de mosaïques. Tout à côté, s'élève encore la basilique Santa Maria delle Grazie (6ᵉ s.) qui a conservé des mosaïques d'origine et de beaux chapiteaux.

GROSSETO Toscane   69 760 h.

Carte Michelin nº ▨▨▨ plis 24, 25.

Capitale provinciale d'aspect moderne, située dans la fertile plaine de l'Ombrone, Grosseto possède un noyau ancien contenu entre de puissants remparts bastionnés, érigés par les Médicis à la fin du 16ᵉ s.

★**Musée d'art et d'archéologie de la Maremme** (Museo Archeologico e d'Arte della Ⓥ**Maremma**). — *Piazza Baccarini*. Au rez-de-chaussée, collection de bijoux et de poteries de l'âge du bronze, bel ensemble de sculptures remontant à la civilisation étrusco-romaine ; au 1ᵉʳ étage, monnaies, statuettes, bronzes et objets romains, ainsi qu'une précieuse réunion de poteries grecques et étrusques.

Ⓥ**Musée diocésain.** — Au 2ᵉ étage, peintures du 13ᵉ au 17ᵉ s., ainsi que quelques sculptures polychromes, ivoires, bronzes, objets de culte.

Église St-François (San Francesco). — *Piazza dell'Indipendenza*. Église conventuelle du 13ᵉ s. conservant quelques petites fresques de l'école siennoise (14ᵉ s.) et un beau crucifix peint du 13ᵉ s.

EXCURSION

Ⓥ**Ruines de Roselle.** — *12 km au Nord-Est. Quitter Grosseto par la route de Sienne ; à 10 km, prendre à droite une route non revêtue*. Important site archéologique d'une des cités étrusques colonisées par Rome au 3ᵉ s.

Carte Michelin n⁰ ▨▨▨ pli 16 — Plan dans le guide Rouge Michelin Italia.

Cette petite cité disposée sur les pentes abruptes du mont Ingino a conservé presque intacts les témoignages de son passé culturel et artistique. Le plan de la ville ceinte de remparts, la couleur ocre de ses bâtiments surmontés de tuiles romaines, la silhouette de ses tours et de ses palais se détachant sur la grandeur austère d'un paysage brûlé, font de Gubbio l'une des villes italiennes qui évoquent le mieux la rude atmosphère médiévale. Commune libre, farouchement gibeline *(voir p. 18)*, la ville connut aux 11ᵉ et 12ᵉ s. une forte expansion avant de passer sous la dépendance des Montefeltro au 15ᵉ s., puis des Della Rovere, et enfin sous la domination papale (1624).

Depuis le Moyen Age, Gubbio s'est spécialisée dans la céramique, et c'est dans cette ville que Mastro Giorgio inventa, au début du 16ᵉ s., le fameux « lustre rouge » à reflets métalliques, dont le secret fut vainement cherché par les cités voisines.

Gubbio a ses fêtes traditionnelles, dont la spectaculaire **course des Ceri** : des membres des différentes corporations, en costumes anciens et portant sur les épaules les « ceri », curieuses pièces de bois hautes de près de 4 m, effectuent une course épuisante jusqu'à la basilique Sant'Ubaldo située à 820 m d'altitude et distante de 5 km *(voir aussi le chapitre Principales manifestations touristiques, en fin de volume)*.

CURIOSITÉS

★★★ **Le vieux Gubbio (Città Vecchia).** — Cette promenade au cœur de la citadelle permet au visiteur d'admirer, en parcourant les étroites ruelles, des maisons dominées par des tours nobles, des palais, de petites places ou des ermitages accrochés aux rochers. La maison de Gubbio se caractérise par un rez-de-chaussée servant de boutique, au-dessus duquel se trouvait l'habitation et, au 2ᵉ étage, une loggia pour entreposer la laine ; les façades, où la brique se mêle aux pierres de taille et au blocage, sont parfois percées d'une seconde porte, plus étroite que la principale, dite « porte du Mort » et par laquelle on sortait les cercueils.

★★ **Palais des Consuls (Palazzo dei Consoli).** — Dominant la piazza della Signoria, cet ⊙ imposant édifice gothique soutenu par des arcs immenses bordant en contrebas la via Baldassini, possède une austère façade. A l'intérieur, sont conservées les fameuses **« Tavole eugubine »** en bronze, document intéressant l'histoire politique, religieuse et linguistique de la région. Au 3ᵉ étage de la loggia, panorama ; dans la pinacothèque contiguë, œuvres de Signorelli.

★ **Palais ducal (Palazzo Ducale).** — Érigé dès 1476 sur les dessins de Francesco di ⊙ Giorgio Martini, qui s'est ici inspiré du palais ducal d'Urbino, ce palais possède une élégante cour, finement décorée, et des salles ornées de fresques et de belles cheminées. Le « Salone » est particulièrement intéressant.

★ **Théâtre romain (Teatro romano).** — Bien conservé, il date de l'époque d'Auguste.

Église St-François (San Francesco). — L'abside gauche est couverte de remarquables **fresques**★ du peintre local Ottaviano Nelli (début 15ᵉ s.).

Cathédrale (Duomo). — Sa sobre façade est ornée de bas-reliefs où sont représentés les symboles des évangélistes. L'intérieur est à une seule nef. A droite s'ouvre la ⊙ **chapelle épiscopale**, luxueux salon décoré au 17ᵉ s., d'où l'évêque assistait aux offices.

Église Santa Maria Nuova. — Elle renferme une charmante **fresque**★ d'Ottaviano Nelli.

EXCURSIONS

Fabriano. — *36 km à l'Est.* Connue dès le 13ᵉ s. pour ses fabriques de papier, cette petite cité industrielle a donné naissance à deux artistes délicats, **Allegretto Nuzi** (vers 1320-1373) et **Gentile da Fabriano** (vers 1370-1427), auteurs de compositions raffinées et précieuses. Au centre de la ville, le sévère palais du Podestat (13ᵉ s.) s'élève sur la **piazza del Comune**★, ornée d'une élégante fontaine gothique. Par un escalier, on débouche sur la charmante et tranquille **piazza del Duomo**★ où se trouvent l'hôpital (15ᵉ s.) et la cathédrale (Duomo) qui abrite des fresques d'Allegretto Nuzi.

★★ **Grottes de Frasassi.** — *50 km au Nord-Est, par la route de Sassoferrato.* ⊙ Creusées par une dérivation du torrent Sentino, ces grottes forment un énorme réseau souterrain. La plus grande de toutes est la **grotte du Vent**★★, composée de sept salles où l'on admire stalagmites, stalactites et diverses concrétions de couleurs variées.

★★ **HERCULANUM** (ERCOLANO) Campanie   61 033 h.

Carte Michelin n⁰ ▨▨▨ pli 27 — Schéma p. 131.

Fondée, d'après la tradition, par Hercule, cette ville romaine fut ensevelie, comme Pompéi, lors de l'éruption du Vésuve en 79 après J.-C.

Elle n'était pas aussi riche et animée que sa voisine. Son port se consacrait à la pêche, ses artisans y étaient nombreux et les patriciens riches et cultivés l'avaient choisie comme lieu de villégiature en raison de la beauté de son site au sein du golfe de Naples. Divisée en cinq quartiers réglementés par trois artères principales (decumani), Herculanum présente des types d'habitations très variés, que le torrent de boue qui déferla sur la ville enroba en emplissant le moindre recoin ; ainsi, le caractère particulièrement émouvant que revêt la visite d'Herculanum est-il dû en grande partie à ces morceaux de bois qui, brûlés à Pompéi, ont été conservés ici comme dans une carapace protectrice : charpentes, poutres, escaliers, portes ou cloisons qui témoignent de la soudaineté du cataclysme. La population, quant à elle, fut rattrapée par le flot de boue alors qu'elle tentait de fuir hors de la cité.

⊙LES RUINES

visite : 2 h

La route *(qu'on parcourt à pied)* menant aux fouilles permet d'admirer les riches villas qui donnaient sur la mer.

Maison de l'Auberge (Casa dell'Albergo). — Cette vaste maison patricienne était sur le point d'être transformée en maison de location, d'où son nom. Ce fut l'une des plus dévastées par l'éruption.

★★Maison de l'Atrium à mosaïque (Casa dell'Atrio a mosaico). — Le pavement de son atrium est constitué par une mosaïque en damier. A droite, jardin entouré d'un péristyle ; à gauche, les chambres à coucher. Au fond, agréable triclinium (salle à manger). La terrasse, flanquée de deux petites chambres de repos, offrait une vue agréable sur la mer.

★★Maison au Treillage (Casa a Graticcio). — Un treillage de bois formait la trame des murs, exemple unique de ce mode de construction qui nous soit parvenu de l'Antiquité.

Plan : HERCULANUM (FOUILLES) — 0 50 m

★Maison à la Cloison carbonisée (Casa del Tramezzo carbonizzato). — Avec sa façade remarquablement conservée, c'est un bel exemple de demeure aristocratique capable d'accueillir plusieurs familles. Une clôture (tramezzo) de bois, dont il ne reste que les parties latérales, séparait l'atrium du tablinium (salle de séjour).
Juste à côté, la boutique du teinturier (A) conserve une intéressante presse en bois.

★★Maison Samnite (Casa Sannitica). — Cette maison construite sur un plan sobre, typique des habitations samnites, possède un superbe **atrium** autour duquel court une galerie à colonnes ioniques. Les chambres sont décorées de fresques.

★★★Thermes. — Datant de l'époque d'Auguste, ils sont modestes mais très bien conservés. Leur plan, d'une logique distributive remarquable, permet de visiter le **bain des Hommes** avec la palestre, les vestiaires (**a**), le frigidarium (**b**), dont la voûte est ornée de fresques, le tepidarium (**c**) et le caldarium (**d**). Dans le **bain des Femmes**, on voit successivement la salle d'attente (**e**), l'apodyterium (**f**) avec un pavement à mosaïque représentant Triton, le tepidarium (**g**) sur le sol duquel une mosaïque évoque un labyrinthe, et le caldarium (**k**).

Bain des hommes
Bain des femmes

★Maison du Mobilier carbonisé (Casa del Mobilio carbonizzato) (B). — De dimensions modestes, mais d'assez belle allure. Dans une pièce, subsiste un lit à montants de bois.

★★Maison de Neptune et Amphitrite (Casa del Mosaico di Nettuno e Anfitrite). — Maison complétée par une **boutique**★ et son comptoir donnant sur la rue. Le nymphée est orné d'une mosaïque représentant Neptune et Amphitrite.

★Maison à la Belle Cour (Casa del Bel Cortile) (C). — Une cour à escalier et balcon de pierre tient lieu d'atrium, faisant de cette maison l'une des demeures les plus originales d'Herculanum.

★Maison du Bicentenaire (Casa del Bicentenario) (D). — Dégagée en 1938, soit deux cents ans après le début officiel des fouilles, elle est décorée de fresques et d'une croix qui reste l'un des plus anciens témoignages du culte chrétien dans l'Empire romain.

★★Pistrinum. — Cette boulangerie appartenait à un certain Sextus Patulus Felix, comme en témoigne une inscription : dans la boutique et l'arrière-boutique, on peut voir des moulins et un grand four.

★★Maison des Cerfs (Casa dei Cervi). — Cette riche maison patricienne, sans doute la plus belle parmi celles qui donnaient sur le golfe, était abondamment décorée de fresques et d'œuvres d'art, notamment un groupe sculpté représentant des cerfs assaillis par des chiens.

★Petits thermes (Terme Suburbane) (E). — Ils conservent une élégante décoration.

★Théâtre (Teatro). — *Corso Resina.* Il pouvait contenir 2 000 spectateurs.

★★★ **ISCHIA (Île d')** Campanie   43 615 h.

Carte Michelin n° ▓▓▓ pli 27 — Schéma p. 130 — Accès : voir le guide Rouge Michelin Italia.

Surnommée l'« île Verte », en raison de l'abondante et luxuriante végétation qui la couvre, Ischia est la plus grande île du golfe de Naples, et l'une de ses attractions majeures. Une lumière transparente y baigne des paysages variés : côtes jalonnées de pinèdes, échancrées de criques et de baies où se nichent des ports bariolés aux maisons cubiques ; pentes couvertes d'oliviers et de vignes (produisant l'Epomeo, blanc ou rouge), parsemées de villages dont les maisonnettes blanches à escalier extérieur, parfois surmontées d'une coupole, ont leurs murs tapissés de treilles. Surgie de la mer à l'ère tertiaire, lors d'une éruption volcanique, l'île possède un sol constitué de laves et des eaux thermales aux multiples propriétés.

Visite. — La carte ci-dessus situe, outre les localités et sites décrits, d'autres lieux particulièrement pittoresques (indiqués dans le plus petit caractère noir).

L'île étant de dimensions restreintes, on en fait aisément le tour en quelques heures *(40 km : suivre l'itinéraire figurant sur la carte)*. La route étroite, qui serpente entre les vignes, dévoile de nombreux et beaux points de vue sur la côte et la mer.

★**Ischia**. — *Plan dans le guide Rouge Michelin Italia*. La capitale de l'île est divisée en deux agglomérations, **Ischia Porto** et **Ischia Ponte**. Le corso Vittoria Colonna, bordé de cafés et de boutiques, relie le port occupant un ancien lac de cratère et Ischia Ponte qui doit son nom à la digue construite par les Aragonais pour joindre la côte à l'îlot rocheux où se dresse le **Castello d'Ischia★★**, bel ensemble de bâtiments comprenant un château et plusieurs églises. En bordure de l'agglomération s'étendent une grande pinède et une belle plage de sable fin.

★★★**Mont Epomeo**. — *Accès, à partir de Fontana, par un chemin prenant dans un virage, presque en face du jardin public. 1 h 1/2 à pied AR (ou à dos d'âne)*. De ce sommet, étroit piton de tuf apparu lors de l'éruption volcanique qui donna naissance à l'île, le regard embrasse un vaste **panorama** sur toute l'île et le golfe de Naples.

Serrara Fontana. — A proximité de cette localité, un belvédère offre une **vue★★** plongeante sur le site de Sant'Angelo, sa plage et sa presqu'île.

★**Sant'Angelo**. — Village de pêcheurs, tranquille, dont les maisons s'étagent autour d'un petit port. A proximité, grande **plage de Maronti** (Marina dei Maronti), transformée par les établissements thermaux *(accessible par un sentier)*.

★**Plage de Citara** (Spiaggia di Citara). — Fermée par le majestueux cap (Punta) Imperatore, la belle plage de Citara est occupée par un important établissement thermal, les Jardins de Poséidon, séduisant ensemble de piscines d'eau chaude, disposées parmi des fleurs et des statues.

Forio. — Localité dont le centre est formé par la piazza Municipio, jardin tropical bordé d'édifices anciens.

Lacco Ameno. — *Plan dans le guide Rouge Michelin Italia*. Cette première colonie grecque de l'île, l'ancienne Pithecusa (« riche en singes »), est devenue un centre de villégiature. Église Ste-Restitute *(piazza Santa Restituta)*, sous laquelle on a découvert une ancienne basilique paléochrétienne et une nécropole ; petit musée archéologique. Le tour de l'île s'achève par **Casamicciola Terme**, importante station thermale.

★**PROCIDA**

Accès : voir le guide Rouge Michelin Italia.

Cette petite île volcanique, dont les cratères ont été arasés par l'érosion, est restée l'île la plus sauvage de tout le golfe de Naples. Les maisons colorées des pêcheurs, jardiniers et vignerons, sont à coupole, arcades et terrasses.

Cartes Michelin n° 988 plis 2, 3, 4 et 209 plis 6 à 10 — Schémas p. 102, 103, 104.

Du Piémont à la Vénétie et, au Nord, de la Suisse au Trentin, la région des Lacs s'étend au pied des Alpes lombardes. Ces lacs d'origine glaciaire, tous étroits et allongés, bénéficient d'un climat particulièrement doux, et leurs rives s'ornent d'une végétation abondante et variée. Les eaux bleues s'étalant au pied des monts et reflétant les cimes voisines constituent un décor d'une rare harmonie qui fut de tout temps apprécié des artistes et des voyageurs. Le charme de ces lacs, souvent appelés « lombards », leur vient de l'alternance de paysages alpestres et méridionaux, des nombreuses villas prolongées de somptueux jardins qui bordent les rives, des fleurs qui se succèdent sans intermittence au cours des saisons, des petits ports avec leurs barques à arceaux où l'on déguste d'excellents poissons. Pourtant voisins, chacun d'entre eux offre un aspect particulier.

Ⓥ **Visite**. — Les schémas ci-après situent, outre les localités et sites décrits, d'autres lieux particulièrement pittoresques (indiqués dans le plus petit caractère noir). Les curiosités situées en territoire suisse sont décrites dans le guide Vert Michelin Suisse.

★★★ LAC MAJEUR (LAGO MAGGIORE)

Par son ampleur, sa beauté variée, tantôt majestueuse, tantôt sauvage, mais surtout grâce aux îles Borromées qui en occupent le centre, ce lac est le plus célèbre des lacs préalpins d'Italie. Ses eaux, traversées par le Tessin qui prend sa source en Suisse, sont d'un vert jade au Nord et d'un bleu soutenu au Sud. Protégées des vents froids par les massifs montagneux des Alpes et des Préalpes, les rives du lac Majeur bénéficient d'un climat d'une douceur constante, lequel a favorisé l'acclimatation d'une luxuriante flore exotique. La route côtière étant particulièrement fréquentée et n'offrant
Ⓥ que des vues partielles sur le lac, il est conseillé d'effectuer la **visite** en bateau.

★★★ **Iles Borromées** (Isole Borromee). — *Plans dans le guide Rouge Michelin Italia, à*
Ⓥ *Stresa*. Petit archipel constitué de cinq îles appartenant depuis le 12e s. à la famille princière des Borromées : celle-ci s'est attachée, depuis le 17e s., à orner d'un beau palais et de remarquables jardins « à l'italienne » l'une d'entre elles, l'**Isola Bella★★★**. Le palais, représentatif du style baroque lombard, richement décoré de stucs, fresques, tableaux, tapisseries et lustres de cristal, est composé de nombreuses salles d'apparat : salle des Médailles, salon d'Honneur, salle de musique, salle de bal et galerie des Glaces. Les pièces souterraines aménagées en « grottes », revêtues de cailloux de couleurs différentes évoquant des scènes aquatiques, constituent la partie la plus originale de l'édifice. Les jardins, plantés d'essences innombrables et odoriférantes, forment une étonnante composition baroque de dix terrasses agrémentées de statues, de bassins et de fontaines. L' « amphithéâtre » central, en forme de coquille, est d'un extraordinaire effet scénique.

La promenade en bateau permet de visiter également l'**Isola dei Pescatori★★** qui a gardé son cachet primitif, et l'**Isola Madre★★★** entièrement recouverte d'un splendide jardin de fleurs et de plantes rares ou exotiques.

★★ **Cannero Riviera**. — Station climatique fréquentée qui étage ses maisons au-dessus du lac parmi les oliviers, les vignes, les orangers et les citronniers.

★★ **Pallanza**. — Merveilleuse villégiature aux nombreuses villas disposées parmi les fleurs. Ses **quais★★** ombragés de hauts magnolias et de lauriers roses offrent de belles vues.
Ⓥ A la sortie de la ville, sur la route d'Intra, le parc de la **villa Taranto★★**, est formé de jardins à « l'anglaise » qui réunissent en plusieurs « jardins spécialisés » 20 000 espèces d'arbres et de plantes (roses, rhododendrons, etc.).

★★ **Stresa**. — *Plan dans le guide Rouge Michelin Italia.* Face aux îles Borromées, cette station climatique appréciée des artistes et des écrivains est un séjour délicieux où l'on peut goûter aussi bien les agréments de la vie balnéaire que pratiquer les sports
Ⓥ d'hiver sur les pentes du **Mottarone★★★** *(accès par la route d'Armeno — 29 km, ou par la route panoramique à péage à partir d'Alpino — 18 km, ou par téléphérique)* d'où l'on a un magnifique **panorama** sur le lac, les Alpes et le massif du Mont Rose. A
Ⓥ l'entrée de Stresa, en venant d'Arona, la **villa Pallavicino★** abrite un riche parc animalier.

★ **Angera**. — Cette station de séjour agréablement située est dominée par la silhouette
Ⓥ puissante de la **Rocca** dont les appartements, ornés d'admirables **fresques lombardes★★** (salle de Justice) du 14e s., sont évocateurs de la vie seigneuriale du Moyen Age.

★ **Baveno**. — Calme villégiature qui possède une église paroissiale romane et un baptistère Renaissance, de plan octogonal.

★ **Cannobio**. — Petit bourg proche de la frontière suisse, Cannobio possède un sanctuaire de la Madonna della Pietà, édifice Renaissance, ainsi que quelques constructions anciennes. A 3 km du centre *(route de Malesco)*, on peut voir l'**Orrido di Sant'Anna★**, précipice creusé par le torrent.

★ **Cerro**. — Paisible village possédant un minuscule port de pêche aux berges ombragées
Ⓥ et romantiques. Intéressant **musée** de céramiques.

Ⓥ **Arona**. — Centre commercial du lac Majeur dominé par le **Colosso di San Carlone★**, gigantesque statue représentant saint **Charles Borromée**, cardinal-archevêque de Milan qui se distingua par son autorité dans le rétablissement de la discipline de l'église aussi bien que par son généreux courage au cours de la peste de 1576.
En haut de la vieille ville, l'**église Ste-Marie** (Santa Maria) renferme un beau **polyptyque★** de Gaudenzio Ferrari (1511). De la **Rocca**, en ruine, s'offre une **vue★** sur le lac Majeur, Angera et son site de montagnes.

Ⓥ **Laveno Mombello**. — De Laveno, une télébenne conduit au sommet du **Sasso del Ferro★★**, d'où l'on jouit d'un vaste **panorama** sur toute la région des lacs.

Santa Caterina del Sasso. — Ermitage fondé par l'anachorète Alberto Besozzo au 13e s. ; agrippé au rocher, il surplombe le lac dans un site très pittoresque.

S V I Z

Locarno

S 337

Domodossola

Malesco

Pédún
2110 △

★ **Cannobio**

★ *Orrido*
di Sant'Anna

Agra

M. Lema
1620 △

★★ **Cannero Riviera**

Premeno

Luino

Verbania

Porto Valtravaglia

S 233

★★ **Pallanza**

★ **Baveno**

★★★ *Isole Borromee*

★ *Sasso del Ferro* ★★

Cerro

★★★ *il Mottarone*
1491

**Laveno
Mombello**

★★ *Campo
dei Fiori* 1226

Stresa

S. Caterina del Sasso

★★ *Lago d'Orta*

★★ *Sacro Monte*

Varallo

Isola S. Giulio ★★

Ranco

Varese

★★ **Madonna
del Sasso**

L. di
Monate

Lago
di Varese

Alzo

Orta San Giulio ★★

S 394

Arona

Angera ★

L. di Comabbio

0   10 km

NOVARA   MILANO

★★LAC D'ORTA (LAGO D'ORTA)

Séparé du lac Majeur par le mont Mottarone qui le domine au Nord-Est, le lac d'Orta *(illustration p. 13)* est l'un des plus petits des lacs lombards mais aussi l'un des plus gracieux, avec ses rives boisées et la minuscule île San Giulio qui émerge en son milieu. Ses berges, habitées dès l'Antiquité, furent évangélisées au 4e s. par saint Jules.

★★**Madonna del Sasso**. — *5 km à partir d'Alzo*. De la terrasse de l'église, vue magnifique sur le lac enchâssé dans son écrin de montagnes vertes.

★★**Ile (Isola) San Giulio**. — *Accès d'Orta par bateau*. Ravissante île de 300 m de long sur 160 m de large, abritant la basilique San Giulio, vraisemblablement fondée au 4e s. lors de la venue de saint Jules. A l'intérieur de l'église, bel **ambon**★ du 12e s., fresques de l'école de Gaudenzio Ferrari (16e s.) et, dans la crypte, châsse contenant le corps du saint.

★★**Orta San Giulio**. — Cette petite station de villégiature animée, occupant l'extrémité d'une presqu'île, se trouve dans un site délicieux. Vieilles ruelles bordées de maisons anciennes aux élégants balcons de fer forgé. L'ancien palais communal du 16e s., le **« Palazzotto »**★, est orné de fresques.

★**Sacro Monte d'Orta**. — *A 1,5 km d'Orta*. Sanctuaire dédié à saint François d'Assise, bâti sur une colline et constitué de vingt chapelles baroques intérieurement décorées de fresques servant de toiles de fond à des groupes de personnages en terre cuite, d'un réalisme théâtral.

Varallo. — *A une vingtaine de km du lac, à l'Ouest*. Ce centre industriel et commercial du Val Sesia est célèbre pour son pèlerinage du **Sacro Monte**★★, dominant la ville, et dont les quarante-trois chapelles sont décorées de fresques et de groupes sculptés grandeur nature. Plusieurs artistes ont collaboré à cette entreprise gigantesque, dont le peintre Gaudenzio Ferrari (1480-1546) qui subit l'influence de Léonard de Vinci.

★★LAC DE LUGANO (LAGO DI LUGANO)

Seule une petite partie de ce lac, parfois nommé Ceresio, se trouve en Italie. Le reste de ses rives appartient à la Suisse. D'aspect plus sauvage que les lacs Majeur et de Côme, ce lac au dessin compliqué n'en a ni l'ampleur ni la majesté. Mais la douceur de son climat et l'attrait de ses paysages en pentes abruptes en font un lieu de villégiature recherché.

La **visite** peut s'effectuer en bateau.

★ **Campione d'Italia**. — Enclave italienne en Suisse, ce village riant et coloré est très fréquenté en raison de son casino. L'oratoire St-Pierre est une gracieuse construction de 1326 due aux **« Maestri campionesi »** qui rivalisèrent avec les « Maestri comacini » *(voir p. 27)* pour diffuser le style lombard dans toute l'Italie.

★ **Lanzo d'Intelvi**. — Station climatique (alt. 907 m) au cœur d'une belle forêt de pins et de mélèzes. Ski en hiver. A 6 km de Lanzo d'Intelvi, le **belvédère de Sighignola**★★★ est aussi appelé « balcon d'Italie » en raison de la vue étendue dont on bénéficie sur le lac de Lugano, les Alpes jusqu'au Mont Rose et, par temps clair, jusqu'au Mont Blanc.

Varèse. — *13 km au Sud-Ouest de Porto Ceresio. Plan dans le guide Rouge Michelin Italia.* Agréable et vivante, Varèse est une ville moderne qui s'étend non loin du lac homonyme. Son climat doux et ensoleillé est dû à la proximité des lacs lombards.
A 8 km au Nord-Ouest, s'élève la colline du **Sacro Monte**★★, siège d'un important pèlerinage à la Vierge. Quatorze chapelles, ornées de fresques en trompe-l'œil et de sculptures en terre cuite représentant des personnages grandeur nature, conduisent à la basilique. Du sommet, **vue**★★ magnifique sur les lacs et les monts environnants.
A 10 km au Nord-Ouest, se trouve le **Campo dei Fiori**★★, longue arête montagneuse et boisée qui s'étire au-dessus de la plaine. Vaste **panorama**★★ sur les lacs.

★★★ LAC DE CÔME (LAGO DI COMO)

Entièrement situé en Lombardie, c'est, de tous les lacs italiens, celui qui présente le plus de variété. Villages accueillants, petits ports, villas aux jardins ombragés et exotiques alternent le long de ses rives qui s'enfoncent dans les Préalpes. L'intersection des trois bras formant le promontoire de Bellagio en constitue la partie la plus belle.
Ⓥ La **visite** peut s'effectuer en bateau.

★★★ **Bellagio**. — Admirablement située à la pointe du promontoire qui sépare le lac de Lecco de la branche Sud du lac de Côme, cette station de villégiature est universellement connue pour l'agrément de son cadre et la qualité de son accueil. Les **jardins**★★ de la **villa Serbelloni** et ceux de la **villa Melzi** constituent le joyau de Bellagio.

★★★ **Tremezzo**. — Lieu de séjour très recherché pour la beauté de son site et la douceur de son climat ; le **parc communal**★ offre de calmes jardins en terrasses.
Ⓥ La **villa Carlotta**★★★ *(entrée à côté du Grand Hôtel de Tremezzo)*, construite au 18ᵉ s., occupe une situation admirable face au massif des Grigne. Elle possède une collection de statues, dont une copie de l'Amour et Psyché de Canova par A. Tadolini. Mais, ce sont les merveilleux **jardins** en terrasses qui constituent son attrait principal.

LACS (Région des)★★★

★★**Cadenabbia**. — Délicieuse villégiature dans un beau site, face à Bellagio ; elle est reliée à Tremezzo et à la villa Carlotta par une allée de platanes, la via del Paradiso. De la **chapelle St-Martin** *(1 h 1/2 à pied AR),* **vue**★★ sur la presqu'île de Bellagio, le lac de Lecco et les Grigne.

★★**Cernobbio**. — La monumentale **villa d'Este** (16ᵉ s.), qui fut autrefois la résidence du cardinal de Côme puis de la reine d'Angleterre, a été transformée en un luxueux hôtel, entouré d'un splendide **jardin**★★ à l'italienne.

★★**Menaggio**. — C'est l'une des plus belles stations du lac, très fraîche en été.

★**Abbaye** (Abbazia) **de Piona**. — *2 km au départ d'Olgiasca.* Gracieux petit monastère clunisien qui a conservé une église du 11ᵉ s. et un remarquable **cloître**★ roman lombard (1252).

★**Côme**. — *Page 71.*

★**Varenna**. — Perdu au milieu des jardins et des cyprès, c'est un bourg charmant bâti sur un petit promontoire. Voir la **villa Monastero** (16ᵉ s.) et ses **jardins**★★.

Bellano. — Au débouché de la Valsassina, vallée creusée par le torrent Pioverna et que domine le massif des Grigne, cette petite ville industrielle possède une jolie **église** du 14ᵉ s. dont la façade, due à Giovanni da Campione, est d'un agréable style gothique lombard.

Dongo. — Dans cette localité, Mussolini et Clara Petacci furent capturés le 26 avril 1945.

Gravedona. — Port de pêche qui possède une charmante église romane, **Santa Maria del Tiglio**★, baptistère du 5ᵉ s. transformé au 12ᵉ s. dans le style lombard.

Torno. — A la limite de ce joli port, l'église **San Giovanni**, du 14ᵉ s., montre une façade ornée d'un riche **portail**★ de style Renaissance lombarde.

★LAC D'ISEO (LAGO D'ISEO)

Moins prestigieux que les autres lacs lombards, ce petit lac ne manque pas de charme par la variété de ses sites sauvages se découpant sur un fond de hautes montagnes, et par ses rives, tantôt escarpées et tantôt sinueuses, où se blottissent des villages tranquilles. Au centre des eaux d'un bleu profond surgit l'île du Monte Isola (alt. 600 m).

La **visite** peut s'effectuer en bateau.

★**Iseo**. — La Pieve di Sant'Andrea qui s'élève au fond d'une charmante petite place a conservé son campanile du 13ᵉ s.

★★**Monte Isola**. — Cette île verdoyante offre, de la Madonna della Ceriola, un vaste **panorama**★★ sur le lac et les Alpes bergamasques.

Lovere. — Petite ville industrielle où la **galerie Tadini** présente une collection d'armes, tableaux (Bellini, Le Parmesan), porcelaines et sculptures (Canova).

★**Pisogne**. — Petit port dans un joli site au bord du lac. L'**église Santa Maria della Neve** abrite des **fresques**★ (16ᵉ s.) de Romanino da Brescia.

★★★LAC DE GARDE
(LAGO DI GARDA)

Le plus vaste des lacs d'Italie est également l'un des plus harmonieux, même s'il présente une grande variété d'aspects : côte basse et plate, formée par les alluvions, de la partie méridionale ; abruptes pentes de la rive occidentale ; chaîne montagneuse du Monte Baldo qui domine la rive orientale.

La barrière des Dolomites au Nord favorise, en stoppant les vents, la douceur de ce climat qui a valu, dès l'Antiquité, le surnom de « lac bénéfique » (Il Benaco) à ce plan d'eau d'une importance stratégique et commerciale notable. Au cours des siècles, les puissances voisines s'en partagèrent successivement la domination.

Sur le plan artistique, c'est sans doute l'influence de la république vénitienne (maîtresse de la région du 15ᵉ au 18ᵉ s.) qui se fit le plus fortement sentir, en architecture comme dans le domaine de la peinture.

104

Depuis l'époque romaine, les rives du lac de Garde furent élues comme lieux de séjour et aujourd'hui encore le touriste peut y trouver de nombreuses villégiatures lui offrant repos, confort et bonne chère.

○ La **visite** peut s'effectuer en bateau.

★★ **Gardone Riviera**. — Élégante villégiature, ensoleillée et très bien équipée en hôtels. A
○ 1 km au-dessus de l'agglomération, le domaine du **Vittoriale★** appartint au poète **Gabriele D'Annunzio** (1863-1938) qui voulut y être enterré. La villa La Priora, néoclassique, évoque l'atmosphère sombre et chargée dans laquelle cet écrivain esthète aimait à vivre. Musée et parc où sont rassemblés de nombreux souvenirs rappellent son existence mouvementée.

★★ **Pointe** (Punta) **de San Vigilio**. — Elle compose un tableau d'une romantique harmonie.
○ La **villa Guarienti** fut construite au 16e s. pour l'humaniste véronais Agostino Brenzoni, sur les plans de Sanmicheli.

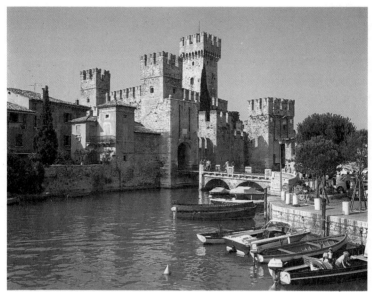

(Photo Everts/Rapho)

Sirmione. — Forteresse des Scaliger.

★★ **Sirmione**. — A la pointe de la péninsule de Sirmione, longue et étroite langue de terre, cette importante station de villégiature groupe ses maisons autour de la puissante
○ **forteresse des Scaliger★** (Rocca Scaligera), du 13e s. La petite église de Santa Maria Maggiore, du 15e s., conserve d'intéressantes fresques des 15e et 16e s. A l'extrémité du promontoire rocheux, on peut voir les vestiges d'une gigantesque villa romaine qui
○ appartint au poète Catulle ; la zone archéologique porte le nom de **« Grottes de Catulle »** et permet de distinguer, dans un **site★★** délicieux, de nombreuses traces de constructions.

★ **Garde** (Garda). — Cette villégiature fréquentée, qui a donné son nom au lac, porte les traces de la domination vénitienne : palais des Capitaines du Lac et palais Fregoso, tous deux du 15e s.

★ **Limone sul Garda**. — C'est un des villages les plus pittoresques des bords du lac. Le long de celui-ci, de nombreuses plantations de citronniers sous serres sont aménagées en terrasses. Au départ de Limone, une **route panoramique★★** s'élève vers le plateau de Tremosine puis redescend vers Tignale, offrant de superbes **vues★★★** sur le lac et son cadre de montagnes.

★ **Malcesine**. — Pittoresque bourg ramassé sur une pointe au pied du mont Baldo et dominé par la silhouette crénelée du **château fort★** des Scaliger (Castello Scaligero) de Vérone (13e-14e s.). Au bord de l'eau s'élève le palais des Capitaines du Lac (15e s.),
○ de style vénitien. Du sommet du **mont Baldo** *(téléphérique),* splendide **panorama★★★** sur le lac et, au Nord, les massifs de Brenta et de l'Adamello.

★ **Riva del Garda**. — Cette petite station climatique dominée à l'Ouest par d'impressionnants escarpements rocheux fut, dès l'Antiquité, un important noyau stratégique et commercial en raison de sa situation-clef sur la route reliant Vérone aux Alpes. Elle possède aujourd'hui encore une pittoresque **vieille ville★**, composée d'un réseau de
○ ruelles étroites et commerçantes. Le principal monument, la **Rocca**, abrite un **musée** municipal contenant des sections archéologique et historique.

★ **Salò**. — Autrefois capitale de la « Magnifique Patrie » où résidait le « capitaine de Venise », cette agréable cité a gardé de sa période de splendeur une **cathédrale** (Duomo) du 15e s., qui abrite un grand **polyptyque★** en bois doré de 1510 et quelques œuvres de Moretto da Brescia et Romanino.

Bardolino. — Célèbre pour son vin rouge, cette bourgade animée a conservé une élégante **église★** romane du 11e s. placée sous le vocable de San Severo.

Campione del Garda. — Les évêques de Trente, de Brescia et de Vérone s'y réunissaient pour bénir le lac.

Gargnano. — C'est une charmante station de villégiature entourée de serres de citronniers et de cédratiers.

L'église **San Francesco** possède un joli cloître du 15e s. dont les curieuses arcades de style mauresque reposent sur des chapiteaux sculptés d'oranges et de citrons, rappelant la tradition selon laquelle les franciscains auraient introduit ces agrumes sur les bords du lac.

Le long du lac, une promenade mène à la **villa Feltrinelli**, néo-classique, qui fut le siège du secrétariat de Mussolini durant la République fasciste.

Torbole. — Cette agréable station climatique fut en 1439 le théâtre d'un événement singulier. Venise, voulant secourir Brescia assiégée par les Visconti de Milan, décida d'armer une flotte sur le lac de Garde et entreprit de lui faire franchir les montagnes qui séparent l'Adige du lac. La flotte atteignit Torbole d'où elle prit le large, occupant bientôt Maderno. Ce qui permit à Venise, l'année suivante, de s'emparer de Riva et du lac.

Desenzano del Garda. — Le vieux port, la pittoresque place Malvezzi et la ville ancienne avoisinante constituent d'agréables lieux de flânerie. L'**église paroissiale** (Parrocchiale), du 16e s., abrite une **Cène★** de Tiepolo, d'une expression intense. Au Nord de la localité, via Scavi Romani, la **villa Romana** présente un remarquable ensemble de **mosaïques romaines★** polychromes.

★★ LECCE Pouille   93 883 h.

Carte Michelin nº 988 pli 30 — Plan dans le guide Rouge Michelin Italia.

Située au cœur de la péninsule du Salento, c'est l'antique Lupiae des Romains, ville prospère, qui fut ensuite appréciée par les Normands : ils la substituèrent à Otrante comme capitale de cette région, dite Terre d'Otrante.

Lecce connut entre le 16e et le 18e s. une période de splendeur pendant laquelle elle s'enrichit de monuments Renaissance, rococo et baroques. Ses nombreux édifices baroques, remarquables par la recherche décorative que facilitait la pierre calcaire de la région aisée à travailler et d'un grain particulièrement fin, lui ont valu le surnom de « Florence baroque ». Illuminés, ils la font ressembler, de nuit, à un fastueux décor de théâtre.

Les artistes les plus inventifs appartiennent à la famille des Zimbalo : ils répandirent leur style, appliqué aux églises aussi bien qu'aux palais, dans toute la péninsule du Salento.

★★ LA VILLE BAROQUE visite : 1 h

★★**Santa Croce**. — Cette basilique, œuvre de plusieurs architectes qui y travaillèrent aux 16e et 17e s., est le monument le plus représentatif du style baroque à Lecce. Sa façade *(illustration p. 31)* est fastueusement décorée, mais sans lourdeur. L'intérieur, élancé et lumineux, d'une architecture simple rappelant le style inauguré par Brunelleschi, possède également une abondante ornementation baroque d'une grande finesse. La chapelle latérale gauche abrite notamment un beau **maître-autel** orné de bas-reliefs sculptés par Francesco Antonio Zimbalo.

Palais du Gouvernement (Palazzo del Governo). — Jouxtant l'église, cet ancien couvent des célestins est recouvert d'un appareil à bossages, surmonté par une corniche et des fenêtres chargées de décorations, notamment au 1er étage.

★★**Piazza del Duomo**. — C'est l'une des places les plus remarquables de l'Italie du Sud, en raison de l'ensemble homogène des bâtiments qui l'encadrent : le **campanile,** dû à Giuseppe Zimbalo (1661-1682), la **cathédrale** (Duomo), du même architecte (1659-1682), le **palais épiscopal** (Palazzo Vescovile), du 17e s., et le **palais du Séminaire** (Seminario) édifié en 1709 d'après un dessin de Giuseppe Cino, et dont la cour s'orne d'un **puits★** somptueusement décoré par le même sculpteur.

AUTRES CURIOSITÉS

★**Musée provincial** (Museo Provinciale). — Installé dans un bâtiment moderne, il regroupe une riche section archéologique *(rez-de-chaussée)* et une très importante **collection de céramiques★★** *(1er étage)* : particulièrement intéressants, les vases protoitaliotes et italiotes, ornés de figures peintes. Au 3e étage, pinacothèque.

★**San Matteo**. — Cette église à la façade harmonieuse voulue par Achille Carducci (1667-1700) porte la nette influence du Borromini de St-Charles-aux-Quatre-Fontaines de Rome.

★**Rosario** (ou San Giovanni Battista). — Dernière œuvre de Giuseppe Zimbalo, la façade de cette église présente une surabondante décoration à la fois minutieuse et gracieuse. L'**intérieur★** est orné de plusieurs retables d'une somptuosité sans égale.

Santi Nicolò e Cataldo. — *Au Nord de la ville, près du cimetière.* Construite par le Normand Tancrède de Lecce en 1180, cette église a été refaite en 1716, sans doute par Giuseppe Cino qui a respecté la partie centrale de l'ancienne façade romane, avec sa petite rose et son portail normand. Le cloître, du 16e s., abrite un joli édicule baroque.

Sant'Irene (ou Chiesa dei Teatini). — Construite par Francesco Grimaldi pour les moines théatins, l'église conserve de somptueux **autels★**, attribués à Francesco A. Zimbalo.

Gesù (ou **Chiesa del Buon Consiglio**). — *Via Francesco Rubichi*. Construite entre 1575 et 1579 par les jésuites, cette église contraste par son austérité avec les autres édifices religieux de Lecce.

Sant'Angelo. — *Via Manfredi*. Bien qu'inachevée, sa façade est typique du style de Francesco Giuseppe Zimbalo (1663), décorée de guirlandes, angelots, chérubins, etc.

Piazza Sant'Oronzo. — Cette place animée, qui forme le centre de la ville, est dominée par la statue de Sant'Oronzo, patron de Lecce, placée au sommet d'une des deux colonnes qui terminaient la Via Appia à Brindisi *(voir p. 62)*.
Au Sud de la place, une partie des ruines de l'amphithéâtre romain a été dégagée.

LIVOURNE (LIVORNO) Toscane   176 298 h.

Carte Michelin n° 988 pli 14 — Plan dans le guide Rouge Michelin Italia.

Important port marchand d'Italie qui transite avant tout du bois, le marbre, l'albâtre, des automobiles et les produits de l'artisanat florentin. Reconstruit par Côme Ier de Médicis pour remplacer Porto Pisano ensablé par les alluvions, le port fut achevé en 1620 sous Côme II. L'animation de Livourne est concentrée via Grande, bordée d'immeubles à arcades, via Cairoli et via Ricasoli. Sur la piazza Micheli, d'où l'on aperçoit la « Fortezza Vecchia », s'élève le **monument**★ à Ferdinand Ier de Médicis : les quatre prisonniers maures en bronze sont l'œuvre du sculpteur Pietro Tacca (1624).

Montenero. — *9 km au Sud*. Construit au 18e s., le sanctuaire dédié à Notre-Dame-des-Grâces comprend une église baroque richement décorée, un couvent et (protégé par une grille) le « famedio », composé de chapelles où reposent les citoyens illustres de Livourne.

★ LORETO Marches   10 603 h.

Carte Michelin n° 988 pli 16 — Plan dans le guide Rouge Michelin Italia.

La petite cité groupée autour du sanctuaire de Notre-Dame, but d'un pèlerinage universellement connu, a conservé un noyau ancien partiellement inscrit dans une enceinte de briques du 16e s. On y vénère la Santa Casa, la « maison de Marie », qui fut miraculeusement apportée de Nazareth par les anges, et déposée, après plusieurs étapes, dans un bois de lauriers qui aurait donné son nom à la bourgade de Loreto. La fête de la Nativité de la Vierge et la commémoration de la translation de la Santa Casa donnent lieu à de grands pèlerinages *(voir le chapitre Principales manifestations touristiques, en fin de volume)*. Le peintre vénitien **Lorenzo Lotto** (1486-1556), auteur de portraits où s'exprime un sens nouveau de la psychologie, vécut à Loreto de 1535 à sa mort, comme oblat de la Santa Casa.

★★ SANCTUAIRE DE LA SAINTE MAISON
⊙ (SANTUARIO DELLA SANTA CASA) *visite : 1 h*

De nombreux architectes, peintres et sculpteurs célèbres ont contribué à l'édification de ce sanctuaire commencé en 1468 et définitivement achevé au 18e s. : Giuliano da Sangallo d'abord, puis Bramante, qui construisit les chapelles latérales, et Vanvitelli qui éleva le campanile à bulbe. Si l'on contourne l'église, on pourra admirer la belle **abside**★★ trilobée et l'élégante coupole dessinée par Sangallo. La façade, représentative de la Renaissance tardive, est à la fois sobre et harmonieuse avec ses doubles pilastres surmontés par deux horloges aux angles.
On pénètre à l'intérieur de la basilique à trois nefs par trois **portes de bronze**★★ ornées de belles statues (fin du 16e-début du 17e s.). A l'extrémité de la nef droite, la coupole de la **sacristie St-Marc**★ est couverte de fresques présentant d'audacieux raccourcis, œuvre de Melozzo da Forlì (1477), qui a représenté des anges portant les instruments de la Passion. Dans la **sacristie St-Jean**★, lavabo de Benedetto da Maiano et fresques de Luca Signorelli. A la croisée du transept, la **Santa Casa**★★ a été somptueusement décorée au 16e s. de marbres sculptés, notamment par Antonio Sansovino. Dans une salle donnant sur le transept gauche, beau cycle de peintures de Pomarancio (1605-1610).
Précédant la basilique, s'ouvre la belle **piazza della Madonna**★, bordée par l'élégant ⊙ portique inachevé du palais apostolique, dans lequel une **pinacothèque** a été installée : remarquable **ensemble**★ de peintures de Lorenzo Lotto, tableaux de Simon Vouet et de Pomarancio ; des tapisseries flamandes d'après les cartons de Raphaël et des faïences d'Urbino y sont également exposées.

EXCURSION

Recanati. — *7 km au Sud-Ouest*. Cette petite ville perchée sur une colline a donné naissance en 1798 à Giacomo **Leopardi,** le plus lucide, le plus désespéré et en même ⊙ temps le plus mélodieux des poètes italiens. Le **palais Leopardi** conserve quelques ⊙ souvenirs de l'écrivain ; une **pinacothèque** abrite plusieurs œuvres marquantes de Lorenzo Lotto, dont l'Annonciation.

Aimer la nature,
c'est respecter la pureté des sources,
la propreté des rivières,
des forêts, des montagnes...
c'est laisser les emplacements nets de toute trace de passage.

Carte Michelin n° 〓〓〓 pli 14 — Plan dans le guide Rouge Michelin Italia.

Située au cœur d'une plaine fertile, Lucques a conservé à l'intérieur de son enceinte couronnée de verdure de nombreux témoignages du passé : églises, palais, places et ruelles font le charme de cette petite ville que l'urbanisme contemporain a épargnée.

UN PEU D'HISTOIRE

Colonisée par Rome au 2e s. avant J.-C., Lucques a gardé sa configuration de camp militaire romain aux deux grandes perpendiculaires, dans lequel le Moyen Age a inscrit son réseau compliqué de ruelles et de places irrégulières.

Commune libre dès le 12e s., elle a vu s'accroître considérablement, jusqu'au milieu du 14e s., son importance économique fondée sur la fabrication et le commerce de la soie : la ville, sous le gouvernement du condottiere Castruccio Castracani, brille alors de tout son éclat. C'est de cette époque que datent ses plus beaux édifices civils et religieux : empruntant leurs modèles au sytle pisan, les architectes de Lucques savent y apporter leur propre originalité, faite de raffinement et de fantaisie. A partir de 1550, Lucques se tourne vers l'agriculture ; cette nouvelle activité entraîne un regain d'intérêt pour l'architecture : des « villas » sont édifiées dans la campagne, une ceinture de remparts encercle le noyau urbain, et la plupart des maisons sont rebâties ou remaniées.

Au début du 19e s., une figure de femme domina la vie de Lucques au cours d'un règne bref (1805-1813) : Élisa Bonaparte, promue par son frère, à la suite des conquêtes italiennes, princesse de Lucques et de Piombino, gouverna avec sagesse et intelligence sa principauté, favorisant le développement de la ville et des arts.

La légende de la Sainte-Croix. — Le **« Volto Santo »** (Saint Visage) est un crucifix miraculeux conservé à l'intérieur de la cathédrale. On raconte que Nicodème, après le Calvaire, y avait représenté les traits du Christ. L'évêque italien Gualfredo, pèlerin en Terre Sainte, réussit à se procurer le Volto Santo et l'embarqua sur une nacelle sans équipage qui s'échoua sur la plage de Luni, près de La Spezia. Les dévots de Luni et de Lucques se disputant l'image sainte, l'évêque de Lucques eut l'idée de faire placer le crucifix sur un chariot traîné par des bœufs : ceux-ci prirent aussitôt la direction de Lucques.

La renommée du Volto Santo, diffusée par les marchands lucquois, fut immense et les rois de France prêtaient parfois serment par « Saint Vaudeluc » (Santo Volto di Lucca). Chaque année, en l'honneur du Volto Santo, se déroule dans la ville illuminée une très curieuse procession nocturne, la **« Luminara di Santa Croce »** *(voir le chapitre Principales manifestations touristiques, en fin de volume).*

LES GRANDES ÉGLISES *visite : 3 h*

De la vaste **piazza Napoleone** *(parking),* on gagne la piazza San Giovanni sur laquelle donne l'église du même nom, puis la piazza San Martino, bordée à gauche par le palais Micheletti, œuvre d'Ammannati (16e s.), et ses jardins en terrasses.

** **Cathédrale (Duomo).** — Dédiée à saint Martin, elle a été reconstruite au 11e s. et presque entièrement refaite au 13e s., pour l'extérieur, aux 14e et 15e s., pour l'intérieur. La **façade** ** en marbres blanc et vert, due à l'architecte Guidetto da Como, produit, en dépit de son asymétrie, une impression de force et d'équilibre. Caractéristique du style lucco-pisan, elle se compose de trois grandes arches et de trois étages de galeries à colonnettes où les architectes locaux ont fait preuve d'une merveilleuse légèreté et d'une invention remarquable dans l'ornementation.

Le campanile, puissant et élancé, est allégé par l'alternance des matériaux, brique et marbre, ainsi que par la multiplication des baies, à mesure que la construction s'élève.

La décoration du porche d'entrée est extrêmement riche : piliers portant de fines colonnes naïvement sculptées, arcatures, frises, diverses scènes sculptées.

L'intérieur, gothique, possède un élégant triforium qui contraste par sa légèreté avec les arcs en plein cintre, supportés par de robustes piliers. Au revers de la façade, se trouve l'étonnante sculpture romane de saint Martin partageant son manteau, dont le style sobre et classique annonce Nicola Pisano. Dans la nef gauche s'élève le gracieux « tempietto », construit par l'artiste lucquois Matteo Civitali (1436-1501) pour recevoir le Volto Santo : le grand **Christ** * en bois noirci par le temps, sculpté au 12e s. et dénotant par son aspect hiératique une influence orientale, serait une copie de celui-là même autour duquel se forgea la légende.

Le croisillon gauche abrite l'un des chefs-d'œuvre de la sculpture funéraire italienne, réalisé en 1406 par le Siennois Jacopo Della Quercia : le **monument d'Ilaria del Carretto** **, épouse de Paolo Guinigi, seigneur de Lucques au début du 15e s ; la jeune femme est étendue sur un lit, vêtue d'une longue robe au plissé d'une rare souplesse ; à ses pieds veille un chien, symbole de la fidélité. L'église renferme encore de nombreuses œuvres d'art, dont une **Cène** * de Tintoret, ample composition soumise à un éclairage fantastique.

* **Église St-Michel (San Michele in Foro).** — Edifiée sur l'ancien forum romain, du 12e au 14e s., elle domine de sa haute masse blanche la place environnante que bordent des demeures anciennes et le palais Pretorio. Sa **façade** **, d'une hauteur exceptionnelle, car prévue pour une nef plus élevée, est d'un superbe style lucco-pisan, en dépit des remaniements de la partie inférieure entrepris au siècle dernier. Composée de quatre étages de galeries à colonnettes surmontant des arcatures aveugles, elle présente une ornementation remarquablement variée. A son sommet, deux anges musiciens encadrent la grande statue de saint Michel terrassant le dragon.

L'intérieur, roman, contraste avec l'extérieur par sa simplicité. Un arc triomphal occupant toute la hauteur de la nef donne à celle-ci une belle envolée. Au 1er autel du bas-côté droit, **Madone** * d'Andrea Della Robbia. Le croisillon gauche abrite une Madone sculptée en 1480 par Matteo Civitali et un beau **tableau** *, au coloris éclatant, de Filippino Lippi.

★**Église San Frediano.** — Cette église romane du 12e s., l'une des plus grandes de la ville, présente une façade notablement différente de celles de San Martino et de San Michele : très dépouillée, elle est revêtue de marbre blanc provenant de l'amphi-théâtre romain. Sa haute partie centrale est dominée par une immense mosaïque représentant l'Ascension, exécutée au 13e s. dans le style byzantin par des artistes lucquois. L'intérieur, roman et de plan basilical, offre la même sobriété : des colonnes antiques ornées de beaux chapiteaux bordent la nef élevée. A droite en entrant, une surprenante **vasque baptismale**★ romane, exécutée au 12e s., est décorée de sculptures contant un style alerte des épisodes de la vie de Moïse. Dans le bas-côté gauche, **polyptyque**★ gothique en marbre de Jacopo Della Quercia représentant la Vierge et l'Enfant entourés de saints. La chapelle Sant'Agostino est décorée de fresques dues au peintre ferrarais Amico Aspertini : l'une d'elles évoque le fameux transport du Volto Santo de Luni à Lucques.

AUTRES CURIOSITÉS

★**La vieille ville (Città Vecchia).** — Les rues et les places du vieux Lucques ont conservé un charme particulier dû à leurs palais gothiques ou Renaissance, à leurs tours seigneuriales, leurs boutiques anciennes, leurs portes ouvragées, leurs blasons sculptés et leurs élégantes grilles et balcons en fer forgé.

Partant de la piazza San Michele, on suit la via Roma, puis la via Fillungo jusqu'à la curieuse piazza dell'Anfiteatro située à l'intérieur de l'amphithéâtre romain. De là, il faut poursuivre vers la charmante piazza San Pietro (église des 12e et 13e s.). Au n° 29 de la via Guinigi, la **maison (casa) des Guinigi,** surmontée de sa tour couronnée d'arbres (du sommet, **vue**★ sur la ville), déploie sur une surface impressionnante des fenêtres gothiques à baies multiples (en partie murées) ; en face, aux nos 2 et 22, maisons qui appartinrent également aux Guinigi.

On arrive à l'église romane **Santa Maria Forisportam,** ainsi appelée parce qu'elle était située hors de l'enceinte romaine.

La via Santa Croce, la ravissante piazza dei Servi, la piazza dei Bernardini où se dresse le palais (16e s.) du même nom, ramènent à la piazza San Michele.

★**Promenade des remparts (Passeggiata delle Mura).** — Les remparts, qui donnent à Lucques sa physionomie particulière, ceignent entièrement la ville sur une longueur de 4 km. Construits au cours des 16e et 17e s., ils sont constitués de onze bastions en forte avancée, reliés entre eux par des courtines, et sont percés de quatre portes.

Musée national du palais Mansi. — Les **appartements** de ce palais élevé au 17e s. présentent une remarquable **décoration**★ (17e-18e s.). L'édifice abrite une **pinacothèque :** œuvres de peintres italiens du 17e s. (V. Salimbeni, Guido Reni, Barocci) et tableaux d'écoles étrangères (portrait de la princesse Élisa par Mme Benoist).

Musée national de la Villa Guinigi. — *Via della Quarquonia.* Installé dans l'ancienne résidence champêtre de Paolo Guinigi, il regroupe du matériel archéologique, une section consacrée à la sculpture romane, gothique et Renaissance, et une autre à la peinture lucquoise et toscane ; remarquables panneaux de marqueterie.

EXCURSIONS

Villa Reale de Marlia. — *8 km au Nord.* La villa Reale est entourée de magnifiques **jardins**★★ du 17e s., modifiés par Élisa Bonaparte. On admire un jardin de fleurs, le jardin des citronniers, le nymphée du 17e s. et le ravissant théâtre de verdure.

Villa Mansi. — *11 km au Nord-Est.* Cette très belle construction du 16e s., transformée au 18e s., possède une façade chargée de statues et un vaste **parc**★ ombragé, dont les allées bordées de statues conduisent à un beau plan d'eau.

★**Villa Torrigiani** (ou **de Camigliano).** — *12 km au Nord-Est.* Cette villa du 16e s. fut transformée au 17e s. en une luxueuse résidence d'été par le marquis Nicolao Santini, ambassadeur de la république de Lucques à la Cour pontificale et à celle de Louis XIV. Les jardins, dessinés par Le Nôtre, sont embellis de jeux d'eau, de grottes, de nymphées. La demeure, à l'amusante façade rococo, possède des salles peintes à fresque et une galerie de tableaux. On y voit aussi quelques beaux meubles français et vénitiens du 18e s., ainsi que des souvenirs des nombreux hôtes illustres qui y séjournèrent.

★ # MANTOUE (MANTOVA) Lombardie   59 592 h.

Carte Michelin n° 988 pli 14 — Plan dans le guide Rouge Michelin Italia.

A l'extrémité Sud-Est de la Lombardie, Mantoue est située au cœur d'une fertile plaine basse, autrefois marécageuse. Entourée au Nord par trois lacs que forme le cours paresseux du Mincio, c'est une ville active et prospère qui possède d'importantes industries (sa production de matières plastiques est parmi les premières d'Italie).

UN PEU D'HISTOIRE

Une légende, reprise par Virgile, prétend que Mantoue aurait été fondée par la Grecque Manto, la fille du devin Tirésias. Toutefois, elle semble avoir été créée par les Étrusques vers le 6e ou le 5e s. avant J.-C. ; devenue gauloise par la suite, la cité se développa encore sous les Romains, dès le 3e s. avant J.-C. En 70 avant J.-C., elle donna naissance au plus grand poète de l'Antiquité romaine, **Virgile** (Publius Virgilius Maro), l'auteur inoubliable de l'Énéide qui raconte les errances d'Énée, fuyant Troie, et les origines de Rome ; ses autres ouvrages, les Bucoliques et les Géorgiques, évoquent les travaux ou les plaisirs de la campagne et reflètent, par leur ton mélancolique et leur musique harmonieuse, la douceur voilée des paysages mantouans.

Au cours du Moyen Age, la cité fut le théâtre de nombreuses luttes entre factions adverses qui la saccagèrent, avant de devenir commune libre au 13ᵉ s., puis de passer, au 14ᵉ s., sous le commandement de Louis Iᵉʳ de Gonzague, nommé « capitaine général de Mantoue ». Sous le mécénat des **Gonzague,** souverains éclairés, protecteurs des arts et des lettres, la cité fut, aux 15ᵉ et 16ᵉ s., un des principaux centres intellectuels et artistiques de l'Italie du Nord. Gian Francesco Gonzague (1407-1444) confia ses enfants au fameux pédagogue Vittorio da Feltre (1379-1446) et fit appel au peintre véronais **Pisanello** pour décorer les murs du palais ducal. Son fils, Ludovic II (1448-1478), condottiere de son métier, incarna le type même du seigneur mécène de la Renaissance, distribuant la terre aux pauvres, construisant des ponts et favorisant les artistes : l'humaniste siennois Ange Politien (1454-1494), l'architecte florentin Leon Battista Alberti (1404-1472) et le peintre de Padoue Andrea **Mantegna** (1431-1506) furent familiers de sa cour. François II (1484-1519) épousa la belle et sagace Isabelle d'Este, éduquée à Ferrare et qui contribua à la renommée de Mantoue. Leur fils, Frédéric II, fut nommé duc par Charles Quint en 1530 et embellit sa ville natale, faisant appel à l'architecte et peintre **Jules Romain** (1499-1546), élève de Raphaël, qui aménagea le palais ducal et construisit celui du Té.

★★★LE PALAIS DUCAL **(PALAZZO DUCALE)** *Visite : 1 h 1/2*

ⓥCet imposant édifice se compose de plusieurs bâtiments : le palais des Gonzague proprement dit, en grande partie du 16ᵉ s., donnant sur la piazza Sordello ; le Castel San Giorgio, forteresse du 14ᵉ s. qui donne sur le lac Moyen ; la chapelle ducale, Renaissance.

★**Piazza Sordello.** Autrefois centre politique et artistique de la ville, cette vaste place a conservé son aspect médiéval ; elle est bordée à l'Ouest par le palais Bonacolsi (13ᵉ s.), le palais épiscopal dont la façade du 18ᵉ s. est soutenue par une série d'atlantes, la cathédrale (Duomo) flanquée de son campanile, et la chapelle de l'Incoronata, attribuée à Alberti ; à l'Est de la place se trouve l'entrée du palais ducal.

★★★Les appartements. —

Fastueux et somptueusement décorés aux 16ᵉ et 18ᵉ s. (remarquables plafonds), ils conservent de nombreuses œuvres d'art. Au 1ᵉʳ étage, les trois salles Pisanello rassemblent des fragments de fresques et de remarquables « **sinopie** »★★ (préparation dessinée au moyen d'une terre ocre, voisine de la sanguine) qui ont été récemment redécouvertes et sont dues au peintre gothique de Vérone, le raffiné et incisif Pisanello (15ᵉ s.) : elles illustrent avec lyrisme des scènes tirées de romans courtois et de la chevalerie médiévale, univers fantastique et hors du temps. L'**appartement des Tapisseries,** néo-classique, appelé autrefois appartement Vert, est garni de neuf splendides tapisseries de Bruxelles, exécutées d'après des cartons de Raphaël. Voir également la **salle des Fleuves** (fresques du 18ᵉ s.), celle des **Maures** (de goût vénitien), le **couloir des Mois** qui conduit à la fameuse **galerie des Glaces** (17ᵉ et 18ᵉ s.) et à l'élégant **salon des Archers** où sont exposées des toiles de Rubens, Tintoret et D. Fetti. L'appartement ducal proprement dit est composé d'une série de pièces décorées à la fin du 16ᵉ s. par Viani : l'**appartement du Paradis** (ainsi nommé en raison de la vue merveilleuse qu'on a sur les lacs), qui permet d'accéder au minuscule **appartement des Nains.** Au rez-de-chaussée se trouvent les **cabinets d'Isabelle,** aux plafonds délicatement sculptés. L'**appartement d'Été** *(1ᵉʳ étage)*, créé et décoré par Jules Romain dans la 1ʳᵉ moitié du 16ᵉ s., abrite les sculptures gréco-romaines acquises par Isabelle d'Este.

A l'intérieur du **« Castello »,** on visite la célèbre **chambre des Époux** (Camera degli Sposi) où **Mantegna** peignit de 1471 à 1474 d'admirables **fresques**★★★. Ce cycle, inscrit sur les murs d'une chambre cubique, glorifie le monde raffiné et superbe de la cour des Gonzague : avec une maîtrise absolue du raccourci et une science prodigieuse de la perspective, le peintre joue avec l'architecture du lieu, créant — notamment avec l'oculus du plafond et une abondante décoration peinte en trompe-l'œil ou sculptée dans le stuc — une vision vertigineuse où s'interpénètrent les espaces et les matériaux. Au mur Nord : on reconnaît Ludovic II, tourné vers son secrétaire, tandis que sa femme Barbara est assise de face ; autour des époux se pressent leurs enfants, des courtisans et la figure énigmatique d'une naine.

(Photo Nimatallah/Artephot)

Palais Ducal de Mantoue. — Détail d'un plafond.

Au mur Ouest : Ludovic rencontre son fils, le cardinal François ; à l'arrière-plan apparaît une ville aux monuments splendides qui pourrait représenter Rome où Mantegna avait séjourné quelque temps auparavant ; le peintre s'est figuré lui-même dans le personnage en habit violet que l'on entrevoit de trois quarts sur la droite ; à gauche, sur le même mur, des serviteurs tenant des chiens en laisse. Au plafond, l'oculus, par lequel des amours et des domestiques contemplent la scène, est une invention du maître appelée à connaître par la suite un immense succès : ici, ce motif donne à l'ensemble, un peu solennel, une note de légèreté et une certaine étrangeté.

AUTRES CURIOSITÉS

Piazza Broletto. — Sur cette place s'élève le Broletto, palais communal des 12e-15e s. Sur la façade du palais, statue de Virgile assis (1225). La haute « Torre della Gabbia » (tour de la cage) porte encore la cage de fer dans laquelle étaient exposés les malfaiteurs.

★**Piazza delle Erbe.** — La place aux Herbes a conservé son aspect ancien avec le Palazzo della Ragione (13e s.), flanqué de la massive tour de l'Horloge du 15e s., et la **« Rotonda » di San Lorenzo**★, église de plan circulaire, élégante et sobre, remontant à l'époque romane ; l'intérieur possède un déambulatoire à colonnades surmonté d'une loggia et d'une coupole.

★**Basilique St-André (Sant'Andrea).** — Élevée au 15e s. sur les plans d'Alberti, elle possède une nef très large. Sa voûte en plein cintre, comme celles du chœur et du transept, est en trompe-l'œil. Dans la 1re chapelle à gauche, tombeau de Mantegna et œuvre du maître.

★**Palazzo Té.** — Bâti entre 1525 et 1535 par Jules Romain pour le duc Frédéric II Gonzague, il est, avec ses bossages et ses colonnes monumentales, de style typiquement maniériste. L'intérieur est abondamment décoré par le même artiste et son école. Voir notamment la salle ornée de l'**Histoire de Psyché** et la **salle des Géants,** qui illustrent parfaitement le style mouvementé de ce peintre.

Palais de Justice (Palazzo della Giustizia). — *Via Poma.* Il présente une monumentale façade à cariatides du début du 17e s. Au no 18 de la même rue, maison natale de Jules Romain, bâtie en 1544 sur les plans du maître.

Maison de Mantegna (Casa del Mantegna). — *47, via Acerbi.* Sévère édifice en briques, vraisemblablement dessiné par le peintre lui-même en 1476 et qui possède une jolie cour.

Teatro Accademico (ou **Teatro Scientifico**). — *47, via Accademia.* Minuscule et gracieux théâtre, bâti au 18e s. par A. Bibiena, présentant un curieux décor de faux marbres et de carton-pâte.

Palais d'Arco (Palazzo d'Arco). — *Piazza d'Arco.* Palais néo-classique d'inspiration palladienne *(voir p. 212),* qui abrite d'intéressantes collections de mobilier, peintures, céramiques, du 18e s.

★ # MASSA MARITTIMA Toscane   10 049 h.

Carte Michelin no ▓▓▓ pli 14.

Située sur les derniers contreforts des Collines Métallifères, Massa Marittima est une ville aux nombreux témoignages historiques, remontant aux époques romane et gothique.

★**Piazza Garibaldi.** — Sur cette belle place dallée s'élèvent les principaux monuments de la cité : deux palais d'époque romane, le Palazzo Pretorio et le Palazzo Comunale, ainsi que la cathédrale (Duomo), également romane.

★**Cathédrale (Duomo).** — Majestueux édifice de style pisan, entouré d'arcatures aveugles et flanqué d'un beau **campanile**★ percé de baies dont le nombre croît avec la hauteur ; la façade est richement décorée. A l'intérieur, fonts baptismaux et, dans une salle sous le chœur, « arca » (sarcophage) de St-Cerbone (1324).

★**Tour du Candeliere, forteresse et arc siennois.** — Dans la partie supérieure de la ville, un arc de ligne très pure relie une tour massive aux restes d'une forteresse siennoise datant du 14e s.

Musées municipaux. — Regroupés dans le palais Pretorio, ils sont répartis en un musée du Risorgimento *(rez-de-chaussée),* un musée d'Archéologie et de Céramiques régionales *(au sous-sol),* une pinacothèque *(1er étage),* qui recèle une belle **Vierge en majesté** d'Ambrogio Lorenzetti (14e s.).

Église St-Augustin (Sant'Agostino). — *Corso Diaz.* Église datant du début du 14e s., présentant une façade romane, une belle abside gothique et un campanile crénelé ajouté au 17e s.

Musée de la Mine. — *Accès par la via E. Corridoni.* Dans une galerie de 760 m, ce musée évoque l'exploitation du minerai de fer dans la région.

EXCURSION

★**Abbaye de San Galgano.** — *32 km au Nord-Est.* Cette abbaye gothique, aujourd'hui en ruine, fut élevée entre 1224 et 1288 dans le style cistercien, en l'honneur de saint Galgan, jeune siennois à la vie dissipée entré dans les ordres. Elle a servi de modèle pour la construction de la cathédrale de Sienne. La visite de ce qui subsiste de l'ancien édifice est extrêmement suggestive.

Carte Michelin n° 🔲🔲🔲 pli 29.

Au cœur d'une région que l'érosion a creusée de gorges profondes, composant un paysage désolé aux vastes horizons, Matera surplombe le ravin qui la sépare des « Murge », collines de la Pouille. La ville moderne, centre actif de Matera, capitale de province, s'étend sur un plateau dominant la ville basse dont les maisons en partie troglodytes (d'où leur nom italien de « Sassi », les cailloux) ont été presque entièrement abandonnées. Les rochers de la ville et des environs ont été creusés au point que l'on y dénombrerait quelque 130 églises rupestres : dès le 8e s. en effet, à la suite de l'immigration des colonies monastiques orientales, s'est développée dans la région et dans la Pouille voisine toute une architecture souterraine, dont l'agencement et la décoration révèlent une influence byzantine.

★★**Les Sassi.** — De chaque côté du rocher portant la cathédrale, s'étagent les deux principaux quartiers troglodytes, formés par de petites maisons blanchies à la chaux, superposées de telle sorte que les toits servent de rues. Ainsi les niveaux, les ruelles, les escaliers forment-ils un lacis inextricable.

★★**Strada dei Sassi.** — Voie panoramique longeant la gorge sauvage et contournant le rocher portant la cathédrale. Dans la paroi rocheuse qui fait face, on remarque de nombreuses grottes naturelles ou artificielles.

★**Cathédrale (Duomo).** — De style roman apulien (13e s.), elle possède une façade tripartite, à un seul portail, qui s'orne d'une belle rose et d'une galerie suspendue. Ses murs sont garnis d'arcs aveugles ; sur le flanc droit s'ouvrent deux riches portails. A l'intérieur, remanié aux 17e et 18e s., Madone de style byzantin (fresque des 12-13e s.), crèche napolitaine du 16e s. et, dans le chœur, belles stalles sculptées du 15e s. ; la **chapelle de l'Annonciation★** *(dernière à gauche)* présente un beau décor Renaissance.

ⓥ**San Pietro Caveoso.** — Église baroque située au pied du mont Errone, et autour de laquelle se trouvent plusieurs églises rupestres dont certaines sont décorées de fresques : Santa Lucia alle Malve, Santa Maria de Idris, San Giovanni in Monterrone.

ⓥ**Musée national Ridola.** — Installé dans un ancien couvent, il abrite une intéressante collection de matériel archéologique provenant de la région.

★★**Points de vue sur Matera.** — *4 km, par la route d'Altamura puis celle de Taranto et, à droite, par une route signalisée « chiese rupestri ».* La route mène à deux belvédères d'où l'on bénéficie d'une vue saisissante sur la ville. A gauche, en contrebas du parking, se dissimulent quelques églises rupestres.

Cartes Michelin n° 🔲🔲🔲 pli 4 et n° 🔲🔲🔲 pli 10 — Plan dans le guide Rouge Michelin Italia.

Au débouché du val Venosta, dans la vallée de l'Adige, Merano est un centre touristique important en raison de son climat très doux et de ses eaux curatives. De nombreuses remontées mécaniques permettent d'atteindre rapidement **Merano 2000,** station appréciée des amateurs de sports d'hiver et d'excursions en montagne.

★★**Promenades d'Hiver et d'Été (Passeggiate d'Inverno e d'Estate).** — Longeant le fleuve Passirio, elles font le charme de Merano. Celle d'hiver, exposée au midi, ombragée et fleurie, bordée de boutiques, de cafés, de terrasses, est la plus animée, et se prolonge par la passeggiata Gilf qui se termine près d'une puissante chute d'eau. Sur l'autre rive, la promenade d'été s'enfonce dans un beau parc ombragé (pins, palmiers).

★★**Passeggiata Tappeiner.** — Cette magnifique promenade, longue de 4 km, serpente à 150 m au-dessus de Merano, offrant de remarquables points de vue.

Cathédrale (Duomo). — Dédié à saint Nicolas, cet édifice gothique, dominé par un puissant clocher et précédé par une façade à pignon crénelé, est orné extérieurement de fresques. L'intérieur, recouvert de belles **voûtes gothiques★** à nervures, abrite deux **polyptyques★** sculptés (15e s.).

★**Via Portici (Laubengasse).** — Longée d'arcades, cette longue rue rectiligne est bordée de maisons colorées, à oriel, abritant de curieuses boutiques à façades sculptées.

★**Château princier (Castello Principesco).** — Élevée en 1480 par les Habsbourg, cette
ⓥdemeure à pignons crénelés et tour à poivrière possède de beaux appartements, richement meublés.

EXCURSIONS

★**Avelengo (Hafling).** — *10 km au Sud-Est. Accès par la route panoramique.* Joli site sur un plateau dominant la vallée de Merano.

★**Merano 2000.** — *Accès par téléphérique à partir de Val di Nova (3 km à l'Est).*
ⓥPlateau boisé de conifères où s'ouvrent de nombreuses pistes de ski. Point de départ de nombreuses excursions en haute montagne.

★**Tirolo.** — *4 km au Nord.* Ce charmant village tyrolien entouré de vignes et de vergers est dominé par un château, édifié au 12e s., qui fut le berceau des comtes du Tyrol.

★**Val Passiria.** — *50 km jusqu'au col du Rombo ; 40 km jusqu'au col de Monte Giovo.* La route suit la vallée du Passirio jusqu'à **San Leonardo,** aimable village tyrolien groupé autour de son église. La **route du col du Rombo★** (Timmelsjoch), abrupte et parfois taillée dans le rocher, offre des vues imposantes sur les crêtes frontières. Celle du **col de Monte Giovo★** (Jaufenpass) s'élève parmi les conifères. A la descente, des **vues★★** permettent d'admirer les hauts sommets enneigés de l'Autriche voisine.

Cartes Michelin nº ▓▓▓ pli 3 et nº ▓▓▓ pli 19. — Voir aussi plans dans le guide Rouge Michelin Italia.

Ville trépidante, la métropole de la Lombardie est la deuxième cité d'Italie par sa population, son influence politique, son rôle culturel et artistique, et la première par ses activités commerciales, industrielles et bancaires. Sa situation au pied des Alpes et au cœur de l'Italie du Nord, l'esprit d'entreprise de ses habitants et les circonstances historiques ont fait de Milan l'une des villes les plus dynamiques du pays, aujourd'hui encore en pleine expansion. Deux anneaux concentriques de boulevards délimitent son pourtour : le plus étroit enserre le noyau médiéval et remplace les fortifications du 14e s., dont la « Porta Ticinese » *(p. 118)* et la « Porta Nuova » (**CV**) sont les vestiges ; l'autre correspond à l'extension de la ville à la Renaissance. Après 1870, Milan s'est étendue rapidement en dehors des fortifications le long des voies d'accès.

LA CITÉ DANS L'HISTOIRE

Si Milan est probablement d'origine gauloise, ce sont les Romains qui, en 222 avant J.-C., soumirent la bourgade (Mediolanum) et furent à l'origine de son développement. Dès la fin du 3e s. de notre ère, Dioclétien en fit le siège de l'Empire romain d'Occident ; Constantin y publia en 313 l'**Édit de Milan** qui accordait aux chrétiens la liberté de culte. En 375, **saint Ambroise** (340-396), l'un des docteurs de l'Église dont l'éloquence faisait merveille, devint évêque de Milan et contribua au prestige de la ville. Aux 5e et 6e s., les invasions barbares déferlèrent sur la région avant que les Lombards n'y fondent un royaume auquel ils donnèrent Pavie comme capitale. Ce dernier fut repris en 756 par Pépin le Bref, roi des Francs, dont le fils Charlemagne ceignit, en 774, la couronne de fer des rois lombards. Milan ne redevint capitale de l'Italie qu'en 962.

Au 12e s., afin de s'opposer aux tentatives de Frédéric Barberousse désireux de s'emparer de la région, Milan forma avec les villes voisines la Ligue lombarde (1167) et remporta la **victoire de Legnano** qui lui valut son autonomie. Au 13e s., les **Visconti**, gibelins et chefs de l'aristocratie, s'emparèrent du pouvoir : le plus célèbre d'entre eux, **Gian Galeazzo**, fut à la fois un militaire habile et un fin lettré, un assassin et un dévôt qui fit édifier le Dôme et la chartreuse de Pavie. Sa fille Valentine épousa le grand-père de Louis XII : cette filiation fut à l'origine des « Guerres d'Italie ».

Après la mort du dernier Visconti, Filippo Maria, en 1447, et le bref intermède de la république Ambrosienne proclamée par le peuple, son gendre, Francesco, fils d'un simple paysan, conduisit les **Sforza** au pouvoir. Le plus illustre d'entre eux, **Ludovic le More** (1452-1508), fit de Milan une nouvelle Athènes en y attirant les génies de l'époque, comme Léonard de Vinci et Bramante. Mais Louis XII, se proclamant légitime héritier du duché de Milan, entreprit en 1500 sa conquête. Après lui, François 1er renouvela cette tentative, mais son rêve de conquérir l'Empire se heurta, à Pavie, à la détermination des troupes de Charles Quint. De 1535 à 1713, Milan fut soumise aux Espagnols ; pendant cette période, deux grandes figures marquèrent la ville de leur empreinte religieuse et humanitaire : saint Charles Borromée (1538-1584) et Frédéric Borromée (1564-1631), tous deux charitables défenseurs de la cité pendant les pestes qui la ravagèrent (1576 et 1630).

Sous Napoléon, Milan fut la capitale de la république Cisalpine (1797) et du royaume d'Italie (1805). En 1815, elle devint capitale du royaume lombard-vénitien.

LA VIE MILANAISE

Les endroits les plus animés se situent autour de la piazza del Duomo (**CY**), via Dante (**BX**) et via Manzoni (**CDX**). Dans la **Galleria**★ Vittorio Emanuele (**CY**), construite en 1877 sur un dessin de Giuseppe Mengoni, centre de la vie politique et sociale, les Milanais se rassemblent pour discuter, lire leur journal, le Corriere della Sera, ou boire un café. Le corso Vittorio Emanuele (**CDY**), le corso Venezia (**DVX**) et la via Monte Napoleone (**CDX**) sont bordés de boutiques, d'antiquaires notamment. La piazza Santa Babila (**DY**) est le centre de la vie nocturne. Deux grands parcs, le parc Sempione et les Giardini Pubblici constituent la réserve d'oxygène de la ville.

En raison de son programme lyrique prestigieux, le théâtre de **la Scala** *(p. 116)* est un grand pôle d'attraction, de même que la scène du **Piccolo Teatro** (**BCY T**), de réputation internationale. En outre, de nombreuses installations sportives permettent aux amateurs de pratiquer leur sport favori ou d'assister aux compétitions de leur choix.

La cuisine milanaise est essentiellement connue par l'escalope de veau panée (scaloppina alla milanese), l'ossobuco, le risotto au safran et le minestrone (potage de légumes et au lard). On accompagne ces plats des vins de la Valteline ou de ceux de la région de Pavie.

LES BEAUX-ARTS

En architecture, le Dôme marque l'apogée du gothique flamboyant. Sous la Renaissance, les architectes les mieux appréciés seront le Florentin Michelozzo (1396-1472) et **Donato Bramante** (1444-1514) qui fut le maître favori de Ludovic le More avant de se rendre à Rome : admirateur de l'antique, cet architecte à la fois classique et imaginatif inventa la **« travée rythmique »** (façade composée de baies, pilastres et niches alternés) qui confère leur harmonie à tant de façades Renaissance.

En peinture, l'école lombarde fut avant tout à la recherche « de la beauté et de la grâce » : ses représentants les plus connus sont Vincenzo Foppa (1427-1515), Bergognone (1450-1523) et Bramantino (entre 1450 et 1465-1536). Les œuvres des peintres Andrea Solario (1473-vers 1520), Boltraffio (1467-1516) et surtout celles du délicat **Bernardino Luini** (vers 1480-1532) témoignent de l'influence déterminante de **Léonard de Vinci** qui séjourna dans la ville.

Milan est aujourd'hui la capitale de l'édition italienne, où par ailleurs l'art contemporain trouve à s'exprimer dans de nombreuses galeries.

MILANO

★★★ LE DÔME (DUOMO) (CY) ET SES ABORDS *visite : 1 h 1/2*

Il est difficile de stationner dans le centre. On utilisera donc avec profit les parkings payants : piazza Diaz (CYZ), via San Marco (CV), via Santa Radegonda (CY 84). On peut aussi laisser sa voiture sur les boulevards extérieurs ou dans les parkings aménagés auprès de certaines stations périphériques du métro.

★★★ **Extérieur.** — Cet impressionnant chef-d'œuvre de l'architecture gothique flamboyante, à la fois colossal et léger, hérissé de clochetons, pinacles, gâbles, et animé de plusieurs milliers de statues, surgit au fond d'une vaste esplanade. Il faut le voir, en fin d'après-midi, éclairé par les rayons du soleil déclinant.

La construction de l'édifice, commencée en 1386 selon le vœu de Gian Galeazzo Visconti, se poursuivit aux 15e et 16e s. sous la direction de maîtres d'œuvre italiens, français et allemands. C'est Napoléon qui ordonna l'achèvement de la façade (1805-1809).

En contournant l'édifice, on pourra admirer le **chevet** aux trois immenses baies à remplages de courbes et contre-courbes et aux merveilleuses rosaces, l'ensemble étant dû au Français Nicolas de Bonaventure et à l'architecte Filippino degli Organi, de Modène.

(Photo Giraudon)

Milan. — Le Dôme.

Sous le parvis, restes d'un **baptistère** du 4e s.

★★★ **Intérieur.** — Il contraste avec l'extérieur par son austérité et la simplicité de ses lignes. Les cinq nefs sont séparées par cinquante-deux piliers d'une hauteur prodigieuse ; les transepts sont à trois nefs. La longueur de l'édifice atteint 148 m (N.-D. de Paris : 130 m) ; la largeur maximale au transept est de 91 m. De magnifiques vitraux, dont les plus anciens datent des 15e et 16e s., décorent les nefs et les transepts.

Dans le transept droit, mausolée de Gian Giacomo Visconti par Leone Leoni (16e s.) ; à gauche, se trouve la curieuse statue de saint Barthélemy, martyr écorché, par Marco d'Agrate. Passant sous la coupole et devant l'ensemble monumental que forment le maître-autel et le chœur (1570-1590) dû à Pellegrino Tibaldi, on pénètre dans le transept gauche où se remarque un magnifique candélabre en bronze, travail français du 13e s.

Dans la crypte, l'urne en argent contenant les restes de saint Charles Borromée, archevêque de Milan, mort en 1584, a été offerte par Philippe II d'Espagne. Le **trésor** compte des chefs-d'œuvre d'orfèvrerie et des ivoires du 4e s. à nos jours.

★★★ **Promenade sur les toits.** — L'édifice est orné de 135 flèches d'une extraordinaire finesse, et d'un nombre impressionnant de statues de marbre blanc (2 245 au total !) pleines de grâce et d'élégance. On pourra les admirer en montant sur les toits.

Au sommet, le « Tiburio », haute flèche de 108 m, est surmonté par une statue dorée de la Madonnina (1774).

★★ **Musée du Dôme** (CY M¹). — Installé à l'intérieur du palais Royal construit au 18e s. par Piermarini, il abrite des sculptures, vitraux, tapisseries, habits sacerdotaux, du 14e au 20e s. Ne pas manquer de voir le splendide **Crucifix d'Aribert** ★★ (11e s.), en cuivre repoussé et doré. Les maquettes et les projets illustrant les diverses étapes de la construction du Dôme sont également intéressants.

★ **Via et piazza Mercanti** (CY). — Dans la via Mercanti s'élève le palais des Jurisconsultes (C), érigé en 1564, dont la façade est ornée d'une statue de saint Ambroise enseignant.

La piazza Mercanti est calme et pittoresque : loggia degli Osii (1316), décorée de blasons et de statues de saints (de son balcon étaient proclamées les condamnations) ; à sa droite, palais baroque des écoles Palatines portant les statues des poètes latin Ausone et de saint Augustin. En face, **palais communal** (« Broletto Nuovo ») (D), érigé au 13e s. et agrandi au 18e s. (dans une niche de la façade, la **statue équestre** du podestat Oldrado da Tresseno est une œuvre romane, réalisée par les Antelami).

★ **Scala (Teatro alla Scala)** (CX). — C'est le plus célèbre théâtre lyrique du monde, construit de 1776 à 1778 afin de recevoir plus de 2 000 auditeurs. Son acoustique est parfaite. Dans le foyer, statues de compositeurs italiens.

Le **musée du théâtre** ★ présente d'intéressants documents et souvenirs relatifs à son histoire. Du musée, on peut accéder à la salle.

★★★ LES MUSÉES

Milan s'enorgueillit de ses nombreux musées, riches et diversifiés.

★★★ **Pinacothèque Brera (Pinacoteca di Brera) (CX)**. — Installée dans un palais du 17ᵉ s. dont la cour a été ornée en 1809 d'une statue de Napoléon en César victorieux par Canova, cette collection de peintures est l'une des plus riches d'Italie, notamment en ce qui concerne les artistes vénitiens et lombards.

École vénitienne : Cène et Baptême du Christ par Véronèse ; Pietà de Lorenzo Lotto ; Sainte Hélène et Miracle de saint Marc du Tintoret ; **Prédiction de saint Marc à Alexandrie★★★** de Gentile et Giovanni Bellini ; Madone à la Chandelle de Crivelli ; l'œuvre majeure du musée est le célèbre **Christ mort★★★** de Mantegna, admirable méditation sur la mort, d'un réalisme rendu pathétique par la science du raccourci. On peut également voir des peintures de Carpaccio, Michele da Verona, Cima da Conegliano, Giovanni Bellini, Tiepolo, Longhi, Canaletto, Guardi, etc.

École lombarde : La **Madone de la Roseraie★★★** de Bernardino Luini exprime parfaitement l'idéal de douceur et de grâce que les artistes lombards tentèrent d'approcher, suivant en cela l'exemple de Léonard ; Christ de Bramante ; œuvres de Boccacino, Bergognone, Foppa, Moroni, etc.

Écoles italiennes : admirable d'équilibre et de grâce savante, la **Vierge en majesté★★★** entourée de saints et du duc de Montefeltro agenouillé, est l'un des chefs-d'œuvre de Piero Della Francesca (1474) ; **Mariage de la Vierge★★★** (1504) par Raphaël, alors à peine âgé de vingt ans, où l'on découvre, fermant la perspective, un édifice circulaire à la Bramante ; œuvres de Signorelli, des Carrache, Guido Reni, Caravage, Le Baroche.

Autres écoles : Ribera, Greco, Goya, Bruegel de Velours, Van Dyck, Rembrandt, Rubens. Une partie du musée est consacrée à la peinture italienne des 19ᵉ s. et 20ᵉ s.

★★★ **Château des Sforza (Castello Sforzesco) (BX)**. — Dans cet énorme quadrilatère, qui fut autrefois la résidence des ducs de Milan, ont été installées, après la guerre, les **collections municipales d'Art★★★**, réparties en plusieurs sections.

Musée de sculpture. — *Rez-de-chaussée.* Oeuvres romanes, gothiques et Renaissance, de la Lombardie principalement. Les pièces maîtresses sont, pour la période romane, l'imposant **monument funéraire de Bernabò Visconti★★**, surmonté de sa statue équestre ; pour la Renaissance, deux chefs-d'œuvre, **le gisant de Gaston de Foix★★★** par Bambaia, exécuté en 1523 dans un style classique et équilibré, et la **Pietà Rondanini★★★**, œuvre ultime de Michel-Ange qu'il laissa inachevée.

Pinacothèque. — *1ᵉʳ étage.* Elle abrite des œuvres de Mantegna, Giovanni Bellini, Crivelli, Bergognone, Luini, Moretto, Moroni, Magnasco, Tiepolo, Guardi, etc.

Le musée présente en outre une section d'arts décoratifs et une remarquable **collection d'instruments de musique★★**.

★ **Parc Sempione (Parco Sempione) (ABVX)**. — Derrière le château, s'étend ce vaste parc où s'élèvent, outre le palais des Arts, siège des grandes expositions, le stade de l'Arena, l'arc de la Paix (Arco della Pace) érigé en 1838 et une tour (Torre) haute de 109 m.

★★ **Bibliothèque Ambrosienne (Biblioteca Ambrosiana) (CY)**. — Elle se trouve dans un palais élevé en 1609 par le cardinal Frédéric Borromée. En plus des nombreux manuscrits qui y sont conservés, la pinacothèque, aménagée au 1ᵉʳ étage, réunit des œuvres de la Renaissance italienne (Ghirlandaio, Bartolomeo Vivarini, Bergognone), les **bas-reliefs★★** du tombeau de Gaston de Foix par Bambaia, des peintures allégoriques et la **Souris à la rose★** de Bruegel de Velours (1568-1625), plusieurs toiles de B. Luini et un portrait de Giorgione. Deux **portraits★★★**, celui du musicien Gaffurio par Léonard de Vinci, et celui d'Isabelle d'Este par Ambrogio De Predis constituent les deux principaux chefs-d'œuvre du musée. On admire également le beau **Panier de fruits★** du Caravage et une **Crèche★** de Barocci.

La salle 10 abrite le splendide **carton★★★** préparatoire de l'École d'Athènes de Raphaël (Vatican), et une salle entière regroupe de nombreuses reproductions de dessins de Léonard de Vinci tirés du Codex Atlanticus.

★★ **Musée Poldi-Pezzoli (CX M²)**. — Aménagé dans le cadre agréable d'une demeure ancienne, ce musée présente des collections de peintures, d'armes, de tissus, de **pièces d'horlogerie★★**, et de **petits bronzes★** du 16ᵉ au 18ᵉ s. Les tableaux, visibles au 1ᵉʳ étage, permettent d'admirer des œuvres de l'école lombarde (Begognone, Luini, Foppa, Solario), deux beaux **portraits★★** de Luther et de sa femme par Cranach et, dans le Salon doré, autour d'un splendide **tapis persan★**, un délicat **profil de femme★★★** d'Antonio Pollaiolo, un Saint Nicolas de Tolentino par Piero Della Francesca, une Descente de Croix d'une étonnante composition et une **Vierge à l'Enfant★★** par Botticelli, un pathétique **Christ mort★★** de Giovanni Bellini et une remarquable **Vue de la Lagune** par Francesco Guardi. Dans les autres salles, œuvres de P. Lorenzetti, Tiepolo, Lotto, Boltraffio, Canaletto, Palma il Vecchio, etc.

Galerie d'Art moderne (DVX M³). — Installée dans l'ancienne villa Belgioioso édifiée en 1790, qui servit de résidence à Napoléon et à Eugène de Beauharnais, c'est l'une des plus importantes collections d'Italie, notamment pour la connaissance de la peinture lombarde du 19ᵉ s. Sculptures néo-classiques de Canova, peintures de l'époque romantique, sculptures du Milanais Medardo Rosso (1858-1928). Au 2ᵉ étage, la collection Grassi présente des toiles de peintres impressionnistes français. A droite dans la cour, artistes italiens, dont un ensemble dû au sculpteur Marino Marini (1901-1980).

★ **Musée national des Sciences et des Techniques Léonard de Vinci (AY M⁴)**. — Vaste musée qui présente une intéressante documentation sur les réalisations scientifiques et technologiques. La **galerie Léonard de Vinci★★** expose les copies des célèbres dessins scientifiques du maître toscan. Sections réservées aux transports ferroviaires, à l'aéronautique et à la marine.

AUTRES CURIOSITÉS

★**Église Ste-Marie-des-Grâces (Santa Maria delle Grazie) (AY)**. — Édifice Renaissance bâti par les dominicains de 1465 à 1490, achevé par Bramante. A l'intérieur, restauré, on peut voir des fresques de Gaudenzio Ferrari (4ᵉ chapelle à droite), l'impressionnante **coupole★**, la tribune ainsi que le cloître, tous trois dus à Bramante. C'est de la via Caderosso (**AXY 15**) que l'on a la meilleure vue sur le **chevet★** de l'église.

« Cenacolo ». — Dans l'ancien réfectoire (Cenacolo) du couvent, la célèbre **Cène★★★** de **Léonard de Vinci**, peinte à fresque entre 1495 et 1497 à la demande de Ludovic le More, est une composition savante et dramatique sur le thème de l'Eucharistie, évoquant le moment solennel où le Christ annonce à ses apôtres : « L'un de vous me trahira. » En face, belle **Crucifixion★** (1495) de Montorfano.

★**Basilique St-Ambroise (Sant'Ambrogio) (AY)**. Fondé à la fin du 4ᵉ s. par saint Ambroise, cet édifice aux lignes pures précédé d'un très bel **atrium★** orné de chapiteaux est un magnifique exemple du style roman lombard (11ᵉ et 12ᵉ s.). Deux campaniles, du 9ᵉ s. (à droite) et du 12ᵉ s. (à gauche) encadrent la façade percée d'arcs. Au portail, refait au 18ᵉ s., vantaux de bronze datant du 9ᵉ s. La crypte, derrière le chœur, renferme les corps des saints Ambroise, Gervais et Protais. L'intérieur abrite un magnifique **ambon★** roman-byzantin du 12ᵉ s. (nef centrale, à gauche) et, au maître-autel, un précieux **devant d'autel★★** revêtu de plaques d'or, chef-d'œuvre de la période carolingienne (9ᵉ s.). Du fond de la nef gauche, on accède au portique de Bramante.

★**Église Sant'Eustorgio (BZ)**. — Cette basilique romane, élevée au 9ᵉ s., appartenait aux dominicains. Les chapelles latérales furent ajoutées au 15ᵉ s. Derrière le chœur, se trouve la **chapelle Portinari★★**, bâtie dans un style Renaissance d'une grande pureté par l'architecte florentin Michelozzo, et où architecture, peinture (fresques évoquant la vie de saint Pierre martyr par Vincenzo Foppa) et sculpture (tombeau de marbre richement sculpté, en 1339, par Giovanni di Balduccio) sont en parfaite harmonie.

Église San Satiro (CY). — A l'exception du campanile carré du 9ᵉ s. et de la façade de 1871, l'église est, comme le baptistère, l'œuvre de Bramante. L'architecte, utilisant un vocabulaire classique, a résolu le problème posé par l'exiguïté du lieu grâce à un habile décor en trompe-l'œil. La **coupole★** est également remarquable.

★**Hôpital (Ospedale Maggiore) (CDZ)**. — Fondé par Francesco Sforza en 1456 et complété au 17ᵉ s., il abrite la faculté de médecine. C'est un immense édifice composé de trois parties dont les façades à loggias sont ornées de bustes d'hommes illustres.

★**Église St-Maurice (San Maurizio ou Monastero Maggiore) (BY)**. — Église conventuelle de style Renaissance lombarde (début 16ᵉ s.) qui présente un intérieur entièrement couvert de **fresques★** de Bernardino Luini et probablement de Boltraffio (saints de la galerie). Dans les bâtiments conventuels, petit **musée d'Archéologie (BY M⁵)** : art grec, étrusque et romain ; un splendide **plat en argent★** du 4ᵉ s. en est la pièce maîtresse. En face de l'église, le **palais Litta (BY)** présente une façade du 18ᵉ s.

★**Église St-Laurent (San Lorenzo Maggiore) (BZ)**. — La basilique, fondée au 4ᵉ s. mais refaite au 12ᵉ et au 16ᵉ s., a gardé son plan octogonal d'origine. Devant la façade s'élève un **portique★** formé de seize colonnes romaines, l'un des rares vestiges de l'antique Mediolanum. L'intérieur, majestueux, de style romano-byzantin, est entouré de matronées (tribunes exclusivement réservées aux femmes), surmonté d'une vaste coupole et pourvu d'un ample déambulatoire. A droite du chœur on accède, par un atrium puis par une porte romaine du 1ᵉʳ s., à la **chapelle Sant'Aquilino★**, du 4ᵉ s., qui a conservé sa structure d'origine et des mosaïques paléo-chrétiennes.
Non loin, la **Porta Ticinese (BZ)**, vestige des fortifications du 14ᵉ s., donne accès au pittoresque quartier du Naviglio Grande où se réunissent les artistes.

EXCURSION

★**Abbaye de Chiaravalle.** — *7 km au Sud-Est. Sortir par la Porta Romana (**DZ**). Puis, voir le plan d'ensemble dans le guide Rouge Michelin Italia.* Bâtie en 1135 par saint Bernard de Clairvaux (d'où son nom de Chiaravalle), cette abbaye en briques, décorée de pierres blanches dans le style cistercien, est dominée par un élégant **clocher★** polygonal ; le porche a été ajouté au 17ᵉ s.
L'intérieur, à trois nefs, est surmonté d'une coupole ornée de fresques du 14ᵉ s. Dans le transept droit, une autre fresque représente l'Arbre des saints bénédictins. Charmant cloître.

★ **MODÈNE** Emilie-Romagne   178 985 h.

Carte Michelin nº 988 pli 14 — Plan dans le guide Rouge Michelin Italia.

Située dans la plaine fertile qui s'étend entre le Secchia et le Panaro, à la croisée de la Via Emilia et de la route du Brenner, Modène est une des principales villes de l'Emilie-Romagne, à laquelle le commerce et l'industrie (chaussures, construction ferroviaire et automobile) ont donné son importance actuelle. Pourtant Modène, siège d'un archevêché et d'une université, reste une ville paisible dont le centre, autour de la cathédrale, est orné de vastes places bordées d'arcades. C'est dans cette partie de la ville que l'on peut déguster les spécialités gastronomiques du lieu, les « zamponi », pieds de porc farcis, accompagnés du vin rouge pétillant de la région, le Lambrusco.
Connue comme colonie romaine sous le nom de Mutina, la ville, devenue indépendante, adhéra, aux 12ᵉ-13ᵉ s., à la Ligue lombarde *(voir p. 19)* avant de se donner aux Este de Ferrare, afin d'échapper à la domination de Bologne. En 1453, Borso d'Este érigea Modène en duché ; lorsqu'en 1598 les Este furent expulsés de Ferrare par le pape, ils transportèrent leur capitale à Modène qui connut alors, et ce, pendant tout le 17ᵉ s., l'époque la plus importante de son histoire.

★★**Cathédrale (Duomo).** — Dédiée à saint Geminiano, patron de la ville, c'est un des meilleurs exemples d'architecture romane d'Italie. L'architecte lombard Lanfranco y déploya sa science du rythme et des proportions ; les maîtres « campionesi » *(voir p. 103)* y mirent la dernière main. La plus grande partie de la décoration sculptée est due à Wiligelmo, sculpteur lombard du 12e s.

Le porche central repose sur des lions de marbre ; il est surmonté d'une loggia et d'une grande rose également en marbre. Les portails sont encadrés de bas-reliefs dus à Wiligelmo : de gauche à droite, Création, Vie d'Adam et Eve, Caïn et Abel.

Le flanc Sud de l'édifice est remarquable par son rythme architectural. On distingue, de gauche à droite : la porte « des Princes », surmontée de bas-reliefs sculptés par les élèves de Wiligelmo ; le porche principal, dit porte Royale, du 13e s. ; une chaire extérieure (1501), ornée des symboles des évangélistes.

Sur la face Nord, la « porte de la Pescheria » (poissonnerie) a été sculptée elle aussi par des élèves de Wiligelmo : animaux et personnages fantastiques ; Travaux des Mois sur la face intérieure des pilastres ; attaque d'une ville, à la voussure.

Le puissant campanile roman de marbre blanc, haut de 88 m, est surnommé « Ghirlandina » à cause de la guirlande de bronze de sa girouette : il a été terminé en 1310.

Entièrement en briques, l'intérieur de la cathédrale, sobre et solennel, est couvert de voûtes d'ogives. Les grandes arcades reposent sur des piles fortes en briques et des piles faibles en marbre, alternées. L'harmonieux **jubé**★★ supporté par des lions lombards a été exécuté de 1170 à 1220 par les maîtres « campionesi » : des scènes de la Passion y sont figurées.

La crypte, aux nombreuses et fines colonnes, renferme une Sainte Famille en terre cuite (1480) du Modénais Guido Mazzoni, et le tombeau de saint Geminiano.

Le chœur est entouré de stalles sculptées du 15e s., ornées de marqueteries réalistes. Dans l'abside gauche, statue de saint Geminiano (15e s.) et polyptyque du Couronnement de la Vierge (1384).

Ⓥ Le **musée de la Cathédrale** renferme les fameuses **métopes**★★ (12e s.), bas-reliefs qui jadis surmontèrent les arcs-boutants de l'édifice ; représentent des baladins ou des symboles aujourd'hui incompréhensibles, elles sont d'un modelé, d'un équilibre, et d'une stylisation quasi classiques.

Palais des Musées (Palazzo dei Musei). — Cet édifice du 18e s. renferme les deux principales collections d'art réunies par la famille d'Este.

★**Bibliothèque d'Este** (Biblioteca Estense). — *1er étage, escalier à droite.* C'est l'une des
Ⓥ plus riches d'Italie : 600 000 volumes, 15 000 manuscrits, dont les plus intéressants sont exposés. La **Bible de Borso d'Este**, avec ses 1 020 pages enluminées par des artistes ferrarais du 15e s. (parmi lesquels Taddeo Crivelli), en est la pièce maîtresse.

★★**Galerie d'Este** (Galleria Estense). — Cette belle collection de peintures rassemble des
Ⓥ œuvres du 14e s. émilien, du 15e s. vénitien (Cima da Conegliano), ferrarais (notamment le stupéfiant **Saint Antoine** de Cosmé Tura) et florentin (Lorenzo di Credi). Le 16e s. est illustré par des maîtres comme Véronèse, Tintoret, Bassano, Le Greco, Le Corrège, Le Parmesan, Dosso Dossi, ainsi que par des œuvres du peintre natif de Modène, Nicolò dell'Abate. Le 17e s. est représenté par l'école émilienne, celle des Carrache et les Caravagistes, le 18e s. essentiellement par des paysagistes vénitiens. On trouve également de nombreux tableaux des écoles étrangères. Parmi les sculptures, remarquer le puissant portrait en buste de François Ier d'Este par Le Bernin.

★**Cabinet des Médailles.** — Riche et intéressante réunion de 35 000 médailles, dont
Ⓥ quelques-unes du Véronais Pisanello.

★**Palais ducal.** — Noble et majestueux, commencé en 1634 sous François Ier d'Este, il est d'un dessin recherché ; il abrite aujourd'hui l'Académie d'infanterie et de cavalerie.

EXCURSIONS

Ⓥ**Abbaye de Nonantola.** — *11 km au Nord.* Monastère fondé au 8e s. et florissant au cours du Moyen Age. L'église abbatiale du 12e s. conserve de remarquables **sculptures romanes**★ exécutées en 1121 par l'atelier de Wiligelmo.

Carpi. — *18 km au Nord.* Gracieuse petite ville dont la **piazza dei Martiri**★ est fermée
Ⓥ par une cathédrale Renaissance élevée au 16e s. sur les plans de Peruzzi. Le **château des Pio**★, imposant édifice orné de tours, possède une cour dessinée par Bramante et abrite un petit musée. L'église de la Sagra (12e-16e s.) est dotée d'un haut campanile roman, la **Torre della Sagra.**

★★ MONT-CASSIN (Abbaye du)

(ABBAZIA DI MONTE CASSINO) Latium

Carte Michelin n° ▓▓▓ pli 27.

Cette abbaye, qu'une route en lacet offrant de remarquables vues sur la vallée permet d'atteindre, constitue l'un des monastères les plus importants de la chrétienté. Saint Benoît (mort en 547) y rédigea la règle bénédictine qui s'appuie à la fois sur l'étude intellectuelle et le travail manuel, auxquels s'ajoutent les vertus de chasteté, pauvreté et obéissance. Fondée en 529, l'abbaye connut l'apogée de sa splendeur sous l'abbé Didier au 11e s. : les moines y pratiquaient alors habilement l'art de la miniature, de la fresque et de la mosaïque, et leurs œuvres eurent une influence déterminante sur l'art clunisien. L'abbaye fut détruite à quatre reprises, notamment en 1944 lors de l'assaut des Alliés contre les Allemands qui en avaient fait leur principal point d'appui sur la route de Rome. Reconstruite sur les plans anciens, elle dresse sa masse de quadrilatère tronqué aux puissants soubassements sur le sommet arasé du mont Cassin.

★★ **L'abbaye.** — Quatre cloîtres communiquant, à la solennité étudiée, la précèdent. La façade de la basilique, dépouillée, ne laisse en rien deviner la somptuosité de l'**intérieur★★** : marbres, stucs, mosaïques et dorures y composent un ensemble étincelant, bien qu'assez froid, de style 17e-18e s. Dans le chœur, belles stalles de noyer du 17e s. et sépulcre de marbre renfermant les restes de saint Benoît.

★★ **Musée abbatial.** — Il retrace l'histoire de l'abbaye et rassemble les œuvres d'art qui ont échappé aux bombardements de 1944.

En redescendant en direction de Cassino, on peut visiter le **musée archéologique national** et la zone archéologique voisine (amphithéâtre, théâtre, tombeau d'Umidia Quadratilla).

★★ MONTECATINI TERME Toscane   21 256 h.

Carte Michelin n° 988 pli 14 — Plan dans le guide Rouge Michelin Italia.

Élégante station thermale, l'une des mieux équipées et des plus fréquentées d'Italie. On y traite les affections de l'estomac, de l'intestin, du foie, etc. La petite ville possède un intéressant musée d'Art moderne, le **Museo dell'Accademia d'Arte,** où sont rassemblées des toiles de peintres italiens, comme Fattori, Guttuso, Primo Conti, ou français, comme Fernand Léger, Dufy, etc.

Collodi. — *15 km à l'Ouest.* Ce bourg est devenu célèbre grâce à l'auteur du conte Pinocchio, Carlo Lorenzini, né à Collodi. Un **parc Pinocchio** glorifiant l'écrivain et sa marionnette s'ordonne en une sorte de labyrinthe au bord du torrent Pescia.

Château Garzoni. — Bâtie au 18e s. par le marquis Garzoni, cette demeure possède de surprenants **jardins★** en terrasses, exubérante réalisation baroque du 17e s. : perspectives, bassins, arbres taillés en silhouettes, grottes, sculptures et labyrinthes créent un curieux enchantement.

★ MONTEFALCO Ombrie   5 526 h.

Carte Michelin n° 988 pli 16.

Des remparts du 14e s. entourent cette charmante petite ville située au milieu des vignes et des oliviers. Perchée comme un faucon sur son repaire (d'où son nom mont Faucon), elle a été surnommée le « balcon de l'Ombrie ». En raison de sa position stratégique, elle fut détruite par Frédéric II, puis convoitée pendant deux siècles par les papes. Évangélisée en 390 par saint Fortunat, la ville a sa sainte, Claire, qu'il ne faut pas confondre avec la compagne de saint François d'Assise.
La « Circonvallazione » offre de remarquables vues sur le bassin du Clitumne.

Tour communale. — Du sommet (110 marches), splendide **panorama★★★** sur presque toute l'Ombrie.

Église St-François (San Francesco). — Église franciscaine transformée en musée. Les **fresques★★**, réalisées au milieu du 15e s. par Benozzo Gozzoli, sont empreintes de fraîcheur et d'un réalisme coloré. Autres fresques par Le Pérugin et Francesco Melanzio, natif de Montefalco (15e-16e s.).

Église Santa Illuminata. — Église Renaissance dont le tympan du portail et plusieurs niches de la nef sont décorés de peintures de Melanzio.

Église St-Augustin (Sant'Agostino). — *Corso G. Mameli.* Gothique, elle est ornée de fresques de l'école ombrienne des 14e, 15e, 16e s.

St-Fortunat (San Fortunato). — *1 km au Sud.* Précédée d'un petit cloître du 14e s., cette église est ornée à son tympan d'une remarquable **fresque★** de Benozzo Gozzoli représentant la Madone, saint François et saint Bernardin. A l'intérieur, à l'autel de droite, un Saint Fortunat, par le même artiste.

★ MONTE OLIVETO MAGGIORE (Abbaye de)

Toscane — *36 km au Sud-Est de Sienne.*

Les immenses bâtiments en briques roses de cette célèbre abbaye se dissimulent au milieu des cyprès, dans un paysage de collines érodées. Monte Oliveto est la maison-mère des olivétains, congrégation de l'ordre de saint Benoît fondée en 1319 par le Bienheureux Bernard Tolomei de Sienne.

Grand cloître. — Il a été décoré d'une superbe série de trente-cinq **fresques★★**, illustrant la vie de saint Benoît, par **Luca Signorelli** dès 1498, et par **Sodoma** de 1505 à 1508. Le cycle commence près de l'entrée de l'église, au grand arc où sont peints le Christ à la Colonne et le Christ portant sa croix, chefs-d'œuvre de Sodoma. La plus grande partie du cycle est l'œuvre de Sodoma, esprit davantage tourné vers l'évocation séduisante des types humains, du paysage et du détail pittoresque ; quant à Signorelli, auteur de huit fresques seulement, ses travaux se distinguent par la puissance sculpturale de ses figures et la mise en place dramatique des scènes choisies. On s'arrêtera plus spécialement à la 3e fresque où Sodoma s'est portraituré tourné vers le spectateur, ses cheveux tombant sur les épaules ; à la 19e fresque, toujours par Sodoma, qui a représenté des courtisanes envoyées pour tenter les moines ; à la 27e fresque, de Signorelli, où l'on voit saint Benoît découvrant la ruse du barbare Totila qui a changé de vêtement avec son écuyer.

Église abbatiale. — L'intérieur a été refait en style baroque au 18e s. Des **stalles★★** en marqueterie dues à Fra Giovanni da Verona (1505) entourent la nef. On visite également le réfectoire, du 15e s., la bibliothèque et la pharmacie.

★ MONTEPULCIANO Toscane

Carte Michelin n° 988 pli 15.

Bâtie sur la crête d'une colline de tuf séparant deux vallées, cette ville possède plusieurs édifices religieux et civils inspirés par la Renaissance florentine. Montepulciano, fondée au 6e s. par des habitants de Chiusi qui fuyaient les invasions barbares, a donné naissance à l'un des plus exquis poètes de la Renaissance, **Ange Politien** (1454-1494). Grand ami de Laurent le Magnifique qu'il surnommait « il Lauro » et qu'il avait sauvé de la mort lors de la conjuration des Pazzi *(voir p. 84)*, Politien est l'auteur des Stances pour le tournoi, qui décrivent une sorte de jardin des Délices hanté par de touchantes figures de femmes : l'art délicat de Politien fait penser à celui du peintre Sandro Botticelli qui fut aussi son ami.

Ville ancienne (Città antica). — Après avoir franchi la Porta al Prato, fortifiée, on pénètre dans la longue rue qui traverse Montepulciano de part en part : de nombreux et intéressants **palais**★ et églises la bordent.

★**Piazza Grande.** — Cette vaste place au plan irrégulier et aux façades de styles divers est le centre monumental de la ville. Plusieurs palais s'y élèvent. Le **palais communal**★ (Palazzo Comunale), gothique, fut remanié au 15e s. par Michelozzo ; du sommet de sa belle tour carrée, on découvre un immense **panorama**★★★ sur la ville et les environs. Le **palais Nobili-Tarugi**★, face à la cathédrale, est attribué à Antonio da Sangallo, membre d'une illustre famille d'architectes-sculpteurs, qui a réalisé à Montepulciano quelques-unes de ses œuvres les plus célèbres : il est formé d'un portique et d'un grand portail à arcs en plein cintre, six colonnes ioniques posées sur une très haute base supportant les pilastres de l'étage supérieur. Le **puits**★ qui orne la place est remarquable par son couronnement de deux lions supportant les armes des Médicis. A l'intérieur de la **cathédrale** (Duomo), des 16e-17e s., on peut voir à gauche en entrant le gisant de Bartolomeo Aragazzi, secrétaire du pape Martin V, par Michelozzo ; sur le maître-autel est exposé un monumental **retable**★ peint en 1401 par le Siennois Taddeo di Bartolo.

EXCURSIONS

★★**Madonna di San Biagio.** — *1 km. Franchir la Porta al Prato par laquelle on a pénétré dans la ville et prendre la route de Chianciano, puis tourner à droite.*
Au milieu d'un terre-plein herbeux, en à-pic sur la vallée, cette magnifique église bâtie en pierre blonde est le chef-d'œuvre d'**Antonio da Sangallo.** L'église fut inaugurée en 1529 par le pape Clément VII Médicis. L'harmonie des lignes architecturales, variées en dépit de leur classicisme, les reliefs de la façade créant des jeux d'ombres et de lumière, procurent au visiteur un sentiment de grande plénitude. L'édifice en forme de croix grecque est surmonté d'une coupole ; le bras Sud est prolongé par une sacristie semi-circulaire. Deux campaniles flanquent la façade principale : l'un est inachevé, l'autre comporte les trois ordres (dorique, ionique, corinthien). L'intérieur offre la même sensation de majesté et de noblesse. A gauche de l'entrée, noter une Annonciation peinte au 14e s. ; imposant maître-autel en marbre (15e s.).

Face à l'église, la « Canonica », réservée aux moines, est un élégant palais à portique.

★★**Chianciano Terme.** — *10 km au Sud-Est.* Élégante station thermale, agréablement située. Ses eaux aux vertus curatives (affections hépatiques et biliaires) étaient déjà connues des Étrusques et des Romains. Beaux parcs ombragés.

★ MONTE SANT'ANGELO Pouille

Carte Michelin n° 988 pli 28 — Schéma p. 94.

Monte Sant'Angelo, bâti sur un éperon de 803 m et dominé par la masse de son château, occupe un **site étonnant**★★, surplombant à la fois le promontoire du Gargano et la mer. C'est dans une grotte voisine qu'entre 490 et 493 l'archange saint Michel, chef des milices célestes, apparut à trois reprises à l'évêque de Siponto. Cet événement s'étant répété au 8e s., on décida la fondation de l'abbaye où, durant le Moyen Age, tous les croisés vinrent prier l'archange avant de s'embarquer à Manfredonia. Une fête accompagnée d'une procession de l'épée de saint Michel a lieu chaque année le 29 septembre.

★**Sanctuaire de St-Michel (Santuario di San Michele).** — Construit en style de transition roman-gothique, il est flanqué d'un campanile octogonal, isolé, remontant à la fin du 13e s. La très belle **porte de bronze**★, richement ouvragée, est un travail byzantin datant de 1076 ; elle donne accès à la fois à la nef couverte d'ogives et à la grotte où saint Michel fit son apparition. Statue du saint, en marbre, par Andrea Sansovino (16e s.) et trône épiscopal du 11e s., d'un style courant dans la région de la Pouille.

★**Tombe de Rotharis (Tomba di Rotari).** — *Descendre l'escalier face au campanile.* La tombe est à gauche de l'abside de l'ancienne église St-Pierre. Son entrée est surmontée de scènes de la vie du Christ. A l'intérieur, un carré, un octogone, un tronçon conique se superposent pour recevoir la coupole. L'édifice abritait, dit-on, les restes de Rotharis, roi des Lombards au 7e s., mais il s'agirait en fait plutôt d'un baptistère du 12e s.

MONZA Lombardie

Cartes Michelin n° 988 pli 3 et n° 219 pli 19.

A la lisière de la Brianza, région de collines verdoyantes, parsemée de lacs, de bourgs riants et de villas entourées de jardins, Monza est une cité industrielle (textiles, principalement) qui ne manque pas d'attrait.

★**Cathédrale (Duomo).** — Bâtie au cours des 13e et 14e s., elle présente une élégante **façade**★★, composée d'assises alternées de marbres vert et blanc, remarquable par l'harmonie de ses proportions et la variété de ses ouvertures : elle est due au dessin de Matteo da Campione (1390-1396), architecte et sculpteur, l'un de ces fameux « maestri campionesi » qui divulguèrent le style lombard *(voir p. 27)* en Italie. A l'**intérieur**★, refait au 17e s., splendide **devant d'autel**★ en argent doré (14e s.). La chapelle de la reine Théodolinde *(à gauche)* est revêtue de belles **fresques**★ du 15e s. qui évoquent sa vie. On peut également admirer la célèbre **couronne de fer**★★ (5e-9e s.) des rois lombards, offerte à la reine par le pape Grégoire le Grand et dont l'original se trouve dans le **trésor**★ qui abrite aussi de nombreuses pièces d'orfèvrerie du 6e au 9e s., des reliquaires du 17e s. et des tapisseries du 16e s.

★★**Parc de la Villa royale (Villa Reale).** — Derrière le grandiose édifice néo-classique qui fut la résidence d'Eugène de Beauharnais, puis celle d'Umberto Ier, assassiné à Monza par un anarchiste, s'étend un vaste parc à l'anglaise. Dans la partie Nord de celui-ci plusieurs terrains de sport ont été aménagés, notamment le célèbre circuit automobile où se court chaque année le Grand Prix de Monza pour formule I.

★★★ NAPLES (NAPOLI) Campanie

Carte Michelin n° 988 pli 27 — Schéma p. 131 — Plan p. 124-125 — Plans d'ensemble dans le guide Rouge Michelin Italia.

La beauté de Naples et les étonnements qu'elle procure ont été chantés par une foule de voyageurs. Son golfe, dominé par le Vésuve et fermé par le Pausilippe, les Iles, la presqu'île de Sorrente, est l'un des plus beaux du monde. Un climat privilégié, le mélange de fantaisie et de gravité, de vivacité et de fatalisme de son peuple qui fait de cette ville « le théâtre permanent de l'Italie » ont aussi contribué à sa célébrité. Pourtant, les quartiers industriels à l'Est de l'agglomération, les ruelles encombrées de détritus, le délabrement des édifices endommagés par le violent tremblement de terre de 1980, la circulation intense qui, à certaines heures devient asphyxiante, la brume légère qui souvent voile les paysages, risquent au premier abord de décevoir les touristes, imprégnés du mythe de Naples offrant un pittoresque facile, épanouie, sous un ciel toujours bleu, dans un site où tout ne serait qu'harmonie.

Visite. — Si la découverte de cette ville représente une conquête parfois difficile, elle n'en reste pas moins riche en émerveillements. Il est toutefois conseillé aux touristes, notamment dans les vieux quartiers comme celui de Spacca Napoli, d'éviter tout ce qui, dans leur tenue vestimentaire ou dans leur comportement, pourrait trop fortement attirer l'attention, de renoncer aux déambulations nocturnes, de ne rien laisser dans la voiture, de rester toujours vigilants.

UN PEU D'HISTOIRE

D'après la légende, la sirène Parthénope donna son nom à la ville qui s'était développée autour de son tombeau ; c'est pourquoi on désigne encore parfois Naples par les termes de cité parthénopéenne. En réalité, la ville naquit d'une colonie grecque, nommée Neapolis, conquise par les Romains durant le 4e s. avant J.-C. Les riches habitants de Rome venaient y passer l'hiver, tels Virgile, Auguste, Tibère, Néron. Mais les Napolitains restèrent fidèles à la langue et aux coutumes grecques jusqu'à la fin de l'Empire.

Depuis le 12e s., sept familles princières ont régné sur Naples. Les Normands, les Souabes, les Angevins, les Aragonais, les Espagnols et les Bourbon s'y succédèrent ; la Révolution de 1789 amena les troupes françaises et en 1799 une **« république parthénopéenne »**, puis des rois français (1806-1815), Joseph Bonaparte et Joachim Murat, promoteurs d'excellentes réformes. De 1815 à 1860, les Bourbon revenus se maintinrent malgré les révoltes de 1820 et de 1848.

L'ART A NAPLES

Un roi mécène. — Sous les princes de la maison d'Anjou, Naples se couvre d'édifices religieux qui empruntent leur caractère gothique à l'architecture française. Le roi **Robert le Sage** (1309-1343) attire à sa cour poètes, savants et artistes de différentes régions d'Italie : Boccace passe une partie de sa jeunesse à Naples où il s'éprend de « Fiammetta », en qui on a voulu voir la propre fille du roi ; son ami Pétrarque y séjourne également. Dès 1324, le roi Robert fait appel au sculpteur siennois Tino di Camaino qui orne les églises de tombeaux monumentaux. Le peintre romain Pietro Cavallini, ainsi que, un peu plus tard, Giotto (dont les œuvres ont aujourd'hui disparu) et Simone Martini travaillent à Naples, ornant notamment plusieurs églises de fresques.

L'école napolitaine de peinture (17e s. - début 18e s.). — La venue à Naples, vers 1606, du grand rénovateur de la peinture italienne Michelangelo Merisi, dit **Le Caravage** (1573-1610), va permettre le développement d'une école locale dont les représentants s'inspirent de la manière ample et dramatique du maître : les principaux protagonistes de ce mouvement restent Artemisia Gentileschi, l'Espagnol José de Ribera, le Calabrais Mattia Preti, et Salvatore Rosa. Très à l'écart des Caravagesques, **Luca Giordano** (1632-1705) est un virtuose de la décoration qui couvre les plafonds de compositions fougueuses et claires, à rapprocher des réalisations du baroque romain. Un peu plus tard, Francesco Solimena perpétuera sa manière.

(Photo Lauros - Giraudon)

Les vaisseaux de Ferdinand d'Aragon devant Naples (15e s.).

Des créations originales. — De nombreux architectes dotèrent Naples et ses environs de beaux édifices de style baroque. Si, parmi eux, **Ferdinando Sanfelice** (1675-1748) fit preuve d'une vive invention de scénographe dans la construction d'escaliers qui, édifiés au fond des cours, constituent le principal ornement des palais, c'est **Luigi Vanvitelli** (1700-1773) qui demeure à Naples le grand architecte du 18e s. : Charles III de Bourbon lui confia notamment les plans de Caserta *(p. 67)* dont il souhaitait faire son Versailles.

Dans un domaine plus populaire, de merveilleuses **crèches de Noël** (presepi) furent créées à Naples dès le 17e s.

Musique et théâtre. — Les Napolitains ont toujours manifesté un goût particulier pour la musique, que ce soit pour l'**opéra** où l'on accorde une grande importance à la virtuosité du chanteur, ou pour la **chanson populaire,** tantôt joyeuse, tantôt mélancolique, qui se pratique sur accompagnement de guitare ou de mandoline. Dans le domaine de la Commedia dell'Arte *(voir p. 53),* Naples a créé la figure de Scaramouche.

Fastes religieux. — Les fêtes religieuses à Naples sont somptueuses. Celles de la Madone de Piedigrotta, de Santa Maria del Carmine et surtout celles du Miracle de saint Janvier *(voir p. 128)* sont les plus connues ; au moment de Noël et de l'Épiphanie, de magnifiques crèches sont installées dans les églises. *Voir le chapitre Principales manifestations touristiques, en fin de volume.*

DANS LES RUES DE NAPLES

Petits de taille, bruns, avec un profil tirant sur le « grec », les Napolitains s'expriment dans un dialecte très imagé aux intonations chantantes ; dotés d'une vive imagination, extériorisant volontiers leurs sentiments, ils craignent le mauvais sort, la « Jettatura » ; les fêtes religieuses sont nombreuses et très suivies, et les manifestations sportives, notamment les matchs de football, deviennent rapidement prétexte à des débordements de toutes sortes.

De nombreux romans, de nombreux films ont décrit les modes d'exister et de sentir si particuliers des Napolitains. Dans la rue, les scènes populaires qui enchantaient naguère les étrangers ont pratiquement disparu. La circulation qui paralyse à heures fixes les artères de la ville donne lieu à un spectacle hallucinant, les voitures formant un carrousel frénétique et assourdissant au milieu duquel le génie de l'improvisation, l'audace et la virtuosité des conducteurs pallient providentiellement leur manque de penchant pour la discipline.

Les quartiers. — Très animé, le port qui, de toute l'Italie, voit transiter le plus de voyageurs, n'occupe que le 2e rang après Gênes pour le trafic des marchandises. Le centre de la vie publique est situé autour de la **piazza del Plebiscito** *(p. 124)* et de la **Galleria** Umberto I° (**JKZ**). Les quartiers populaires serrent leurs rues pavoisées de linge à Spacca Napoli *(p. 126)* et dans la zone qui s'étend à l'Ouest de la via Toledo (**KY**). A l'Ouest de la ville, les hauteurs du **Vomero** et du **Pausilippe** *(p. 129)* étagent, face à la mer, leurs immeubles résidentiels.

La cuisine. — On peut généralement être servi à toute heure du jour et tard dans la nuit, dans les restaurants et les « trattorias ». Les « pizzerias » ne fonctionnent, pour la plupart, qu'en soirée. On y savoure la « mozzarella » (fromage au lait de bufflonne) servie en entrée avec jambon ou tomates ou encore « in carrozza » (sorte de croque-monsieur), les spaghetti « al dente » c'est-à-dire peu cuits, assaisonnés de tomates fraîches ou agrémentés de moules ou autres coquillages (« alle vongole »). Les vins régionaux sont des vins de volcan, à la saveur un peu soufrée : Capri rouge et blanc, Ischia blanc, Gragnano rouge, et le liquoreux Lacryma Christi (Vésuve).

ROMA ↑ CAPODIMONTE CATACOMBE S. GENNARO

★★ LE CENTRE MONUMENTAL *visite : 2 h 1/2*

★★ **Château Neuf (Castel Nuovo) (KZ).** — Imposant et entouré de profonds fossés, il fut construit en 1282 par les architectes de Charles Ier d'Anjou, Pierre de Chaulnes et Pierre d'Agincourt, sur le modèle du château d'Angers. Un remarquable **arc triomphal** ★★ embellit son entrée côté ville. Celui-ci, exécuté sur les plans de Francesco Laurana en 1467, est orné de sculptures à la gloire de la Maison d'Aragon. Au fond de la cour intérieure, élégant portail Renaissance surmonté d'une Vierge de Laurana (1474).

★ **Théâtre St-Charles (Teatro San Carlo) (KZ T).** — Édifié sous Charles de Bourbon en ⓥ 1737, reconstruit en 1816 dans un style néo-classique, il occupe aujourd'hui encore une place importante dans la vie musicale italienne. Son intérieur, fastueux, à six étages de loges, a été réalisé entièrement en bois et en stuc pour favoriser la perfection de l'acoustique.

★ **Piazza del Plebiscito (JKZ).** — Aménagée sous le règne de Murat, cette place en hémicycle, d'un noble aspect, est close d'un côté par le palais royal, de l'autre par la façade néo-classique de **St-François de Paule** (San Francesco di Paola) construite sur le modèle du Panthéon de Rome et prolongée par une colonnade curviligne. Au centre de la place, s'élèvent les statues équestres de Ferdinand de Bourbon par Canova et de Charles III de Bourbon.

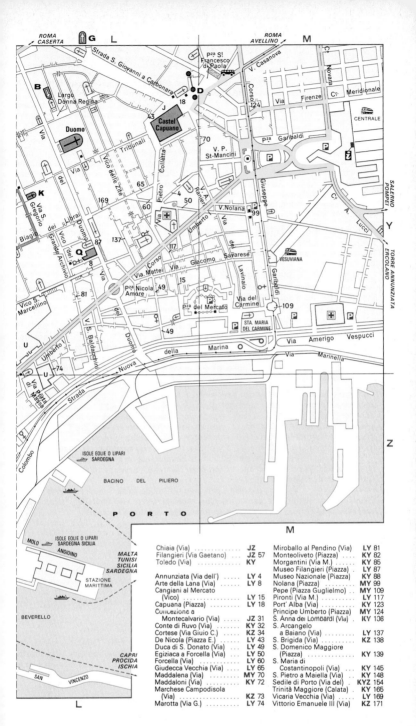

★ **Palais royal (Palazzo Reale)** (KZ). — Bâti au début du 17e s. par l'architecte Domenico Fontana, il a été plusieurs fois remanié, mais sa façade présente à peu de choses près son aspect d'origine. Les niches abritent, depuis la fin du 19e s., les huit statues des souverains les plus importants qui régnèrent sur Naples.

Un immense escalier à double rampe et surmonté d'une voûte à caissons donne accès aux appartements et à la **chapelle royale** somptueusement décorée. En pénétrant dans les appartements, qui ne furent habités par les rois qu'à partir de 1734, on voit tout d'abord, à droite, la salle de théâtre ; les pièces, à la riche décoration, conservent de nombreuses œuvres d'art, tapisseries, peintures, meubles et porcelaines.

★★ **Port de Santa Lucia.** — *Voir plan dans le guide Rouge Michelin Italia.* Une des plus célèbres chansons du répertoire napolitain a immortalisé ce minuscule port, blotti entre un îlot rocheux et la jetée qui le relie à la rive. Le **château de l'Oeuf** (Castel dell'Ovo), qui doit son nom à une légende selon laquelle Virgile aurait caché dans ses murs un œuf magique dont la destruction entraînerait celle de tout l'édifice, est une sévère construction d'origine normande, refaite en 1274 par les Angevins.

De la jetée, on jouit d'une **vue**★★ admirable sur le Vésuve d'une part, sur la partie occidentale du golfe d'autre part. Si, à la nuit tombée, on s'avance un peu en direction de la piazza Vittoria, la **vue**★★★ sur le Vomero et le Pausilippe brillant de tous leurs immeubles étagés devient féérique.

★★LE VIEUX NAPLES (SPACCA NAPOLI) (KLY) visite : 2 h 1/2 à pied

Suivant le tracé de l'ancien Decumanus romain, l'axe formé par les rues B. Croce et S. Biagio dei Librai, surnommé Spacca Napoli (de spaccare : couper en deux), a donné son nom à ce quartier, l'un des plus caractéristiques de la ville, avec ses multiples églises, ses palais déchus, ses petits métiers et ses ruelles où fourmille une population pleine de vie.

★ **Église Ste-Claire (Santa Chiara) (KY C)**. — Sancia de Majorque, la pieuse épouse de Robert le Sage, fit édifier cette église de clarisses en style gothique provençal. L'intérieur est sobre et élancé. Dans le chœur, se trouvent plusieurs mausolées de la dynastie angevine : derrière l'autel, le **tombeau★★** de Robert le Sage fut exécuté par des artistes florentins en 1345 ; le **sépulcre★** de Marie de Valois, contre le mur à droite, est dû à Tino di Camaino et ses élèves.

Ⓥ Derrière l'église, se trouve un **cloître★** transformé au 18e s. par Vaccaro en un original jardin orné de faïences de Capodimonte *(page ci-contre)*.

Église St-Dominique (San Domenico Maggiore) (KY L). — Son abside donne sur une place ornée d'une « guglia », petit monument votif baroque. A l'intérieur, se mêlent éléments gothiques (**cariatides★** de Tino di Camaino supportant un cierge pascal) et baroques (autel). La sacristie (18e s.), tapissée de boiseries, abrite les cercueils de personnages de la cour d'Aragon.

Non loin de l'église St-Dominique, la charmante piazzetta Nilo doit son nom à l'antique statue de ce fleuve qui s'y élève.

Un peu plus loin, sur la via S. Biagio dei Librai, donne la pittoresque via S. Gregorio.

Ⓥ **Chapelle (Cappella) San Severo (KY V)**. — Édifiée au 16e s., elle surprend par son intérieur aménagé au 18e s. dans un style baroque exubérant. On y admire d'étonnantes **sculptures★** de marbre : de part et d'autre du chœur, la Pudeur et le Désespoir (« Il Disinganno ») représenté par un homme cherchant à se dégager d'un filet, mais surtout, au centre, un Christ gisant couvert d'un voile transparent, œuvre de G. Sammartino.

Église St-Laurent (San Lorenzo Maggiore) (LY K). — De plan en croix latine, spacieuse et claire, elle possède une belle nef gothique (début du 14e s.) bordée de chapelles. Une rénovation lui a rendu son aspect dépouillé d'origine, à l'exception du mur intérieur de façade qui a gardé des adjonctions baroques. Un **arc★**, d'un tracé magnifique, surmonte la croisée du transept. A droite du chœur, remarquable **tombeau★**, revêtu de mosaïques de Catherine d'Autriche, belle-fille du roi Robert le Sage. L'**abside★** polygonale (fin 13e s.), œuvre de Thibaud de Saumur, est un témoignage de l'architecture française en Italie méridionale ; son déambulatoire s'ouvre par d'élégantes arcades surmontées de baies géminées.

La via Tribunali (**KY**), dans laquelle s'élève, au n° 362, le **palais Spinelli di Laurino (A)** à la curieuse cour elliptique agrémentée d'un escalier réalisé par Sanfelice, conduit à la **piazza Dante (KY)** dont les bâtiments en hémicycle sont dus à Vanvitelli.

★★★MUSÉE ARCHÉOLOGIQUE NATIONAL
Ⓥ **(MUSEO ARCHEOLOGICO NAZIONALE) (KY)** *visite : 2 h*

Il occupe des bâtiments construits au 16e s. pour abriter la cavalerie royale, et qui furent, de 1610 à 1777, le siège de l'université. Ses collections, essentiellement constituées par les œuvres d'art ayant appartenu aux Farnèse et par le matériel retrouvé à Herculanum et à Pompéi, en font l'un des plus riches musées du monde pour la connaissance de l'Antiquité grecque et romaine.

★★★**Sculptures gréco-romaines**. — Elles occupent le rez-de-chaussée.

Galerie des Tyrannicides. — *A droite en entrant*. Cette salle regroupe, parmi de nombreuses œuvres archaïques, l'**Aphrodite Sosandra** (magnifique réplique d'un bronze grec du 5e s. avant J.-C.) à l'expression hautaine et au drapé d'une rare élégance, et le célèbre groupe des **Tyrannicides** Harmodios et Aristogiton qui, au 6e s. avant J.-C., libérèrent Athènes de la tyrannie d'Hipparque (copie en marbre d'un bronze grec).

Galerie des Grands Maîtres. — *Parallèle à la précédente, côté façade*. On y voit (salle II) la majestueuse Pallas Farnèse (Athéna), et un émouvant bas-relief évoquant les adieux d'Orphée à Eurydice, réplique d'une œuvre du 5e s. avant J.-C. ; dans la salle III, se trouve une copie du fameux **Doryphore** de Polyclète (5e s. avant J.-C.).

Galerie du Taureau Farnèse. — Elle tient son nom du colossal groupe (salle VI) dit du **Taureau Farnèse**, évoquant le supplice de Dircé, taillé dans un seul bloc de marbre et restauré par Michel-Ange.

Au centre de la petite salle X, se dresse la célèbre **Vénus Callipyge**, copie romaine d'une œuvre grecque. La salle XII renferme l'**Aphrodite de Sinuessa**, original grec d'un art délicat, ainsi que l'**Hercule Farnèse**, copie grecque d'un original de Lysippe qui fut beaucoup admiré par les artistes de la Renaissance. On admire encore, salle XIV, la **Psyché de Capoue** au visage d'une intense spiritualité.

Galerie des Marbres de couleur. — La vedette de cette salle est l'**Artémis d'Éphèse** (2e s.), en albâtre et en bronze, représentation de l'idole vénérée dans le célèbre temple de la mer Égée ; parfois assimilée, dans la tradition orientale, à une déesse de la nature, elle a la poitrine couverte de mamelles, symboles de son caractère nourricier.

Grand Hall. — On remarque, au 2e pilier de droite de la travée centrale, la statue de la prêtresse Eumachie retrouvée à Pompéi (belle étude du visage et du drapé de la tunique).

Galerie des Portraits grecs *(au fond du hall à gauche)* **et galerie des Empereurs** *(perpendiculaire à la précédente)*. — Elles permettent d'admirer les bustes de Socrate, Homère, Euripide, et d'excellents portraits d'empereurs romains.

★★Mosaïques. — *Entresol à gauche.* Provenant pour la plupart de Pompéi, elles offrent une grande variété de styles et de sujets : on remarquera avant tout les deux petites scènes réalistes (Consultation chez la magicienne et Musiciens ambulants) signées Dioscourides de Samos (salle LIX), ainsi que la fameuse **Bataille d'Alexandre** (salle LXI), provenant de la maison du Faune à Pompéi et qui illustre, avec un sens admirable du mouvement, la victoire du roi de Macédoine sur Darius.

★★★Salles de la villa des Pison. — *1er étage à droite.* On suppose que cette villa, découverte à Herculanum au 18ᵉ s., puis réensevelie, appartenait à L. Calpurnius Pison, beau-père de Jules César. Son propriétaire avait fait de cette demeure un véritable musée. Les documents et les magnifiques œuvres d'art de ses collections sont d'un intérêt inestimable.

La salle des Papiri (CXIV) renferme des photographies de quelques-uns des 800 papyrus qui formaient la bibliothèque. La salle CXVI rassemble les **statues en bronze** qui ornaient le péristyle de la villa : on reconnaît le **Silène ivre,** tout à son allégresse, et un jeune **Satyre endormi** au visage admirable dans l'abandon du sommeil ; les deux **Athlètes,** saisissants de vie, sont inspirés de Lysippe (4ᵉ s. avant J.-C.) ; les fameuses **« Danseuses » d'Herculanum** sont probablement des porteuses d'eau ; le célèbre **Hermès au repos,** au corps élancé et vigoureux, reflète l'idéal de Lysippe. Dans la salle CXVII, outre le **portrait** dit à tort **« de Sénèque »,** l'un des plus remarquables de l'Antiquité par sa puissance d'expression, on note une « Tête idéale », identifiée à Artémis, et la majestueuse Athéna Promachos (1ᵉʳ s. avant J.-C.).

★★Petits bronzes, peintures, arts mineurs. — *1er étage à gauche.* Les salles XC à XCV présentent des objets provenant pour la plupart des fouilles de Pompéi et d'Herculanum, notamment une remarquable collection de **petits bronzes,** des vases, des plats, lampes, instruments de musique, de chirurgie, appareils de chauffage, ustensiles de cuisine. De nombreuses **peintures murales** détachées des murs des villas romaines sont rassemblées dans les salles LXVIII à LXXV : leur diversité de styles, leur variété de couleurs et de thèmes attestent la richesse de l'art décoratif à Rome *(sur la peinture dite « Pompéienne », voir p. 151).*

★★CHARTREUSE DE ST-MARTIN **(CERTOSA DI SAN MARTINO)** (JZ)

⊙ *visite : 1 h*

Cet immense couvent de chartreux est admirablement situé sur une avancée de la colline du Vomero. Le **Castel Sant'Elmo,** fort massif à bastions, refait au 16ᵉ s. par les Espagnols et longtemps utilisé comme prison, le domine à l'Ouest. La chartreuse, fondée par la dynastie d'Anjou, fut à peu près totalement remaniée aux 16ᵉ et 17ᵉ s. On visite aujourd'hui la partie monumentale et le musée des collections historiques qui s'ordonne autour du cloître des Procurateurs.

Église. — Son **intérieur★★** est d'un baroque fastueux : le chœur possède une somptueuse table de communion par Sammartino et abrite plusieurs toiles de Guido Reni et Caracciolo. La sacristie est entièrement marquetée. Dans la chapelle du Trésor, peintures de Ribera et Luca Giordano.

Grand cloître. — C'est une harmonieuse construction due à l'architecte sculpteur Fanzago.

★Musée. — La section des fêtes et des costumes contient une exceptionnelle collection de figurines et de **crèches★★** (presepi) napolitaines. Les salles consacrées aux souvenirs de Naples retracent l'histoire de la ville à partir du règne des Bourbon (1734) jusqu'à l'arrivée de Garibaldi en 1860. De la salle 25, on jouit d'une magnifique **vue★★★** sur Naples et son golfe. En outre, une **pinacothèque** conserve des œuvres des 15ᵉ au 19ᵉ s. On peut également admirer une riche section de **sculptures** (œuvres de Tino di Camaino).

★★PALAIS ET GALERIE NATIONALE DE CAPODIMONTE **(PALAZZO E GALLERIA NAZIONALE DI CAPODIMONTE)**

⊙ *visite : 1 h 1/2*

Au Nord de la ville : accès par la via S. Teresa degli Scalzi (JKY).

Cet ancien **domaine royal★** s'étend sur les hauteurs de la ville : il est formé du palais, massif et austère, bâti entre 1738 et 1838, et d'un grand parc où subsistent notamment les restes d'une fabrique de porcelaines qui fut célèbre au 18ᵉ s. Le palais abrite une pinacothèque et les appartements royaux.

★★Pinacothèque. — *2e étage.* Les collections, agréablement présentées, regroupent de nombreuses peintures des écoles italiennes et étrangères. Parmi les Primitifs, on remarque le **Saint Louis de Toulouse** de Simone Martini, joyau de l'école siennoise (salle 4), plusieurs œuvres dont une Madone de Taddeo Gaddi, et d'autres de Masolino (salle 5), ainsi que la dramatique **Crucifixion** de Masaccio (salle 6). La Renaissance est illustrée par des toiles de Botticelli, Filippino Lippi et Raphaël (salle 7), de L. Lotto, Vivarini, Mantegna, et surtout par l'admirable **Transfiguration** de Giovanni Bellini (salle 8) dans laquelle l'équilibre du paysage, l'harmonie des tons et l'exaltation de la lumière, participent au caractère religieux du sujet.

L'école napolitaine est représentée par le Lion soigné par saint Jérôme, de Colantonio (15ᵉ s.), inspiré par la manière flamande (salle 10).

Dans les salles consacrées au maniérisme, on admire un élégant Portrait de jeune homme par Rosso Fiorentino (salle 15), des œuvres du Corrège (salle 17) — notamment une tendre et délicate Vierge bohémienne dite **« La Zingarella »** — et des portraits de Parmigianino, dont l'**Antea** au somptueux vêtement. La salle 18 contient de beaux Greco, et la salle 19 une exceptionnelle série de **peintures de Titien** parmi lesquelles se détachent la Danaé aux éblouissants effets chromatiques et le Portrait de Paul III Farnèse avec ses neveux *(illustration p. 21),* d'une prodigieuse subtilité d'expression. La salle 20 regroupe des œuvres des écoles nordiques : Joos Van Cleve, et surtout

127

Breughel le Vieux avec sa célèbre **Parabole des Aveugles** (1568). Plus loin, on admire des compositions des Carrache (salle 25) qui ouvrirent la voie à l'art baroque et de Guido Reni (salle 27), mais surtout une remarquable **Flagellation** du Caravage (salle 29) dont les disciples, Andrea Vaccaro, Ribera, Artemisia Gentileschi et Stanzione sont présents dans les salles suivantes.

Consacrées à l'école napolitaine, les dernières salles réunissent entre autres des œuvres de Salvatore Rosa, Bernardo Cavallino, Mattia Preti, Luca Giordano, Giuseppe Recco, Paolo Porpora...

Appartements royaux. — *1er étage.* Ils présentent un beau mobilier. Dans les salles 67 à 71 est aménagé le musée de porcelaine. Le **salon de porcelaine★★**, exécuté dans le style chinois au 18e s. à Capodimonte pour la résidence royale de Portici, a été reconstitué dans la salle 94.

AUTRES CURIOSITÉS

★**Mergellina.** — *Voir le plan d'ensemble de Naples dans le guide Rouge Michelin Italia.* Au pied de la colline du Pausilippe, Mergellina, avec son petit port Sannazzaro, est l'un des rares endroits de Naples où l'on puisse flâner. On y jouit d'une **vue★★** splendide sur la baie : la colline du Vomero que couronne le Castel Sant'Elmo s'abaisse doucement jusqu'à la pointe de Santa Lucia prolongée par le château de l'Oeuf ; au fond, le Vésuve.

★**Villa Floridiana.** — *A l'Ouest de la ville. Voir plan dans le guide Rouge Michelin Italia.* Agréablement située sur le rebord du Vomero, c'est une élégante « Palazzina » de style néo-classique qui abrite le **musée national de Céramique Duca di Martina★** consacré aux émaux, ivoires, faïences et surtout aux porcelaines. De beaux jardins l'entourent ; de la terrasse, en contrebas du musée, belle **vue★**.

★**Catacombes de St-Janvier (Catacombe San Gennaro).** — *Au Nord de la ville. Voir plan d'ensemble dans le guide Rouge Michelin Italia.* Liées depuis le 5e s. au nom de saint Janvier dont le corps martyrisé à Pouzzoles fut transporté ici, ces catacombes sont formées de vastes galeries sur deux niveaux, contenant d'intéressants restes de peintures paléochrétiennes.

★**Église Santa Maria Donnaregina** (LY B). — C'est une petite église gothique (14e s.) d'inspiration française, à laquelle on accède par une église baroque portant le même nom, après avoir traversé un cloître orné de faïences du 18e s. Elle conserve le **tombeau★**, par Tino di Camaino, de la reine Marie de Hongrie, veuve de Charles II d'Anjou, qui fonda l'édifice. Les murs du chœur des moniales ont été couverts de **fresques★** au 14e s.

★**Église St-Jean (San Giovanni Carbonara)** (LY G). — Un élégant escalier du 18e s. mène au portail gothique de cette église fondée au 14e s. A l'intérieur, se trouve le tombeau de Ladislas d'Anjou (15e s.) ; les chapelles Carracciolo del Sole *(derrière le chœur)* et Carracciolo del Vico *(à gauche de celui-ci)* sont riches en œuvres d'art.

★**Porte de Capoue (Porta Capuana)** (LMY D). — Porte fortifiée, construite en 1484 sur un dessin de Giuliano da Maiano. Tout proche, le **Castel Capuano** (LY) est l'ancienne résidence des princes normands et des Hohenstaufen.

Cathédrale (Duomo) (LY). — Construite au 14e s., elle fut plusieurs fois remaniée par la suite. Particulièrement vénérée par le peuple, la **chapelle St-Janvier (San Gennaro)**, d'un style baroque très riche, est précédée par une belle grille de bronze du 17e s. : on y conserve derrière l'autel les deux ampoules contenant le sang du saint, qui doit se liquéfier deux fois l'an, sous peine de terribles calamités pour la ville (cette fête, dite du **Miracle de saint Janvier** a lieu le 1er dimanche de mai et le 19 septembre) ; à la coupole, fresque mouvementée de Lanfranco. Au milieu de la nef gauche, une porte donne accès à la **basilique Ste-Restitute** (Santa Restituta), cathédrale primitive du 4e s., transformée à l'époque gothique puis au 17e s. : au fond de sa nef le baptistère, du 5e s., a gardé une belle structure et des restes de mosaïques de cette époque.

★**Palais Cuomo (Palazzo Cuomo)** (LY Q). — Ce majestueux palais de la fin du 15e s., dont la façade à bossages évoque la Renaissance florentine, abrite le **musée municipal Filangieri :** collections d'armes, de céramiques et de porcelaines, meubles ; peintures de Ribera, Carracciolo, Mattia Preti, etc.

Église Ste-Anne-des-Lombards (Sant'Anna dei Lombardi) (KYZ R). — C'est un édifice Renaissance riche en **sculptures★** florentines de cette époque. Elle abrite notamment le tombeau de Marie d'Aragon *(1re chapelle à gauche),* œuvre d'Antonio Rossellino, et une Annonciation *(1re chapelle à droite)* par Benedetto da Maiano. On voit encore, dans l'oratoire à droite du chœur, une Déposition de croix en terre cuite exécutée à la fin du 15e s. par Guido Mazzoni, exemple d'un genre réaliste et théâtral appelé à connaître un vif succès en Italie méridionale. L'ancienne sacristie possède de belles stalles dues à Fra Giovanni da Verona (1457-1525).

Villa Comunale. — *Voir plan dans le guide Rouge Michelin Italia.* Créés par Vanvitelli en 1780, ces jardins longent le bord de mer sur près d'un kilomètre et demi. C'est une promenade fréquentée des Napolitains, en fin de journée surtout. Au centre, se trouve l'aquarium.

Aquarium (Acquario). — Il présente un choix intéressant d'espèces sous-marines vivant dans le golfe de Naples.

*Les **guides Rouges**, les **guides Verts** et les **cartes Michelin** composent un tout.*
Ils vont bien ensemble, ne les séparez pas.

Carte Michelin n° ▨▨▨ pli 27.

La région qui s'étend de Cumes à Sorrente le long du golfe de Naples est, de toutes celles d'Italie, à la fois l'une des plus riches en beautés naturelles et l'une des plus chargées d'histoire. On y trouve confrontés, avec une brusquerie de contrastes peu commune, des lieux d'une solitude extrême, favorables à la méditation (ainsi les champs de ruines, les pentes dénudées du Vésuve, la grotte de la Sibylle ou le lac d'Averne) et, à quelques mètres de là, l'explosion de la vie, affirmée par le bruit, une circulation intense et l'exubérance d'une population qui peut-être exorcise ainsi la menace des tremblements de terre et des éruptions du volcan voisin. La légendaire beauté du golfe est aujourd'hui quelque peu gâtée par le développement industriel qui a gagné sans souci d'ordre les environs de Naples. Toutefois, ses îles, ses caps, ses sommets n'en constituent pas moins encore autant de promenades inoubliables.

Visite. — Suivre les itinéraires indiqués sur le schéma des pages 130-131.

★★① DE NAPLES A CUMES
Les Champs Phlégréens (CAMPI FLEGREI)
45 km — environ 6 h

S'incurvant le long du golfe de Pouzzoles, cette région fut appelée par les Anciens « Champs Phlégréens » en raison de son caractère volcanique (« phlégréen » vient d'un verbe grec signifiant « brûler »). Du sol et de la mer jaillissent des sources thermales, des fumerolles, des gaz et des vapeurs sulfureuses qui témoignent d'une vive activité souterraine ; plusieurs lacs occupent d'anciens cratères. Enfin, des phénomènes de **bradisisme**, lentes variations du niveau du sol, s'y observent.

★★★ **Naples (Napoli).** — Page 122.

★ **Le Pausilippe (Posillipo).** — C'est le nom de la célèbre colline qui, se terminant en promontoire, sépare le golfe de Naples de celui de Pouzzoles. Couvert de villas et de jardins, hérissé d'immeubles modernes, ce quartier résidentiel de Naples procure à ses habitants de beaux points de vue sur la mer.

★ **Marechiaro.** — Une célèbre chanson napolitaine (« Marechiare ») a fait connaître ce petit port dont les maisons de pêcheurs se dressent au-dessus de l'eau.

Parco Virgiliano. — Appelé aussi **Parco della Rimembranza** (parc du Souvenir). De son extrémité, on découvre de splendides **vues**★★ sur tout le golfe, du cap Misène à la presqu'île de Sorrente, ainsi que sur les îles de Procida, Ischia et Capri.

★ **Pouzzoles (Pozzuoli).** — Page 157.

★★ **La Solfatare (Solfatara).** — Page 158.

Lac Lucrino. — Sur les rives de ce lac, où l'on pratiquait dans l'Antiquité la culture des huîtres, s'élevaient de luxueuses villas dont l'une appartint à Cicéron ; une autre fut le théâtre de l'assassinat d'Agrippine, ordonné par son fils Néron.

★★ **Baia (Thermes de).** — Colonie fondée par les Grecs, Baies était au temps des Romains ⊘ une plage à la mode et une station thermale qui disposait de la plus grandiose installation hydrothérapique de l'Empire. Les patriciens et les empereurs y possédaient d'immenses villas disparues sous la mer à la suite de l'affaissement du sol. En revanche, les ruines des thermes subsistent : sur la colline, de gauche à droite lorsqu'on regarde celle-ci, s'alignaient, face à la mer, les thermes de Vénus, les thermes de Sosandra et les thermes de Mercure.

⊘ **Bacoli.** — Sur la hauteur, dans la vieille ville, on visite les **Cento Camerelle**★ *(via Cento Camerelle, à droite de l'église)* : ce monumental réservoir à eau qui appartenait à une villa privée est aménagé sur deux étages ; le niveau supérieur, bâti au 1er s., est grandiose avec ses quatre nefs et ses immenses arcades ; le niveau inférieur, d'époque bien antérieure, comprend un réseau de galeries étroites, plan en croix, débouchant ⊘ à pic sur la mer. La fameuse **Piscina Mirabile**★ *(accès par la via Ambrogio Greco que l'on prend à gauche, à l'église, puis par la via Piscina Mirabile, tout droit)* est une immense citerne qui alimentait en eau la flotte romaine du port de Misène ; longue de 70 m, large de 25, haute de 15, elle est divisée en cinq nefs dont les voûtes sont supportées par quarante-huit piliers ; la lumière y produit de remarquables effets.

Misène (Miseno). — Un lac, un port, un village, un promontoire et un cap portent ce nom. Le lac de Misène, ancien cratère, était considéré par les Anciens comme le Styx que faisait franchir aux âmes des morts le nautonier Charon. Sous l'empereur Auguste, il fut relié par un canal au port de Misène qui servait de base à la flotte romaine. Le bourg est dominé par le mont Misène au pied duquel aurait été enterré le héros du même nom, compagnon d'Énée. Sur les pentes du promontoire s'élevaient des villas somptueuses, parmi lesquelles celle où, en 37, l'empereur Tibère périt étouffé.

Lac de Fusaro. — Lac lagunaire avec une petite île où Carlo Vanvitelli créa en 1782 un pavillon de chasse pour le roi Ferdinand IV de Bourbon.

★ **Cumes (Cuma).** — Page 74.

★ **Lac d'Averne (Lago d'Averno).** — *En contrebas de la route de Cumes à Naples : belvédère, à droite, environ 1 km au-delà de l'Arco Felice.* Ce lac repose, immobile, sombre et silencieux, au fond d'un cratère dont les flancs sont couverts de forêts. L'atmosphère de mystère dont il est empreint était dans l'Antiquité d'autant plus grande que les oiseaux qui le survolaient s'y engloutissaient, asphyxiés par les gaz qui s'en dégageaient. Homère et Virgile y placèrent l'entrée du monde des Morts (l'Averne). Sous l'Empire romain, Agrippa, capitaine au service de l'empereur Auguste, le fit transformer en une base navale et le relia par un canal au lac Lucrino qui lui-même reçut un débouché sur la mer. Une galerie souterraine de 1 km, dite **grotte de Cocceius** (grotta di Cocceio) permettait aux chars d'atteindre Cumes.

★★★② DE NAPLES A TORRE ANNUNZIATA
Le Vésuve

44 km (si on accède au Vésuve par le versant Ouest) ou 39 km (accès au Vésuve par le versant Sud) — environ une journée.

La route nationale qui longe cette partie du golfe et que décharge quelque peu l'autoroute de Salerne traverse une zone sans attrait — suite ininterrompue d'agglomérations industrielles et populeuses — dont il faut pourtant se souvenir qu'elle fut au 18e s. et au début du 19e s. le lieu de villégiature préféré de l'aristocratie napolitaine. Légèrement à l'écart de son parcours, s'offrent deux sites qui comptent parmi les hauts lieux du tourisme en Italie.

Portici. — La route traverse la cour du **palais royal** élevé en 1738 pour le roi Charles III de Bourbon, aujourd'hui siège de la faculté d'Agronomie de Naples. Auber, dans son opéra La Muette de Portici, a illustré l'histoire de la révolte fomentée au 17e s. contre les Espagnols par Masaniello, un jeune pêcheur de Portici.

★★**Herculanum (Ercolano).** — *Page 98.*

★★★**Le Vésuve (Il Vesuvio).** — Indissociable du paysage napolitain, le Vésuve est l'un des rares volcans européens encore en activité. Il est formé de deux sommets : au Nord le **mont Somma** (1 132 m), au Sud le Vésuve proprement dit (1 277 m). Avec le temps, les matériaux éruptifs qui couvraient ses basses pentes se sont transformés en terres fertiles où croissent aujourd'hui des vergers, et des vignes produisant le fameux « Lacryma Christi ».

Les éruptions du Vésuve. — Avant le séisme de 62 après J.-C. et l'éruption de 79 qui ensevelit Herculanum et Pompéi, le Vésuve semblait mort : des vignes réputées et des bois garnissaient ses pentes. Jusqu'en 1139, sept éruptions furent enregistrées, puis

GOLFO DI NAPOLI

suivit une période de calme au cours de laquelle la montagne se couvrit de cultures. Le 16 décembre 1631, le Vésuve eut un terrible réveil, détruisant toutes les habitations situées à son pied : 3 000 personnes périrent. L'éruption de 1794 dévasta Torre del Greco, puis le volcan se manifesta notamment en 1858, 1871, 1872, de 1895 à 1899, en 1900, 1903, 1904, pour se déchaîner en 1906. Après celle de 1929, l'éruption de 1944 a modifié le profil du cratère.

Depuis, hors une brève manifestation liée au séisme de 1980, le Vésuve ne souffle plus que quelques fumerolles.

Ascension par le versant Ouest. — *A partir d'Herculanum, avec retour par Torre del Greco : 27 km, plus 3/4 h à pied AR (chaussures de marche nécessaires).* C'est l'accès le plus aisé. Une route en bon état conduit au milieu des coulées de lave à un carrefour où l'on prend à gauche *(parking quelques kilomètres plus haut).* Après avoir laissé la voiture, on gravit par un chemin facile mais impressionnant le flanc du volcan dans un décor plombé de cendre et de lapilli.

Du sommet, on embrasse un immense **panorama★★★** sur toute la baie de Naples, avec les îles et, la fermant au Sud, la presqu'île de Sorrente, au Nord, le cap Misène ; au-delà, se déploie le golfe de Gaète.

Par l'ampleur de ses dimensions, le spectacle de désolation que présentent ses parois en à-pics et les fumerolles qui s'en dégagent, le cratère béant, dont la couleur rose flamboie sous les rayons du soleil, offre une vision inoubliable.

Ascension par le versant Sud. — *Au départ de Torre Annunziata (page suivante), par une route à péage à partir de Boscotrecase (à n'emprunter que par temps sec) : 19 km AR, puis 3/4 h à pied AR (chaussures de marche nécessaires).* D'abord revêtue, puis simplement tracée dans la cendre et les lapilli provenant de la dernière éruption (1944), la route, difficile en fin de parcours, offre des **vues★★** splendides sur la plaine du Sarno et la côte jusqu'à Sorrente.

Torre del Greco. — Plusieurs fois détruite par les éruptions du Vésuve, cette petite ville est réputée pour ses productions d'objets en corail, en pierre de lave et pour ses camées.

Torre Annunziata. — C'est là que sont produites les pâtes napolitaines (spaghetti, macaroni). La ville a été recouverte sept fois par les laves du Vésuve. On y visite la ⓥ somptueuse **villa romaine d'Oplontis★★**, décorée de peintures du 2e style pompéien *(voir p. 151)*, qui aurait appartenu à la femme de Néron, Poppée.

★★★③ DE TORRE ANNUNZIATA A SORRENTE

69 km — environ une journée

Torre Annunziata. — *Ci-dessus.*

★★★**Pompéi.** — *Page 150.*

★**Castellammare di Stabia.** — *Page 68.*

★★**Mont Faito.** — *Accès par une route à péage.* Il appartient au massif des **monts Lattari** ⓥ qui sépare le golfe de Naples de celui de Salerne et qui se termine par la presqu'île de Sorrente. Son nom lui vient des hêtres (fagus en latin) qui y procurent en été une agréable fraîcheur. La route, très sinueuse et raide, conduit à un rond-point (Belvedere dei Capi) d'où l'on jouit d'un splendide **panorama★★★** sur le golfe de Naples. De là, une route en montée mène à la **chapelle San Michele** d'où l'on découvre un autre **panorama★★★** : la vision des paysages sauvages des monts Lattari contrastant avec le spectacle riant offert par le golfe de Naples et la plaine du Sarno est impressionnante. Belle descente sur Vico Equense.

★**Vico Equense.** — Petite station climatique et balnéaire occupant un **site** pittoresque sur un promontoire rocheux.

★★**Sorrente et sa presqu'île.** — *Page 184.*

★★★LES ILES

★★★**Capri.** — *Page 65.*

★★★**Ischia.** — *Page 100.*

★**Procida.** — *Page 100.*

NOVARE Piémont   102 279 h.

Cartes Michelin nᵒ 🔲🔲🔲 plis 2, 3 et nᵒ 🔲🔲🔲 pli 17 — Plan dans le guide Rouge Michelin Italia.

Située à la limite du Piémont et de la Lombardie, au Nord de la Lomellina, vaste plaine ou l'on cultive intensément le riz, Novare est un centre commercial et industriel ainsi qu'un important nœud routier de l'Italie septentrionale.

★**Basilique San Gaudenzio.** — Élevée entre 1577 et 1659, sur les plans de l'architecte lombard Pellegrino Tibaldi, elle a été couronnée, entre 1844 et 1878, par une belle **coupole★★** allongée, réalisation audacieuse d'A. Antonelli, architecte natif de Novare. L'intérieur de l'église renferme quelques œuvres intéressantes : peintures de Morazzone (17e s.) et Gaudenzio Ferrari (16e s.) ; **sarcophage★** en argent de saint Gaudens, patron de Novare.

Cour du Broletto. — Jolie cour carrée que bordent plusieurs édifices intéressants, dont le palais du Podestat (15e s.), le palais communal (« broletto ») du 13e s., et le palais des Paratici abritant le **musée municipal** (pinacothèque et section archéologique).

Cathédrale (Duomo). — Monumental édifice néo-classique élevé par A. Antonelli, qui a conservé un baptistère paléochrétien des 6e et 7e s. Le chœur conserve également un **pavement★** de style byzantin en mosaïques blanches et noires.

EXCURSION

La Lomellina. — Cette région, située entre le Tessin et le Pô, doit son aspect à la riziculture : étendues inondées et cloisonnées par des bosquets de saules ou de peupliers. La Lomellina possède trois villes intéressantes : **Vigevano,** dont la remarquable **place ducale★★** développe son élégante ellipse au pied du château Sforza ; **Mortara** et son église San Lorenzo, du 14e s., qui renferme d'intéressants tableaux de G. Ferrari ; **Lomello,** dont l'église Ste-Marie du 11e s. et son baptistère du 8e s. forment un ensemble remarquablement harmonieux.

★ ORBETELLO (Presqu'île d') Toscane

Carte Michelin nᵒ 🔲🔲🔲 plis 24, 25.

Cette ancienne île, reliée au continent par des cordons littoraux formés par une accumulation de sable (« tomboli »), est constituée par le petit massif calcaire du mont Argentario, culminant à 635 m. Trois chaussées y donnent accès et une route épouse à peu près son contour, permettant de découvrir de pittoresques aspects.

Orbetello. — Installée sur la chaussée médiane de la lagune, la ville a gardé ses fortifications et sa cathédrale à façade gothique, refaite dans le style espagnol des 16e et 17e s.

Porto Santo Stefano. — Bourg principal de la presqu'île, ce port étage ses maisons à flanc de colline, de part et d'autre d'un fort aragonais du 17e s., d'où l'on bénéficie d'une belle **vue**★.

Port'Ercole. — Cette station balnéaire possède un minuscule quartier ancien auquel donne accès une porte médiévale avec hourd et mâchicoulis. De la piazza Santa Barbara, que bordent les arcades de l'ex-palais du gouverneur (16e s.), vue sur le port, la baie et les deux anciens forts espagnols juchés sur le mont Filippo.

Ansedonia. — A la racine de la presqu'île d'Orbetello, les ruines de la **cité antique de Cosa**★ couronnent une éminence, en vue de la lagune, de l'ancienne île d'Orbetello et du mont Argentario. Ceinte de murailles de blocs colossaux, cette ancienne colonie romaine dura du 3e s. avant J.-C. au 4e s. de notre ère.

Près du rivage, s'élève une tour où Puccini composa une partie de son opéra La Tosca.

★★ ORVIETO Ombrie 22 761 h.

Carte Michelin n° 988 pli 25 — Plan dans le guide Rouge Michelin Italia.

Important centre étrusque au cours de l'Antiquité, puis place forte papale où se réfugia Clément VII durant le sac de Rome (1527), Orvieto est une agréable cité, riche en monuments. Posée sur un socle de tuf volcanique, elle jouit d'un **site**★★★ particulièrement attrayant pour qui arrive de Bolsena ou de Montefiascone.

La région produit un agréable vin blanc, frais et bouqueté, l' « Orvieto ».

★★★ LA CATHÉDRALE (DUOMO) visite : 1 h

S'élevant sur une tranquille et majestueuse place bordée de plusieurs autres édifices ⓥ intéressants, comme l'austère **palais des Papes**★ (abritant le musée de l'Œuvre de la cathédrale), elle a été construite en tuf à la fin du 13e s. et constitue un parfait exemple du style de transition roman-gothique. Commencée en 1290 pour abriter les reliques du miracle de Bolsena *(voir p. 58)*, elle nécessita la collaboration d'une centaine d'architectes, sculpteurs, peintres et mosaïstes pour sa réalisation définitive qui n'intervint qu'en 1600.

(Photo Ciganovic/Explorer)
Cathédrale d'Orvieto. — Détail de la façade.

★★★**La façade.** — C'est la plus hardie et la plus riche en couleurs de tout le gothique italien. La verticalité des lignes est mise en valeur par l'élancement des gâbles et par le jaillissement des contreforts, composés de petits panneaux de marbre coloré et surmontés de pinacles. Mais, c'est surtout la somptuosité de la décoration, sculptures dans la partie inférieure, marbres et mosaïques polychromes en haut, qui en constitue la rareté. Le Siennois Lorenzo Maitani (1310-1330 ?) dessina le premier projet, continué par Andrea Pisano, Orcagna et Sanmicheli ; Maitani est également l'auteur des étonnants **bas-reliefs**★★ qui ornent les piliers : remarquer, au 2e pilier à droite du portail central, un **Jugement dernier** d'un puissant réalisme. La rosace inscrite dans un carré, lui-même entouré de statues des apôtres et des prophètes, est due à Orcagna.

Intérieur. — Trois nefs à assises de pierre noire et blanche reposent sur des arcades en plein cintre soutenues par de beaux chapiteaux à crochets ; au-dessus des arcades, une coursière fait saillie. Les nefs sont couvertes d'une charpente, tandis que des voûtes gothiques surmontent le transept et le chœur. Le pavement monte vers le chœur, rétrécissant la perspective. Des vitraux d'albâtre livrent passage à une abondante lumière. A l'entrée, on remarque un bénitier du 15e s. et des fonts baptismaux gothiques. Dans la nef gauche, une fresque (Vierge à l'Enfant) est due à Gentile da Fabriano (1425).

Dans le bras gauche du transept, sous l'orgue monumental (16e s.), s'ouvre l'entrée de la **chapelle du Corporal,** qui garde les reliques du miracle de Bolsena et notamment le corporal qui enveloppa l'hostie ensanglantée ; un tabernacle renferme le **reliquaire**★★ du corporal, chef-d'œuvre d'orfèvrerie médiévale (1338) enrichi d'émaux et de gemmes. Dans la chapelle à droite, Madone de miséricorde du peintre siennois Lippo Memmi (1320).

Dans le chœur, un beau **vitrail**★ gothique évoque l'Évangile ; on identifie des théologiens, des prophètes.

Du transept droit, on accède, au-delà d'une grille en fer forgé (1516), à la célèbre **chapelle de San Brizio** couverte par les admirables **fresques de l'Apocalypse**★★. Celles-ci, commencées en 1447 par Fra Angelico avec l'aide de Benozzo Gozzoli, furent confiées, de 1499 à 1504, à **Luca Signorelli** dont elles sont le chef-d'œuvre. Bien que manquant de spiritualité, Signorelli, par son souci de vérité anatomique, son mode de composition dramatique, ses figures pathétiques, le modelé de son dessin mouvementé, annonce Michel-Ange. A la voûte, Fra Angelico a peint le Christ entre les anges et les prophètes ; les apôtres, les docteurs, les vierges, les martyrs, les patriarches sont de Signorelli. Ce dernier a brossé les fresques des parois, d'une puissance extraordinaire : Prédication de l'Antéchrist (1re lunette de gauche) avec son propre portrait et celui de Fra Angelico, Fin du monde (revers de l'entrée), Résurrection des corps (1re lunette de droite). Le fond de la chapelle est consacré au Jugement dernier ; dans une niche du mur de droite, Pietà, d'une force étonnante.

AUTRES CURIOSITÉS

★★**Puits de St-Patrice (Pozzo di San Patrizio).** — Creusé sur l'ordre de Clément VII Médicis pour pourvoir la ville en eau au cas où elle serait assiégée, il est l'œuvre habile d'Antonio Cordiani da Sangallo, dit Sangallo le Jeune ; deux escaliers en spirale, éclairés par 72 fenêtres, et superposés de telle sorte que deux personnes, l'une montant, l'autre descendant, ne peuvent se croiser, atteignent une eau très pure à 62 m de profondeur.

★**Palais du Peuple (Palazzo del Popolo).** — Édifice de style roman-gothique en tuf volcanique, il possède un grandiose balcon, d'élégantes fenêtres et de curieux merlons à volutes.

★**Quartier ancien (Quartiere Vecchio).** — Désert et silencieux, il a gardé ses maisons, ses tours médiévales et ses églises, notamment, à la pointe Ouest, la charmante **église St-Juvénal** dont l'abside est ornée de fresques des 13e et 15e s.

ⓥ **Musée archéologique Faina.** — Importante **collection étrusque**★, comprenant notamment de splendides vases peints, des urnes funéraires en terre cuite sculptée et un rare sarcophage du 4e s.

Église St-Bernard (San Bernardino). — Charmante église baroque qui présente la décoration d'un théâtre ; à l'intérieur, de plan ovale, délicieusement décoré, orgues sculptées.

Piazza della Repubblica. — Occupant l'emplacement de l'ancien forum, elle est dominée par l'église Sant'Andrea dont la belle tour romane compte douze côtés.

★★ OSTIE (OSTIA ANTICA) Latium

24 km au Sud-Ouest de Rome.

Ostie, à l'embouchure du Tibre, doit son nom au mot latin « ostium » (embouchure). La légende de Virgile en fait le lieu où aurait débarqué la flotte d'Enée, mais, de fait, sa fondation remonte au 4e s. avant J.-C., lorsque Rome se lança à la conquête de la Méditerranée. Dès lors, le port suivit la destinée de Rome : port militaire tout le temps de son expansion, port de commerce dès que la ville organisa rationnellement son économie ; autour d'une forteresse simplement destinée à protéger des pirates les activités du port, Ostie devint au 1er s. avant J.-C. une véritable ville que Sylla fit entourer d'un rempart (79 avant J.-C.). Son déclin s'amorça au 4e s. de notre ère avec celui de la capitale. L'agglomération, progressivement enfouie sous les alluvions du fleuve, minée par la malaria, ne fut redécouverte qu'au début de ce siècle, en 1909.

Porte Romaine

Via delle Tombe

Piazzale della Vittoria

MAXIMUS

Sylla

s 296

de

Rempart

ROMA

--- Parties disparues

Aujourd'hui dégagée, elle offre d'intéressants vestiges d'entrepôts (horrea), de thermes, de sanctuaires, d'habitations luxueuses — la domus, construite autour d'un atrium —, de constructions populaires — l'insula ou immeuble de rapport à plusieurs étages —, toutes bâties en briques ; en outre, on peut y voir de nombreux lieux de réunion, les places où traitaient marchands, armateurs et mandataires, le forum où se déroulait la vie politique et sociale.
Ostie atteignit sous l'Empire 100 000 habitants, parmi lesquels se trouvaient de nombreux étrangers.

ⓥ**LES FOUILLES** *visite : 3 h*

Suivre l'itinéraire de visite indiqué sur le plan. Celui-ci situe, outre les curiosités décrites ci-après, d'autres vestiges particulièrement intéressants.

Decumanus Maximus. — Pénétrant dans la ville par la Porte Romaine, entrée principale en venant de Rome, le visiteur emprunte le Decumanus Maximus, axe Est-Ouest que l'on retrouve dans toutes les cités romaines. Pavé de larges dalles, il était bordé de maisons à portiques et de magasins.

Thermes de Neptune. — Ils datent du 2e s. De la terrasse on a vue sur un bel ensemble de **mosaïques**★★ figurant les noces de Neptune et d'Amphitrite.

★**Horrea d'Hortensius.** — Grandiose entrepôt du 1er s. avec une cour à colonnes bordée de boutiques.

Théâtre. — Très restauré, il constitue néanmoins un des lieux les plus évocateurs de la vie de la cité.

★★★**Piazzale delle Corporazioni.** — Cette place était entourée d'un portique sous lequel se tenaient les 70 bureaux qui représentaient le commerce mondial d'alors ; les mosaïques du pavement témoignent par leurs emblèmes de l'origine et du type de métier exercé. Au centre de la place, restes d'un temple attribué parfois à Cérès, déesse des moissons.

★**Thermopolium.** — Bar avec comptoir de marbre, pour les boissons chaudes.

★**Maison de Diane.** — Remarquable exemple d'insula avec pièces et couloirs disposés autour d'une cour intérieure.

★**Musée.** — Agréablement présenté, il recueille les objets trouvés à Ostie :
ⓥ salle des métiers, des cultes orientaux (nombreux à Ostie), salle de sculptures et de **portraits**★, salles consacrées à la décoration intérieure des maisons.

★★ **Capitole et forum.** — Le capitole fut le plus grand temple d'Ostie, construit au 2e s. et consacré à la « Triade capitoline », Jupiter, Junon, Minerve. Le forum, agrandi au 2e s., a conservé quelques colonnes du portique qui l'entourait. Au fond de la place, temple de Rome et d'Auguste (1er s.), autrefois recouvert de marbre.

★★ **Maison d'Amour et Psyché.** — Demeure du 4e s., construite en direction de la mer, qui conserve d'intéressants vestiges de mosaïques et de marbres et un très joli nymphée.

★ **Thermes des Sept Sages.** — Ils font partie d'un groupe d'immeubles. La grande salle ronde conserve encore son beau pavement de mosaïques.

★★ **Schola de Trajan.** — Imposant bâtiment des 2e-3e s. qui fut le siège d'une corporation de commerçants. A l'intérieur, statue de Trajan, plusieurs cours bordées de colonnes et bassin rectangulaire central.

Basilique chrétienne. — Dans cet édifice chrétien du 4e s., on distingue les colonnes séparant les nefs, l'abside et une inscription sur l'architrave d'une colonnade fermant une pièce identifiée comme le baptistère.

★ **Thermes du Forum.** — Ce furent les plus grands établissements de bains d'Ostie. Tout près, ensemble de **latrines** publiques, particulièrement bien conservées.

Aire de la Magna Mater. — Dans cet enclos triangulaire, s'élèvent les restes du temple de Cybèle (ou Magna Mater).

OTRANTE Pouille   4 986 h.

Carte Michelin n° 988 pli 30.

Situé à l'extrémité de l'Italie, sur la rive orientale du talon de la botte, ce port de pêche fut autrefois la capitale de la Terre d'Otrante, dernier réduit byzantin qui résista longtemps aux Lombards puis aux Normands. Au 15e s., les habitants, vaincus par les troupes de Mahomet II, se réfugièrent dans la cathédrale où ils furent massacrés ; les survivants, faits prisonniers, furent tués sur la colline de Minerve où à été élevé un sanctuaire en mémoire de ces « martyrs d'Otrante ».

Vieille ville. — On en a une belle vue depuis le port (môle Nord-Est) ; à gauche, **château aragonais** (15e s.) flanqué de grosses tours cylindriques. On accède à cette cité juchée sur une falaise par la Porta di Terra et la Porta Alfonsina (15e s.).

★ **Cathédrale (Cattedrale).** — Construite au 12e s., elle a été remaniée à la fin du 15e s. L'intérieur, à trois nefs séparées par des colonnes antiques, est remarquable par son **pavement★★★** de mosaïques réalisé en 1165 par un artiste local, Pantaleone. La stylisation des figures, la vivacité des attitudes, la fraîcheur du coloris et la richesse des symboles en font un passionnant livre d'images.

★ **La côte méridionale.** — D'Otrante à Santa Maria di Leuca *(51 km),* une route procure de très belles vues sur les indentations du littoral, encore sauvage. La **grotte Zinzulusa,** au fond d'une crique rocheuse, abrite quelques concrétions et deux lacs, l'un marin, l'autre d'eau douce, où vivent des espèces animales rares.

★ PADOUE (PADOVA) Vénétie   230 744 h.

Carte Michelin n° 988 pli 5.

Ville active et ville d'art, Padoue s'anime autour de la **piazza Cavour** (BY **4**), non loin du café Pedrocchi, de style néo-classique, fréquenté par l'élite libérale à l'époque romantique, notamment par Musset.

UN PEU D'HISTOIRE

Il ne reste que quelques vestiges de l'antique Patavium qui, grâce au commerce fluvial, à son agriculture et à la vente des chevaux, devint au 1er s. avant J.-C. l'une des cités romaines les plus prospères de la Vénétie. Détruite par les Lombards au 7e s., Padoue réussit à devenir une « commune libre » du 11e au 13e s. et connut l'apogée de sa vie économique et culturelle sous la tutelle éclairée des seigneurs de Carrare (1337-1405). Fondée en 1222, son université se développa. Dante et Pétrarque furent accueillis dans la ville, et Giotto se rendit de Florence à Padoue en 1304 pour y décorer la chapelle des Scrovegni ; de nombreux palais et églises furent édifiés à cette époque. Dès 1405, la ville passa sous la domination de la république de Venise à laquelle elle demeura fidèle jusqu'en 1797. Padoue est également un lieu de pèlerinage où l'on vénère saint Antoine, saint franciscain né à Lisbonne en 1195 et mort dans les environs de la ville à trente-six ans ; thaumaturge d'une prodigieuse éloquence, on l'invoquait autrefois pour le sauvetage des naufragés et la libération des prisonniers. On le représente tenant un livre et une branche de lys.

L'ART A PADOUE

Au 15e s., la cité connut un extraordinaire rayonnement artistique grâce à la diffusion de l'œuvre du peintre padouan Andrea **Mantegna** (1431-1506), artiste d'une puissante originalité, passionné d'anatomie et d'archéologie, novateur dans la technique de représentation en perspective. Auparavant, la Renaissance à Padoue fut marquée par la venue du Florentin Donatello qui y séjourna de 1444 à 1453. L'université attira dès le 13e s. de nombreux étudiants ; Galilée y enseigna, Pic de La Mirandole, Copernic et Le Tasse y étudièrent.

PADOVA

⊙ CURIOSITÉS

★★★ Fresques de Giotto (BY). — Ornant les murs de la **chapelle des Scrovegni,** élevée en 1303, elles évoquent la vie de la Vierge et du Christ ; au mur de l'entrée, Jugement dernier. Au registre inférieur, les puissantes figures en grisaille représentent les Vices et les Vertus. L'ensemble de ces trente-huit fresques est d'une exceptionnelle unité et constitue le sommet de l'œuvre de Giotto par la puissance dramatique des scènes, l'harmonie de la composition et le sentiment religieux intense qui s'en dégage. A l'autel, **Vierge★** de Giovanni Pisano.

★★ Basilique du Saint (Basilica del Santo) (BZ). — Important lieu de pèlerinage dédié à saint Antoine. Sur la place qui précède l'église, Donatello érigea une admirable **statue équestre du Gattamelata★★** (surnom donné au condottiere vénitien Erasmo da Nardi qui mourut à Padoue en 1443), la première œuvre de cette taille coulée en bronze en Italie.

Bâtie entre 1232 et 1300 dans un style de transition roman-gothique, la basilique évoque, avec ses huit coupoles byzantines, celle de St-Marc de Venise. L'**intérieur★★**, imposant, contient de nombreuses œuvres d'art : dans la nef gauche, **chapelle du**

137

Saint★★, chef-d'œuvre de la Renaissance abritant l'« arca di sant'Antonio », autel-tombeau de Tiziano Aspetti (1594) ; sur les parois, magnifiques **bas-reliefs★★** exécutés au 16e s. par plusieurs artistes. Dans le chœur, se trouve le célèbre **maître-autel★★** orné de bronzes de Donatello (1450). La 3e chapelle de la nef droite est décorée de **fresques★** du peintre véronais Altichiero (14e s.).

Des cloîtres, à droite de la basilique, bonne **vue d'ensemble★** sur l'édifice.

★**Oratoire St-Georges et Scuola di Sant'Antonio** (BZ B). — L'oratoire St-Georges est une chapelle votive décorée de vingt et une **fresques★** (1377) par Altichiero et ses élèves, évoquant diverses scènes religieuses. La Scuola di Sant'Antonio, contiguë, possède, au 1er étage, une salle dont les murs sont couverts de dix-huit **fresques★** du 16e s. narrant la vie de saint Antoine, dont quatre sont de la main du Titien.

★**Palais de Justice (Palazzo della Ragione)** (BZ J). — S'élevant entre deux **places★** pittoresques, la piazza della Frutta (BZ 13) et la piazza delle Erbe (BZ 8), c'est un édifice remarquable par ses loggias et son toit en forme de carène ; au 1er étage, le **Salone★★** possède un cycle de fresques du 15e s. représentant les travaux des mois, les arts libéraux, les métiers et les signes du Zodiaque.

Piazza dei Signori (AYZ). — Vaste place bordée par le palais du Capitanio (E) des 14e-16e s., résidence des gouverneurs vénitiens, par la **tour de l'Horloge★** percée d'une arcade et par l'élégante Loggia del Consiglio, de style Renaissance.

★**Musée municipal (Museo Civico)** (BZ M). — Installé dans l'ancien couvent Sant'Antonio, il possède une riche collection de peintures essentiellement vénitiennes. Voisinant avec des œuvres de Giotto, Guariento **(Madone parmi les armées célestes★★)**, Giovanni Bellini, Véronèse, Bassano, Piazzetta et Longhi, on remarque une très belle **Crucifixion★★** du Tintoret. Voir aussi l'**Expédition d'Uri★★**, splendide tapisserie du 15e s.

★**Église des Ermites (Chiesa degli Eremitani)** (BY). — Très endommagée par les bombardements de 1944, cette église du 13e s. a été reconstruite dans son style roman d'origine. La chapelle Ovetari (au fond du transept droit) conserve des fragments de **fresques★** de Mantegna dans lesquelles on devine la puissance visionnaire de cet artiste hanté par le rendu perspectif et le souci du détail archéologique : Martyre de saint Jacques (mur de gauche), Assomption (abside), Martyre de saint Christophe (mur de droite). Dans la chapelle du chœur, splendides **fresques★★** attribuées à Guariento, artiste vénitien disciple de Giotto.

Université (BZ U). — Située dans le palais « Bo », du nom de l'auberge à l'enseigne du « Bœuf » qui le précéda, elle conserve une belle cour du 16e s. et une salle d'anatomie dite **« Teatro Anatomico »** (1594).

Jardin botanique (Orto Botanico) (BZ). — Fondé en 1545, c'est l'un des plus anciens d'Europe ; on peut y admirer une abondante flore exotique et le palmier qui inspira à Goethe ses considérations sur la métamorphose des plantes.

Prato della Valle (BZ). — Ce charmant jardin ovale du 17e s., planté de platanes, est entouré d'un canal tranquille bordé de statues d'hommes illustres.

Église Ste-Justine (Santa Giustina) (BZ). — Édifice classique du 16e s., rappelant par ses coupoles la basilique du Saint. Au fond du chœur, **retable★** de Véronèse.

Baptistère (Battistero) (AZ D). — Contigu à la cathédrale (Duomo), il abrite d'intéressantes fresques et un polyptyque de Menabuoi (14e s.).

EXCURSIONS

★**Montagnana.** — *47 km au Sud-Ouest.* Petite ville entourée d'impressionnants **remparts★★** du 14e s., jalonnés de vingt-quatre tours polygonales et percés de quatre portes. La **cathédrale (Duomo)**, attribuée à Sansovino, renferme une Transfiguration de Véronèse (au maître-autel), des fresques et des stalles du 16e s. L'**église San Francesco,** accolée à l'enceinte, possède un beau clocher gothique.

★**Collines Euganéennes (Colli Euganei).** — Au Sud de Padoue, ces collines, appelées aussi monts Euganéens, sont d'origine volcanique. Elles forment une agréable région accidentée, riche en vergers et en vignobles, que les Romains appréciaient déjà pour ses nombreuses sources thermales et ses vins.

★**Abano Terme.** — *Plan dans le guide Rouge Michelin Italia.* Cette moderne et élégante station thermale ombragée de pins est l'une des plus célèbres ville d'eau d'Italie.

Montegrotto Terme. — Moins importante qu'Abano, l'ancienne « Mons Aegrotorum » (« mont des Malades ») des Romains est une station thermale en pleine extension.

★**Monselice.** — Localité ayant conservé une partie importante de son enceinte et dominée par les ruines d'un château. De la piazza Mazzini, monte la pittoresque via del Santuario menant au château (13e-14e s.), à la cathédrale (Duomo) de style roman, au sanctuaire des Sept églises (début 17e s.) et à la villa Balbi, précédée d'un jardin à l'italienne. De la terrasse supérieure, jolie **vue★** sur la région.

★**Arquà Petrarca.** — *6,5 km au Nord-Ouest de Monselice.* Dans ce petit pays d'aspect médiéval s'éteignit en 1374 **Pétrarque** (Francesco Petrarca), né en 1304, le premier poète lyrique d'Italie qui sut couler dans la forme stricte du sonnet une langue infiniment souple et sensible à la psychologie amoureuse. Diplomate, voyageur, il passa presque toute sa jeunesse à Avignon où il rencontra Laure de Sade à qui il dédia l'intégralité de son Canzoniere. On visite sa demeure en haut du village. Son tombeau de marbre rose a été érigé en 1380 sur la place de l'église.

Este. — Berceau de la célèbre famille d'Este, la ville est entourée au Nord de pittoresques **remparts★**. Le **musée national Atestino★** renferme une intéressante collection d'archéologie locale. Dans la cathédrale (Duomo), au plan elliptique, grande toile de Tiepolo (1759).

★**Riviera du Brenta.** — *Page 59.*

★★★ **PAESTUM** Campanie

Carte Michelin n° 988 pli 28.

Ce site archéologique, l'un des plus importants d'Italie, fut découvert accidentellement vers 1750 alors que les Bourbons avaient entrepris des travaux pour ouvrir la route qui traverse aujourd'hui encore cette zone. Antique Poseidonia grecque, fondée vers l'an 600 avant J.-C. par des habitants de Sybaris (voir p. 64), la cité tomba aux mains d'une peuplade indigène, les Lucaniens, vers l'an 400. Devenue romaine en 273 avant J.-C., elle déclina à la fin de l'Empire, à cause de la malaria qui obligea ses habitants à la quitter.

Paestum est aussi une station balnéaire dont la longue plage se dissimule derrière une belle pinède.

VISITE *2 h*

★★**Musée** (Museo). — Il
ⓥ abrite les fameuses **mé-topes**★★, bas-reliefs doriques du 6ᵉ s. avant J.-C., qui décoraient un petit temple situé à côté de celui d'Héra *(10 km au Nord près de l'embouchure du Sélé)*, ainsi que les **métopes**★★ du temple lui-même. On peut y admirer également la **tombe du Plongeur**★★ (Tomba del Tuffatore), dont les peintures constituent un exemple unique de peinture grecque funéraire.

★★★**Ruines.** — *Suivre l'itiné-*
ⓥ *raire indiqué sur le plan.* Les temples, appareillés en un beau calaire doré, surgissent parmi les ruines des habitations, derrière les cyprès et les lauriers-roses. Après avoir franchi par la porte de la Justice l'**enceinte**★ qui encercle la ville sur près de 5 km, suivre la **Via Sacra** qui se prolongeait jusqu'au temple d'Héra.

★★ **« Basilique »** (Basilica). — A droite de la Via Sacra, se présente la façade postérieure de cet édifice ainsi baptisé par les archéologues du 18ᵉ s. Ce temple est en fait dédié à Héra (Junon) et remonte au milieu du 6ᵉ s. avant J.-C. ; il comporte un péristyle de 50 colonnes archaïques, renflées et cannelées. Précédée d'un pronaos, la salle centrale était divisée en deux nefs.

★★★**Temple de Neptune** (Tempio di Nettuno). — Contrairement à ce que l'on avait cru au moment de sa découverte, ce temple magnifiquement conservé n'est pas consacré à Neptune (ou Poseidon en grec, d'où Poseidonia), mais à Héra. Datant du milieu du 5ᵉ s. avant J.-C.,

il est d'un style dorique d'une pureté admirable : l'entablement et les frontons sont presque intacts. A l'intérieur, la cella est divisée en trois nefs.

Au centre de la cité, se trouvaient le **forum,** entouré de portiques et de boutiques, et l'**amphithéâtre** romain construit à la fin de la République, aujourd'hui coupé par la route nationale.

Dans le **temple souterrain,** furent découverts de superbes vases de bronze.

★★**Temple de Cérès** (Tempio di Cerere). — Elevé à la fin du 6ᵉ s. avant J.-C. en l'honneur d'Athéna, il est entouré de 34 colonnes et a gardé une partie de ses frontons. A côté, se trouve l'autel des sacrifices.

A la croisée de la Via Emilia et de la route Mantoue-La Spezia, Parme est un marché important et un centre industriel actif qui a conservé de nombreux témoignages de son passé. C'est en outre une cité d'un charme raffiné, souvent baignée d'une douce lumière. Ses habitants se réunissent volontiers sur la piazza Garibaldi (**BZ 9**). Parme est la patrie du célèbre chef d'orchestre Arturo Toscanini.

UN PEU D'HISTOIRE

Fondée par les Étrusques vers 525 avant J.-C., Parme devint colonie romaine en 183 avant J.-C. Ayant perdu de son éclat, elle se releva sous le roi ostrogoth Théodoric (6ᵉ s.). Devenue « commune libre » au Moyen Age (11ᵉ-13ᵉ s.), membre de la Ligue lombarde *(voir p. 19)*, elle fut annexée en 1513 par l'Église. Mais, en 1545, le pape Paul III Farnèse, détachant Parme et Plaisance de l'État pontifical, en fit un duché qu'il confia à son fils Pierre-Louis Farnèse (assassiné en 1547). La dynastie Farnèse régna cependant jusqu'en 1731, comptant de nombreux mécènes, collectionneurs et bâtisseurs, protecteurs des arts et des lettres.

De 1748 à 1801, grâce au mariage de Philippe de Bourbon (fils de Philippe V d'Espagne et d'Elisabeth Farnèse) avec la fille préférée de Louis XV, Louise Elisabeth, la ville connut une période où les mœurs, l'administration et les arts furent marqués par la prépondérance française : de nombreux français travaillèrent à Parme ; d'autres, comme Stendhal, qui y vécut et la choisit comme cadre de son roman La Chartreuse de Parme, en firent un lieu d'élection. Les Bourbon-Parme avaient leur Versailles, aujourd'hui délabré, à Colorno, au Nord de la ville.

L'école de Parme en peinture. — Elle est illustrée par deux peintres importants, Le Corrège et Le Parmesan, dont les œuvres contribuèrent à assurer la transition entre les formes de la Renaissance et le baroque. Antonio Allegri (1489-1534), dit **Le Corrège,** exprima avec une virtuosité et une science du clair-obscur nouvelles une sensualité et un optimisme semblant parfois annoncer le 18ᵉ s. français. Francesco Mazzola (1503-1540), dit **Le Parmesan** (Parmigianino), fut un esprit autrement inquiet et mélancolique ; il étira ses figures, utilisa des coloris nouveaux, souvent froids, caractéristiques du maniérisme *(voir p. 30)* ; il créa un canon de beauté féminine qui influença, par l'entremise du Primatice et de Nicolò dell'Abate, l'école de Fontainebleau et tous les maniéristes européens du 16ᵉ s.

★★★ LE CENTRE MONUMENTAL *visite : 1/2 journée*

C'est le noyau historique de la ville, qui comprend, d'une part l'**ensemble épiscopal**★★★ (CYZ) roman formé par la cathédrale et le baptistère en briques rosées, d'une exceptionnelle harmonie, l'église baroque St-Jean et les palais alentour ; d'autre part, le palais de la Pilotta (16ᵉ-17ᵉ s.), et la Chambre du Corrège.

★★**Cathédrale (Duomo)** (CY). — De style roman-lombard, elle est flanquée d'un élégant campanile gothique. Sa façade, dans laquelle s'ouvrent trois galeries à colonnettes, est précédée d'un beau porche lombard reposant sur des lions et surmonté d'une loggia. A l'intérieur, **fresques**★★ de la coupole dues au Corrège : exécutées de 1522 à 1530, elles représentent l'Assomption de la Vierge, au milieu d'une envolée d'angelots. Dans le transept droit, **Déposition de Croix**★ (1178) du sculpteur Antelami.

★★★**Baptistère (Battistero)** (CY A). — C'est l'un des plus remarquables d'Italie en raison de son architecture et de sa décoration sculptée et peinte. Réalisé en marbre rose de Vérone sur un plan octogonal, il est sans doute l'œuvre du Parmesan Antelami. Les portails sont décorés de nombreuses et passionnantes figures sculptées. A l'intérieur, on admire un remarquable ensemble de **fresques**★★ du 13ᵉ s. représentant des scènes de la vie du Christ et de la Légende Dorée ; dans les niches, sculptures d'Antelami.

Église St-Jean-Évangéliste (San Giovanni Evangelista) (CYZ D). — Cet édifice Renaissance possède une façade baroque. L'intérieur s'enrichit, à la coupole, de très belles **fresques**★★ du Corrège évoquant la vision de saint Jean.

ⓥ On visitera, dans le couvent contigu, les **cloîtres** Renaissance.

ⓥ **Pharmacie de S. Giovanni Evangelista.** — *1, borgo Pipa.* Pharmacie du 13ᵉ s., fondée par les moines bénédictins.

ⓥ **Palais de la « Pilotta » (Palazzo della Pilotta)** (BY). — Ainsi nommé parce qu'on y jouait à la pelote dans les cours. C'est un austère édifice, construit sous l'impulsion des Farnèse, de 1583 à 1622, qui abrite aujourd'hui deux musées, la bibliothèque Palatine et le théâtre Farnèse.

★ **Musée national d'Antiquités (M).** — Matériel archéologique préromain et romain trouvé
ⓥ dans la région de Parme (fouilles de Velleia).

★★**Galerie nationale** (Pinacothèque) (**M**). — Tableaux des écoles émilienne, toscane et
ⓥ vénitienne des 14ᵉ, 15ᵉ et 16ᵉ s. : Léonard de Vinci (Tête d'adolescente), Fra Angelico, Dosso Dossi, Greco, Canaletto, Bellotto, Piazzetta, Tiepolo. Le Parmesan est représenté par un stupéfiant Portrait de femme (**« l'Esclave turque »),** d'une suprême élégance, et Le Corrège par son chef-d'œuvre, la **Vierge de saint Jérôme** (1528) et quelques autres tableaux. Les dernières salles témoignent de la présence des peintres français à Parme : Nattier, Largillière, Hubert-Robert, Mᵐᵉ Vigée-Lebrun, etc.

★★ **Théâtre Farnèse.** — Ravissant théâtre bâti entièrement en bois par G.B. Aleotti en 1619,
ⓥ sur le modèle du Théâtre olympique de Vicence *(voir p. 213).*

★ **Chambre du Corrège (Camera del Correggio)** (CY). — Dite également **Camera di san
ⓥ Paolo,** c'est l'ancienne salle à manger de l'abbesse du couvent de St-Paul ; Le Corrège en a orné la voûte d'une lumineuse évocation mythologique : Triomphe de Diane, Adonis, les Grâces, etc.

PARMA

		Republica (Strada della)	CZ	
			Pilotta (Piazza)	**BY** 17
			Ponte Caprazucca	**BZ** 19
			Ponte di Mezzo	**BZ** 21
Cavour (Strada)	**BY** 3	Basetti (Viale)	**BZ** 2	Ponte Verdi ... **BY** 22
Farini (Strada)	**BZ**	Duomo (Strada al)	**CY** 8	Studi
Garibaldi (Strada)	**BCY**	Garibaldi (Piazza)	**BZ** 9	(Borgo degli) ... **CY** 24
Mazzini (Strada)	**BZ** 13	Pace (Pza della)	**BY** 15	Toscanini (Viale) ... **BZ** 25

AUTRES CURIOSITÉS

★Musée Glauco-Lombardi (BY M¹). — Essentiellement consacré à la vie du duché de Parme-Plaisance aux 18ᵉ et 19ᵉ s., il rassemble des tableaux et des objets évoquant l'ex-impératrice Marie-Louise qui régna avec sagesse sur le duché jusqu'en 1847. De nombreux peintres français y sont représentés : Nattier, Mignard, Chardin, Watteau, Fragonard, Greuze, La Tour, Hubert Robert, Mᵐᵉ Vigée-Lebrun, David, Millet...

Madonna della Steccata (BZ E). — Cette église du 16ᵉ s. conçue par les architectes Bernardino et Zaccagni abrite de belles **fresques★** du Parmesan représentant les Vierges folles et les Vierges sages, Adam et Eve, Moïse et Aaron. On y voit également les tombeaux des Farnèse et des Bourbon-Parme (crypte), ainsi que le mausolée de Neipperg que Marie-Louise, devenue duchesse de Parme, avait épousé.

Palais du Jardin (Palazzo del Giardino) (BY B). — Le **jardin ducal★** (Parco Ducale) fut dessiné par l'architecte français Petitot et orné de statues par un autre Français, le sculpteur Boudard.

EXCURSIONS

★Torrechiara. — *17 km au Sud, route de Langhirano.* Bâti sur une colline, ce château-fort qu'entoure une double enceinte renforcée de puissantes tours carrées d'angle, d'un donjon et de courtines à merlons, a été construit au 15ᵉ s. Les salles supérieures (salle des Jeux, Chambre d'Or...) sont revêtues de remarquables **fresques★**. De la terrasse, **vue★** superbe portant jusqu'à la chaîne des Apennins.

Fidenza. — *23 km à l'Ouest. Sortir par la via Massimo D'Azeglio* (AY). — Cette petite ville agricole possède une remarquable **cathédrale★** (Duomo), construite au 11ᵉ s. et achevée au 13ᵉ s., en style gothique. Son **porche central★★** présente une très belle décoration sculptée qui serait due à Antelami.

Fontanellato. — *19 km au Nord-Ouest, par la route de Fidenza, puis à droite celle de Soragna.* Dans la **Rocca San Vitale,** vaste château entouré de douves, occupant le centre de la ville, on peut admirer, à la voûte d'une salle de bains, la **fresque★** peinte par Le Parmesan, illustrant la fable de Diane et Actéon.

LES GUIDES VERTS MICHELIN

Paysages
Monuments
Routes touristiques
Géographie
Histoire, Art
Itinéraires de visite
Lieux de séjour
Plans de villes et de monuments

Une collection de guides régionaux sur la France.

★ **PAVIE** Lombardie

83 960 h.

Carte Michelin n° ▓▓▓ pli 13 — Plan dans le guide Rouge Michelin Italia.

Cette ville sévère, située sur les bords du Tessin, est riche de monuments romans et Renaissance.

Importante place militaire du temps des Romains, elle fut successivement capitale des rois lombards, commune rivale de Milan au 11e s., centre intellectuel et artistique renommé au 14e s. sous les Visconti, enfin place forte au 16e s., avant de devenir l'un des foyers les plus ardents des mouvements indépendantistes au 19e s. Son université, fondée au 11e s., est l'une des plus anciennes et des plus renommées d'Europe : elle accueillit Pétrarque, Léonard de Vinci et le poète Ugo Foscolo, futur auteur des Lettres à Jacopo Ortiz.

CURIOSITÉS

★ **Château des Visconti (Castello Visconteo).** — Imposante construction de brique, due aux Visconti. Elle abrite aujourd'hui les **collections municipales**★ (Musei Civici), riches en matériel archéologique, en sculptures du Moyen Age et de la Renaissance, et surtout en peintures. La **pinacothèque**★, installée au 1er étage, conserve en effet de nombreux chefs-d'œuvre, dont un beau retable du peintre de Brescia Vincenzo Foppa, une Vierge à l'Enfant de Giovanni Bellini, et un expressif Christ porte-croix du Lombard Bergognone ; la dernière salle abrite une grande maquette de la cathédrale, en bois, exécutée au 16e s. par Fugazza, d'après les plans de Bramante.

★ **Cathédrale (Duomo).** — Ce vaste édifice, surmonté de l'une des plus grandes coupoles d'Italie, fut commencé en 1488 : Bramante et Léonard de Vinci auraient contribué à la conception de ses plans. La façade date du 19e s. A gauche, tour communale du 11e s., et, en face, évêché du 16e s. Sur la piazza Vittoria, contiguë, s'élève le **Broletto**, palais communal du 12e s., d'où l'on a une vue intéressante sur le chevet de la cathédrale.

★ **Église St-Michel (San Michele).** — Cette belle église romane possède une **façade**★ en grès blond, remarquable par l'équilibre et la variété de son décor sculpté. Au flanc droit, porte romane présentant un linteau sculpté où l'on voit le Christ remettant à saint Paul un « volumen » de papyrus et à saint Pierre les clefs de l'Église. L'intérieur offre d'intéressants éléments architecturaux (coupole sur trompes, tribunes soulignées de frises et de modillons, chœur surélevé, mosaïques, chapiteaux, etc.). A l'abside, belle **fresque**★ du 15e s. (Couronnement de la Vierge).

Église St-Pierre (San Pietro in Ciel d'Oro). — Consacrée en 1132, cette église de style roman-lombard est précédée d'un riche **portail**★. Le chœur renferme le **tombeau**★ de saint Augustin (Arca di Sant'Agostino), œuvre des maestri campionesi *(voir p. 103).*

Église San Lanfranco. — *2 km à l'Ouest.* Un gracieux **tombeau**★, exécuté par Amadeo, à la fin du 15e s., renferme le corps de Lanfranc, mort évêque de Pavie en 1198.

★★★ **PAVIE (Chartreuse de)** (CERTOSA DI PAVIA) Lombardie

Le « Gra Car », Gratiarum Cartusia (Chartreuse des Grâces) est l'un des monuments les plus caractéristiques de l'art lombard. Fondée en 1396 par Gian Galeazzo Visconti pour servir de mausolée à sa famille, la chartreuse fut bâtie en grande partie aux 15e et 16e s. par plusieurs architectes. Dans la cour s'élèvent, à droite, l'ancien palais des ducs de Milan (1625) et, à gauche, les ateliers des sculpteurs qui furent chargés de la décoration.

★★★ **Façade.** — Bien qu'inachevée, elle est tout à fait remarquable par la recherche et la richesse de son décor. La moitié inférieure, la plus ornée, fut exécutée entre 1473 et 1499 par les frères Mantegazza sous par le célèbre architecte-sculpteur Amadeo, qui travailla notamment à Bergame, et par son élève Briosco ; la partie supérieure est en revanche due à l'architecte-sculpteur Cristoforo Lombardo, qui acheva la construction en 1560.

Sculptures de marbre polychrome, médaillons imités de l'antique à la base, statues de saints dans les niches, rinceaux et guirlandes, motifs ornementaux sont d'une variété infinie. Autour des fameuses fenêtres d'Amadeo, ce sont des scènes de la Bible, de la vie du Christ, de la vie de Gian Galeazzo Visconti. Les bas-reliefs de Briosco entourant le portail central évoquent des épisodes de l'histoire des chartreux.

Avant de pénétrer dans l'église, il est bon de la contourner par la gauche, afin d'admirer le superbe ensemble de style gothique lombard tardif avec ses galeries d'arcades superposées.

★★★ **Intérieur.** — D'une beauté solennelle, il est gothique, mais on y reconnaît des signes avant-coureurs de la Renaissance, notamment dans le transept et le chœur.

Il renferme de nombreuses œuvres d'art. Les chapelles de la nef droite sont couvertes de fresques par Bergognone (fin 15e s.), dont on peut admirer également une **Crucifixion**, un retable et un polyptyque. La 2e chapelle de gauche abrite un **retable** du Pérugin. Dans le transept gauche, **Ecce Homo** de Bergognone, superbes candélabres de Fontana (1580), et les célèbres **gisants** de Ludovic le More et Isabelle d'Este par C. Solari (1497). La porte de l'ancienne sacristie est l'œuvre d'Amadeo. Remarquer en outre, dans le lavabo, un splendide « **lavabo** » en marbre Renaissance et une **fresque** de B. Luini. Le transept droit abrite le magnifique **mausolée de Gian Galeazzo Visconti,** par Cristoforo Romano (1497).

Visiter les deux **cloîtres** : le petit, orné de ravissantes terres cuites et d'une fontaine baroque ; le grand, comptant 122 arcades richement décorées et desservant 24 cellules.

Carte Michelin n° 🔳🔳🔳 pli 15.

Pérouse fut l'une des plus puissantes des douze cités, nommées lucumonies, qui formaient l'Étrurie aux 7e et 6e s. avant J.-C. Une forte muraille percée de portes témoigne de cet âge de splendeur. Mais la ville conserve également de nombreux édifices religieux et civils du Moyen Age. Aujourd'hui capitale de l'Ombrie, c'est un centre industriel et commercial, et une ville fréquentée par les étudiants.

La peinture ombrienne. — A l'image de leur terre, les peintres ombriens ont l'âme mystique et douce. Amoureux des paysages aux lignes pures, rythmés par des arbres au feuillage léger, ils y inscrivent des compositions stylisées et donnent aux visages de femmes une grâce tendre, parfois un peu mièvre ; un dessin d'une extrême finesse et des couleurs caressantes caractérisent leur technique. Les principaux représentants de cette manière sont Giovanni Boccati (1410 — vers 1485), Fiorenzo di Lorenzo (mort en 1520), mais surtout Pietro Vannucci, dit **Le Pérugin** (1445-1523), qui fut le maître de Raphaël et dont les œuvres, à caractère plutôt religieux, témoignant d'un exceptionnel sens de l'espace, de l'atmosphère et des paysages, sont parfois quelque peu entachées de maniérisme. Influencé par Le Pérugin, le conteur **Pinturicchio** (1454-1518), auteur de scènes d'un charmant réalisme, peint de façon plus naïve que son aîné.

PERUGIA

Matteotti (Piazza) ...	**BY** 34
Mazzini (Via)	**BY** 35
Vannucci (Corso) ..	**BYZ** 51

Alessi (Via)	**BY** 2
Asilo (Via dell')	**BY** 3
Baglioni (Via)	**BZ** 4
Bartolo (Via)	**BY** 7

Bonazzi (Via L.)	**AZ** 8
Bontempi (Via)	**BY** 9
Cupa (Via della)	**AY** 12
Danti (Piazza)	**BY** 13
Fabretti (Via)	**BY** 14
Fortebraccio (Piazza)	**BY** 17
Forze (Via delle)	**AZ** 18
Imbriani (Via M.)	**BY** 23
Indipendenza (Viale)	**ABZ** 24
Innamorati (Via F.) ..	**AY** 25
Italia (Piazza)	**BZ** 26
Maestà delle Volte (V.)	**BY** 29
Mariotti (Piazza A.) ..	**AZ** 30
Marzia (Via)	**BZ** 32
Morlacchi (Piazza) ..	**AY** 38
Oberdan (Via)	**BZ** 39
Partigiani (Piazza dei) .	**AZ** 40
Piccinino (Piazza) ...	**BY** 43
Repubblica (Pza della)	**BY** 45
Roma (Viale)	**BZ** 46
Roscetto (Via del) ...	**BY** 47
S. Elisabetta (Via) ...	**BY** 50
Viola (Via della)	**BY** 52
Volte della Pace (Via) .	**BY** 55

★★PIAZZA 4 NOVEMBRE (BY) *visite : 2 h*

Cœur de la cité, c'est l'une des places les plus prestigieuses d'Italie. Elle rassemble autour d'elle les principaux monuments de la glorieuse époque communale : le palais des Prieurs, la Fontana Maggiore, et la cathédrale. Dans le fond de la place, descend la pittoresque **via Maestà delle Volte**★ (ABY 29), avec ses maisons médiévales et ses passages voûtés.

★★**Grande fontaine** (Fontana Maggiore). — Dessinée en 1278 par Fra Bevignate, elle présente d'admirables proportions et une très belle décoration sculptée, œuvre de Nicola Pisano (vasque inférieure) et de son fils Giovanni (bassin supérieur).

★★**Palais des Prieurs** (Palazzo dei Priori) (BY D). — Commencé au cours du 13e s., mais agrandi aux siècles suivants, il forme un ensemble imposant et austère. La façade donnant sur la place est ornée d'un majestueux escalier conduisant à la chaire des harangues. La façade côté corso Vannucci (BY 51) présente un beau portail du 14e s. A l'intérieur, on peut voir de belles salles peintes à fresque (14e s.) ou décorées de fines boiseries sculptées (15e s.).

★★**Galerie nationale de l'Ombrie** (Galleria Nazionale dell'Umbria). — Cette collection, la plus importante pour la connaissance de l'art ombrien, est installée au dernier étage du palais des Prieurs. Elle permet de suivre l'évolution de cette école, du 13e s. jusqu'à la fin du 18e s. Œuvres de Duccio **(Madone)**, du maître de San Francesco **(Crucifix)**, de Fra Angelico, Piero Della Francesca **(Polyptyque de saint Antoine)**, Boccati, Fiorenzo di Lorenzo. La salle la plus intéressante du musée rassemble les chefs-d'œuvre de Pinturicchio et du Pérugin, dont on peut admirer un **Christ mort** sur fond noir et une très belle **Madone de la Consolation**. Une salle est consacrée aux statuettes de marbre de Nicola et Giovanni Pisano, provenant de la Fontana Maggiore, ainsi qu'aux figures sculptées par Arnolfo di Cambio. Le 17e s. est représenté par des œuvres de Federico Barocci, Pietro da Cortona, Orazio Gentileschi, etc.
La chapelle des Prieurs (15e s.) est dédiée aux patrons de la ville, saint Ercolano et saint Louis de Toulouse, dont Benedetto Bonfigli (mort en 1496) a conté l'histoire dans des **fresques** captivantes. En outre, le musée possède de beaux ivoires et émaux français (13e-14e s.).

★**Cathédrale** (Cattedrale) (BY F). — Elle est gothique, mais sa façade, piazza Danti, a été complétée par un portail baroque. Elle abrite, dans la chapelle de droite, une intéressante toile de Barocci, une **Déposition** (1569), qui inspira Rubens. Dans celle de gauche, aux belles **stalles** en marqueterie du 16e s., on conserve l'anneau réputé être l'anneau nuptial de la Vierge.

AUTRES CURIOSITÉS

★★**Église St-Pierre** (San Pietro) (BZ L). — On y accède par la magnifique **porte San Pietro**★ (BZ N), due au Florentin Agostino di Duccio, qui la laissa inachevée. Construite à la fin du 10e s., l'église a été remaniée à la Renaissance. L'intérieur recèle onze excellentes toiles de L'Aliense, compatriote et contemporain du Greco. On peut également voir un **tabernacle sculpté** par Mino da Fiesole et de merveilleuses **stalles**★★ du 16e s.

★**Église St-Dominique** (San Domenico) (BZ). — Imposant édifice gothique dont l'intérieur a été modifié au cours du 17e s. A droite du chœur, **monument funéraire de Benoît XI** (14e s.).

★★**Musée archéologique national de l'Ombrie** (Museo Archeologico Nazionale dell' Umbria) (BZ M). — Il est composé d'une section étrusque et romaine et d'une section préhistorique. Remarquable collection d'urnes funéraires, de sarcophages et de bronzes étrusques.

★**Palais du Change** (Collegio del Cambio) (BY E). — Édifié au 15e s. pour abriter les changeurs de monnaie, il conserve une salle d'audience décorée de **fresques**★★ par Le Pérugin et ses élèves, dans lesquelles s'exprime un humanisme cherchant à concilier la culture antique et la doctrine chrétienne. On admire également une statue de la Justice, de Benedetto da Maiano (15e s.).

★★**Oratoire de St-Bernardin** (San Bernardino) (AY). — S'y rendre à pied par la pittoresque **via dei Priori**★. C'est un joyau de l'architecture Renaissance (1461), dû à Agostino di Duccio qui sut mêler harmonieusement à la pureté des lignes une délicate décoration de fines sculptures et de marbres de couleur. Les bas-reliefs de la façade montrent, au tympan, saint Bernardin en gloire et, au linteau, des scènes de sa vie ; dans les piédroits, ravissants anges musiciens.

★**Via della Volte della Pace** (BY 55). — Pittoresque rue médiévale, formée par un long portique gothique du 14e s. qui suit la muraille étrusque.

★**Église St-Ange** (Sant'Angelo) (AY R). — Petite église édifiée sur un plan circulaire aux 5e-6e s., ornée à l'intérieur de seize colonnes antiques.

★**Porta Marzia et via Bagliona Sotterranea** (BZ Q). — Une porte étrusque du 2e s. donne accès à une curieuse rue, aujourd'hui souterraine, bordée de restes de maisons des 15e et 16e s.

★**Arc étrusque** (Arco Etrusco) (BY K). — Imposante construction faite d'énormes blocs de pierre. La loggia surmontant la tour, à gauche, date du 16e s.
A côté, le majestueux **palais Gallenga** (U), du 18e s., abrite l'université pour étudiants étrangers, nombreux en été.

Jardins Carducci (Giardini Carducci) (AZ). — Dominant le quartier de San Pietro, ils offrent une **vue**★★ superbe sur la vallée du Tibre.

EXCURSIONS

★ Hypogée (Ipogeo dei Volumni). — *6 km au Sud-Est. Sortir par ② du plan.* C'est une
sépulture étrusque creusée dans le roc, comprenant un atrium et neuf salles funéraires.
La tombe de Volumnium est la plus importante : elle recèle six cippes (stèles funéraires)
de la famille portant ce nom, celui du chef de famille étant le plus important (2ᵉ s.
avant J.-C.).

Torgiano. — *16 km au Sud-Est. Sortir par ② du plan.* Ce village dominant la vallée
du Tibre possède un intéressant **musée du Vin★** qui présente des objets dans leur
contexte naturel, grâce à une bonne documentation et à des photographies.

★ **PESARO** Marches   90 667 h.

Carte Michelin nº 988 pli 16 — Plan dans le guide Rouge Michelin Italia.

Pesaro est située au bord de la mer Adriatique, au débouché de la riante vallée Foglia
le long de laquelle s'étagent vignobles, vergers et peupliers d'Italie. C'est la patrie du
célèbre compositeur italien **Gioacchino Rossini** (1792-1868), dont la **maison
natale** *(au nº 34 de la via Rossini)* a été aménagée en musée.

★ Collections municipales (Musei Civici). — La **pinacothèque** s'enorgueillit de posséder
plusieurs tableaux du peintre vénitien Giovanni Bellini *(voir p. 203)* : la **Pala di Pesaro**
(1475) est un immense retable représentant le Couronnement de la Vierge au panneau
central et de nombreuses scènes à la prédelle.
La **section des Céramiques★★** illustre la production ombrienne, mais présente également
des pièces provenant de la région des Marches.

Palais ducal (Palazzo Ducale). — Ce palais, construit au 15ᵉ s. pour un Sforza, domine
de sa masse puissante la piazza del Popolo ornée d'une fontaine à tritons et chevaux
marins. Sa façade crénelée est formée d'un portique à arcades et d'un étage à
fenêtres décorées au 17ᵉ s. de festons et de putti.

Musée Oliveriano. — *97, via Mazza.* Intéressante collection de vestiges archéologiques d'origine italique, grecque, étrusque et romaine.

Ancienne église St-Dominique. — *Via Branca, derrière la poste.* Il n'en reste
qu'une façade, du 14ᵉ s., dont le beau portail ogival est encadré de colonnes torsadées
et de sculptures.

EXCURSION

Gradara. — *15 km au Nord-Ouest.* C'est un bourg médiéval presque intact que
ceignent des murs et des portes à mâchicoulis. La **Rocca★**, bâtie sur un plan carré
avec des tours aux angles, est un bon exemple d'architecture militaire des 13ᵉ et
14ᵉ s. C'est dans cette forteresse que Gianni Malatesta aurait surpris et assassiné sa
femme Francesca da Rimini et son frère Paolo Malatesta, émus d'amour réciproque à
la lecture d'un roman courtois. Dante évoque dans sa Divine Comédie l'apparition de
ce couple, inséparable même dans la mort.

★ **PIENZA** Toscane   2 441 h.

Carte Michelin nº 988 pli 15 — 52 km au Sud-Est de Sienne.

Cette petite cité située à l'extrême Sud de la Toscane est particulièrement intéressante
en raison de son plan entièrement dessiné par l'architecte florentin Bernardo Rossellino
(1409-1464), selon le vœu de l'humaniste, diplomate et poète Aeneas Silvius Piccolomini, devenu pape en 1458 sous le nom de Pie II.
Autour de la piazza Pio II, centre de la petite ville, s'élèvent les principaux monuments
dessinés par Rossellino.

★ Cathédrale (Cattedrale). — Terminée en 1462, elle présente une façade Renaissance ;
à l'intérieur, restauré, de tendance gothique, nombreuses peintures de l'école de
Sienne, dont une **Assomption★★**, chef-d'œuvre du peintre Vecchietta.

Musée de la cathédrale. — Il renferme des tableaux de l'école siennoise des 14ᵉ et
15ᵉ s. et une chape historiée, travail anglais du 14ᵉ s.

★ Palais Piccolomini. — Inspiré des palais florentins, c'est le chef-d'œuvre de
Rossellino. La cour intérieure doit son élégance à des colonnes corinthiennes très
élancées.

Pieve di Corsignano. — *1 km à l'Est.* Solitaire et sobre construction romane, dont la
façade est ornée d'un portail sculpté et d'une fenêtre à statue-colonne.

*Le **guide Vert Michelin***

ROME

Éditions française et anglaise

29 promenades dans la Ville Éternelle :

les sites les plus prestigieux,
les quartiers chargés de 30 siècles d'histoire,
les trésors d'art des musées.

Cette ville tranquille et agréable, proche de la mer, a conservé d'admirables témoignages de sa grandeur passée.

UN PEU D'HISTOIRE

Base navale romaine jusqu'à la fin de l'Empire, située à l'abri des pirates, Pise, république indépendante dès le 9e s., sut tirer parti de sa situation géographique. Devenue l'égale de Gênes et de Venise, elle contribua à préserver le bassin méditerranéen de la domination musulmane. C'est au 12e s. et au début du 13e s. que le commerce portuaire de la ville fut le plus florissant et que sa puissance maritime atteignit son apogée. C'est à cette époque également qu'elle doit ses plus beaux monuments et la fondation de son université. Dans le conflit qui opposa au 13e s. l'empereur à la papauté, Pise se rangea du côté des gibelins *(voir p. 18-19)*, entrant ainsi en lutte, sur mer avec Gênes, et sur terre, avec Lucques et Florence. En 1284, la flotte pisane fut anéantie au cours de la **bataille de la Meloria**. Ayant cédé à Gênes ses droits sur la Corse et sur la Sardaigne, sur lesquelles elle régnait depuis le 11e s., ruinée, en proie à des luttes intestines, elle assista à la dislocation de son empire maritime et passa, dès 1406, sous la tutelle de Florence. Néanmoins, les Médicis accordèrent une attention particulière à la cité, notamment dans le domaine scientifique. L'enfant le plus célèbre de Pise est **Galilée** (1564-1642), qui se consacra tout jeune à la physique et à l'astronomie ; comblé d'honneurs par Côme II, grand-duc de Toscane, il dut répondre de ses théories concernant la rotation de la terre sur elle-même devant le tribunal de l'Inquisition et, à l'âge de 70 ans, fut contraint de renier sa doctrine.

L'ART PISAN

La prospérité économique et la puissance maritime de Pise ont contribué, du 11e au 13e s., à l'éclosion d'un art nouveau qui se manifesta particulièrement dans les domaines de l'architecture et de la sculpture. Le **style roman pisan**, dont la cathédrale est l'exemple le plus rigoureux, se caractérise par un goût prononcé pour la décoration extérieure : alternance de marbres précieux composant une savante géométrie polychrome, jeux d'ombres et de lumières créés par les galeries de colonnettes courant le long de la partie supérieure des façades, décoration à motifs de marqueterie qui révèlent une influence orientale. Avec des architectes comme Buscheto, Rainaldo et Diotisalvi, de nombreux sculpteurs travaillèrent à l'ornementation des édifices. Grâce à **Nicola Pisano**, originaire de la Pouille (1220 — vers 1280), puis à son fils **Giovanni** (1250 — vers 1315), Pise devint le foyer de la sculpture gothique en Italie ; leurs œuvres, notamment leurs chaires sculptées, l'une au baptistère, l'autre pour la cathédrale, influencèrent de façon décisive la première Renaissance toscane.

★★★PIAZZA DEL DUOMO (AY) *visite : 3 h*

Sur cette place prestigieuse se côtoient quatre édifices qui composent un ensemble monumental parmi les plus célèbres du monde. Il faut y pénétrer à pied par la porte Santa Maria, d'où l'inclinaison de la fameuse tour penchée est le plus spectaculaire.

★★**Cathédrale (Duomo)**. — La construction de ce somptueux édifice, élevé grâce au fabuleux butin rapporté des expéditions contre les musulmans, fut entreprise dès 1063 sous la direction de Buscheto et poursuivie sous celle de Rainaldo. La **façade**★★★, due à Rainaldo, équilibre, par la légèreté de ses trois étages de galeries à colonnettes, ce puissant ensemble bâti sur plan en croix latine et à l'appareillage de marbres clair et sombre alternés. Des **portes**★ de bronze, fondues en 1602 d'après des dessins de Jean Bologne, ont remplacé celles d'origine. La porte ouvrant sur le transept droit possède de très beaux **vantaux**★★ romans, en bronze, réalisés vers la fin du 12e s. par Bonnano Pisano : scènes de la vie du Christ traitées dans une manière naïve, mais d'une prodigieuse liberté créatrice.

L'**intérieur**★★, à cinq nefs, est très imposant avec ses 100 m de longueur, son abside profonde, son transept à triple travée et ses innombrables colonnes offrant une étonnante multiplicité de perspectives. On y admire principalement la **chaire**★★★ sculptée de **Giovanni Pisano**, réalisée entre 1302 et 1311, qui repose sur six colonnes de porphyre et cinq piliers décorés de figures religieuses et allégoriques ; la cuve se compose de huit panneaux légèrement incurvés qui créent un plan circulaire : ils sont illustrés de scènes de la vie du Christ et rassemblent une foule de personnages aux expressions dramatiques. Près de la chaire, on remarque la lampe de Galilée, dont les oscillations auraient suggéré au savant sa théorie des mouvements isochrones.

★★★**Tour penchée (Torre Pendente** ou **Campanile) (V)**. — A la fois clocher et beffroi, cette tour en marbre blanc, d'un style roman très pur, fut commencée en 1173 par Bonnano Pisano et achevée en 1350. Son inclinaison (4 m en son point le plus fort) est due à la nature alluvionnaire du terrain insuffisamment résistant pour supporter le poids de l'édifice. En vain les architectes successifs cherchèrent-ils à corriger ce défaut de construction. Cylindrique à la manière des tours byzantines, l'édifice comporte six étages de galeries à colonnes, qui semblent s'enrouler en spirale en raison de l'inclinaison ; au niveau inférieur, on retrouve les arcades aveugles ornées de losanges, propres au style pisan. Du sommet, belle **vue**★ sur la place et la ville.

★★★**Baptistère (Battistero) (R)**. — Commencé en 1153, il présente dans sa partie inférieure les caractéristiques du style roman pisan ; en revanche, les gâbles et les pinacles qui surmontent les arcades du 1er étage sont gothiques. Une singulière coupole se terminant en forme de pyramide tronquée couvre l'édifice qui s'ouvre par quatre beaux portails sculptés. L'intérieur, qui compte 35 m de diamètre, frappe par sa majesté et sa luminosité. Sobrement décoré de marbres sombre et clair alternés, il est orné en son centre d'une belle **cuve baptismale**★ octogonale, œuvre d'un artiste venu de Côme, Guido Bigarelli, qui l'exécuta en 1246. Mais la pièce maîtresse du baptistère est l'admirable **chaire**★★ due à Nicola Pisano, datant de 1260. Plus sobre que celle réalisée par son fils pour la cathédrale, elle repose sur de simples colonnes ; la cuve est formée de cinq panneaux sculptés retraçant la vie du Christ ; l'artiste s'est sans doute inspiré des sarcophages romains, entreposés dans le Camposanto voisin, pour dessiner ses figures d'une plénitude et d'une noblesse toute classiques.

★★**Cimetière (Camposanto) (S)**. — Sa construction fut entreprise en 1277 par l'un des architectes du campanile, Giovanni di Simone. Les travaux, interrompus par la bataille de la Meloria, ne furent achevés qu'au 15e s. Il se présente comme un vaste cloître dont les arcades sont formées par des fenêtres gothiques à quatre baies d'une merveilleuse légèreté. Au milieu, le Camposanto proprement dit serait constitué de terre du Golgotha rapportée par les croisés. Les galeries, où sont déposés de nombreux sarcophages gréco-romains, sont pavées de quelque 600 pierres tombales. Les admirables fresques qui en ornaient les murs ont été pour la plupart détruites lors d'un incendie provoqué par un tir d'artillerie en 1944 ; l'une des plus célèbres, le **Triomphe de la Mort**★★★, a heureusement été sauvée et est exposée dans une salle donnant sur la galerie Nord : cette fresque, comme le **Jugement dernier**★★ et l'**Enfer**★ qui l'accompagnent, est l'œuvre d'un peintre du 14e s. dont l'identité est discutée ; la brièveté et la vanité des plaisirs terrestres y sont évoquées avec beaucoup de réalisme.

★**Musée des Sinopies (Museo delle Sinopie) (M¹)**. — Il regroupe les sinopies (esquisses au contour brun dessinées avec de la terre provenant de la ville de Sinope sur les bords de la Mer Noire) que l'incendie de 1944 révéla sous la peinture des fresques du Camposanto. Remarquablement mises en valeur, ces préparations font apprécier la vivacité et la liberté de dessin de ces peintres des 13e-15e s.

AUTRES CURIOSITÉS

★★**Musée national (Museo Nazionale)** (BZ M²). — Il rassemble des œuvres de sculpteurs
⊙du Moyen Age, notamment celles de Giovanni Pisano et de son école. On remarquera
tout particulièrement une **Vierge de l'Annonciation** d'Andrea Pisano et une charmante
Madone allaitant due à Nino Pisano. Parmi les nombreux tableaux, **Saint Paul** de Masaccio
et un **polyptyque** de Simone Martini.

★**Piazza dei Cavalieri** (AY). — Centre historique de Pise, cette place tire son nom de
l'ordre des « Cavalieri di Santo Stefano », spécialisé dans la lutte contre les Infidèles.
On y voit : le **palais des Cavaliers** (ABY F) présentant une **façade★** décorée par Vasari ;
l'**église Santo Stefano** (BY), édifiée en 1569, à la façade de marbre blanc, vert et rose ;
le **palais Gherardesca** (AY K), reconstruit par Vasari en 1607 sur les restes de la Torre
della Fame, dans laquelle le comte Ugolino della Gherardesca, accusé de trahison
après la défaite de la Meloria, fut condamné à mourir de faim avec ses enfants.

★★**Église Ste-Marie de l'Épine (Santa Maria della Spina)** (AZ). — Du début du 14e s., elle
⊙a l'apparence d'une châsse toute ciselée de gâbles, pinacles, statues et statuettes de
l'école des Pisano (certaines ont été remplacées par des copies).

Église St-Paul (San Paolo a Ripa d'Arno) (AZ D). — S'élevant comme la précédente sur
les rives de l'Arno, elle possède une belle **façade★** de style roman pisan.

Église du St-Sépulcre (San Sepolcro) (BZ Q). — Originale construction pyramidale
réalisée au 12e s. par Diotisalvi. A l'intérieur, **chœur★** de nobles proportions surmonté
d'une profonde coupole, et tombeau de Marie Mancini qui vint mourir à Pise en 1715.

Église Ste-Catherine (Santa Caterina) (BY E). — Harmonieuse **façade★** de style
gothique pisan. A l'intérieur, statues de Nino Pisano, en particulier une Annonciation
(de part et d'autre du chœur).

Église San Michele in Borgo (BY L). — Sa **façade★** est une remarquable illustration
de la transition entre les styles roman et gothique pisans.

Les quais. — Le long du **lungarno Pacinotti** (ABY) et du **lungarno Mediceo** (BZ), s'élèvent
de prestigieux palais, tels : le **palais Upezzinghi** (AY Y), du 17e s. (occupé par l'université) ;
le **palais Agostini★** (ABY Z) du 15e s., à la façade très décorée (au rez-de-chaussée le
café dell'Ussero fut fréquenté par les écrivains du Risorgimento), auquel fait face, sur
l'autre rive, le palais Gambacorti (BZ H) de la fin du 14e s. ; le palais Toscanelli (BZ W)
où Byron écrivit son Don Juan ; le palais Médicis (BZ P), des 13e-14e s.

EXCURSIONS

★**San Piero a Grado**. — *6 km au Sud-Ouest. Sortir par ⑤ du plan, via Conte Fazio.*
Basilique★ romane construite sur le lieu même où saint Pierre aurait débarqué en venant
d'Antioche. Remarquable abside à trois absidioles.

Viareggio. — *20 km au Nord-Ouest. Sortir par ① du plan.* Agréable station balnéaire
offrant de belles plages et de multiples distractions. A **Torre del Lago Puccini** *(5 km au
Sud-Est)*, Puccini écrivit ses opéras La Bohème, Madame Butterfly et La Tosca. Dans
⊙la **villa Puccini**, on peut voir le tombeau du musicien et quelques souvenirs de sa vie.

★ PISTOIA Toscane

91 619 h.

Carte Michelin n° 〇〇〇 pli 14 — Plan dans le guide Rouge Michelin Italia.

Ville industrielle possédant un riche noyau historique qui reflète l'importance acquise
par cette petite commune au cours des 12e, 13e et 14e s. Convoitée par Lucques et
Florence, elle fut définitivement annexée à cette dernière en 1530 par les Médicis.

★★PIAZZA DEL DUOMO visite : 1 h

Elle séduit par l'équilibre de ses proportions et l'harmonieuse disposition des monuments civils et religieux qui l'entourent.

★**Cathédrale (Duomo)**. — Rebâtie aux 12e et 13e s., remaniée à l'intérieur au 17e s., elle
offre une **façade★** revêtue de marbres qui allie avec bonheur le style roman pisan
(galeries superposées de la partie haute) et celui de la Renaissance florentine (porche
à fines colonnes, ajouté au 14e s.). Le campanile, massif dans sa partie inférieure,
s'allège vers le haut grâce à trois étages de galeries à colonnettes. L'intérieur renferme
⊙le célèbre **autel de saint Jacques★★★**, chef-d'œuvre d'orfèvrerie réalisé au 13e s., transformé et agrandi au cours des deux siècles suivants : autour de l'apôtre assis dans
une niche, une théorie de saints et, au-dessus, le Christ en gloire ; des scènes de
l'Ancien et du Nouveau Testament complètent la décoration. Dans la chapelle à
gauche du chœur, belle **Vierge en majesté★** de Lorenzo di Credi (vers 1480).

★**Baptistère (Battistero)**. — Construction gothique de plan octogonal en marbres
⊙polychromes, remontant au 14e s. Le portail principal est orné au tympan d'une **Vierge
à l'Enfant** entre saint Pierre et saint Jean-Baptiste attribuée à Nino et Tommaso Pisano.

Palais Pretorio. — Ancien palais du Podestat construit au 14e s. et remanié au
siècle dernier.

⊙**Palais communal (Palazzo del Comune)**. — Élevé entre 1294 et 1385, il présente une
façade★ sur arcades, agrémentée d'élégantes fenêtres géminées ou à triple baie. Il
abrite aujourd'hui un **centre de documentation** consacré au sculpteur **Marino Marini**
(1901-1980) et le **musée municipal** (Museo Civico) où sont rassemblés des tableaux de
l'école toscane du 13e au 16e s.

AUTRES CURIOSITÉS

Hôpital (Ospedale del Ceppo). — Son portique est orné d'une magnifique **frise**★★ en terre cuite, réalisée en 1530 par Giovanni Della Robbia et qui évoque, avec un surprenant naturel et une merveilleuse fraîcheur de coloris, les Œuvres de miséricorde.

★**Église St-André (Sant'Andrea).** — Construite dans le plus pur style roman pisan, cette église recèle la fameuse **chaire**★★ exécutée entre 1298 et 1308 par Giovanni Pisano dans une manière dramatique et pleine de vie : sur les panneaux de la cuve, sont représentées cinq scènes de la vie du Christ. Admirer aussi le beau **crucifix**★ en bois doré de Giovanni Pisano *(dans une niche après le 1er autel à droite).*

Église St-Jean-hors-les-Murs (San Giovanni Fuorcivitas). — Élevée du 12e s. au 14e s., elle offre un long et spectaculaire **flanc Nord**★ en style roman pisan. A l'intérieur, **chaire**★ (1270) de Fra Guglielmo de Pise, polyptyque de Taddeo Gaddi *(à gauche de l'autel)* et **Visitation**★★, admirable terre cuite vernissée de Luca Della Robbia.

Église St-Barthélemy (San Bartolomeo in Pantano). — De style roman pisan, avec un beau portail sculpté, elle abrite une belle **chaire**★, œuvre de Guido da Como (1250).

EXCURSION

★**Vinci.** — *24 km au Sud.* C'est la **patrie** de Léonard. Le château abrite le **Museo Vinciano** et la **Biblioteca Leonardiana.**
Ⓥ A 2 km au Nord de la localité, on peut visiter la **maison natale** de l'artiste, perdue au milieu des oliviers et baignant dans une douce lumière transparente.

★ PLAISANCE (PIACENZA) Émilie-Romagne   107 617 h.

Carte Michelin n⁰ ▓▓▓ pli 13 — Plan dans le guide Rouge Michelin Italia.

Construite par les Romains sur la rive droite du Pô, à l'extrémité de la Via Emilia, Plaisance fut au Moyen Age une ville florissante qui adhéra à la Ligue lombarde *(voir p. 19).* Constituée, avec sa voisine, en duché de Parme-Plaisance par le pape Paul III Farnèse en 1545, son destin suivit dès lors celui de Parme.

CURIOSITÉS

★★**Le « Gotico ».** — Chef-d'œuvre de l'architecture gothique lombarde, cet ancien palais communal a un aspect à la fois sévère et harmonieux, créé notamment par le contraste entre sa partie inférieure en marbre et le revêtement de brique de l'étage, par ses grandes ouvertures et l'élégante décoration des fenêtres. Devant le Gotico, se dressent deux remarquables **statues équestres**★★ du 17e s. représentant les ducs Alexandre et Ranuccio Ier Farnèse.

★**Cathédrale (Duomo).** — Remarquable édifice de style roman lombard (12e-13e s.) dont la façade est percée de trois portails et d'une rosace. Intérieur en forme de croix latine, d'une grande simplicité. A la coupole, fresques dues en partie au Guerchin.

Église St-Savin (San Savino). — *Près de la bifurcation de la via G. Alberoni et de la via Roma.* La crypte de cette église du 12e s. aux lignes architecturales d'une grande pureté renferme un magnifique pavement de mosaïques.

Église St-Sixte (San Sisto). — *Au bout de la via San Sisto.* Cet édifice du 16e s. présente une curieuse architecture. Sa façade est précédée d'un atrium et d'un portail à bossages et mascarons. A l'intérieur, intéressante décoration Renaissance.

Madonna di Campagna. — *Via Campagna.* Église du 16e s., en forme de croix grecque, abritant d'intéressantes fresques, notamment de Pordenone (école vénitienne du 16e s.).

Ⓥ**Palais Farnèse.** — Cet imposant bâtiment de la fin de la Renaissance, resté inachevé, abrite les collections du **musée municipal** (Museo Civico). A l'étage inférieur : peintures parmi lesquelles une Vierge de Botticelli, verreries de Murano, céramiques du 17e au 19e s., sculptures, armes des 16e-17e s. pour la plupart. A l'étage au-dessus, salles consacrées au Risorgimento *(voir p. 19).*

Ⓥ**Galerie Alberoni.** — *Au n⁰ 77 de la via Emilia.* Réunion de tapisseries des 16e et 17e s., italiennes et flamandes, et nombreux tableaux : Antonello de Messine, Raphaël, Signorelli, Le Corrège, Le Caravage, Véronèse, etc.

★★ POLICASTRO (Golfe de) Campanie — Basilicate — Calabre

Carte Michelin n⁰ ▓▓▓ pli 38.

De la pointe d'Infreschi à Praia a Mare, ce magnifique golfe est encastré dans des montagnes dont les sommets se dressent parfois comme des aiguilles ; les pentes sont couvertes, en bas, de cultures de céréales et d'oliviers, plus haut, de futaies et de châtaigniers. De Sapri à Praia a Mare, la route en corniche surplombe une mer d'émeraude où s'ouvrent de nombreuses et charmantes criques. De petites localités se succèdent dans un cadre enchanteur.

★★**Maratea.** — Cette station balnéaire aux nombreuses plages et criques dissimule villas et hôtels dans une végétation luxuriante. Le village se développe sur les pentes du mont Biagio, au sommet duquel se dressent la basilique de San Biagio et la statue, masse blanche de 22 m de haut, du Rédempteur, par Innocenti (1965). De là, on bénéficie d'un superbe **panorama**★★ sur le golfe de Policastro et la côte calabraise.

Pompéi, ville somptueuse ensevelie en 79 après J.-C. par une énorme éruption du Vésuve, constitue un document capital sur la vie de l'Antiquité. Par leur ampleur et leur variété, par la beauté du paysage qui les environne, les ruines de Pompéi procurent une vision grandiose et émouvante de ce que pouvait être une cité romaine de l'époque impériale.

UN PEU D'HISTOIRE

Fondée au 8e s. avant J.-C. par les Osques, Pompéi subit au 6e s. une influence hellénistique par l'intermédiaire de Cumes, alors puissante colonie grecque. Devenue samnite à la fin du 5e s., la cité vécut une période prospère jusqu'au début du 1er siècle : constructions urbaines et activités artistiques s'y développèrent. En 80 avant J.-C., la ville tomba sous la domination de Rome et devint un séjour apprécié des riches familles romaines qui y établirent leur langue, leurs mœurs, leur organisation et imposèrent leur mode de construire et de décorer. A la veille de l'éruption du Vésuve, Pompéi était donc une ville aisée comptant quelque 25 000 habitants. Au cœur d'une région fertile, elle pratiquait le commerce et la petite industrie, possédait un port sur la mer. Les nombreuses boutiques et ateliers qu'on y a découverts, la largeur imposante des rues et les ornières creusées par les chars suffisent à suggérer l'activité intense qui devait y régner. Pourtant, le goût des Pompéiens se portait également aux spectacles, jeux et affrontements politiques. En 62 après J.-C., un tremblement de terre avait déjà fortement endommagé la ville et les travaux de restauration n'étaient pas achevés, quand, un jour d'août 79, se déclencha la terrible éruption qui détruisit également Herculanum et Stabiae. En deux jours, Pompéi fut recouverte d'une couche de cendre atteignant 6 à 7 m d'épaisseur. Ce n'est qu'au 18e s. que commencèrent de vraies fouilles officielles et systématiques, sous le règne de Charles de Bourbon. La découverte eut un retentissement énorme dans toute l'Europe au point que quelques années plus tard on vit apparaître une mode pompéienne.

ARCHITECTURE ET DÉCORATION

Les modes de construction. — Pompéi présente une grande diversité dans la nature des matériaux utilisés et dans leur mode d'agencement pour la construction des ouvrages. On distingue quatre grands procédés : l'**opus quadratum** (gros blocs de pierre de taille empilés sans liaison de mortier) ; l'**opus incertum** (éléments en tuf ou en lave, de taille indifférente, amalgamés dans du mortier) ; l'**opus reticulatum** (constitué de petits blocs carrés en calcaire ou en tuf, disposés en losanges de manière à former une sorte de réseau décoratif) ; l'**opus testaceum** (revêtement de briques triangulaires

POMPEI (FOUILLES)

0   200 m

--- Parties disparues

posées à plat, la pointe à l'intérieur). En outre, les murs recevaient souvent un revête-ment supplémentaire de plâtre ou de marbre. On trouve à Pompéi presque tous les types de maisons antiques : sobres et sévères à l'époque des Samnites, beaucoup plus vastes et plus richement décorées dès que la ville subit l'influence hellénistique. Avec l'arrivée des Romains et l'accroissement important de la population, on compensa la limitation de l'espace par le faste de la décoration.

La peinture pompéienne. — La plupart des peintures qui ornaient les parois des maisons pompéiennes ont été transportées au musée archéologique de Naples. Néan-moins, la visite des ruines permet de se faire une large idée de la richesse de cette décoration picturale, dans l'histoire de laquelle on distingue quatre **styles**. Le premier se caractérise par une peinture sans sujet, imitant par un jeu de relief et de légères touches de couleur, un placage de marbre. Le deuxième style, le plus beau d'entre tous, couvre les murs d'architectures graciles, colonnes feintes surmontées de frontons ou couronnées de petits temples, fausses ouvertures destinées à provoquer des illusions de perspectives ; l'utilisation du fameux « rouge pompéien » obtenu à partir du sulfure de mercure, le cinabre, opposé à un noir éclatant, donne à ces peintures leur éclat particulier. Le troisième style remplace le trompe-l'œil par des scénettes ou des paysages brossés avec légèreté dans des couleurs pastel. Le quatrième style, le plus fréquent à Pompéi, reprend certains éléments du deuxième style pour les combiner, dans des compositions opulentes, à ceux du troisième.

⊘ LA VILLE MORTE *visite : prévoir une journée*

Porte Marine (Porta Marina). — La route descendant vers la mer franchissait cette porte. Des passages distincts pour les animaux et les piétons y sont ménagés.

★★**Antiquarium.** — Documentation sur le développement historique de la ville, objets de la vie quotidienne, reconstitution de moulins. Moulages d'hommes et d'animaux dans les attitudes qu'ils prirent au moment de leur mort.

Les rues. — Elles sont rectilignes et se coupent à angle droit. Encaissées entre de hauts trottoirs, elles sont fréquemment interrompues par des blocs de pierre qui permettaient aux piétons de traverser sans descendre du trottoir et qui étaient parti-culièrement utiles les jours de pluie, lorsque la chaussée se transformait en ruisseau ; ces bornes étaient placées de façon à laisser les espaces nécessaires au passage des chars. Les fontaines, de forme très simple, étaient toutes construites sur le même modèle à bassin carré.

★★★**Forum.** — C'était le centre de la vie publique. Aussi, la plupart des grands édifices s'y trouvent-ils rassemblés. On y célébrait les cérémonies religieuses, on y faisait du commerce, on y rendait la justice.

La place, immense, était pavée de grandes dalles de marbre et ornée de statues d'empereurs. Un portique surmonté d'une terrasse l'entourait sur trois côtés.

La **basilique★★** (basilica), édifice le plus grand de Pompéi, mesure 67 m sur 25. Les affaires commerciales et judiciaires s'y réglaient.

Le **temple d'Apollon★★** (Tempio di Apollo) a pour fond la silhouette majestueuse du Vésuve. Devant les marches qui conduisaient à la cella se trouve l'autel. Se faisant face, copies des statues d'Apollon et de Diane retrouvées à cet endroit (originaux au musée de Naples). Dans l'horreum, probablement magasin de céréales, musée lapidaire.

Le **temple de Jupiter★★** (Tempio di Giove), à l'emplacement d'honneur, est encadré par deux arcs de triomphe, autrefois recouverts de marbre.

Le **macellum** était le grand marché couvert. Il était bordé de nombreuses boutiques. Au centre, un édicule à coupole entouré de colonnes renfermait un bassin.

Le **temple de Vespasien** (Tempio di Vespasiano) possédait un autel en marbre orné d'une scène de sacrifice.

Un beau portail, à encadrement en marbre sculpté de motifs végétaux, donnait accès à l'**Édifice d'Eumachie** (Edificio di Eumachia), construit par les soins de cette prêtresse pour la puissante corporation des fullones *(voir ci-dessous),* dont elle était la patronne.

★**Forum triangulaire (Foro Triangolare).** — Un majestueux propylée, dont on peut voir encore plusieurs colonnes ioniques, le précédait. Son petit **temple dorique,** dont quelques vestiges émergent du sol, est l'un des rares témoignages de l'existence de la ville au 6e s. avant J.-C.

★**Grand théâtre (Teatro Grande).** — Élevé au 5e s. avant notre ère puis remanié à l'époque hellénistique (entre 200 et 150 avant J.-C.), il se présente tel qu'il avait été une nouvelle fois transformé par les Romains au 1er s. après J.-C. C'était un théâtre découvert, qui pouvait recevoir un vélum. Sa capacité était de 5 000 spectateurs.

Caserne des Gladiateurs (Caserma dei Gladiatori). — Cette grande esplanade limitée par un portique était utilisée à l'origine comme foyer des théâtres.

★★**Odéon.** — Les odéons, ou théâtres couverts, étaient utilisés pour les concerts, les séances de déclamation, les ballets. Celui-ci pouvait accueillir 800 spectateurs. Il était surmonté d'un toit en bois. Sa construction date du début de la colonisation romaine.

★**Temple d'Isis (Tempio d'Iside).** — Ce petit édifice est dédié à la déesse égyptienne Isis qu'adoptèrent les Romains, très libéraux dans le choix de leurs dieux.

Maison de Lucius Ceius Secundus. — Intéressante pour sa façade couverte de stuc imitant un revêtement de pierre, dans la manière du 1er style, et pour son joli petit atrium.

★★**Maison de Ménandre (Casa del Menandro).** — Cette grande demeure patricienne, richement décorée de peintures (4e style) et de mosaïques, possédait ses propres installations pour le bain. Un corps de bâtiment était réservé au logement des domestiques.

On note, dans un angle de l'atrium, un laraire en forme de petit temple. Remarquable péristyle à colonnes doriques recouvertes de stuc, entre lesquelles court une cloison basse décorée de plantes et d'animaux.

On débouche dans la **rue de l'Abondance★★ (via dell' Abbondanza),** l'une des rues commerçantes de Pompéi et aujourd'hui l'une des plus suggestives, bordée de boutiques et de maisons.

Maison du Cryptoportique (Casa del Criptoportico). — *N° 2.* Après avoir traversé le péristyle (peinture laraire : Mercure, avec un paon, des serpents et de fins feuillages), on descend dans le cryptoportique, grand couloir souterrain surmonté d'une belle voûte en berceau et prenant jour par des soupiraux. Ce type de couloir, à l'honneur dans les villas romaines de l'époque impériale, constituait un passage et un lieu de promenade, à l'abri du soleil et des intempéries.

★★**Fullonica Stephani.** — *N° 7.* Exemple d'une maison d'habitation transformée en atelier. L'industrie du vêtement était prospère chez les Romains, dont le costume à l'abondant drapé nécessitait une grande quantité de tissu. Dans les fullonicae, on nettoyait les étoffes neuves, qui recevaient là leur traitement de finition, et les vêtements ayant déjà servi. Les **fullones** (foulons) y lavaient les étoffes en les foulant aux pieds dans des cuves remplies d'un mélange d'eau et de soude ou bien d'urine. Plusieurs de ces ateliers ont été retrouvés à Pompéi.

★**Thermopolium (Termopolio) di Asellina.** — Le thermopolium était le débit de boissons où l'on vendait aussi des plats préparés. Un comptoir en maçonnerie donnant sur la rue formait la devanture ; les jarres qui y étaient encastrées contenaient les produits à vendre.

Grand thermopolium. — Boutique semblable à la précédente, avec laraire peint.

Maison de Trebius Valens. — Inscriptions, en façade, qui tenaient lieu d'affiches électorales. Au fond du péristyle, amusante fresque polychrome imitant un mur de pierre.

★**Maison de Loreius Tiburtinus.** — A en juger par le bel impluvium en marbre, le triclinium orné de fresques, la **décoration★** de l'une des pièces offrant sur fond blanc l'un des plus beaux exemples de peinture du 4e style, il s'agissait d'une riche demeure. Son plus bel ornement réside pourtant dans son **jardin★** aménagé pour les jeux d'eau.

★**Villa de Julia Felix (Villa di Giulia Felice).** — Bâtie à la limite de la ville, elle s'ordonne originellement en trois corps : la partie réservée à l'habitation ; des bains, que le propriétaire avait ouverts au public ; un ensemble destiné à la location, comprenant une hôtellerie et des boutiques. Le vaste jardin, bordé d'un beau **portique★**, est agrémenté d'une suite de bassins.

★**Amphithéâtre (Anfiteatro).** — C'est le plus ancien amphithéâtre romain qu'on connaisse (80 avant J.-C.). A côté, la grande **palestre** servait à l'entraînement des athlètes.

★**Nécropole de la porte de Nocera.** — Elle aligne ses tombeaux, selon la coutume, le long de l'une des routes qui sortaient de la ville.

Par la via di Porta Nocera revenir à la via dell'Abbondanza que l'on suit à gauche.

★★★**Thermes Stabiens (Terme Stabiane).** — *Voir schéma p. 151 et détails sur les thermes romains p. 25.* Cet établissement de bains, le plus complet de Pompéi, comprend une section pour les femmes et une section pour les hommes. On pénètre dans la palestre pour les jeux athlétiques, à gauche de laquelle se trouvent une piscine et un vestiaire. Au fond, à droite, commence le **bain des femmes**: vestiaires avec cases à vêtements ; à côté, se trouvaient le tepidarium tiède et le caldarium chaud. L'installation du chauffage central sépare le bain des femmes du **bain des hommes**, comportant vestiaires vastes et bien conservés, frigidarium, tepidarium, caldarium ; belle décoration de stucs, en caissons.

Lupanar. — La décoration en est fort libre.

★**Pistrinum.** — Four de boulanger, avec ses meules à farine.

★★**Maison du Faune (Casa del Fauno).** — C'était une demeure d'un faste exceptionnel. De proportions grandioses, elle occupait l'espace de tout un pâté de maisons et comptait deux atriums, deux péristyles et des salles à manger pour toutes les saisons. L'original de la statuette de faune en bronze qui ornait l'un des impluviums est au musée de Naples. Les pièces renfermaient d'admirables mosaïques dont la fameuse Bataille d'Alexandre (musée de Naples), qui couvrait le sol entre les deux péristyles.

Maison du Labyrinthe (Casa del Labirinto). — Dans une des pièces s'ouvrant au fond du péristyle, mosaïque figurant un labyrinthe avec Thésée tuant le Minotaure.

★★★**Maison des Vettii (Casa dei Vettii).** — Les frères Vettius étaient de riches marchands. Leur demeure qui, pour la décoration, surpasse en somptuosité toutes les autres, représente l'exemple le plus célèbre de maison et de jardin fidèlement reconstitués. L'atrium, dont le toit a été rétabli, donne directement sur le péristyle entourant un délicieux jardin embelli de statuettes, de vasques, de jets d'eau.
Les **fresques** du triclinium (à droite du péristyle), représentant des scènes mythologiques et des frises d'amours occupés aux tâches domestiques, sont parmi les plus belles de l'Antiquité.

★**Maison des Petits Amours dorés (Casa degli Amorini Dorati).** — Elle dénote le goût raffiné de son propriétaire, qui vécut probablement sous Néron, et son penchant pour ce qui avait trait au théâtre. Les médaillons en verre et en or représentant des amours, qui ont donné son nom à la villa, ont été détériorés. Mais l'ensemble, avec un remarquable péristyle dont une aile est surélevée à la façon d'une scène, reste bien conservé. Remarquer le miroir en obsidienne incrusté dans le mur, près du passage entre le péristyle et l'atrium.

Maison de l'Ara Massima. — **Peintures★** (dont une en trompe-l'œil) très bien conservées.

★**Tour de Mercure (Torre di Mercurio).** — C'est l'une des tours carrées qui jalonnaient l'enceinte. Du sommet, **vue★★** sur les fouilles.

Maison de la Grande Fontaine (Casa della Fontana Grande). — Sa principale parure est sa **fontaine★** en forme de niche tapissée de mosaïques et de fragments de verres polychromes, dans le goût égyptien.

★**Maison du Poète tragique (Casa del Poeta Tragico).** — Cette maison doit son nom à une mosaïque, aujourd'hui au musée de Naples. Sur le seuil, chien de garde en mosaïque et inscription « Cave Canem ».

Maison de Pansa. — Immense, elle avait été en partie transformée pour la location.

★★**Porte d'Herculanum (Porta Ercolano).** — C'est la plus importante de Pompéi, avec deux passages pour piétons et un pour les chars.

★★**Voie des Tombeaux (Via dei Sepolcri).** — De cette voie bordée de tombes monumentales et de cyprès, se dégage une grande mélancolie. Toutes les formes de l'architecture funéraire gréco-romaine s'offrent ici : tombes à niches, petits temples de plan circulaire ou carré, autels reposant sur un socle, mausolées en forme de tambour, simples bancs semi-circulaires (ou exèdres).

Villa de Diomède. — Important ensemble avec loggia surplombant un jardin et une piscine.

★★★**Villa des Mystères (Villa dei Misteri).** — Située à l'écart de la ville, cette ancienne villa patricienne qui avait, après le tremblement de terre, perdu de son raffinement, comptait un nombre considérable de pièces. Près de l'entrée actuelle, se trouvaient les dépendances *(en partie fouillées)*, réservées aux travaux domestiques et agricoles et au logement des serviteurs.
Dans le quartier d'habitation des maîtres, une salle (à droite) renferme la splendide **fresque** à laquelle la villa doit sa célébrité : autour de la pièce, sur fond rouge pompéien, se déroule une grande composition qui représenterait l'initiation d'une jeune épouse aux mystères dionysiaques (lecture, par un enfant, du texte rituel ; scène d'offrandes et de sacrifices ; flagellation ; noces d'Ariane et de Dionysos ; bacchante dansant ; toilette de l'épouse). Le culte de Dionysos, dont la maîtresse de céans aurait été prêtresse, était alors en grande faveur en Italie méridionale. Beau péristyle et cryptoportique.

★★ POMPOSA (Abbaye de) Emilie-Romagne

Carte Michelin n° 988 pli 15 — 49 km à l'Est de Ferrare.

ⓥ Abbaye bénédictine fondée au 6e s., dont le rayonnement fut immense, particulièrement du 10e au 12e s., époque à laquelle saint Guido de Ravenne, son abbé, et Guido d'Arezzo, inventeur de la gamme musicale, l'illustrèrent.

La très belle **église**★★ préromane, de style ravennate, est précédée d'un narthex dont la décoration marque le style byzantin. A sa gauche, un admirable campanile roman (1063) s'élance vers le ciel ; remarquer, d'une part la progression du nombre et de la taille de ses baies, d'autre part la sobriété élégante des bandes et arcatures lombardes qui décorent ses neuf étages, enfin la variété du décor géométrique obtenu par l'emploi des briques.

La nef a gardé partiellement son magnifique **pavement** de mosaïques et deux bénitiers, l'un roman, l'autre de style byzantin. Les murs sont revêtus d'un exceptionnel ensemble de **fresques** du 14e s. inspirées des miniatures ; on lit de droite à gauche, au registre supérieur, des épisodes de l'Ancien Testament, au registre inférieur, des scènes de la vie du Christ ; dans les écoinçons des arcades, scènes de l'Apocalypse ; au revers de la façade, Jugement dernier ; dans la chapelle absidiale, Christ en majesté.

Devant l'église, s'élève le Palazzo della Ragione, où l'abbé rendait la justice.

★★★ PORTOFINO (Péninsule de) Ligurie

Carte Michelin n° 988 pli 13.

S'avançant en promontoire rocheux et tourmenté, la presqu'île de Portofino constitue l'un des paysages les plus séduisants de la Riviera ligure, grâce notamment à sa lumière tamisée qui baigne le littoral découpé et les petits ports qui s'y sont blottis.

La péninsule a été en partie instituée **parc naturel,** zone dans laquelle faune et flore sont protégées. Quelques routes en corniche et de nombreux itinéraires pédestres permettent de mieux découvrir les secrets de sa beauté.

★★★PORTOFINO

On y accède, à partir de **Santa Margherita Ligure**★ *(5 km),* élégante station balnéaire chère à Valéry Larbaud, par une **route de corniche**★★ (Strada Panoramica) ménageant de très belles vues sur la côte rocheuse de la péninsule.

Petit village de pêcheurs, Portofino groupe ses maisonnettes colorées au fond d'une crique naturelle *(illustration p. 16).* La **promenade au phare**★★★ *(1 h AR à pied)* offre de magnifiques points de vue au cœur d'une végétation faite d'oliviers, d'ifs et de pins. L'effectuer de préférence à la tombée du jour, lorsque le soleil éclaire le golfe de Rapallo.

ⓥ Du **château** — anciennement Castello San Giorgio *(accès par les escaliers partant du port et la petite église San Giorgio)* —, splendides **vues**★★★ sur Portofino et le golfe de Rapallo ; en continuant le sentier jusqu'au phare, la vue embrasse toute la côte jusqu'à La Spezia.

EXCURSIONS

San Lorenzo della Costa. — *10 km.* A Santa Margherita Ligure, prendre la **route panoramique**★★ qui offre une succession de belles vues sur le golfe de Rapallo. Dans l'**église** de San Lorenzo, remarquer le **triptyque**★ d'un maître brugeois (1499) ; peut-être ce triptyque est-il l'œuvre de Gérard David, qui séjourna à Gênes.

★★Portofino Vetta. — *14 km. Accès par une route à péage.* De ce promontoire (450 m), ⓥ on découvre une très belle vue sur la péninsule et la côte ligure.

★★San Fruttuoso. — *Accès à pied : de Portofino, sentier signalisé, 4 h 1/2 AR ; de* ⓥ *Portofino Vetta, sentier difficile en fin de parcours, 3 h AR.* **Accès en bateau :** *de Rapallo, Santa Margherita Ligure, Portofino ou Camogli.*
Ce délicieux village de pêcheurs, auquel n'aboutit aucune route carrossable, est logé au fond d'une anse étroite sous le mont Portofino.

★★Belvédère de San Rocco. — *13 km.* De la terrasse de l'église, vue sur Camogli et la côte, de la pointe de la Chiappa jusqu'à Gênes. On peut gagner la **pointe de la Chiappa**★★★ *(2 h 1/2 à pied AR par un sentier en escalier partant à droite de l'église) :* vues inoubliables sur la péninsule de Portofino et, de la chapelle, sur la côte génoise.

★★Camogli. — *15 km.* De hautes maisons se pressant autour d'un antique petit port composent le cadre de Camogli.

Carte Michelin nº ▨▨▨ pli 28 — Plans dans le guide Rouge Michelin Italia.

Potenza domine la haute vallée du Basento, dans un beau paysage ouvert de montagnes. Fondée par les Romains, la cité connut une période florissante. Aujourd'hui, c'est une ville active dont le développement a été favorisé par l'aménagement de réseaux ferroviaires et routiers ; elle surprend par ses hauts bâtiments modernes alignés en gradins qui composent, de nuit, un spectacle féerique. La vieille ville, fortement endommagée par le tremblement de terre de 1980, présente quelques monuments intéressants, notamment l'**église San Francesco** (13e s.) s'ouvrant par une belle **porte★** en bois Renaissance ; à l'intérieur, tombeau Renaissance, en marbre, et Madone du 13e s. Tout autour de la ville, s'étendent les paysages de Lucanie, creusés par l'érosion et d'une inexprimable sauvagerie.

★ La POUILLE

Carte Michelin nº ▨▨▨ plis 28, 29, 30.

Cette région, dont le nom dérive de l'ancienne Apulie romaine, s'étend de l'éperon au talon de la botte, le long de la côte méridionale de l'Adriatique. A l'exception du promontoire du Gargano et des collines calcaires des Murge qui se profilent derrière Bari, c'est un pays de plaine où l'on cultive céréales, oliviers et vignes, ou de pâture.
A l'écart des grandes migrations touristiques, la Pouille offre au visiteur la beauté sévère de ses paysages, ses plages relativement peu fréquentées et quelques merveilles d'architecture religieuse et militaire.

UN PEU D'HISTOIRE

Dès la fin du 8e s. avant J.-C., des Grecs de Laconie et de Sparte fondent sur les rivages de la Pouille les villes de Gallipoli, Otrante et, surtout, Tarente, qui fut aux 5e et 4e s. avant J.-C. le centre le plus florissant de la Grande Grèce. Les populations autochtones, les Iapyges, opposèrent une résistance farouche à la colonisation grecque ; mais plus tard, au 3e s., cités grecques et peuples italiotes durent se soumettre à la puissance romaine. Tarente déclina alors au profit de Brindisi, reliée à Rome grâce à la Via Appia prolongée par Trajan, port ouvert sur la Méditerranée orientale. Tant sur le plan des voies de communication que sur celui de l'organisation politique, l'Apulie profita largement de la colonisation romaine.
Le christianisme, implanté dès le 3e s. dans la région, s'affirma au 5e s. grâce à l'apparition de l'archange saint Michel à Monte Sant'Angelo *(voir p. 121)*. Puis, successivement occupée par les Byzantins, les Lombards et les musulmans, au 11e s., la Pouille fit appel aux Normands qui établirent leur domination sur tout le territoire. Grâce aux premières croisades qui partaient des ports de la côte apulienne et au règne de Roger II, la Pouille accrut considérablement sa fortune commerciale et son patrimoine architectural.
C'est pourtant avec l'arrivée de Frédéric II de Souabe, étonnant personnage autoritaire et cruel, athé, mais cultivé et d'une très haute intelligence, que la région connut dans la première moitié du 13e s. l'apogée de sa splendeur : le souverain, qui aimait le pays et l'habita, en favorisa l'essor économique, le réunifia et le dota d'une administration. Son œuvre fut poursuivie par son fils Manfred, qui dut se soumettre à Charles d'Anjou en 1266. Les Français se désintéressèrent de la région qui perdit bientôt de son prestige et de sa vitalité. La Pouille passa ensuite sous la domination des Aragon qui, en l'isolant, contribuèrent très largement à l'appauvrir.
Après une brève période de domination autrichienne, le règne des Bourbons de Naples améliora quelque peu pour les conditions d'immobilisme et de misère auxquelles les Espagnols avaient réduit le pays. Ce fut également le souci de la brève période napoléonienne. En 1860, la Pouille se ralliait massivement à l'Italie unifiée. Au cours du 20e s., elle s'est progressivement dégagée de cette difficile situation d'infériorité qu'elle partage avec tout le « Mezzogiorno » italien : elle a su gagner une indépendance dont témoignent des villes industrielles comme Tarente ou Lecce, la foire de Bari et les universités qui se sont créées dans les principaux centres de la région.

SITES ET LOCALITÉS

★★★**Grottes de Castellana.** — *A Castellana-Grotte (40 km au Sud-Est de Bari)*. Creusée par les rivières souterraines qui sillonnent le sous-sol calcaire des Murge, une immense galerie abandonnée par les eaux a révélé en 1938 de magnifiques concrétions d'une infinie diversité : draperies, stalactites et stalagmites aux riches coloris. A 70 m de profondeur, la **Grotte Blanche** étincelle grâce à ses cristaux de calcite.

★★★**Promontoire du Gargano.** — *Page 94.*

★★★**Région des Trulli et Alberobello.** — *Page 194.*

★★**Castel del Monte.** — *29 km au Sud-Est de Barletta*. Au sommet d'une éminence des Murge, ce puissant château hautain et solitaire, élevé vers 1240 par Frédéric II de Souabe, domine la plaine environnante. Par son plan original, le Castel del Monte fait exception dans une série de quelque deux cents châteaux en forme de quadrilatère que ce souverain fit construire en Italie à son retour de croisade. En effet, bâti en pierre blonde, cet ouvrage présente un plan octogonal garni de huit tours d'angle de 24 m de haut, elles-mêmes octogonales. Un superbe portail en arc de triomphe d'époque gothique mais d'inspiration antique ouvre sur la cour intérieure, autour de laquelle se succèdent huit pièces en trapèze à voûtes d'ogives. A l'étage supérieur, huit pièces identiques sont éclairées par des baies finement décorées. L'aménagement des conduites d'eau était très raffiné : l'eau tombée sur les toits et dans les citernes des tours était ensuite canalisée vers les différentes pièces.

(Photo Everts/Rapho)

Pouille. — Trulli à Alberobello.

★ **Gallipoli.** — La vieille cité, blottie sur une île, est reliée à la ville moderne par un pont et possède un ravissant petit port. On y voit une **fontaine hellénistique** *(près de l'entrée du pont, à gauche)* à fronton baroque, un château angevin, une cathédrale à la façade baroque qui rappelle le style de Lecce et, toute proche, l'église baroque de Santa Teresa. L'**église de la Purissima** possède un **intérieur** ★ décoré comme un fastueux salon.

★ **Lecce.** — *Page 106.*

Locorotondo. — *36 km au Nord de Tarente.* Cette ville est bâtie sur une colline autour de laquelle s'enroulent des ruelles concentriques, d'où son nom (loco rotondo : lieu rond). En arrivant de Martina Franca, on a une **vue** ★ étonnante sur ses constructions blanches à toits pointus. La route de Martina Franca à Locorotondo traverse la **vallée d'Itria** ★★, fertile et vaste plaine cultivée de vignes et d'oliviers et parsemée de trulli *(voir p. 194).*

★ **Martina Franca.** — Cette cité toute blanche occupe une colline des Murge. Au sommet, la vieille ville, entourée de remparts, forme un pittoresque ensemble baroque et rococo. Sur l'agréable **piazza Roma**, s'élève l'ancien palais ducal (1668). La **collégiale San Martino,** à la belle façade ornée d'un haut relief, est le principal ornement de la piazza Plebiscito. Il faut parcourir la **via Cavour** ★ bordée de nombreux palais baroques.

★ **Monte Sant'Angelo.** — *Page 121.*

★ **Ostuni.** — *35 km à l'Ouest de Brindisi.* Ce gros bourg occupant plusieurs collines possède une vieille cité encerclée de remparts qui enroule ses ruelles blanches au pied de la **cathédrale.** Celle-ci, édifiée à la fin du 15e s., est d'un style gothique tardif. Sa **façade** ★ est couronnée d'un insolite pignon ondulé qui annonce l'âge baroque.

★ **Tarente (Taranto).** — *Page 185.*

★ **Tremiti (Iles).** — *Page 190.*

Altamura. — Ce gros bourg des Murge possède un noyau ancien qui se serre sur une butte. Au sommet de la rue principale s'élève la **cathédrale,** construite au 13e s. dans un style de transition roman-gothique. Sa façade, couronnée de deux clochers à bulbe ajoutés au 16e s., s'orne d'une **rosace** ★ finement décorée (13e s.) et d'un **portail** ★ richement sculpté (14e-15e).

Bari. — *Page 49.*

Barletta. — *Page 51.*

Bitonto. — *17 km au Sud-Ouest de Bari.* Entourée d'une mer d'oliviers, cette petite ville ancienne possède une belle **cathédrale** ★ (Cattedrale) dérivée de celles de Trani et de Bari. La façade tripartite est animée de larges ouvertures richement sculptées ; sur le flanc droit, court une élégante galerie à colonnettes supportée par de hautes arcades. A l'intérieur, des colonnes à beaux chapiteaux soutiennent une galerie à triplets ; remarquable chaire de 1229.

Brindisi. — *Page 62.*

Canosa di Puglia. — *23 km au Sud-Ouest de Barletta.* Antique cité grecque, puis romaine, dont les habitants produisaient des vases en céramique (askoi), elle a conservé une **cathédrale** romane du 11e s. qui présente des influences byzantines et qui a été remaniée au 17e s. après un tremblement de terre. La façade a été refaite au 19e s. Remarquer à l'intérieur le trône épiscopal (11e s.) et le **tombeau** ★ de Bohémond, fils de Robert Guiscard, mort en 1111, curieux mausolée cubique surmonté d'une coupole. Via Cadorna, on peut visiter trois **hypogées** (Ipogei Lagrasta) du 4e s. avant J.-C. et, à droite de la route d'Andria, les vestiges de la basilique paléochrétienne de **San Leucio**, édifiée sur un temple romain.

Foggia. — *Plans dans le guide Rouge Michelin Italia.* Situé au cœur du Tavoliere, vaste plateau cultivé de céréales, cet actuel centre industriel et commercial fut fondé vers 1050 par le Normand Robert Guiscard. Frédéric II de Souabe y bâtit un château en 1223, aujourd'hui détruit. De l'édifice élevé en 1172, la **cathédrale** conserve la partie inférieure, avec une rangée d'arcatures aveugles surmontée d'une corniche sculptée, et la crypte ; le reste fut détruit par le tremblement de terre de 1731.

Galatina. — Centre artisanal et vinicole du Salento, péninsule plate et caillouteuse, Galatina possède une cathédrale dont la façade baroque rappelle le style gracieux de Lecce. L'église **Santa Caterina di Alessandria★** (14e s.) abrite un merveilleux cycle de **fresques★** dues à plusieurs artistes du 15e s. Dans le cloître, fresques du 18e s.

Galatone. — *24 km au Sud-Ouest de Lecce.* L'**église du Crocifisso della Pietà** présente une belle **façade★** dorée d'un style baroque typique de la région de Lecce. Fastueux intérieur de stucs et d'ors.

Lucera. — Cité importante sous l'Empire romain, affectée aux Sarrasins de Sicile par Frédéric II de Souabe que Charles II d'Anjou chassa, Lucera conserve un **château★** imposant construit par les Angevins au 13e s., une **cathédrale** (Duomo) édifiée en 1300 et un **amphithéâtre romain** construit sous Auguste. Son **musée** (Museo Civico) abrite une **Vénus★** de marbre, copie romaine d'un modèle de l'école de Praxitèle.

Manfredonia. — Fondé au 13e s. par Manfred, fils de Frédéric II, ce port est protégé par un beau château. De Manfredonia, on peut se rendre *(3 km au Sud par la route S 89)* à **Santa Maria di Siponto★**, élégante église romane du 11e s. qui mêle des influences orientales (plan carré, toit en terrasse dissimulant une coupole) et pisanes (arcades aveugles reposant sur des colonnes et renfermant des losanges).
L'**église San Leonardo** *(au-delà de Santa Maria, prendre à droite vers Foggia),* de la fin du 11e s., s'orne d'un beau **portail★** finement sculpté (début du 13e s.).

Otrante. — *Page 136.*

Ruvo di Puglia. — *34 km à l'Ouest de Bari.* Aux confins de la région des Murge, Ruvo possède une **cathédrale★** de style roman apulien dont la sobre façade est rehaussée d'une rosace, d'une baie géminée, d'un beau portail sculpté et, au sommet, d'une frise d'arcs. A l'intérieur, la nef très élevée est scandée par de hautes arcades que surmonte une épaisse corniche soutenue par des consoles sculptées. Le **musée archéologique Jatta** abrite notamment un superbe vase noir à figures rouges, le **cratère de Talos★★**.

Trani. — Important marché vinicole possédant un port antique entouré de vieilles maisons, Trani s'enorgueillit de sa **cathédrale★★** romane, une des plus belles de la Pouille. Dédiée à saint Nicolas le Pèlerin, humble berger grec qui serait arrivé à Trani sur le dos d'un dauphin, elle fut construite entre le 11e et le 13e s. Entourée d'arcatures aveugles, sa belle **porte de bronze★** a été fondue vers 1180. Le transept, très élevé, précède le chevet percé d'une fenêtre finement décorée. L'intérieur est marqué par des influences normandes. Légèrement surélevées, les nefs sont bâties sur deux immenses cryptes dont la plus basse est peuplée d'une forêt de colonnes antiques. L'église supérieure, claire et sobre, présente de fines colonnes géminées soutenant les grandes arcades et l'élégante galerie à triplets (baies à trois ouvertures).
Du **jardin public★**, situé à l'Est du port, on a une jolie vue sur la vieille ville et sa haute cathédrale. Le **château**, au bord de la mer, fut édifié par Frédéric II de Souabe.

Troia. — *17 km au Sud-Ouest de Foggia.* Bien situé sur une colline dominant la plaine du Tavoliere, ce centre agricole possède une belle **cathédrale** de style roman apulien, commencée au 11e s. et achevée au 13e s. Sa façade est ornée d'arcatures et d'une **rosace★** asymétrique. Une belle **porte de bronze★** du 12e s. de style byzantin s'ouvre sur un intérieur à trois nefs séparées par des colonnes à beaux chapiteaux. A l'extérieur, sur le flanc gauche, la porte est surmontée d'un **tympan** sculpté où figure le Christ entre deux anges.

En saison, le nombre de chambres vacantes dans les hôtels est souvent limité.
Nous vous conseillons de retenir par avance.

★ **POUZZOLES** (POZZUOLI) Campanie   71 052 h.

Carte Michelin n° ▨▨▨ pli 27 — 16 km à l'Ouest de Naples — Schéma p. 130.

Fondée par les Grecs, Pouzzoles fut aménagée en port maritime à l'époque romaine. Située au cœur de la zone volcanique des Champs phlégréens *(voir p. 129),* la ville a souffert à plusieurs reprises des modifications du niveau du terrain dues au bradisisme *(voir p. 129)* qui affecte la région ; en outre, elle a donné son nom à la pouzzolane, roche siliceuse d'origine éruptive, utilisée dans la composition de certains ciments.

★★**Amphithéâtre (Anfiteatro Flavio).** — *Corso Terracciano.* Datant de l'époque de Vespasien, fondateur de la dynastie flavienne, c'est l'un des plus grands d'Italie : il pouvait contenir 40 000 spectateurs. Bâti en brique et en pierre, il est assez bien conservé : on voit notamment ses enceintes, ses entrées et les **souterrains★★**, pratiquement intacts.

★**Temple de Sérapis (Tempio di Serapide).** — *En retrait de la via Roma.* Situé près de la mer, c'est en fait l'antique marché dont le périmètre était occupé par des boutiques. Dans une abside de la paroi du fond se trouvait autrefois la statue de Sérapis, dieu protecteur des commerçants. La corrosion marine qui présentent jusqu'à 5,70 m au-dessus du sol les colonnes subsistant du pavillon central montre que celles-ci furent à certaines époques immergées, et constitue un bon exemple de bradisisme.

★**Temple d'Auguste (Tempio di Augusto).** — Au sommet de la ville, ce temple datant des premières années de l'Empire a été transformé au 11e s. en église chrétienne. Un récent incendie a permis de retrouver une grandiose colonnade de marbre, surmontée de son entablement.

★★**Solfatare.** — *2 km au Nord-Est par la route de Naples*. Il s'agit du cratère d'un ancien volcan éteint où subsistent néanmoins d'impressionnants phénomènes, tels que fumerolles d'anhydride sulfureux dégageant une forte odeur et laissant des dépôts jaunes, volcans en miniature crachant de la boue, et jets de sable bouillonnant. Le sol, dont la surface est chaude, sonne creux quand on le frappe. Les émanations de soufre ont été utilisées dès l'époque romaine à des fins thérapeutiques.

★ **PRATO** Toscane
161 705 h.

Carte Michelin nº 988 pli 14.

Malgré son atmosphère paisible et l'allure provinciale de ses quartiers historiques, Prato est une ville importante et active qui doit son essor à l'industrie textile qu'elle pratiqua dès le 13e s. Longtemps opposée à Florence, elle passa en 1351 sous l'influence de son illustre voisine dont elle suivit le destin jusqu'au 18e s. Les principales curiosités de la ville sont rassemblées à l'intérieur de l'hexagone formé par l'enceinte fortifiée construite au 14e s.

CURIOSITÉS

★**Cathédrale (Duomo)** (B). — Édifiée aux 12e et 13e s., avec adjonctions aux siècles suivants, elle allie harmonieusement les styles roman et gothique. La façade, partiellement revêtue de marbre vert et de pierre blanche, tire son élégance de sa haute partie centrale, de sa fine décoration sculptée et de la gracieuse chaire circulaire surmontée d'un auvent, œuvre de Michelozzo (15e s.). Le flanc droit est animé d'arcatures aveugles dans le style pisan. Le campanile a un couronnement gothique.

L'intérieur, sobre, aux massives colonnes de marbre vert, contient de nombreuses œuvres d'art : la **chapelle de la Sainte Ceinture** qui abrite l'insigne relique — donnée par la Vierge à saint Thomas comme preuve de son Assomption, et transférée au 12e s. de Jérusalem à Prato par un habitant de la ville — est fermée par deux **grilles**★ en bronze, élégamment travaillées : à l'intérieur, fresques d'A. Gaddi et ses élèves (1392-1395) et **Vierge à l'Enfant**★ (1317), sculpture de Giovanni Pisano. Dans la chapelle axiale, on peut admirer les **fresques**★★ de **Filippo Lippi**, évoquant les vies de saint Étienne et de saint Jean-Baptiste ; de 1452 à 1465, ce moine peintre, qui défraya la chronique en raison de la légèreté de ses mœurs, réalisa ici un chef-d'œuvre de fraîcheur dans le coloris et de spontanéité dans les attitudes : le **Banquet d'Hérode★★★**, avec la danse de Salomé, annonce la grâce mélancolique des figures féminines du plus illustre de ses élèves, Botticelli. La chapelle à droite de l'autel porte sur ses murs des **fresques★** commencées par Paolo Uccello et terminées par Andrea di Giusto.

Il faut encore remarquer la **chaire★** en marbre, au dessin original en forme de calice et, dans une niche, la touchante **Vierge à l'Olive★**, en terre cuite, due à Benedetto da Maiano (1480).

Ⓥ **Musée de l'Œuvre de la cathédrale (Museo dell'Opera del Duomo) (B M)**. — Il réunit, dans des salles donnant sur une cour ravissante, les sept **panneaux★** sculptés entre 1428 et 1438 par Donatello pour la chaire de la Sainte Ceinture placée à l'angle de la façade de la cathédrale, quelques pièces d'orfèvrerie et des peintures de Filippino Lippi, fils de Filippo, né à Prato vers 1457.

★ **Palais Pretorio (A A)**. — D'architecture en partie romane, en partie gothique, il dresse sa masse austère sur une charmante petite place, la **piazza del Comune,** ornée d'une gracieuse fontaine en bronze due à Tacca (1659). A l'intérieur, la **Galleria Comunale,** occupant trois étages du palais, rassemble des œuvres de l'école toscane des 14e et 15e s., notamment une importante collection de **polyptyques★**, par Bernardo Daddi, Lorenzo Monaco, Filippo Lippi, etc. Œuvres du Napolitain Caracciolo (17e s.) et du Hollandais Van Wittel père.

★ **Château de l'Empereur (Castello dell'Imperatore) (B)**. — Rare exemple subsistant, en Italie du Centre et du Nord, d'un édifice construit par l'empereur Frédéric II de Hohenstaufen. Cette majestueuse construction présente une architecture rigoureuse ordonnée en carré autour d'une cour centrale, avec des murs cyclopéens presque entièrement dénués d'ouvertures et jalonnés d'énormes tours en saillie, selon un modèle que l'on retrouve dans le Sud, à Castel del Monte *(voir p. 155)*. Le couronnement de merlons gibelins rappelle la volonté de l'empereur qui entendait faire de la ville un jalon fortifié sur la route menant de l'Empire germanique au royaume de Sicile, sur lesquels il régnait.

Santa Maria delle Carceri (B K). — Belle construction datant de la fin du 15e s. et due à l'architecte Giuliano da Sangallo. L'**intérieur★** du bâtiment présente les caractères nobles et sévères de l'architecture florentine inspirée par l'exemple de Brunelleschi.

Église St-François (San Francesco) (AB D). Édifice construit du 13e au 15e s. Dans la salle capitulaire, **fresques★** par Nicolò di Pietro Gerini, Florentin influencé par Giotto.

★★★ RAVELLO Campanie   2 317 h.

Carte Michelin nº 988 Sud du pli 27 — Schéma p. 41.

Ravello, suspendue entre ciel et mer, accroche ses ruelles, escaliers, passages voûtés, aux pentes abruptes de la colline du Dragon. L'ensemble compose un **site★★★** inoubliable. La route venant d'Amalfi monte en lacet le long de l'étroite vallée du Dragon, plantée de vignes et d'oliviers.

★★★ **Villa Rufolo**. — *Piazza Vescovado, où s'élève la cathédrale*. Bâtie au 13e s. par les
Ⓥ Rufolo, riche famille de Ravello, elle servit de résidence à plusieurs papes, à Charles d'Anjou, et, en 1880, à Wagner. On y pénètre par une belle allée ombragée ; ayant franchi la tour gothique de l'entrée, on parvient à la « cour mauresque » aux arcatures très aiguës, de style siculo-normand, surmontées d'entrelacs : il s'agit en fait d'un ancien cloître du 11e s. Une puissante tour, également du 11e s., domine les jardins somptueusement fleuris et l'architecture tout en décrochements de cette élégante villa. Des terrasses, splendide **panorama★★★** sur des sommets découpés jusqu'au cap d'Orso, la baie de Maiori et le golfe de Salerne. Au premier plan, on aperçoit les coupoles de l'église de l'Annunziata.

★★★ **Villa Cimbrone**. — Une ravissante **ruelle★** conduit de la piazza Vescovado à la villa,
Ⓥ en passant sous le porche gothique du couvent San Francesco, fondé par saint François en 1222 (cloître). Pénétrant dans l'enceinte de la villa, on visite d'abord un charmant cloître et une belle salle voûtée d'ogives (remarquer les curieuses grilles). Une grande allée traversant de beaux jardins mène au belvédère dont la terrasse est jalonnée de bustes de marbre : le **panorama★★★** dont on bénéficie sur les collines couvertes de cultures en terrasses, Maiori, le cap d'Orso et le golfe de Salerne est vertigineux.

Cathédrale (Duomo). — Fondée en 1086, puis transformée au 18e s., elle conserve un campanile du 13e s. On y pénètre par une **porte de bronze★** signée Barisanus de Trani, 1179, avec des figures en relief. La nef centrale, dont les colonnes antiques ont été dégagées, conserve une magnifique **chaire★★** couverte de mosaïques à motifs et animaux fantastiques d'une extrême variété (1272). A gauche, un élégant **ambon** du 12e s. porte des mosaïques vertes représentant Jonas avalé et recraché par la baleine.
Ⓥ La crypte abrite un petit **musée** qui réunit des fragments de sculptures, des mosaïques et une **tête-reliquaire** en argent contenant les reliques de sainte Barbara.

★ **Église St-Jean (San Giovanni del Toro)**. — Cette petite église du 11e s. a été restaurée au 18e s. A l'intérieur, les arcades reposent sur des colonnes antiques. Elle abrite une **chaire★** du 11e s. richement décorée, un sarcophage romain (nef droite) et des fresques du 14e s. (crypte).

*Avec votre **guide Michelin**
il vous faut des **cartes Michelin**.
Ça va de soi !*

Paisible ville d'allure provinciale, Ravenne a conservé, à l'intérieur de constructions à l'architecture sobre, d'éblouissants trésors accumulés au cours des périodes où elle fut successivement capitale de l'Empire d'Occident et siège d'un exarchat byzantin. En effet, les nombreuses mosaïques qui couvrent les murs des édifices religieux de Ravenne constituent l'ensemble le plus saisissant d'Europe, par l'éclat des couleurs, la richesse du décor et un puissant symbolisme, évocateur d'une grande spiritualité.

C'est en 404 qu'Honorius, abandonnant définitivement Rome, déjà affaiblie par le partage de l'Empire réalisé par Théodose en 395, choisit Ravenne comme siège de la puissance impériale. **Galla Placidia,** sœur d'Honorius, régna avec un faste romain sur la ville avant que les rois goths Odoacre (476-493) et **Théodoric** (493-526) ne la conquièrent et ne l'embellissent à leur tour. La situation privilégiée de son port, Classis, sur l'Adriatique, ouverture sur le monde grec, a inévitablement conduit Ravenne à entrer en rapport avec Byzance où s'était déplacée la capitale de l'Empire en 476. Passée sous la domination byzantine, la ville devint le siège d'un exarchat sous l'empereur Justinien. Dès lors, elle exerça son influence sur toute l'Italie du Nord et même au-delà.

★★★ LES MOSAÏQUES *visite : 1 journée*

Les mosaïques les plus anciennes sont celles qui ornent le baptistère des Orthodoxes et le mausolée de Galla Placidia ; puis viennent, dans l'ordre chronologique, celles qui décorent le baptistère des Ariens, S. Apollinare Nuovo, S. Vitale et enfin S. Apollinare in Classe.

★★**Tombeau de Galla Placidia (Mausoleo di Galla Placidia)** (Y). — Élevée au 5ᵉ s., cette admirable construction en forme de croix latine d'une grande harmonie architecturale est ornée de merveilleuses mosaïques. Les voûtes, scintillant de motifs stellaires et floraux, et la coupole sont peintes d'un bleu profond. Aux tympans et aux pendentifs, scènes d'un symbolisme serein, notamment le Bon Pasteur, au revers de l'entrée. Les sarcophages qui occupent chacun des bras du mausolée seraient les tombeaux de Galla Placidia et de sa famille.

★★**Église St-Vital (San Vitale)** (Y). — Consacrée en 547 par l'archevêque Maximien, c'est un chef-d'œuvre d'architecture où s'expriment le goût du faste, l'invention, la recherche de lumières variées, propres à l'art antique finissant. De plan octogonal, sur deux étages d'exèdres concaves, cernées par un déambulatoire et une abside profonde, l'intérieur surprend par la richesse de sa décoration : marbres précieux, chapiteaux byzantins admirablement ciselés, fresques et, surtout, **mosaïques** de l'abside, d'un coloris éclatant. Sur les côtés et en avant du chœur, scènes de l'Ancien Testament ; sur les murs latéraux du chœur, groupes de **Théodora** avec sa suite et de **Justinien** accompagné de sa cour. On retrouve dans ces œuvres le faste, la puissance hiératique et l'écriture nettement affirmée du style byzantin. A la voûte, le **Christ en majesté** est assis entre saint Vital et l'évêque Ecclesio, fondateur de l'église.

A gauche de St-Vital se trouve le **musée national (Museo Nazionale)** (Y **M**) : œuvres romaines, orientales, byzantines, romanes et Renaissance.

★**Baptistère des Orthodoxes (Battistero degli Ortodossi)** (Z). — Également appelé Baptistère néonien parce qu'il fut construit au 6ᵉ s. par l'évêque Neone, il est orné de superbes **mosaïques,** aux couleurs violentes et contrastées : motifs décoratifs sur les arcs surmontant les baies et, à la coupole, **Baptême du Christ** accompagné du cortège des apôtres ; au-dessus des arcades du rond-point, sculptures byzantines en méplat (prophètes). Attenante au baptistère, la **cathédrale** (Z **E**) du 18ᵉ s. possède un campanile cylindrique des 10-11ᵉ s. et un ambon du 6ᵉ s. décoré d'animaux symboliques.

(Photo Lauros/Giraudon)

S. Apollinare in Classe. — Mosaïques.

★**Basilique St-Apollinaire-le-Neuf (Sant'Apollinare Nuovo)** (Z). — Élevée en 519 par Théodoric, cette belle église à trois nefs séparées par des colonnes corinthiennes est ornée d'une série d'éblouissantes **mosaïques** à fond d'or. Au registre supérieur, scènes de la vie du Christ, puis saints et prophètes ; au-dessous, la fameuse **théorie des saintes** sortant de la ville et du port, portant, à la suite des Rois Mages, des offrandes à la Vierge. En face, une procession de vingt-six martyrs, partis du palais de Théodoric, se dirige vers le Christ en majesté, entouré d'anges.

Baptistère des Ariens (Battistero degli Ariani) (Y **D**). — Construit au 6ᵉ s., vraisemblablement par Théodoric. Sa coupole est décorée de belles **mosaïques** représentant le baptême du Christ et, dans le bandeau, les apôtres et le trône crucifère.

RAVENNA

★★**Basilique Sant'Apollinare in Classe.** — *5 km au Sud. Sortir par ④ du plan,*
⊘ *route S 67.* Elle se dresse dans la campagne, non loin de la mer ; commencée en 534,
consacrée en 549, elle a été complétée d'un campanile cylindrique séparé de la
construction, au 11ᵉ s. L'intérieur, majestueux, est à trois nefs séparées par vingt-six
arcades supportées par des colonnes de marbre. Dans les nefs latérales, on peut
admirer de superbes sarcophages chrétiens primitifs, sculptés de symboles (5ᵉ au
8ᵉ s.). L'arc triomphal et le chœur sont ornés de magnifiques **mosaïques** (6ᵉ et 7ᵉ s.),
d'une grande simplicité de composition et d'une belle harmonie de couleurs ; elles
représentent, avec un symbolisme appuyé, le Christ sauveur et la Transfiguration.

AUTRES CURIOSITÉS

★**Tombeau de Théodoric (Mausoleo di Teodorico) (Y B).** — Curieux monument élevé
⊘ vers 520 par Théodoric lui-même. En pierres de taille énormes, assemblées sans
liaison, il est constitué de deux étages et recouvert d'une étonnante coupole monolithe
en pierre d'Istrie de 11 m de diamètre. A l'intérieur, d'une grande sobriété, bassin
roman de porphyre transformé en sarcophage.

⊘ **Musée de l'Archevêché (Museo dell'Arcivescovado) (Z M¹).** — On peut y admirer la
chaire★★ de l'archevêque Maximien (6ᵉ s.), chef-d'œuvre de la sculpture sur ivoire. La
chapelle archiépiscopale★★ recèle de remarquables mosaïques.

⊘ **Pinacothèque municipale (Pinacoteca Comunale) (Z M²).** — Ensemble de peintures
des écoles italiennes, du 14ᵉ s. au 20ᵉ s. Beau **gisant**★ du chevalier Guidarello Guidarelli,
par Tullio Lombardo (1526).

Mausolée de Dante (Sepolcro di Dante) (Z A). — Exilé de Florence, le poète est mort
à Ravenne en 1321. Le monument classique qui abrite la tombe de l'Alighieri a été
construit en 1780.

Église St-François (San Francesco) (Z). — Église romane datant du 10ᵉ s., flanquée
d'un campanile de la même époque. Remaniée après la deuxième Guerre mondiale,
elle conserve de belles colonnes de marbre grec, un maître-autel du 5ᵉ s. et une crypte
des 9ᵉ-10ᵉ s.

Les églises ne se visitent pas pendant les offices.

REGGIO DI CALABRIA Calabre
175 646 h.

Carte Michelin nº 988 pli 39 — Plan dans le guide Rouge Michelin Italia.

Agréablement située le long du détroit de Messine, appuyée à l'Aspromonte, Reggio est une ville d'aspect moderne qui a été entièrement reconstruite après le tremblement de terre de 1908. Elle est entourée de cultures d'oliviers, de vignes, d'orangers, de citronniers et de fleurs utilisées en parfumerie : près de la moitié de la production mondiale de bergamote provient des environs de Reggio di Calabria. De la ville, on peut passer quotidiennement en Sicile, grâce à de multiples services de bateaux et de bacs transportant les automobiles *(voir le guide Rouge Michelin Italia)*.

★**Lungomare.** — Longue et élégante promenade de bord de mer, plantée de magnifiques palmiers et de ficus-magnolias. On y jouit d'une vue magnifique sur les côtes siciliennes et l'Etna.

★★**Musée national (Museo Nazionale).** — Situé au centre de la ville, ce musée moderne ⊙réunit une importante collection archéologique concernant l'histoire de la Grande Grèce, ainsi qu'une intéressante pinacothèque. Néanmoins, depuis quelques années, sa réputation s'est élargie grâce aux deux **Guerriers de Riace★★★**, statues en bronze datant probablement du 5e s. avant J.-C., découvertes en 1972 au fond de la mer ; exposés au sous-sol de la **section archéologique,** ils frappent par leur exceptionnel état de conservation, leur prestance, l'harmonie de leurs proportions et le raffinement des détails ; le mystère concernant leur auteur et leur origine reste entier. Au rez-de-chaussée, sont conservés des documents relatifs à la préhistoire régionale, des objets évoquant la Grande Grèce (en particulier les fouilles de Locri, qui ont permis de mettre au jour des céramiques grecques et indigènes, des tablettes votives en terre cuite, un groupe de marbre, etc.). Au 1er étage, autres pièces hellénistiques et salle de numismatique. Au 2e étage, la **pinacothèque** abrite deux œuvres remarquables d'**Antonello de Messine :** Saint Jérôme et Les trois anges apparus à Abraham.

EXCURSION

★**Aspromonte.** — *Du « bivio Brandano » (embranchement des routes S 112 et S 183) à Melito di Porto Salvo sur la côte méridionale, la route S 183 traverse l'Aspromonte du Nord au Sud, permettant d'en découvrir les aspects les plus variés.* Ce massif, qui occupe l'extrémité de la péninsule et des Apennins, entre la mer Ionienne et la mer Tyrrhénienne, culmine à 1955 m au Montalto. Très boisé, il est couvert de châtaigniers, de chênes, de pins et de hêtres. C'est un véritable château d'eau d'où rayonnent de profondes vallées creusées par des cours d'eau très irréguliers, les « fiumare ».

REGGIO NELL'EMILIA Émilie-Romagne
131 075 h.

Carte Michelin nº 988 pli 14 — Plan dans le guide Rouge Michelin Italia.

Riche centre industriel et commercial sur la Via Emilia, Reggio est la ville natale de l'Arioste. Comme Modène et Ferrare, Reggio appartint à la famille d'Este de 1409 à 1776. Le centre de la ville est constitué par la piazza Prampolini et la piazza Cavour que domine le théâtre municipal (19e s.).

★**Galerie Parmeggiani.** — *2, corso Cairoli.* Collections d'orfèvreries, de tissus, ⊙de costumes, d'armes, de meubles et de peintures : œuvres du Greco et de Ribera, peintures flamandes et toiles de maniéristes italiens.

Madonna della Ghiara. — *Corso Garibaldi.* Belle église du 17e s. coiffée d'une coupole. L'intérieur présente une riche décoration peinte par l'école bolonaise.

EXCURSION

Château de Canossa. — *32 km au Sud-Ouest. Suivre la route de San Polo d'Enza, et, de là, bifurquer à gauche en direction de Canossa.* Il ne reste plus que les ruines romantiques, perchées sur un rocher, de cet imposant château où la « grande comtesse de Toscane », Mathilde, soutint une lutte de 30 ans contre l'empereur et en faveur du pape, lors de la querelle des Investitures *(voir p. 21)*. L'empereur d'Allemagne Henri IV y vint, pieds nus et dans la neige, faire amende honorable au pape Grégoire VII en 1077, afin d'obtenir le pardon de ses fautes ; de là l'expression « aller à Canossa ».

RIETI Latium
43 632 h.

Carte Michelin nº 988 pli 26 — 37 km au Sud-Est de Terni.

Située à un carrefour de vallées, au cœur d'un bassin cultivé, Rieti est le centre géographique de l'Italie. C'est également un bon point de départ pour les excursions permettant de suivre les pas de saint François qui vécut et exerça son ministère dans les proches environs.

Piazza Cesare Battisti. — Elle constitue le centre monumental de la ville. Par la grille située à droite du Palazzo del Governo (16e-17e s.) et de son élégante loggia, on pénètre dans l'agréable **jardin public★** (belle vue sur la ville et les environs).

Cathédrale (Duomo). — Elle présente, sur la place, un porche du 15e s. et un beau campanile roman de 1252. A l'intérieur, fresque de 1494 représentant la Madone. **Crypte** du 12e s.

Palais épiscopal (Palazzo Vescovile). — *Derrière la cathédrale.* Construit au 13e s., il possède d'imposantes **voûtes★** à bandeaux épais, délimitant deux vastes nefs (servant aujourd'hui de garage).

EXCURSIONS

ⓥ **Couvent de Fonte Colombo.** — *5 km au Sud-Ouest. Suivre la route de Contigliano pendant 3 km, puis prendre à gauche.* Dans l'ancien ermitage, saint François subit une opération des yeux ; dans la grotte, il dicta la règle franciscaine après avoir jeûné 40 jours. La chapelle Ste-Madeleine, du 12ᵉ, est ornée de fresques où apparaît le « T », emblème de la croix dessiné par le « Poverello ». On peut voir également la chapelle St-Michel, la grotte où il jeûna, le tronc d'arbre où Jésus lui apparut, l'ancien ermitage et l'église du 15ᵉ s.

★**Couvent de Greccio.** — *15 km au Nord-Ouest. Se rendre à Greccio par Conti-*
ⓥ *gliano. Après 2 km, laisser la voiture sur une esplanade au pied du couvent.* Accroché à un surplomb du rocher, à 638 m d'altitude, ce monastère est formé de bâtiments datant du 13ᵉ s. C'est ici que saint François institua la tradition de la crèche de Noël (« presepio »).
On visite la chapelle de la Crèche (fresques de l'école de Giotto), les lieux où vécut le saint et, à l'étage supérieur, l'église primitive érigée en 1228 et qui a gardé son mobilier d'origine.

ⓥ**Couvent de Poggio Bustone.** — *10 km au Nord par la route de Terni.* Perché à 818 m d'altitude, dans un site verdoyant, il est constitué par une église du 14ᵉ s., très remaniée, qui a conservé des fresques des 15ᵉ, 16ᵉ et 17ᵉ s., par un charmant petit cloître des 15-16ᵉ s., un réfectoire du 14ᵉ s. et deux grottes qu'habita saint François.

ⓥ**Couvent de la Foresta.** — *5 km au Nord.* C'est là que saint François composa le Cantique des Créatures et accomplit le miracle de la vigne. On visite le cellier avec la cuve qu'emplit le raisin miraculeux, et la grotte où vécut le saint.

★★ **RIMINI** Émilie-Romagne   129 506 h.

Carte Michelin nº ▓▓▓ pli 15 — Plan dans le guide Rouge Michelin Italia.

A côté de sa station balnéaire, internationalement réputée, dotée d'équipements hôteliers modernes, d'un port de plaisance, d'un aéroport et surtout d'une immense plage de sable fin, Rimini possède un noyau ancien riche de monuments.
Grâce à sa situation au carrefour des voies romaines Emilia et Flaminia, cette antique colonie ombrienne et gauloise s'épanouit sous l'Empire.
Au 13ᵉ s., la famille des **Malatesta** porta la renommée de la ville à son comble. Ses membres se distinguèrent par un mélange de cruauté et de raffinement : Dante a raconté dans la Divine Comédie le meurtre de Paolo Malatesta et de Francesca da Rimini par leur frère et époux Gianni Malatesta ; plus tard, Sigismond Iᵉʳ, tout en encourageant les arts et en protégeant les humanistes, répudia, empoisonna ou étouffa ses trois premières femmes avant d'épouser sa maîtresse. Après la chute de cette famille, la cité devint la propriété du pape.

CURIOSITÉS

★**Temple de Malatesta (Tempio Malatestiano).** — Le plan de cette église élevée pour abriter le tombeau d'Isotta, la dernière femme de Sigismond Malatesta, est dû à l'architecte florentin Leon Battista Alberti ; le bâtiment, de style Renaissance, n'a jamais été achevé. La façade, remarquable, s'inspire du bel arc d'Auguste voisin : colonnes cannelées à chapiteaux corinthiens, médaillons ; la frise qui court sous la base des colonnes porte la rose des Malatesta, et les chiffres de Sigismond et d'Isotta mêlés.
L'intérieur, de proportions vastes et imposantes, conserve une décoration allégorique sculptée d'une grâce et d'une finesse exquises, due en grande partie à Agostino di Duccio : on retrouve ces motifs également dans les chapelles latérales. Dans la chapelle des Reliques, à droite, **portrait de Sigismond Malatesta★**, peinture de Piero Della Francesca ; dans la chapelle suivante, tombeau d'Isotta face à un **crucifix peint★** du 14ᵉ s. (école de Rimini). Dans la 1ʳᵉ chapelle de gauche, cénotaphe des ancêtres de Sigismond Malatesta, orné de bas-reliefs.

Arc d'Auguste (Arco d'Augusto). — *Piazzale Giulio Cesare.* Élevé en 27 avant J.-C., il offre un aspect majestueux grâce, notamment, à ses belles colonnes cannelées à chapiteaux corinthiens.

Pont de Tibère (Ponte di Tiberio). — Commencé sous Auguste et achevé en 21 après J.-C., sous Tibère, il fut restauré à la Renaissance (pilastres, fronton). Son appareil est formé de pierres massives provenant d'Istrie.

GUIDES MICHELIN

les guides Rouges (hôtels, restaurants) :

> **France - Benelux - Deutschland - España Portugal - main cities EUROPE -**
> **Great Britain and Ireland - Italia**

les guides Verts (paysages, monuments, routes touristiques) :

> **Allemagne - Autriche - Belgique - Espagne - Hollande - Italie - Portugal - Suisse**
> **Maroc - Grèce**
> **Londres - Rome**
> **New York - Nouvelle Angleterre - Canada**

> *et la collection des guides régionaux sur la France.*

Cartes Michelin n° ▨▨▨ plis 12, 13 et n° ▨▨▨ plis 19, 20, 29.

De Vintimille à La Spezia, au pied des Alpes et de l'Apennin ligure, et donc protégée des vents, s'étend une côte dessinant un ample arc dont le centre est occupé par la ville de Gênes.

A l'instar de la Côte d'Azur française, la Riviera ligure est le paradis des vacanciers. Son climat particulièrement doux y rend agréables les séjours en hiver également. Les bords de mer sont jalonnés de stations fréquentées et bien aménagées du point de vue hôtelier ; mais l'arrière-pays procure aux amoureux de promenades solitaires de nombreuses possibilités.

Visite. — Les schémas ci-après situent, outre les localités et sites décrits, d'autres lieux particulièrement pittoresques (indiqués dans le plus petit caractère noir).

★⬜ **RIVIERA DU PONANT**
   De Vintimille à Gênes *175 km — Compter une journée*

L'antique voie romaine Aurelia constitue aujourd'hui encore le principal axe routier. Difficile en raison de son parcours sinueux, de son étroitesse et du trafic intense qui l'emprunte, cette route offre néanmoins de fréquents points de vue remarquables, qu'elle s'élève en corniche, ou qu'elle longe de près la mer. La magnifique autoroute A 10, où alternent viaducs et tunnels, la double. Tantôt d'innombrables stations de villégiature et villas se succèdent au cœur d'une végétation abondante et variée, tantôt l'Aurelia traverse des plaines deltaïques, débouchés des nombreux torrents provenant de la montagne. L'exposition solaire de la Riviera du Ponant, exceptionnelle, a favorisé la culture des fleurs, produites tout au long de l'année dans les serres qui occupent les collines.

L'arrière-pays, qui s'élève aussitôt derrière le littoral, contraste violemment avec celui-ci par le silence et la sauvagerie de ses espaces boisés.

Vintimille (Ventimiglia). — *Plan dans le guide Rouge Michelin Italia.* Toute proche de la frontière française, Vintimille a gardé sa ville haute médiévale (Città Vecchia), constituée d'un lacis de ruelles étroites où s'élèvent une cathédrale (Duomo) des 11e et 12e s., un baptistère octogonal du 11e s., l'église San Michele (11e-12e s.) et l'oratoire des Neri ⊘ (17e s.). A **Mortola Inferiore,** les **jardins Hanbury★★** *(6 km à l'Ouest, en direction de la frontière française),* disposés en terrasses au-dessus de la mer, réunissent une végétation exotique très variée.

★★**Bordighera.** — Célèbre station balnéaire aux nombreuses villas et hôtels disséminés parmi les jardins fleuris qu'ombragent de superbes palmiers. La vieille ville aux ruelles tortueuses possède encore ses portes d'enceinte.

★★**San Remo.** — *Page 179.*

★**Taggia.** — Ce gros bourg situé au milieu des vergers, vignobles et oliveraies commande la vallée de l'Argentina. Taggia fut, aux 15e et 16e s., un important centre artistique qui rassemblait des peintres tels que le Niçois Louis Brea, le Piémontais Canavese, les Génois Perin del Vaga et Luca Cambiaso. L'**église St-Dominique** (San Domenico) recèle un bel ensemble de **peintures★** de Louis Brea : Vierge de miséricorde, Baptême du Christ.

Diano Marina. — De là, on peut gagner le bourg fortifié de **Diano Castello** dont la chapelle des Chevaliers de Malte (12e s.) est couverte d'un toit en bois polychrome.

Albenga. — Située légèrement en retrait de la mer, dans une fertile plaine d'alluvions riche en cultures maraîchères, Albenga possède une **vieille ville★** médiévale qui groupe ses ruelles autour de la **cathédrale** (Cattedrale). Celle-ci est dominée par un imposant campanile de la fin du 14e s. et présente à la nef une belle voûte peinte à fresque, en trompe-l'œil. Un baptistère du 5e s., de plan octogonal, conserve une cuve baptismale et une ravissante mosaïque paléochrétienne de style ravennate.

Finale Ligure. — A **Finale Marina,** une basilique offre une fantaisiste façade baroque. A **Finale Pia,** l'église abbatiale est flanquée d'un élégant campanile de la fin du 13e s. A 2 km à l'intérieur des terres, le vieux bourg de **Finale Borgo★** a conservé son enceinte fortifiée et sa collégiale San Biagio à l'élégant campanile polygonal du 13e s. ; à l'intérieur, polyptyque de sainte Catherine (1533) et tableau du 16e s. représentant saint Blaise entouré de saints.

De **Castel San Giovanni** *(1 h à pied AR au départ de la via del Municipio),* **vue★** sur Finale Ligure, la mer et l'arrière-pays ; plus haut, le **Castel Govone** conserve une belle tour ronde du 15e s. à bossages en pointes de diamant.

★**Noli.** — Village de pêcheurs ayant conservé des maisons anciennes, des tours du 13e s. et une église romane abritant un Christ en bois, également roman.

Savone (Savona). — *Plans dans le guide Rouge Michelin Italia.* Cinquième port d'Italie, assurant le fret de pétrole, charbon et cellulose, ainsi que le transport des automobiles italiennes en direction de l'Angleterre et des États-Unis. La vieille ville conserve quelques palais Renaissance, une cathédrale (Duomo) du 16e s. et, en bordure de mer, la **forteresse Priamar** (16e s.) où le patriote Mazzini fut emprisonné en 1830.

★**Albisola Marina.** — La production artisanale de céramiques perpétue une tradition née au 13e s. A la fin du 16e s., Louis de Gonzague, duc de Nevers, fit venir à Nevers les frères Conrade d'Albisola pour y fonder la célèbre fabrique de faïences. La **villa Faraggiana** (18e s.), entourée d'un beau **parc★** exotique, abrite le Centre ligure de l'histoire de la céramique : riche mobilier Empire, pavements de céramique et superbe **salle de bal★** revêtue de fresques et de stucs.

★★**Gênes.** — *Page 94.*

***[2] RIVIERA DU LEVANT**
De Gênes à La Spezia *173 km — Compter une journée*

Cette côte présente plus de caractère et de sauvagerie que la Riviera du Ponant : des promontoires aigus avançant dans la mer, de petites anses abritées des vents où se blottissent de minuscules ports de pêche, de grandes baies lumineuses, des falaises, des bois de pins et d'oliviers occupant les collines de l'arrière-pays, constituent le charme de ce paysage. La route, sinueuse, accidentée, est toutefois rarement en corniche et s'éloigne souvent du rivage.

★★**Gênes.** — *Page 94.*

★★★**Portofino.** — *Page 154.*

★**Rapallo.** — *Plan dans le guide Rouge Michelin Italia.* Élégante station balnéaire admirablement située au fond d'un golfe, à la base de la péninsule de Portofino. Une jolie **promenade★** (lungomare Vittorio Veneto) ombragée de palmiers longe la mer.

Chiavari. — Station balnéaire possédant une vaste plage et un port de plaisance. A 2 km au Nord-Est, à San Salvatore, s'élève la **basilique des Fieschi★**, petite église du 13e s. à assises alternées de marbres noir et blanc (intérieur à voûtes ogivales) ; face à la basilique, le palais Fieschi est un élégant édifice de style gothique génois (13e s.).

★★**Cinque Terre.** — *Page 70.*

La Spezia. — *Plan dans le guide Rouge Michelin Italia.* Base navale et port marchand, La Spezia possède l'arsenal le plus important d'Italie et se consacre aussi à l'industrie des armes. On peut visiter le **musée naval :** souvenirs, armes, maquettes.

★★**Portovenere.** — Cette petite ville d'aspect sévère, dominée par une imposante citadelle des 12e-16e s., a gardé de très anciennes maisons dont certaines datent du 12e s. et dont quelques-unes furent jadis fortifiées par les Génois. L'église San Lorenzo a été édifiée au 12e s., l'église San Pietro conserve des vestiges du 6e s. : de la terrasse, très belle vue sur le golfe de La Spezia et les Cinque Terre.

★**Lerici.** — Petit port et station balnéaire retirée au fond d'une anse bien abritée : imposant château (Castello) bâti au 13e s. et reconstruit par les Génois au 16e s.

Promeneurs, campeurs, fumeurs...
soyez prudents !
Le feu est le plus terrible ennemi de la forêt.

Carte Michelin n° 🅱🅱🅱 pli 26 — Plan p. 168-169 — Plan d'ensemble dans le guide Rouge Michelin Italia.

Capitale de l'Italie unifiée dès 1870, Rome s'est considérablement agrandie depuis un siècle. Sa population, qui ne comptait alors guère plus de 200 000 habitants, s'élève aujourd'hui à près de 3 millions. C'est dire que la visite de ses richesses n'est pas facilitée, d'autant que la circulation y est compliquée par le réseau des rues étroites qui forment le centre de la ville, et par l'indiscipline de nombreux conducteurs.
Nous ne saurions trop recommander de visiter la Ville Éternelle à l'aide du **guide Vert Michelin Rome** : itinéraires tout prêts, sélection de curiosités accompagnée de descriptions détaillées, plans de quartiers et de monuments, notices d'histoire et d'art permettront au voyageur de mieux pénétrer le secret de cette ville et de gagner un temps précieux.

UN PEU D'HISTOIRE

Rome possède une origine mythique qu'ont créée et alimentée les poètes et les historiens latins, notamment Virgile dans son long poème de l'Énéide et Tite-Live dans les livres de son Histoire romaine. C'est ainsi que l'on apprend que le héros troyen Énée, de souche divine, fuyant sa patrie, aurait abordé à l'embouchure du Tibre afin d'y fonder une nouvelle Troie ; ayant vaincu les rois locaux, il jeta les bases de Lavinium. Son fils Ascagne (Iule) fonda Albe-la-Longue où nacquirent les jumeaux Remus et Romulus, issus de l'union de Mars avec une Vestale. Livrés au Tibre, les deux enfants furent rejetés par le fleuve sur le rivage du Palatin où une louve les nourrit. Plus tard, Romulus traça à cet endroit un sillon où devait s'élever la nouvelle cité ; son frère Remus, ayant franchi l'enceinte sacrée par jeu, fut tué.
Pour peupler son village, Romulus attira des hors-la-loi qui s'installèrent sur le Capitole et leur donna pour épouses les Sabines. Il s'ensuivit une alliance entre les deux peuples et une succession de rois alternativement Sabins et Latins, avant l'arrivée des Étrusques. Les historiens modernes pensent quant à eux que ce sont les avantages stratégiques des collines romaines, notamment du Palatin, qui constituait une étape idéale sur la voie du sel (la Via Salaria), qui ont déterminé les populations voisines à se fixer à cet endroit dès le 8e s. avant J.-C.
Deux siècles plus tard, les Étrusques transformèrent ce village de cabanes en une véritable ville organisée et installèrent une citadelle sur la colline du Capitole. A la suite d'une royauté étrusque, dont Tarquin le Superbe fut le dernier représentant (509 avant J.-C.), Rome institua le Consulat, puis une république ambitieuse et expansionniste. Au cours des 2e et 1er s., le régime républicain sombra dans les guerres civiles ; il fallut attendre l'avènement d'un homme habile et volontaire pour que Rome, déchirée par les rivalités politiques, fût à nouveau en mesure de dominer efficacement les nouveaux territoires conquis. **Jules César** (101-44 avant J.-C.) s'imposa à ses adversaires par son audace de stratège (il soumit la Gaule en 51), son intelligence des affaires politiques, ses talents d'orateur et son ambition sans mesure ; nommé consul et dictateur à vie, il mourut assassiné aux Ides de Mars (le 15 mars) de l'année 44 avant J.-C. Lui succéda **Octave,** son neveu, de santé fragile et sans gloire militaire, mais doué d'une ténacité et d'un génie politique incomparables, qui se débarrassa habilement de ses adversaires à la succession ; en 27 avant J.-C. le Sénat lui décerna le titre d'**Auguste,** lui conférant un caractère de sainteté ; accumulant toutes les fonctions, politiques aussi bien que judiciaires et religieuses, Auguste devint bientôt le premier empereur romain ; son œuvre fut considérable : il étendit la domination de Rome à l'ensemble du bassin méditerranéen, mais il lui donna également la paix.
A la mort d'Auguste, se succédèrent une longue liste d'empereurs dont certains, comme Caligula, Néron et Domitien, se signalèrent par des actes de folie et de cruauté ; d'autres, comme Vespasien (bon administrateur), Titus (surnommé « le délice du genre humain », Trajan (« le meilleur des empereurs », inlassable constructeur) et Hadrien (voyageur infatigable, épris d'hellénisme) continuèrent l'œuvre de civilisation romaine.

Le christianisme. — Alors que le monde antique s'affaiblit, miné par la misère, la concentration du pouvoir dans les mains d'un seul homme et les attaques répétées des Barbares, une nouvelle puissance, apparue dès l'époque d'Auguste, s'affirme. En effet, venue de Palestine et de Syrie, la religion de Jésus, diffusée dans le monde païen par ses disciples, avait gagné Rome. A un monde alors en plein désarroi, le christianisme inspirait l'espérance dans l'Au-delà et l'amour fraternel. Dès la fin du 1er siècle et le début du 2e s. après J.-C., l'Église chrétienne était organisée, mais elle se heurta aussitôt au pouvoir des empereurs. Il fallut attendre l'**édit de Milan** (en 313) tolérant la pratique du culte chrétien, et la conversion de l'empereur **Constantin,** pour que les églises puissent s'édifier en plein jour.
Aux premiers temps du christianisme, le représentant du Christ sur terre était l'évêque. L'évêque de Rome, siégeant dans la capitale traditionnelle de l'Empire, revendiqua le premier rang dans la hiérarchie ecclésiastique. C'est ainsi que sous le nom de **Pape** (du bas-latin « papa » : père), les chefs de la chrétienté déterminèrent l'histoire de l'Église et façonnèrent le visage particulier de la Ville Éternelle. Au XIe s., **Grégoire VII** restaura une situation de désordre au sein de l'Église qui ne lui faisait guère honneur, combattit le trafic des biens ecclésiastiques et le mariage des prêtres ; il déclencha la fameuse querelle des Investitures qui opposa au souverain pontife à l'empereur. Au cours de la Renaissance, de nombreux papes, érudits, actifs mécènes et ambitieux, contribuèrent largement, en attirant à leur cour de prestigieux artistes comme Raphaël et Michel-Ange, à l'embellissement de la capitale. Parmi eux, il faut rappeler le nom de Pie II, Sixte IV (bâtisseur de la chapelle Sixtine, de Ste-Marie-de-la-Paix et Santa Maria del Popolo), Jules II (qui confia à Michel-Ange le décor des plafonds de la Sixtine), Léon X (immensément riche, il nomma Raphaël intendant des arts), Clément VII, Sixte Quint qui fut un infatigable bâtisseur, et Paul III qui fit élever le palais Farnèse.

ROME AUJOURD'HUI

Aucune ville au monde ne mêle avec autant d'harmonie et de liberté autant de témoignages divers du passé (vestiges antiques, édifices médiévaux, palais Renaissance, églises baroques). Loin de se nuire, les époques composent ici une manière de continuité logique où les reprises, les influences, les contrastes sont autant de nuances du génie des architectes et constructeurs romains. Certes, les ruines d'aujourd'hui n'ont plus la splendeur qu'elles devaient avoir quand elles étaient encore recouvertes de marbres, à l'époque impériale ; sans doute, un bon nombre de palais ont-ils perdu leur décoration peinte en façade ; et, c'est vrai que le trafic intense et les bouleversements liés à la modernisation d'une capitale ont profondément modifié l'aspect de la Rome que découvrirent Goethe ou Stendhal.

Il n'empêche que le visiteur contemporain ne pourra manquer d'être séduit par la grandeur du projet urbanistique qui régit la capitale. C'est des belvédères du Janicule (Gianicolo - AY), de l'Aventin (Aventino - CZ) ou du Pincio (BV), que l'on mesure le mieux l'ampleur du plan qui occupe les sept collines principales. Le voyageur y découvrira, vers la fin du jour, dans une lumière dorée particulière à la ville, les taches vert sombre des jardins, la silhouette des pins parasols coiffant les champs de ruines, ainsi que les innombrables coupoles et clochers qui émergent des toits de tuile rose. Rome est en effet la ville des églises : on en dénombre environ 300, certaines se faisant face dans la même rue. Leurs façades, qu'il est souvent difficile d'observer avec beaucoup de recul, compensent le défaut par la richesse et leur décor et l'artifice du trompe-l'œil. La plupart du temps, l'intérieur qu'on découvre en y pénétrant procure un étonnement renouvelé grâce à l'invention et à l'audace des solutions adoptées ou par le silence et la lumière qui y règnent. Dans la « Vecchia Roma », autour du Panthéon (BX), de la piazza Navona (BX) ou du Campo dei Fiori (BY), les palais succèdent aux palais. Pour celui qui s'aventure dans ces quartiers, il n'est pas rare d'apercevoir, entre les façades aux teintes ocre, une place où se tient un marché, une enfilade d'escaliers au pied desquels coule une fontaine. Les promenades nocturnes dans ces rues, éclairées par des lampadaires haut placés diffusant une lumière féérique, ont un charme que l'animation des principales artères ne laisse guère présager.

Le commerce de luxe est localisé entre la piazza del Popolo (BV), la via del Corso (BCX), la piazza di Spagna (CX) et les rues perpendiculaires qui les joignent. La via Veneto (CX) est bordée, dans sa partie supérieure, de luxueux hôtels et de terrasses de cafés où se rassemble le tourisme international. La piazza Navona est un lieu de rendez-vous à la mode, le **Trastevere** (BY), ancien quartier populaire, offre de nombreux restaurants ; la via dei Coronari (BX 25) réunit antiquaires et brocanteurs.

VISITE

Dans les pages qui suivent, les lecteurs trouveront une très brève description de quelques curiosités, qui leur permettra d'avoir, en trois jours, une idée de quelques chefs-d'œuvre qui font la notoriété de Rome. Sous le titre « Autres curiosités » sont mentionnés, par genre, d'autres monuments importants, sites ou musées qui mettront en évidence la richesse exceptionnelle de la ville.

1er JOUR *(matinée)*

★PIAZZA VENEZIA (CXY)

Au centre de Rome et bordée de palais : Palazzo Venezia, palais Bonaparte où la mère de Napoléon mourut en 1836, Palazzo delle Assicurazioni Generali di Venezia élevé au début du 20e s.

★**Palazzo Venezia** (CY A). — Élevé par le pape Paul II (1464-1471), il fut un des premiers édifices de la Renaissance. Au 1er étage, un **musée** renferme des céramiques, des statues en bois polychrome (du 13e au 15e s.) ainsi que, regroupées dans trois salles de l'appartement de Paul II, des tapisseries (15e-17e s.) et des armes (15e-18e s.). La **basilique St-Marc**, incluse dans le palais au 15e s., présente une jolie **façade**★ Renaissance sur la piazza di San Marco (CY 60).

Monument à Victor Emmanuel II (Vittoriano) (CY B). — Élevé en 1885 par Giuseppe Sacconi à la gloire du premier roi de l'Italie unifiée, il écrase les autres monuments de Rome par sa taille et sa couleur trop blanche. Il permet une **vue**★★ sur la ville.

★★★CAPITOLE (Campidoglio - CY)

Sur l'antique colline qui symbolisa la puissance de Rome et où siège aujourd'hui la municipalité de la ville, ont pris place l'église Santa Maria d'Aracoeli, la place du Capitole et ses palais, et d'agréables jardins.

★★**Église Santa Maria d'Aracoeli** (CY C). — Précédée de son bel escalier construit en ex-voto après la peste de 1346, elle présente une façade plate et austère. Elle fut élevée en 1250 à l'endroit où la Sibylle de Tibur annonça à Auguste la venue du Christ. A l'intérieur, 1re chapelle à droite décorée de **fresques**★ par Pinturicchio vers 1485.

★★★**Place du Capitole** (CY 17). — Son aménagement fut conçu et en partie réalisé par Michel-Ange à partir de 1536. Elle est cernée par trois palais et une balustrade où dominent les statues des Dioscures ; au centre, Michel-Ange installa et restaura lui-même la **statue équestre de Marc-Aurèle**★★ (fin du 2e s.).
Le **palais des Conservateurs**★★★ (CY M¹), construit au 15e s. et transformé en 1568 par Giocomo Della Porta, abrite un **musée**★★★ d'œuvres antiques où l'on peut admirer la **Louve**★★★ (6e-5e s. avant J.-C.), le **Tireur d'épine**★★★, original grec ou très bonne réplique du Ier s. avant J.-C., le **buste de Junius Brutus**★★, remarquable tête du 3e s. avant J.-C. placée sur un buste à la Renaissance. La **pinacothèque**★ *(2e étage)* renferme surtout des peintures du 17e s.

ROMA

Le **Nouveau Palais**★★★ (CY M²), construit en 1655 par Girolamo Rainaldi, abrite le
ⓥ **musée Capitolin**★★ où il faut voir le **Galate mourant**★★★, sculpture romaine qui imita une
œuvre en bronze de l'école de Pergame (3e-2e s. avant J.-C.) : la **salle des Empereurs**★★
qui renferme les portraits de tous les empereurs ; la **Vénus du Capitole**★★, copie
romaine dérivée de la Vénus de Cnide de Praxitèle ; la **mosaïque des Colombes**★★
provenant de la villa d'Hadrien à Tivoli.
ⓥ Le **palais sénatorial**★★★ (CY H) est un édifice du 12e s., retouché de 1582 à 1602 par
Giocomo Della Porta et Girolamo Rainaldi.

1er JOUR *(après-midi)*

★★★ FORUM ROMAIN (Foro Romano - CY)

ⓥ Une excellente **vue**★★★ s'offre sur le champ de ruines depuis la via del Campidoglio
(CY 19). Les vestiges du Forum romain, centre religieux, politique et commerçant de la
Rome antique, sont le reflet des douze siècles d'histoire qui ont forgé la civilisation
romaine. Le Forum fut fouillé aux 19e et 20e s.
Au pied du Capitole, s'élève le **portique des Dieux conseillers**★, ensemble de colonnes à
chapiteaux corinthiens datant d'une restauration de 367 ; le portique était dédié aux
douze dieux principaux du panthéon romain. A côté, les trois élégantes colonnes
corinthiennes appartenaient au **temple de Vespasien**★★ (fin du Ier s.).
Plus loin, dans la **prison Mamertine**★, cachot d'État dans l'Antiquité, périrent Jugurtha
(105 avant J.-C.) et Vercingétorix (52 avant J.-C.) ; la légende veut que dans la pièce
du bas, les saints Pierre et Paul aient fait jaillir une source pour baptiser leurs geôliers.
En face, l'**église Sts-Luc-et-Martine**★ (CY V), élevée au 17e s. par Pietro da Cortona.

*A partir de la via dei Fori Imperiali, gagner ensuite l'entrée du Forum, via della
Salara Vecchia.*

En empruntant la **Voie sacrée**★★★, qui vit défiler les triomphes des généraux vainqueurs,
on rejoint la **curie**★★ reconstruite au 3e s. par Dioclétien ; cet édifice abrita les séances
du Sénat et renferme aujourd'hui les **bas-reliefs de Trajan**★★★, panneaux sculptés au
2e s. de scènes de la vie impériale et d'animaux conduits au sacrifice.
A proximité, le bel **arc de Septime-Sévère**★★ fut élevé en 203, après les victoires de
l'empereur sur les Parthes. Du **temple de Saturne**★★★, il reste huit colonnes du 4e s. La
colonne de Phocas★ fut élevée en 608 en l'honneur de Phocas, empereur d'Orient, qui
donna le Panthéon à Boniface IV. La **basilique Julienne**★★, divisée en cinq nefs, fut
élevée par César, achevée par Auguste et destinée au commerce et à la justice. Le
temple de Castor et Pollux★★★ dresse encore trois belles colonnes. Circulaire, le **temple
de Vesta**★★★ avoisine la **maison des Vestales**★★★ (gardiennes du feu sacré). Le **temple
d'Antonin et Faustine**★★ était dédié à l'empereur Antonin le Pieux et à son épouse.
La grandiose **basilique de Maxence**★★★ fut achevée par Constantin. L'**arc de triomphe de
Titus**★★ fut élevé en 81 pour commémorer la prise de Jérusalem par cet empereur qui
ne régna que deux ans.

★★★ PALATIN (Palatino - CY)

Sur cette colline, où furent recueillis Rémus et Romulus, Domitien bâtit le palais
impérial : la **Domus Flavia**★ où se déroulait la vie officielle, la **Domus Augustana**★★ ou
ⓥ résidence privée des empereurs et le **stade**★. La **maison de Livie**★★ fut peut-être la
demeure d'Auguste (beaux restes de peintures). Des **jardins Farnèse** (Orti Farnesani) qui
ont recouvert au 16e s. le palais de Tibère, **vue**★★ sur le Forum et la ville.

Quitter le Palatin par la porte voisine de l'arc de Titus.

★ **Temple de Vénus et de Rome** (CY R). — Édifié entre 121 et 136 par Hadrien, il fut
le plus vaste des temples de Rome (110 m par 53 m). Il se distinguait par deux cellae
à absides adossées : l'une abritait la déesse Rome et regardait vers le Forum, l'autre,
dédiée à Vénus, était orientée vers le Colisée.

★★★ COLISÉE (Colosseo - CY)

ⓥ Cet amphithéâtre, inauguré en 80, est aussi appelé amphithéâtre Flavien, du nom du
premier des empereurs Flaviens (Vespasien), qui fit entreprendre sa construction. Avec
ses trois ordres classiques superposés (dorique, ionique, corinthien), il est un chef-
d'œuvre d'architecture antique. Des combats d'hommes et d'animaux, des duels de
gladiateurs, des courses, des simulations de combats navals s'y déroulaient.

★★★ ARC DE CONSTANTIN (CY)

Élevé en 315 pour commémorer la victoire de Constantin sur Maxence. Certains
bas-reliefs ont été prélevés sur des monuments du 2e s.

★★★ FORUMS IMPÉRIAUX (Fori Imperiali - CY)

Ils furent construits par César, Auguste, Trajan, Nerva et Vespasien ; de ces deux
derniers ensembles, il ne reste presque rien. La via dei Fori Imperiali, ouverte en 1932
par Mussolini, a divisé les forums impériaux.
Du **forum de César**★★ *(l'observer de la via del Tulliano - CY 77)*, il reste trois belles
colonnes du temple de Vénus Genitrix. Du **forum d'Auguste**★★ *(l'observer de la via
Alessandrina - CY 2)*, on voit quelques colonnes du temple de Mars vengeur, des
vestiges de son escalier d'accès et le mur fermant le forum (derrière le temple). La
maison des Chevaliers de Rhodes, construite au Moyen Age sur des vestiges antiques,
reconstruite au 15e s., domine l'ensemble.
Du **forum de Trajan**★★★, la **colonne Trajane**★★★, où sont racontés en plus de cent
scènes les épisodes de la guerre de Trajan contre les Daces, est un chef-d'œuvre
ⓥ jamais égalé ; les **marchés**★★★ *(entrée via 4 Novembre - CXY 87)* ont conservé leur
façade en hémicycle. La **tour des Milices**★ est un reste d'une forteresse érigée au 13e s.

2ᵉ JOUR *(matinée)*

★★★ CHÂTEAU ST-ANGE (Castel Sant'Angelo - ABX)

Ⓥ Cette imposante bâtisse fut construite en 135 comme mausolée de l'empereur Hadrien et de sa famille. Grégoire le Grand, au 6ᵉ s., bâtit une chapelle sur le mausolée pour commémorer l'apparition d'un ange qui, remettant son épée au fourreau, signifia la fin d'une épidémie de peste. Au 15ᵉ s., Nicolas V dota le bâtiment d'un étage en briques et pourvut de donjons les angles de l'enceinte. Alexandre VI (1492-1503) fit ajouter les bastions octogonaux. En 1527, lors du sac de Rome, Clément VII s'y réfugia, dans un appartement plus tard embelli par Paul III. Isolé au sommet de la forteresse, l'**appartement pontifical**★ témoigne de la vie raffinée des papes d'alors. Un long passage relie la forteresse aux palais du Vatican. On pénètre dans le château par une belle rampe hélicoïdale, datant de l'Antiquité. De la terrasse du sommet, magnifique **panorama**★★★ sur toute la ville.

Le château St-Ange est relié à la rive gauche du Tibre par le joli **pont St-Ange**★ (BX 57) orné d'anges baroques sculptés par Le Bernin et des statues des saints Pierre et Paul (16ᵉ s.).

Ⓥ CITÉ DU VATICAN (AV)

Elle est limitée par l'enceinte qui surplombe le viale Vaticano et, à l'Est, par la colonnade de la place St-Pierre. Elle constitue la plus grande partie de l'État du Vatican, défini en 1929 par les accords du Latran. Réduit à 44 ha et à moins d'un millier d'habitants, l'État du Vatican, le plus petit du monde, est issu des États de l'Église nés au 8ᵉ s. à la suite de la donation de Quiersy-sur-Oise *(voir p. 20-21)* et disparus en 1890 lorsque l'Italie devint un royaume unifié avec Rome pour capitale. L'État du Vatican, dont le pape est le chef, a son propre drapeau, son hymne, émet ses propres timbres, frappe sa monnaie qui a libre cours en Italie ; les corps armés ont été dissous par Paul VI en 1970 ; seul subsiste le corps des Gardes suisses, habillés d'un pittoresque uniforme dessiné, dit-on, par Michel-Ange.

Chef d'État, le pape est aussi le chef suprême de l'Église universelle, et, à travers sa personne, s'exerce partout dans le monde le rayonnement spirituel de l'Église.

Ⓥ Lorsqu'il séjourne à Rome, le Saint-Père accorde des **audiences publiques.**

★★★ MUSÉES DU VATICAN (AV M⁶)

Ⓥ *Accès : viale Vaticano.*

Les musées du Vatican occupent une partie des palais construits par les papes à partir du 13ᵉ s., agrandis et embellis jusqu'à nos jours.

Parmi leurs nombreux départements, sont très vivement recommandés : au 1ᵉʳ étage, le **musée Pio-Clementino**★★★ (antiquités grecques et romaines) avec le **Torse du Belvédère**★★★ (Iᵉʳ s. avant J.-C.), très admiré de Michel-Ange, la **Vénus de Cnide**★★, copie romaine de la Vénus de Praxitèle, le **groupe de Laocoon**★★★, œuvre héllénistique du Iᵉʳ s. avant J.-C., l'**Apollon du Belvédère**★★★, copie romaine du 2ᵉ s., le **Persée**★★, œuvre néo-classique de Canova, qui fut acheté à l'artiste après que le traité de Tolentino (1797) eut dépouillé le musée, l'**Hermès**★★★, œuvre romaine du 2ᵉ s. dérivée de Praxitèle, l'**Athlète**★★★ nettoyant sa peau, copie romaine du Iᵉʳ s. d'après Lysippe.

Au 2ᵉ étage, le **musée étrusque**★ renferme une remarquable **fibule**★★ en or (7ᵉ s. avant J.-C.) ornée de lions et de canetons en haut relief (salle II) et le fameux **Mars**★★ de Todi, rare exemplaire de statue de bronze du 5ᵉ s. avant J.-C. (salle III).

La **salle du Bige** doit son nom à un **char à deux chevaux**★★ (bige), œuvre romaine du Iᵉʳ s., reconstituée au 18ᵉ s. Les **Chambres (ou Stanze) de Raphaël**★★★ sont quatre pièces de l'appartement de Jules II, décorées par Raphaël et ses élèves de 1508 à 1517 ; on y admire les fresques de l'incendie du Borgo, l'École d'Athènes, Le Parnasse, Héliodore chassé du temple, Le Miracle de Bolsena, La Délivrance de saint Pierre ; elles constituent un chef-d'œuvre de la Renaissance. La **collection d'art religieux moderne**★★, réunie par Paul VI, est en partie installée dans l'appartement d'Alexandre VI.

De nouveau au 1ᵉʳ étage, la **chapelle Sixtine**★★★ attire les visiteurs du monde entier, venus admirer la voûte peinte par Michel-Ange de 1508 à 1512, illustrant la Bible, de la Création du monde au Déluge, et le Jugement dernier peint au-dessus de l'autel par le même artiste à partir de 1534. Au registre inférieur des parois latérales, compositions du Pérugin, de Pinturicchio et Botticelli. La **pinacothèque**★★★ renferme quelques tableaux de premier ordre : trois **œuvres de Raphaël**★★★ (Couronnement de la Vierge, Madone de Foligno, Transfiguration) (salle VIII), un **Saint Jérôme**★★ de Léonard de Vinci (salle IX), et la **Descente de Croix**★★ du Caravage (salle XII).

★★★ PLACE ST-PIERRE (Piazza San Pietro - AV)

Cernée par les deux bras en arc de cercle de la colonnade, sobre et solennelle, elle fut commencée en 1656 par Le Bernin, le maître du baroque. Au centre se dresse l'obélisque, du Iᵉʳ s. avant J.-C., transporté d'Héliopolis à Rome en 37, sur l'ordre de Caligula. Il fut érigé ici en 1585, à l'initiative de Sixte Quint, par Domenico Fontana. Au sommet, est conservée une relique de la Sainte Croix.

★★★ BASILIQUE ST-PIERRE (San Pietro - AV)

C'est Constantin, le premier empereur chrétien, qui décida en 324 la construction d'une basilique là où saint Pierre avait été déposé après avoir été martyrisé dans le cirque de Néron. Au 15ᵉ s., la réfection de l'édifice s'imposa. Pendant deux siècles, le plan de la nouvelle basilique ne cessa d'être remis en question. Le plan en croix grecque surmonté d'une coupole, conçu par Bramante et repris par Michel-Ange, se transforma en croix latine, en 1606, à l'initiative de Paul V qui chargea Carlo Maderna d'ajouter deux travées et une façade au plan carré de Michel-Ange. Le Bernin, à partir de 1629, para la basilique d'une somptueuse décoration baroque.

(Photo Gould/Scope)

Rome. — La place Saint-Pierre.

La **façade,** achevée par C. Maderna en 1614, avec ses 115 m de largeur et ses 45 m de hauteur, masque la coupole. De la loggia centrale, le pape donne sa bénédiction « urbi et orbi ».

Sous le **porche,** remarquer la première porte à gauche, aux battants de bronze sculptés par Giacomo Manzù (1964) ; la porte centrale en bronze, Renaissance (1455) ; à droite la Porte sainte, que seul le pape a le droit d'ouvrir et de fermer pour marquer le début et la fin d'une Année sainte.

A l'intérieur, s'avancer près des bénitiers de la nef centrale : leur taille, normale en apparence, s'avère immense et permet d'apprécier les dimensions gigantesques de la basilique et la justesse de ses proportions. On peut comparer la longueur de St-Pierre à celle des autres grandes églises du monde grâce à des repères placés au sol de la nef.

La première chapelle à droite abrite la **Pietà★★★**, chef-d'œuvre de Michel-Ange, sculpté en 1499-1500 ; cette œuvre de jeunesse qui allie maîtrise technique, puissance créatrice et émotion spirituelle fut saluée comme la révélation d'un génie.

Dans la nef droite, après la chapelle du St-Sacrement, le **monument funéraire de Grégoire XIII★** porte un bas-relief illustrant l'institution du calendrier grégorien, œuvre de ce pape. Aussitôt après le croisillon droit, **monument funéraire de Clément XIII★★★**, œuvre néoclassique de Canova (1792). L'abside est dominée par la **« chaire de St-Pierre »★★★** du Bernin (1666), grand trône de bronze sculpté abritant un siège épiscopal du 4ᵉ s., attribué symboliquement à saint Pierre et surmonté d'une « gloire » en stuc doré. Dans le chœur à droite, **monument d'Urbain VIII★★★**, du Bernin (1647), chef-d'œuvre de l'art funéraire ; à gauche, **monument de Paul III★★★** par Guglielmo Della Porta (16ᵉ s.), disciple de Michel-Ange.

A l'**autel de St-Léon-le-Grand** (chapelle à gauche du chœur), beau **retable★** baroque sculpté en haut-relief par l'Algarde. A côté, **monument d'Alexandre VII★**, œuvre tardive du Bernin (1678) aidé de ses élèves, excessivement mouvementée. Le **baldaquin★★★** qui surmonte l'autel pontifical, d'une hauteur de 29 m (égale à celle du palais Farnèse), valut au Bernin de vives critiques ; exécuté avec le bronze prélevé au Panthéon et taxé de procédé théâtral, il s'intègre pourtant parfaitement à l'élan général de l'architecture. La **coupole★★★**, conçue par Michel-Ange, fut élevée par lui-même jusqu'au lanternon puis achevée en 1593 par Giacomo Della Porta et Domenico Fontana. Du **sommet de la** ⓥ **coupole** (accès dans la nef gauche, face au pilier séparant la 1ʳᵉ et la 2ᵉ travée) : **vue★★★** sur la place St-Pierre, la cité du Vatican et Rome, du Janicule au Monte Mario.

La **statue de Saint-Pierre★★**, en haut de la nef centrale, est une œuvre en bronze du 13ᵉ s. attribuée à Arnolfo di Cambio et très vénérée des pèlerins qui viennent baiser son pied. Le **monument d'Innocent VIII★★★** (nef gauche, entre la 2ᵉ et la 3ᵉ travée) date de la Renaissance et est dû à Antonio del Pollaiuolo (1498). Au **monument des Stuart** (nef gauche, entre la 1ʳᵉ et la 2ᵉ travée), sculpté par Canova, beaux **anges★** en bas-relief. ⓥ Le **musée d'Art et d'Histoire★★** (entrée dans la nef gauche, face au monument des Stuart) abrite le Trésor de St-Pierre.

2ᵉ JOUR (après-midi)

★★★ PALAIS FARNÈSE (Palazzo Farnese) (BY)

ⓥ L'ambassade de France en Italie occupe le plus beau des palais romains, construit à partir de 1515 par le cardinal Alexandre Farnèse qui accéda au trône pontifical sous le nom de Paul III (1534-1549).

Ses architectes furent Antonio da Sangallo il Giovane, Michel-Ange (auteur de la corniche supérieure de la façade, du blason des Farnèse au-dessus du balcon central, et du 2ᵉ étage de la cour intérieure), Vignola qui collabora à la cour intérieure et érigea la façade postérieure du palais, enfin Giacomo Della Porta, auteur de la loggia à cette même façade.

★★★ ÉGLISE DU GESÙ (BY)

Église principale des jésuites à Rome, construite par Vignola en 1568, elle est le type des édifices de la Contre-Réforme. A l'extérieur, les colonnes engagées ont remplacé les pilastres plats de la Renaissance ; des effets d'ombre et de lumière, des décrochements apparaissent. L'intérieur, très ample pour favoriser la prédication, fut paré d'une somptueuse décoration baroque : à la voûte, les **fresques de Baciccia**★★ illustrent le Triomphe du nom de Jésus (1679) ; la **chapelle St-Ignace**★★★ *(croisillon gauche)*, œuvre du frère jésuite Andrea Pozzo (1696-1700), est d'une richesse incomparable.

★★★ PANTHÉON (BX)

⊘ Édifice antique parfaitement conservé, le Panthéon élevé par Agrippa en 27 avant J.-C., reconstruit par Hadrien (117-125), fut un temple transformé en église au 7e s. On y entre par un porche à seize colonnes de granit, monolithes, antiques à l'exception des trois du côté gauche. La porte serait encore pourvue de ses battants antiques. L'**intérieur**★★★, chef-d'œuvre d'harmonie et de grandeur, est dominé par la coupole de diamètre égal à la hauteur à laquelle elle s'élève. Les chapelles latérales sont garnies de frontons alternativement courbes et triangulaires ; elles abritent les tombeaux des rois d'Italie et de Raphaël *(à gauche)*.

★★ ÉGLISE ST-LOUIS-DES-FRANÇAIS (BX L)

⊘ C'est l'église des Français à Rome. Sa façade, œuvre probable de Giacomo Della Porta, annonce l'art baroque par ses colonnes saillantes. A l'intérieur, reposent de nombreux Français.
Dans la 2e chapelle à droite, **fresques du Dominiquin**★ illustrent la légende de sainte Cécile. Dans la 5e chapelle à gauche, **trois tableaux**★★★ du Caravage évoquent la vie de saint Matthieu : sa vocation, son martyre, et l'ange lui dictant l'Évangile ; le sens du réalisme et de l'instant propre à ce peintre à la fois violent et raffiné s'exprime grâce à un traitement particulier de la lumière en clair-obscur, révélatrice du drame religieux.

★★ PIAZZA NAVONA (BX)

Elle a conservé la forme du stade de Domitien dont elle occupe l'emplacement. Réservée aux piétons, elle est un lieu de rendez-vous agréable et animé. Au centre se dresse la **fontaine des Fleuves**★★★, chef-d'œuvre baroque dû au Bernin, achevée en 1651. Les statues représentent les quatre fleuves, symboles des quatre parties du monde.
Parmi les églises et les palais qui la bordent, remarquer **Sant'Agnese in Agone (BX N)** dont la façade baroque est l'œuvre de Borromini (séduisant **intérieur**★ sur plan en croix grecque) et le **Palazzo Pamphili,** contigu (17e s.).

3e JOUR *(matinée)*

★★★ BASILIQUE ST-JEAN-DE-LATRAN (San Giovanni in Laterano - DY)

St-Jean-de-Latran, l'une des quatre basiliques majeures, assume le rôle de cathédrale de Rome, et le président de la République française appartient de droit à son chapitre *(le 13 décembre, une messe y est célébrée pour la France)*. Constantin édifia la première basilique du Latran avant St-Pierre au Vatican. Mais elle fut reconstruite à l'époque baroque par Borromini et, plus tard, au 18e s.
La façade principale d'Alessandro Galilei date du 18e s. et la porte centrale est pourvue des battants de bronze de la curie du Forum romain (modifiés au 17e s.). A l'intérieur, d'une ampleur solennelle, le **plafond**★★ est une œuvre du 16e s., restaurée au 18e s. Dans la nef centrale, les **statues des apôtres**★, dues à des élèves du Bernin, sont placées dans des niches aménagées par Borromini. La **chapelle Corsini**★ *(1re à gauche)* est l'œuvre raffinée d'Alessandro Galilei. Le **plafond**★★ du transept date de la fin du 16e s. Dans la **chapelle du St-Sacrement** *(croisillon gauche)*, belles **colonnes**★ antiques en bronze doré. Le **cloître**★ est une jolie réalisation des Vassalletto (13e s.), marbriers associés aux Cosmates *(voir p. 27). Dans le* **baptistère**★ *(DY R)*, fondé au 4e s., belles mosaïques des 5e et 7e s.
Sur la **piazza di San Giovanni in Laterano,** s'élève un obélisque égyptien, le plus haut de Rome, du 15e s. avant J.-C. Le **palais de Latran (DY A)**, reconstruit en 1586, fut le palais des papes jusqu'à leur retour d'Avignon. Du palais médiéval, subsiste la **Scala sancta (DY B)**, escalier traditionnellement identifié avec celui que le Christ emprunta dans le palais de Ponce Pilate ; les fidèles en gravissent les marches à genoux ; au sommet, la chapelle privée des papes est appelée « Sancta Sanctorum » en raison des précieuses reliques qu'elle renferma.

★★ THERMES DE CARACALLA (CZ)

⊘ Bâtis par Caracalla en 212, ces établissements de bains couvraient plus de 11 ha et pouvaient accueillir 1 600 baigneurs à la fois.
Dans les ruines du caldarium, salle circulaire de 34 m de diamètre réservée au bain très chaud, sont données, l'été, des représentations d'opéra.

★★★ CATACOMBES *Sortir par la via di Porta S. Sebastiano (DZ), puis voir plan d'ensemble dans le guide Rouge Michelin Italia.*

Ces cimetières souterrains utilisés à l'époque chrétienne sont nombreux aux abords de la Via Appia Antica. En usage à partir du 2e s., les catacombes furent découvertes au 16e et au 19e s. Elles consistent en longues galeries développées à partir d'un hypogée, ou tombeau souterrain, appartenant à une famille noble qui, convertie au christianisme, mettait son domaine à la disposition des chrétiens.

Les décorations des catacombes constituent les premiers exemples d'art chrétien et consistent en gravures ou peintures de motifs symboliques.
Le touriste pressé devra se limiter à la visite d'un des ensembles cités ci-après :
ⓥ **Catacombes de St-Calliste★★★**, situées sur la Via Appia.
ⓥ **Catacombes de St-Sébastien★★★**, également sur la Via Appia.
ⓥ **Catacombes de Domitille★★★** *(au n⁰ 282 de la via delle Sette Chiese).*
Sur la **Via Appia Antica★★★**, voie ouverte en 312 avant J.-C. et reliant Rome à
ⓥ Brindisi, le **tombeau de Cecilia Metella★** est un exemple de sépulture patricienne du Ier s. avant J.-C.

★★★ BASILIQUE ST-PAUL-HORS-LES-MURS (San Paolo Fuori le Mura) *Sortir par la via Ostiense (BZ), puis voir le plan d'ensemble dans le guide Rouge Michelin Italia.*

Une des quatre basiliques majeures. Constantin la fit édifier au 4e s. sur la tombe de saint Paul. Elle fut reconstruite au 19e s. après qu'un incendie, en 1823, l'eût presque totalement détruite. Son plan basilical est celui des premiers édifices chrétiens.
L'**intérieur★★★**, saisissant de grandeur, renferme la porte de bronze du 11e s. exécutée à Constantinople *(au bas de la 1re nef droite)*, et le **ciborium★★** gothique d'Arnolfo di Cambio (1285) placé sur l'autel, lui-même disposé au-dessus de la plaque de marbre gravée au nom de Paul et datée du 4e s. Dans la **chapelle du St-Sacrement★** *(à gauche du chœur)*, Christ en bois du 14e s. attribué à Pietro Cavallini, statue de sainte Brigitte agenouillée par Stefano Maderno (17e s.), et statue de saint Paul (14e ou 15e s.) ; le **chandelier pascal★★** est une œuvre de l'art romain du 12e s., due aux Vassalletto.
Le **cloître★** est probablement en partie l'œuvre de cette même famille d'artistes.

3e JOUR *(après-midi)*

★★★ BASILIQUE STE-MARIE MAJEURE (Santa Maria Maggiore - DX)

Une des quatre basiliques majeures de Rome, dont l'origine remonte au pape Sixte III (432-440). Campanile du 14e s., façade du 18e s.
L'**intérieur★★★**, majestueux, renferme un remarquable ensemble de **mosaïques★★★** : dans la nef centrale, au-dessus de l'entablement, elles comptent parmi les plus anciennes mosaïques chrétiennes de Rome (5e s.) et illustrent des scènes de l'Ancien Testament ; à l'arc triomphal, du 5e s. également, scènes du Nouveau Testament ; à l'abside, elles sont composées d'éléments du 5e s. mais furent refaites au 13e s.
Le **plafond★** est à caissons, dorés, dit-on, avec le premier or venu du Pérou.
Sortir de la basilique par la porte au fond de la nef droite.
De la **piazza dell' Esquilino** (obélisque égyptien), **vue★★** sur l'imposant chevet du 17e s.

★★★ FONTAINE DE TRÉVI (CX)

Ce grandiose monument du baroque finissant fut conçu en 1762, à la demande du pape Clément XIII, par Nicolà Salvi qui lui donna les dimensions du palais auquel il est adossé et l'allure d'un arc de triomphe. De sa niche centrale, jaillit la figure de l'Océan, juchée sur un char guidé par deux chevaux marins et deux tritons.
La tradition veut que tout visiteur jette dans la vasque, en lui tournant le dos, deux pièces de monnaie : l'une doit assurer son retour à Rome, l'autre lui permettre de réaliser un vœu.

★★ PIAZZA DI SPAGNA (CX)

Cette place prit son nom au 17e s. quand l'ambassade d'Espagne s'installa au Palazzo di Spagna. Elle est dominée par le majestueux **escalier de la Trinité des Monts★★**, construit au 18e s. par De Sanctis et Specchi, héritiers du goût baroque pour les perspectives et le trompe-l'œil ; au pied de l'escalier, fontaine de la Barcaccia, œuvre de Pietro Bernini (17e s.).
Au sommet, l'**église de la Trinité des Monts★** (CX X) est une possession française édifiée au 16e s., restaurée au 19e s. ; à l'intérieur, **Déposition de Croix★** (1541) par Daniele da Volterra, admirateur de Michel-Ange *(2e chapelle à gauche).*
De la piazza di Spagna part la **via dei Condotti** (BCX 23), bordée de boutiques luxueuses ; le « caffè Greco », fondé en 1760 et fréquenté par d'illustres hôtes (Gœthe, Berlioz, Wagner, Stendhal, etc...), la rendit célèbre dans le monde entier.

★★ PIAZZA DEL POPOLO (BV)

Elle a été aménagée par Giuseppe Valadier (1762-1839). On y remarque la **Porta del Popolo★**, porte ouverte dans l'enceinte d'Aurélien au 3e s. et érigée au 16e s. (façade extérieure) et au 17e s. (façade intérieure, par Le Bernin). L'**église Santa Maria del Popolo★★** (N), de style Renaissance, modifiée à l'époque baroque, renferme des **fresques★** exécutées au 15e s. par Pinturicchio *(1re chapelle à droite)*, deux **tombeaux★** par Andrea Sansovino *(dans le chœur)*, et deux **tableaux de Caravage★★★** — Le Martyre de Saint Pierre et La Conversion de Saint Paul — *(1re chapelle à gauche du chœur)* ; la **chapelle Chigi★** *(2e à gauche)* a été élevée par Raphaël. L'obélisque central fut transporté d'Égypte à l'époque d'Auguste et érigé ici au 16e s. par Sixte Quint.
De la piazza del Popolo, se détache la **via del Corso★★** (BCX), bordée de palais et de boutiques, principale rue du centre de Rome.

PINCIO (BV)

Ce beau parc public aménagé au 19e s. par Giuseppe Valadier offre une **vue★★★** particulièrement somptueuse au crépuscule lorsque celui-ci met en valeur la lumière dorée caractéristique de Rome.

Du Pincio, part le viale della Trinità dei Monti (BCVX) où se dresse la Villa Médicis (CX), siège de l'Académie de France.

AUTRES CURIOSITÉS

Églises

★ **Chiesa Nuova** (BX Q). — Église de la Contre-Réforme, à laquelle fait suite l'oratoire des Philippins à la **façade**★ dessinée par Borromini.

★★ **St-André-au-Quirinal** (CX L). — Chef-d'œuvre du **Bernin,** dont l'**intérieur**★★ présente un plan elliptique.

★ **St-Augustin** (BX E). — Elle renferme la **Madonna del Parto**★ de J. Sansovino, la fresque du **prophète Isaïe**★ de Raphaël et la **Madone des Pèlerins**★★★ de Caravage.

★★ **St-Charles-aux-Quatre-Fontaines** (CX K). — Chef-d'œuvre de **Borromini ;** façade tourmentée et **intérieur**★★ en forme d'ellipse.

★★ **St-Clément (San Clemente)** (DY). — Basilique à plusieurs étages. **Mosaïque**★★★ de l'abside (12e s.), **fresques**★ de Masolino.

★ **St-Ignace** (BX G). — 17e s. Façade et **fresques**★★ de la voûte dues à **A. Pozzo.**

★ **St-Laurent-Hors-les-Murs (San Lorenzo fuori le Mura).** — *Accès par la via dei Ramni* (DX 53), *puis voir plan du guide Rouge Michelin Italia.* Du 13e s. **Sarcophage des vendanges**★ (5e-6e s.), **ambon**★ (13e s.), **chaire pontificale**★ (13e s.).

★ **St-Pierre-aux-Liens** (CY G). — Mausolée de Jules II et **Moïse**★★★ par Michel-Ange.

★ **Ste-Agnès-Hors-les-Murs (Sant'Agnese fuori le Mura).** — *Accès par la via Nomentana* (DV), *puis voir plan du guide Rouge Michelin Italia.* 7e s. **Mosaïques**★ de l'abside. L'église **Ste-Constance**★, ancien mausolée du 4e s., possède de belles **mosaïques**★.

★ **Ste-Cécile (Santa Cecilia)** (BY). — 9e s., remaniée. **Sainte Cécile**★ par Stefano Maderno (1599), **Jugement dernier** de Pietro Cavallini (vers 1293).

★★ **Ste-Marie-des-Anges** (DX E). — Construite au centre des thermes de Dioclétien : son **transept**★ permet d'imaginer l'ampleur des salles antiques.

★★ **Ste-Marie-de-la-Victoire** (CX E). — Chef-d'œuvre de Carlo Maderna. L'**intérieur**★★★, fastueux, recèle l'**Extase de sainte Thérèse**★★★ du Bernin (1652).

★★ **Ste-Sabine** (BY F). — 5e s. L'une des plus anciennes basiliques de Rome. **Porte**★★ en cyprès. **Intérieur**★★ d'une belle harmonie architecturale, et lumineuse.

★★ **Ste-Suzanne** (CX F). — 9e-16e s. Remarquable **façade**★★★ de **Carlo Maderna.**

Sts-Cosme-et-Damien (CY E) — 5e s. **Plafond**★ à caissons du 16e s., **mosaïques**★ des 6e et 7e s., **crèche napolitaine**★ du 18e s.

★ **San Pietro in Montorio** (BY D). — 15e s. **Flagellation**★ de **Sebastiano del Piombo ;** dans la cour, **Tempietto**★ de Bramante (1499). De l'esplanade, **vue**★★★ sur Rome.

★ **Sant'Andrea della Valle** (BY C). — Début 17e s. **Façade**★★ par Rainaldi (17e s.) ; belle et immense **coupole**★★ de C. Maderna, décorée par Lanfranco ; **abside**★ décorée par Le Dominiquin.

Santa Maria dell'Anima (BX Y). — Un des rares intérieurs gothiques de Rome.

★ **Santa Maria della Pace** (BX X). — **Sibylles**★ par Raphaël.

★ **Santa Maria in Cosmedin** (CY W). — Élégant **campanile**★ du 12e s. Sous le porche, **« Bocca della Verità ».**

★ **Santa Maria In Trastevere** (BY Z). — 12e s. **Mosaïques**★★ du chœur (12e-13e s.).

★ **Santa Maria Sopra Minerva** (BX A). — Nombreuses œuvres d'art. **Fresques**★ de Filippino Lippi. **Tombeaux**★ gothiques et baroques.

Monuments antiques

Arc de Janus (CY S). — C'était une porte publique, sous laquelle passaient autrefois les voies les plus fréquentées.

★★ **Area Sacra del Largo Argentina** (BY). — Ruines de quatre temples datant de l'époque de la République.

★★ **Autel d'Auguste (Ara Pacis Augustae)** (BX V). — Oeuvre majeure du siècle d'or d'Auguste, ornée de magnifiques **bas-reliefs** sculptés.

Circus Maximus (Circo Massimo) (CY). — Le plus grand cirque de Rome réservé aux courses de char.

Mausolée d'Auguste (BX B). — Son architecture reprend celle des tumuli étrusques.

★ **Pyramide de Caius Cestius** (CZ A). — Original mausolée élevé par un riche particulier en 12 avant J.-C.

★★ **Temple d'Apollon Sosien** (BY V). — Dédié à Apollon guérisseur, il présente encore trois élégantes **colonnes**★★ cannelées.

★ **Temple de la Fortune virile** (CY Y). — Austère construction rectangulaire de la fin du 2e s. avant J.-C.

★ **Temple de Vesta** (CY X). — Élégant édifice circulaire datant du règne d'Auguste.

★★ **Théâtre de Marcellus** (BY T¹). — L'un des plus grands théâtres de Rome, inauguré par Auguste en 11 avant J.-C.

Musées et palais

★ **Galerie nationale d'Art moderne (CV M¹²)**. — Peinture et sculpture italiennes des 19ᵉ et 20ᵉ s.

★★★ **Musée Borghese (CV M⁹)**. — Sculptures par Canova et Le Bernin ; peintures de Raphaël, Corrège, Titien, Caravage, etc.

★★★ **Musée national romain (DX M⁷)**. — Antiquités grecques et romaines ; peintures provenant des villas romaines.

★★★ **Musée national de la Villa Giulia (BV M¹⁰)**. — Exceptionnelle réunion d'œuvres relatives à la civilisation étrusque.

★★ **Palais de la Chancellerie (BXY S)**. — Élégant palais édifié de 1483 à 1513. Harmonieuse cour intérieure.

★★ **Palais du Quirinal (CX)**. — Beau palais élevé au 16ᵉ s. pour servir de résidence estivale aux papes, aujourd'hui siège du gouvernement italien.

★★ **Palazzo Barberini (CX M⁸)**. — Palais baroque qui abrite une remarquable **galerie de peintures★★** (Fra Angelico, Raphaël, Titien, Holbein, Pietro da Cortona, etc.).

★ **Palazzo Braschi (BX M⁴)**. — 18ᵉ s. **Musée★** évoquant l'histoire de la ville depuis le Moyen Age.

Palazzo Chigi (BX C). — Élevé au 16ᵉ s., il abrite la présidence du Conseil des ministres.

Palazzo della Consulta (CX Q). — **Façade★** de F. Fuga (18ᵉ s.). Siège de la cour constitutionnelle.

★ **Palazzo Doria Pamphili (CX M³)**. — Beau palais élevé au 16ᵉ s., abritant une **galerie★** de peintures (Caravage, Velasquez, Carrache, etc.).

★ **Palazzo Madama (BX R)**. — 16ᵉ s. Siège du Sénat.

Palazzo di Montecitorio (BX). — 17ᵉ s. Chambre des députés.

Palazzo della Sapienza (BX K). — 16ᵉ s. A l'intérieur de la cour, **église St-Yves★**, chef-d'œuvre de Borromini (clocher).

★ **Palazzo Spada (BY M⁵)**. — Collection particulière du cardinal Spada (17ᵉ s.). **Galerie de peinture★**.

★★ **Villa Farnesina (ABY)**. — Résidence construite de 1508 à 1511 pour Agostino Chigi, qui fit appel à Raphaël et ses élèves pour la décoration des salles.

Places, rues, sites, parcs et jardins

★ **Piazza Bocca della Verità (CY 15)**. — Des monuments antiques (arc de Janus, temple de la Fortune virile, temple de Vesta — *p. 170*), médiévaux (S. Maria in Cosmedin — *p. 175*) et baroques y composent un tableau caractéristique du paysage romain.

★ **Piazza Campo dei Fiori (BY)**. — Sur cette célèbre place, l'une des plus populaires de Rome, se tient chaque matin un pittoresque marché.

★★ **Piazza Colonna (BX)**. — Place animée sur laquelle se dresse la **colonne de Marc-Aurèle★** (2ᵉ s.).

★★ **Place du Quirinal (Piazza del Quirinale) (CX)**. — Élégante place inclinée, ornée d'une fontaine, d'un obélisque et des deux statues des Dioscures. Les palais du Quirinal et de la Consulta *(ci-dessus)* s'y font face.

★ **Place St-Ignace (BX 58)**. — Ravissante petite place suggérant la scène et les coulisses d'un théâtre.

★ **Porte St-Paul (Porta San Paolo) (CZ)**. — Point de départ de la via Ostiense qui conduit à la basilique St-Paul, d'où son nom.

★ **Porte St-Sébastien (Porta San Sebastiano) (DZ)**. — La plus spectaculaire des portes de Rome (3ᵉ s.).

★ **Via dei Coronari (BX 25)**. — Bordée de palais aux façades ocre et bistre, c'est la rue des brocanteurs et des antiquaires.

★★ **E.U.R.** — *Accès par la via C. Colombo* (DZ), *puis voir plan d'ensemble dans le guide Rouge Michelin Italia.* Ce quartier moderne (1939) aux architectures colossales abrite d'intéressants musées, dont le **musée de la Civilisation romaine★★**.

★ **Isola Tiberina (BY)**. — Ile paisible, reliée à la rive par le **pont Frabricius (BY 31)**, le seul pont antique qui ait été conservé à Rome.

★ **Janicule (Gianicolo) (AY)**. — Belle promenade d'où l'on découvre des **vues★★★** étendues sur la ville.

★★★ **Jardins du Vatican (AV)**. — Ils permettent d'admirer la coupole de la basilique St-Pierre dans toute sa majesté.

★★ **Villa Borghese (CV)**. — C'est le plus vaste parc public de Rome.

Pour tout ce qui fait l'objet d'un texte dans ce guide
(villes, sites, curiosités, rubriques d'histoire ou de géographie, etc.),
reportez-vous aux pages de l'index.

Carte Michelin n° 988 pli 14 — 33 km au Sud-Ouest de Mantoue.

ⓒ Cette petite ville encore entourée de son enceinte constitue un **ensemble urbain**★ du 16ᵉ s. curieux et suggestif. Le cadet de la famille des Gonzague, Vespasien (1531-1591), y attira une cour raffinée qui valut à Sabbioneta le surnom de « petite Athènes ».
Le **palais ducal** contient les statues équestres des Gonzague et de beaux plafonds en bois sculpté et à caissons.
Le **théâtre olympique**★, chef-d'œuvre de Scamozzi (1522-1616), est l'un des plus anciens d'Europe. Il comporte une tribune ducale à colonnades, des statues de dieux et des fresques de l'école de Véronèse.
L'ancien **palais du Jardin** était destiné aux fêtes ; la vaste **galerie des Antiquités**★ a été entièrement décorée de fresques par l'école des Campi.
Vespasien Gonzague est enterré dans l'**église de l'Incoronata**★, de plan octogonal et ornée de surprenants trompe-l'œil ; remarquable **mausolée**★ par Leone Leoni.

★★★ **SACRA DI SAN MICHELE** Piémont

Carte Michelin n° 988 pli 12 — 37 km à l'Ouest de Turin.

ⓒ Perchée sur un piton rocheux à 962 m d'altitude, cette **abbaye bénédictine** comptait au 13ᵉ s. plus de cent religieux et commandait à cent quarante monastères. Édifiée dès la fin du 10ᵉ s. par un Auvergnat, Hugues de Montboissier, elle rappelle par son plan général l'abbaye du Mont-St-Michel. Après avoir franchi les portes de fer du châtelet d'entrée, on gravit le grand escalier qui conduit à la **porte du Zodiaque,** dont les pilastres et les chapiteaux sont ornés de sculptures du « maestro Nicolò » (1135). Au sommet de la pointe rocheuse, l'**église abbatiale,** de style roman-gothique, est décorée de fresques du 16ᵉ s. Au maître-autel, triptyque dû à Defendente Ferrari (début 16ᵉ s.). Remarquables chapiteaux sculptés. De l'esplanade, belle **vue**★★★ sur les montagnes, la vallée de la Doire, la plaine du Pô et de Turin.

★★★ **SAINT-MARIN (République de)** (SAN MARINO) 22 332 h.

Carte Michelin n° 988 pli 15 — Plan dans le guide Rouge Michelin Italia.

Dans un **site**★★★ admirable, l'un des plus petits États du monde (61 km²) occupe les pentes du mont Titano, arête de grès déchiqueté. Cette très ancienne république bat monnaie, émet des timbres, possède ses propres corps de troupes et de gendarmes. Saint-Marin aurait été fondé au 4ᵉ s. par un pieux maçon fuyant les persécutions de Dioclétien. Le système politique qui régit la petite république a peu changé depuis neuf siècles. Deux capitaines-régents choisis parmi les soixante membres du Conseil sont investis tous les six mois de la charge de chef d'État, au cours d'une grande fête *(voir le chapitre Principales manifestations touristiques, en fin de volume).* La vie économique est entretenue par le tourisme, le commerce, la philatélie, l'artisanat et l'agriculture. On savoure à St-Marin un vin « moscato » très agréable.

CURIOSITÉS

ⓒ **Palais du Gouvernement (Palazzo del Governo).** — *Piazza della Libertà.* Reconstruit à la fin du 19ᵉ s. en style gothique (voir notamment la salle du Grand Conseil).

Basilique de St-Marin (Basilica di San Marino). — *Piazzale Domus Plebis.* Reliques du saint.
A l'intérieur de l'église San Pietro, contiguë, niches taillées dans le roc ayant servi de lits à saint Marin et saint Leo.

« Rocche » (Guaita, Della Fratta, Montale). — Ces trois pitons sont couronnés par trois « torri » qu'un chemin de ronde relie. **Vues**★★★ magnifiques sur les Apennins, la
ⓒ plaine, Rimini et la mer jusqu'à la côte dalmate. Dans l'une des tours, un **musée d'Armes anciennes** présente une collection d'armes du 13ᵉ s. à la fin du Moyen Age.

ⓒ **Musée-Pinacothèque.** — Nombreuses peintures (Strozzi, Ribera, Le Guerchin, Le Dominiquin) ; objets d'art égyptien et étrusque ; monnaies et statuettes romaines, etc.

ⓒ **Musée St-François.** — Peintures du 12ᵉ au 17ᵉ s., et modernes (20ᵉ s.). Poteries étrusques et objets de culte.

ⓒ **Musée d'Armes à feu.** — *A Borgo Maggiore (accès par la route ou par téléphérique).* Armes du temps de l'artillerie à poudre, fusils et pistolets du 16ᵉ au 18ᵉ s.

ⓒ **Musée philatélique et numismatique.** — *A Borgo Maggiore.* Collection de timbres et de monnaies émis par la République depuis le milieu du 19ᵉ s.

EXCURSION

★★**San Leo.** — *16 km au Sud-Ouest. Sortir par le Nord, puis emprunter à gauche la route vers la vallée de la Marecchia ; avant Pietracuta et la S 258, prendre à gauche.*
Une route escarpée et sinueuse permet d'accéder au sommet de l'énorme rocher calcaire (alt. 639 m) au **site**★★ impressionnant, déjà célébré par Dante dans sa Divine Comédie, où sont juchés le vieux bourg historique de San Leo et sa **forteresse**★ (Forte)
ⓒ du 15ᵉ s., bâtie en à-pic, où mourut captif Cagliostro. Un **musée-pinacothèque** y a été aménagé : armes et meubles anciens, peintures du 15ᵉ au 18ᵉ s. Immense **panorama**★★★ sur la vallée de la Marecchia, Montefeltro et Saint-Marin.
La cathédrale, de style roman-lombard (1173), et l'église paroissiale préromane (restaurée) méritent attention.

Carte Michelin nº 000 pli 28 — Schéma p. 41 — Plan d'ensemble dans le guide Rouge Michelin Italia.

Le long de la courbe harmonieuse de son golfe, Salerne conserve un quartier médiéval, sur les pentes d'une colline couronnée d'un château. C'est un port actif, un centre industriel dont les environs se consacrent à la culture des primeurs.

D'abord dominée par les Étrusques puis par les Romains, Salerne fut érigée en principauté par les Lombards. Le Normand Robert Guiscard en fit sa capitale en 1077. Riche cité commerçante, elle acquit un vaste renom intellectuel en Europe grâce à son université et notamment à son école de médecine qui rayonna surtout du 11e s. au 13e s. et lui valut le surnom de « cité hippocratique ». A l'arrivée des rois d'Anjou, Salerne perdit de son importance au profit de sa voisine et rivale, Naples.

C'est près de Salerne que débarqua la Ve armée américaine, le 5 septembre 1943.

Mercanti (Via)	**AB**	Duomo (Via)	**B** 9	Principati (Via dei)	**B** 19
Vittorio Emanuele (Corso)	**B**	Lista (Via Stanislao)	**A** 10	S. Eremita (Via)	**B** 20
		Luciani (Piazza M.)	**A** 12	S. Tommaso d'Aquino (Largo)	**B** 22
Abate Conforti (Largo)	**AB** 2	Plesbiscito (Largo)	**B** 14	Sedile del Campo (Pza)	**A** 23
Alfano 1º (Piazza)	**B** 3	Portacatena (Via)	**A** 15	Sedile di Pta Nuova (Pza)	**B** 24
Cilento (Via A.)	**B** 6	Porta di Mare (Via)	**A** 16	Sorgenti (Via Camillo)	**B** 25
D'Agostino (Via G.)	**A** 7	Porta Rotese (Piazza)	**B** 17	Umberto I (Piazza)	**A** 26
Dogana Vecchia (Via)	**A** 8	Porto (Via)	**A** 18	24 Maggio (Piazza)	**B** 27

★★**Cathédrale (Duomo)** (B) — Dédiée à saint Matthieu dont le corps se trouve dans la crypte, elle fut construite sous l'impulsion de Robert Guiscard et consacrée par le pape Grégoire VII en 1085 ; de style normand, elle a été remaniée au 18e s., et le séisme de 1980 l'a fortement ébranlée. On parvient à la porte des Lions (11e s.) par un escalier. L'**atrium** carré à appareil de pierre polychrome, colonnes antiques et arcades, précède l'église proprement dite ; à droite, tour carrée du 12e s. Le portail central a des portes de bronze du 11e s. provenant de Constantinople. A l'intérieur, de dimensions imposantes, les deux **ambons**★★, richement ornés de mosaïques et reposant sur de fines colonnes à chapiteaux merveilleusement sculptés, forment avec le **chandelier pascal** un ensemble exceptionnel (12e-13e s.). Dans l'abside orientée de droite, s'ouvre la chapelle des Croisés où ceux-ci venaient faire bénir leurs armes. Sous l'autel, tombeau de Grégoire VII, mort en exil à Salerne. Dans la nef gauche, tombeau (15e s.) de Marguerite de Duras (Durazzo), femme de Charles III d'Anjou.

★**Via Mercanti** (AB). — Pittoresque rue du vieux Salerne avec des boutiques, maisons anciennes, oratoires ; elle se termine par l'**arc d'Arechi** (A A) construit au 8e s. par les Lombards.

★**Lungomare Trieste** (AB). — De cette belle promenade agrémentée de palmiers et de tamaris, on découvre une large vue sur le golfe.

Chaque année,
le **guide rouge Michelin Italia**
révise sa sélection d'établissements

   — *servant des repas soignés à prix modérés,*
   — *pratiquant le service compris ou prix nets,*
   — *offrant un menu simple à prix modeste,*
   — *accordant la gratuité du garage...*

Tout compte fait, le guide de l'année, c'est une économie.

★★ **SAN CLEMENTE A CASAURIA (Abbaye de)**

Abruzzes — Carte Michelin n° 988 pli 27 — 40 km au Sud-Ouest de Pescara — Accès : par l'autoroute A 25, sortie Torre de'Passeri.

L'abbaye, fondée en 871, a été reconstruite au 12e s. par les cisterciens en style de transition roman-gothique. Elle est aujourd'hui réduite à son église, désaffectée.

Église. — La façade est remarquable : un profond portique présente trois arcs reposant sur de beaux chapiteaux ; le portail principal est orné d'une exceptionnelle décoration sculptée, notamment aux piédroits, tympan et linteau (porte de bronze fondue en 1191). A l'intérieur, à trois nefs et abside semi-circulaire, on remarque la sobriété architecturale chère à saint Bernard. Noter la chaire monumentale du 13e s. et le chandelier pascal. Un étonnant **ciborium**★★★ roman, finement sculpté, surmonte le maître-autel. La crypte du 9e s., dont les voûtes reposent sur des colonnes antiques, est un vestige de la construction primitive.

★★★ **SAN GIMIGNANO** Toscane   7 369 h.

Carte Michelin n° 988 pli 14 — Plan dans le guide Rouge Michelin Italia.

Au cœur de la campagne toscane vallonnée où croissent la vigne et l'olivier, San Gimignano dresse au sommet d'une colline ses nombreuses tours médiévales qui lui ont valu le surnom de « San Gimignano dalle belle torri ».
Commune libre au 12e s., cette bourgade ne cessa de prospérer pendant deux siècles, mais n'échappa pas aux luttes qui opposaient alors les partisans de l'empereur, les gibelins, aux partisans du pape, les guelfes. C'est de cette époque troublée que datent les tours féodales, appartenant aux familles nobles de la ville. Un réseau de passerelles (on remarque encore, dans les murs, les trous qui servaient à les fixer) permettait aux familles alliées de se réunir rapidement en cas d'alerte.

★★**Piazza della Cisterna.** — Pavée de briques posées de chant et en arête de poisson, cette place doit son nom au puits (cisterna) du 13e s. qui en occupe le centre. Les hautes tours et les demeures austères des 13e et 14e s. qui l'entourent en font un des lieux les plus suggestifs d'Italie.

★★**Piazza del Duomo.** — La collégiale, des palais et sept tours nobles lui font un cadre majestueux.

★**Collégiale** (Collegiata). — C'est un édifice roman du 12e s., mais agrandi au 15e s. par Giuliano da Maiano. La façade a été restaurée au 19e s. A l'intérieur, **Martyre de saint Sébastien** (1465) de Benozzo Gozzoli et **Annonciation** en bois sculpté de Jacopo Della Quercia *(au revers de la façade)* ; au mur du bas-côté gauche, **fresques**★ illustrant des scènes de l'Ancien Testament par Bartolo di Fredi (14e s.) ; le long du bas-côté droit, **fresques**★★ dues à Barna da Siena (vers 1350) : dans ces récits de la vie du Christ *(les lire en partant du haut),* l'élégance du dessin se mêle à la délicatesse des couleurs. A l'intérieur de la **chapelle Santa Fina**, due à Giuliano da Maiano, harmonieux **autel**★ de Benedetto da Maiano et **fresques**★ de D. Ghirlandaio (1475).

★**Palais du Peuple** (Palazzo del Popolo). — Il date des 13e-14e s. Une haute **tour** le domine, du haut de laquelle se révèle une curieuse **vue**★★ sur les tours et les toits couleur de pain brûlé.
La salle du Conseil renferme une remarquable **Maesta**★ de Lippo Memmi (1317), restaurée vers 1467 par Benozzo Gozzoli. Au 2e étage, le **musée municipal**★ (Museo Civico) abrite des peintures des écoles florentine et siennoise du 12e au 15e s.

Palais du Podestat (Palazzo del Podestà). — Construit au 13e s., il s'ouvre par un vaste porche ; la puissante tour « Rognosa » le domine. A côté, palais Chigi (13e s.).

Église St-Augustin (Sant'Agostino). — Bâtie au 13e s., cette église abrite dans son chœur une série de dix-sept **fresques**★★ exécutées entre 1463 et 1467 par Benozzo Gozzoli. Avec la fraîcheur de coloris, le sens de la perspective et le goût du détail qui le caractérisent, l'artiste a évoqué la vie d'Augustin, célèbre Père de l'Église.

★★ **SAN REMO** Ligurie   62 131 h.

Cartes Michelin n° 988 pli 12 et n° 195 pli 20 — Schéma p. 164 — Plan dans le guide Rouge Michelin Italia.

Coincée entre mer et montagne, le long d'une ample baie délimitée par le Cap Noir et le Cap Vert, la luxueuse capitale de la Riviera du Ponant jouit d'une délicieuse température tout au long de l'année et du plus fort ensoleillement de la Ligurie. En plus de ces avantages, elle offre de nombreux hôtels et établissements de bains, ainsi que port de plaisance, casino, hippodrome, fêtes brillantes, manifestations culturelles et sportives.
San Remo est le principal centre du commerce des fleurs d'Italie : des millions de roses, œillets, mimosas, etc. sont expédiés dans le monde entier (d'octobre à juin, entre 6 et 8 h, caractéristique marché aux fleurs).

Corso Imperatrice. — Célèbre pour ses palmiers des Canaries, cette promenade le long de la mer est l'une des plus élégantes de la Ligurie.

★**La Pigna.** — C'est le nom donné à la ville haute à cause de sa forme pointue (pigna : « bec »). D'aspect moyenâgeux, elle est sillonnée d'un lacis de ruelles bordées de hautes et étroites maisons. De piazza Castello, monter au sanctuaire baroque de la Madonna della Costa : jolie **vue**★ sur la ville et la baie.

★★**Mont Bignone** (alt. 1299 m). — *13 km au Nord.* Couvert de pins, ce sommet offre un splendide **panorama**★★ s'étendant jusqu'à Cannes.

Petite ville industrielle (pâtes) ayant conservé ses remparts et quelques demeures anciennes. Son premier titre de gloire reste pourtant d'avoir donné le jour (vers 1415) au plus grand peintre italien du Quattrocento, **Piero della Francesca** *(voir p. 29 et 46)*. *Voir aussi le chapitre Principales manifestations touristiques, en fin de volume.*

Musée municipal (Museo Civico). — *65, via Aggiunti.* Il occupe douze salles du palais communal.

On peut y voir plusieurs **œuvres**★★ admirables de Piero della Francesca : une Résurrection, impressionnant témoignage d'un art parvenu à sa maturité, le très beau polyptyque de la Vierge de miséricorde, un Saint Julien, un Saint Ludovic. On admire aussi des œuvres de son disciple Luca Signorelli, de Pontormo, Bassano, Palma le Jeune, Andrea et Giovanni Della Robbia, et d'autres artistes natifs de Sansepolcro (Raffaellino dal Colle, Santi di Tito, Giovanni Alberti...). Fragments de fresques ou de sinopies du 14ᵉ s., estampes, reliquaires, etc.

EXCURSIONS

★★**Camaldoli.** — *76 km au Nord-Ouest.* Berceau de l'ordre des camaldules fondé au 11ᵉ s. par saint Romuald, il est situé au cœur de la montagne et d'une immense forêt. Le couvent, reconstruit au 13ᵉ s., se dresse au fond d'une sombre vallée. Au-dessus, dans un site austère et retiré, se trouve l'**Ermitage**★ (Eremo), véritable village de moines, entouré de murailles : cellule de saint Romuald et belle église du 18ᵉ s.

★**Couvent de la Verna.** — *36 km au Nord-Ouest.* Ce couvent fut fondé en 1214 à l'endroit même où saint François reçut les stigmates. On peut y voir la chapelle Ste-Marie-des-Anges, celle des Stigmates, le lit du saint, l'énorme roche en surplomb sous laquelle il priait. Dans la basilique, terres cuites d'Andrea Della Robbia.

★**Poppi.** — *61 km au Nord-Ouest.* Cette fière et pittoresque cité, ancienne capitale du Casentino, domine le Val d'Arno. Elle est elle-même couronnée par l'altier **castel** des comtes Guidi, palais gothique qui conserve une curieuse **cour**★ décorée de blasons.

Monterchi. — *17 km au Sud.* La chapelle du cimetière abrite une œuvre d'un étrange pouvoir méditatif de Piero della Francesca, la **Madonna del Parto**★ (Vierge de l'Enfantement), fresque détachée et placée au-dessus de l'autel.

★★★ **SIENNE** (SIENA) Toscane   *VIN CHIANTI*   61 337 h.

Carte Michelin n° 988 pli 15 — Plan d'ensemble dans le guide Rouge Michelin Italia.

Ville ocre, ville gothique construite sur trois collines au cœur du haut plateau toscan, Sienne est une cité d'art dont le plan serpentin, inscrit à l'intérieur de remparts d'une ampleur surprenante, et les rues bordées de multiples palais convergeant vers la célèbre piazza del Campo suggèrent mieux que partout ailleurs la réalité d'une cité médiévale.

UN PEU D'HISTOIRE

La richesse de Sienne date des 13ᵉ et 14ᵉ s., au cours desquels cette république indépendante, aux structures fortement organisées, devint prospère grâce à ses marchands et à ses banquiers.

Dans la lutte qui divisait les cités italiennes guelfes et gibelines *(p. 18)*, Sienne s'opposa à sa puissante voisine Florence et entretint avec elle une longue lutte dont l'épisode le plus mémorable fut, en 1260, la cuisante défaite infligée par les gibelins siennois aux guelfes florentins à Montaperti. Cependant, c'est au cours de cette période troublée, que la ville se dota de ses monuments les plus prestigieux et que prit naissance l'école siennoise de peinture, appelée à jouer un rôle primordial dans l'évolution de l'art italien.

La peste de 1348, qui décima sa population, amorça le déclin de la cité que vinrent confirmer de furieuses dissensions entre factions rivales. Au début du 15ᵉ s. l'époque de la splendeur de Sienne était achevée.

Sienne est également une cité mystique. Elle donna naissance, en 1347, à **sainte Catherine** qui, ayant décidé, à 7 ans, de n'avoir d'autre époux que le Christ, embrassa la règle dominicaine à 16 ans, connut de nombreuses visions et extases, reçut les stigmates à Pise et, en 1377, contribua au retour à Rome de la cour pontificale, déplacée depuis 1309 en Avignon. Une autre figure très vénérée des Siennois est celle de **saint Bernardin** (1380-1444), qui abandonna ses études pour assister les pestiférés de Sienne, revêtit à 22 ans la bure franciscaine et fonda la congrégation des frères de l'Observance fidèle à la règle de saint François ; orateur redouté, il dispensa son enseignement dans toute l'Italie.

L'ART SIENNOIS

Sienne ne fut pas seulement opposée à Florence sur le plan politique. En effet, alors que dans la cité de Dante s'affirmait, au travers de peintres tels que Cimabue et Giotto, la manière « romaine » soucieuse d'équilibre et de réalisme, qui devait conduire à la plénitude des formes de la Renaissance, Sienne de son côté s'attachait à perpétuer la manière grecque ou « byzantine ». Dans celle-ci, l'arabesque de la ligne et la préciosité des couleurs assurent aux images cette élégance chatoyante qui constitue l'un des principaux charmes de la peinture siennoise.

Duccio di Buoninsegna (vers 1260-1318), le premier, inventa cette nouvelle sensibilité alliant concentration intérieure, attention aux données de l'espace et de la composition, et chromatisme resplendissant.

SIENA

Son exemple fut décisif auprès de **Simone Martini** (vers 1285 — mort en Avignon en 1344) qui orienta le lyrisme de cette leçon vers plus de naturel, mais dans un suprême raffinement de couleurs et de détails.

Les frères **Lorenzetti,** Pietro et Ambrogio, chacun avec sa personnalité propre, donnèrent à la tradition siennoise un ton plus inquiet, plus proche de la réalité, tout en restant fidèles à la ductilité linéaire de leurs aînés. Le thème privilégié de l'école de Sienne fut la représentation de la Vierge à l'Enfant. Au cours du Quattrocento, l'art siennois continua de manifester un attachement fondamental aux valeurs gothiques : alors que Florence s'adonnait passionnément à la redécouverte de l'Antiquité et de ses mythes, des peintres comme **Lorenzo Monaco, Giovanni di Paolo** et **Sassetta** accentuèrent encore la préciosité des images, la flexibilité des lignes et la subtilité des rythmes colorés, faisant de Sienne le refuge idéal de la sensibilité gothique.

Dans le domaine de l'architecture civile, le style gothique revêt à Sienne un caractère particulier, avec l'apparition d'éléments tendant à une plus grande légèreté : association de la pierre et de la brique au niveau inférieur des édifices, abondance des ouvertures, notamment de ces fenêtres à arc double (arc aigu sous-tendu par un arc surbaissé) dit « siennois ». C'est toutefois autour du chantier de la cathédrale, dont la construction et les tentatives de transformation durèrent plus de deux siècles, que se concentra essentiellement l'activité architecturale ; là encore, dans la façade, s'affirme pleinement l'originalité du gothique siennois, avec le passage du style roman au gothique flamboyant dans une interprétation tout empreinte de préciosité.

La sculpture, également liée au chantier de la cathédrale, bénéficia de l'apport capital des Pisans Nicola et Giovanni Pisano *(voir p. 28 et 147)* ; ce dernier, qui orna la façade de la cathédrale de figures d'une formidable expressivité, influença **Tino di Camaino**, né à Sienne vers 1280, et qui acheva sa vie auprès du style joue la cour angevine de Naples. Pourtant, la grande figure de la sculpture proprement siennoise fut **Jacopo Della Quercia** (1371-1438) qui parvint à mêler harmonieusement dans son œuvre la tradition gothique et la manière florentine de la Renaissance.

★★★ PIAZZA DEL CAMPO (BZ) *visite : 1 h 1/4*

C'est l'une des plus belles places du monde : en forme de coquille ou d'éventail, elle est en pente légère, pavée de briques que cerne un anneau de pierre.

A sa base se déploie, mariant également la brique et la pierre, la longue façade du Palazzo Pubblico. De là, rayonnent huit lignes blanches divisant le Campo en neuf parties, symboles de l'un des gouvernements de Sienne, formé de neuf membres issus de la petite bourgeoisie des artisans et des banquiers qui, de la fin du 13ᵉ s., jusqu'au milieu du 14ᵉ s., fit connaître à la ville sa plus grande prospérité.

Dans le haut de la place, la **Fonte Gaia** (fontaine de la Joie), ainsi nommée en raison de la liesse que déchaîna en 1348 son inauguration (les fontaines étaient, à cette époque, le signe de la puissance de la cité), reçut en 1419 des panneaux sculptés par Jacopo Della Quercia ; ceux-ci, très détériorés, ont été remplacés par des copies.

Sur la piazza del Campo, se déroule, deux fois par an *(voir le chapitre Principales manifestations touristiques, en fin de volume)*, le célèbre **« Palio delle Contrade »**. Cette fête, à la préparation de laquelle participe durant plusieurs semaines la ville toute entière, reflète dans son organisation l'administration médiévale de la cité, divisée en trois grands quartiers, eux-mêmes scindés en paroisses (« contrade »). Celles-ci s'affrontent, aujourd'hui encore, au terme d'un défilé haut en couleur, dans une folle course de chevaux montés à cru ; la cavalcade autour de la place se joue en quelques minutes, au cours desquelles tous les coups sont permis. L'honneur de la victoire est entretenu par de nombreux parieurs. Au vainqueur est remis le « palio », bannière à l'effigie de la Vierge, protectrice de la ville et à qui est dédié le tournoi.

★★★ Palais public (Palazzo Pubblico).
— Élevé en style gothique, entre la fin du 13ᵉ s. et le milieu du siècle suivant, c'est un édifice d'une rare élégance avec les multiples fenêtres à triples baies qui ajourent sa façade parcourue d'un léger mouvement incurvé. Au centre du corps principal flamboie un grand cercle de cuivre portant le trigramme IHS (Iesus Hominum Salvatore : Jésus sauveur des hommes) qu'arborait saint Bernardin. De l'une des extrémités du palais jaillit la svelte **Torre del Mangia,** haute de 88 m, dessinée par Lippo Memmi. Au pied de la tour, la **Cappella di Piazza**, chapelle en forme de loggia construite en 1352 au lendemain de la terrible peste, fut transformée un siècle plus tard, dans le style Renaissance.

Le palais, siège des gouvernements successifs de Sienne, fut décoré par la plupart des grands peintres de l'école siennoise.

Salle des Prieurs : fresques de Spinello Aretino (1407) narrant la lutte du pape Alexandre III contre Frédéric Barberousse.

★**Chapelle :** fermée par une très belle **grille**★, elle contient des fresques de Taddeo di Bartolo contant la vie de la Vierge, et de splendides **stalles**★★ du début du 15ᵉ s. illustrant le Credo. A l'autel, Sainte Famille par Sodoma.

Salle de la Mappemonde : admirable **Vierge en majesté**★★ (1315), première œuvre connue de Simone Martini. En face, le fameux **portrait équestre de Guidoriccio da Fogliano**★, œuvre du même artiste, présente un curieux contraste entre le réalisme avec lequel est traité le personnage et l'irréalité du fond de paysage sur lequel celui-ci se détache.

Salle de la Paix : on y voit les précieuses peintures, malheureusement très abîmées, qu'y exécuta entre 1335 et 1340 Ambrogio Lorenzetti ; pour évoquer les **Effets du bon et du mauvais gouvernement**★★, l'artiste a mêlé avec verve et naturel le ton noble et doctrinal de l'allégorie et celui, plus léger, de la narration minutieuse.

Tour : du sommet, superbe **panorama**★★ sur la ville avec le stupéfiant enchevêtrement de ses toits couleur de pain brûlé, et sur la campagne siennoise doucement vallonnée.

★★★ ENSEMBLE MONUMENTAL DE LA CATHÉDRALE
visite : 1 h 1/2

★★★ Cathédrale (Duomo) (AZ).
— Sa riche façade *(illustration p. 27)*, commencée à la fin du 13ᵉ s. par Giovanni Pisano qui l'orna de nombreuses statues d'une remarquable expressivité, a été achevée dans sa partie supérieure sur le modèle de celle d'Orvieto. Le sobre campanile roman date de 1313.

L'**intérieur**, à assises alternées de marbres clair et sombre, offre, grâce à la multitude des piliers, de surprenants effets de perspective. Le **pavement**★★★ des 15ᵉ et 16ᵉ s. est unique au monde : à la réalisation de ses 56 panneaux de marbre portant, exécutés en graffiti ou en marqueterie, des personnages mythiques tels que sibylles, vertus, allégories, ainsi que des scènes de l'Ancien Testament prodigieuses de finesse et de vie, travaillèrent une quarantaine d'artistes dont **Beccafumi**. Dans le chœur, tabernacle en bronze par Vecchietta (15ᵉ s.) et **stalles**★★ richement décorées (14ᵉ et 16ᵉ s.). A l'entrée du transept gauche se trouve la célèbre **chaire**★★★ exécutée entre 1266 et 1268 par **Nicola Pisano,** qui y a conté en sept panneaux, avec un sens de la grandeur et une puissance dramatique exceptionnels, la vie du Christ. Dans le bas-côté gauche, un charmant portail donne accès à la fameuse **Libreria Piccolomini** : les **fresques**★★ relatant des épisodes de la vie du pape Pie II Piccolomini dont, de 1502 à 1509, **Pinturicchio** couvrit ses murs, ont une finesse de dessin propre aux œuvres des minia- turistes et l'éclat de couleur des enluminures ; au centre de la salle, les Trois Grâces, élégante sculpture romaine d'influence hellénistique (3ᵉ s.).

★★**Musée de l'Œuvre de la cathédrale (Museo dell'Opera del Duomo)** (ABZ **M**). — Installé dans les restes de l'immense cathédrale projetée en 1339 et dont l'actuel édifice ne devait constituer que le transept, ce musée abrite les sculptures originales de la façade dues à Giovanni Pisano, un bas-relief de Jacopo Della Quercia, et surtout la célèbre **Maestà** (Vierge en majesté) de **Duccio,** retable peint sur ses deux faces (aujourd'hui séparées) et dont le revers, divisé en de nombreux panneaux, relate avec une exceptionnelle richesse narrative des scènes de la Passion du Christ.

★**Baptistère St-Jean (Battistero San Giovanni)** (AZ **V**). — Situé en contrebas de la cathédrale, sous le prolongement du chœur de celle-ci, il date du 14ᵉ s. Sa façade, commencée en style gothique, est restée inachevée. L'intérieur, orné de fresques du 15ᵉ s., abrite des **fonts baptismaux**★★ dont le dessin est attribué à Jacopo Della Quercia ; les panneaux en bronze de la cuve sont dus au ciseau de plusieurs maîtres de la Renaissance toscane, tels Lorenzo Ghiberti et Donatello dont on admire particu- lièrement le Festin d'Hérode.

AUTRES CURIOSITÉS

★★**Pinacothèque (Pinacoteca)** (BZ). — Aménagée dans le **palais Buonsignori**★ du 15ᵉ s., elle présente un intérêt exceptionnel pour la connaissance de la peinture siennoise du 13ᵉ au 16ᵉ s.

La très riche collection de **Primitifs** occupe le 2ᵉ étage. Après la série des crucifix peints (fin 12ᵉ, début 13ᵉ s.) et les œuvres du premier peintre local connu, Guido da Siena, on aborde la grande peinture siennoise avec Duccio dont l'une des œuvres de jeunesse, la délicate petite **Madone des Franciscains** (salle 4) annonce déjà la manière souple et tout empreinte de grâce qui caractérisera l'école de Sienne. De Simone Martini, seule est présente une **Vierge à l'Enfant** (salle 6), d'une douceur et d'une pureté rarement égalées. La salle nº 7 revêt une particulière importance par le nombre d'œuvres des frères Lorenzetti qu'elle renferme, notamment la **Pala del Carmine,** grand retable dans lequel l'aîné, Pietro, témoigne d'un sens très vif de la narration (scènes de la prédelle). La petite **Vierge de l'Humilité** (salle 13), à la silhouette longue et sinueuse et qu'un poétique rideau de rosiers sépare d'un fond de paysage aux notations minutieuses et naïves, est une œuvre exquise de Giovanni di Paolo.

Au 1ᵉʳ étage, on note des toiles de Pinturicchio, et, dans la salle nº 31, une **Naissance de la Vierge** de Beccafumi, aux audacieux dégradés de couleurs, ainsi qu'un pathétique **Christ à la Colonne** par Sodoma.

★**Via di Città** (BZ), **via Banchi di Sopra** (BYZ). — Ces rues animées et étroites, sans trottoirs et dallées, sont bordées de remarquables **palais**★.

Venant de la via San Pietro, on rencontre dans la via di Città, à gauche, le **palais Piccolomini** ou « delle Papesse » (**A**) du 15ᵉ s., avec une façade dont la partie inférieure est à bossages, dans le style de la Renaissance florentine. Presque en face, se déploie, légèrement incurvée, la longue façade gothique du palais **Chigi-Saracini** (**B**), siège de l'académie de Musique. Plus loin, à droite, la **Loggia dei Mercanti** ou des Marchands (**C**), de style transition gothique-Renaissance, servait de siège au tribunal de Commerce ; l'étage supérieur a été ajouté au 17ᵉ s.

Plus avant encore, à gauche, le **palais Tolomei** (**D**), du 13ᵉ s., est empreint d'austérité mais aussi d'élégance ; Robert d'Anjou, roi de Naples, y logea en 1310. La **piazza Salimbeni**★ (BY) est close sur trois côtés par trois édifices dont l'architecture marque trois styles : les **palais Salimbeni** (**E**), du 14ᵉ s., au fond, gothique ; **Spannocchi** (**F**), du 15ᵉ s., à droite, Renaissance ; **Tantucci** (**G**), du 16ᵉ s., à gauche, baroque.

Basilique St-Dominique (San Domenico) (AYZ). — C'est dans cette église conven- tuelle gothique (13ᵉ-15ᵉ s.) que sainte Catherine eut ses extases. Elle renferme un portrait authentique de la sainte par Andrea Vanni qui fut son contemporain.

A l'intérieur de la chapelle Ste-Catherine (vers le milieu de la nef, à droite), dans un beau **tabernacle**★ Renaissance en marbre sculpté par Giovanni di Stefano, est conservée la tête de la sainte ; aux murs, **fresques**★ de Sodoma représentent des épisodes de sa vie.

Maison natale de sainte Catherine (Casa di Santa Caterina) (AZ). — *Entrée via Santa Caterina.* Elle forme un ensemble d'oratoires superposés. On voit encore, à l'étage inférieur, la cellule où vécut la sainte ; à l'étage supérieur, est vénéré le crucifix peint (13ᵉ s.) devant lequel elle aurait reçu les stigmates.

Église St-Augustin (Sant'Agostino) (BZ). — Élevée au 13ᵉ s., elle possède un intérieur baroque. On y admire une **Adoration du crucifix**★ par Pérugin et, dans la chapelle du Saint-Sacrement, des **œuvres**★ d'Ambrogio Lorenzetti, Matteo di Giovanni et Sodoma.

Participez à notre effort permanent de mise à jour

Adressez-nous vos remarques et vos suggestions,

**Cartes et Guides Michelin
46 avenue de Breteuil
75341 Paris Cedex 07**

★★ SORRENTE (SORRENTO) Campanie

17 601 h.

Carte Michelin n° 988 pli 27 — Schéma p. 40.

Cette importante villégiature du Sud de l'Italie, dont les hôtels et les villas se dissimulent parmi des jardins merveilleusement fleuris, domine une vaste baie. D'exubérantes plantations d'orangers et de citronniers envahissent la ville et la campagne. Les artisans locaux produisent des objets en bois marqueté. Enfin Sorrente a vu naître, en 1544, le poète **Le Tasse** *(voir p. 80)*.

Église St-François (San Francesco). — Cette église baroque, surmontée d'un clocher à bulbe, dissimule un charmant **cloître★** du 13e s. dont les chapiteaux décorés de feuilles aquatiques supportent des arcs entrecroisés de style siculo-arabe *(p. 223)*. Juste à côté, les jardins publics de la **Villa Comunale** offrent un magnifique **point de vue★★** sur la baie de Naples.

★Musée Correale di Terranova. — Installé dans un palais du 18e s., il abrite des souvenirs du Tasse, une petite collection archéologique et, surtout, un bel ensemble de meubles des 17e et 18e s. Au-delà du musée et de son jardin d'orangers, une terrasse permet de jouir d'une très belle **vue★★** sur le golfe.

★★Presqu'île de Sorrente (Penisola Sorrentina). — *Circuit de 33 km. Voir schéma p. 40. Quitter Sorrente par la route S 145 en direction de l'Ouest et, à une bifurcation, prendre à droite la route de Massa Lubrense.*
La petite route sinueuse qui, de Sorrente, permet de faire le tour de la presqu'île, procure des vues magnifiques sur les collines verdoyantes, couvertes d'oliviers, d'orangers et de citronniers, auxquels se mêle la vigne ; celle-ci grimpe à l'assaut de curieux treillis où sont empilées des nattes destinées à protéger les agrumes du froid de l'hiver.
De **Punta del Capo di Sorrento** *(accès à pied, à partir de l'église de Capo di Sorrento, par une route à droite puis, au-delà d'un collège, un chemin pavé, 1 h AR)*, on jouit d'une **vue★★** superbe sur Sorrente.
Après **Sant'Agata sui Due Golfi**, bâtie sur une crête entre les golfes de Naples et de Salerne, la descente vers Colli di San Pietro, extrêmement rapide, est spectaculaire. Le retour à Sorrente par la route S 163 offre, dans sa descente vers la ville, de superbes **vues★★** sur le golfe de Naples.

★ SPOLÈTE (SPOLETO) Ombrie

37 972 h.

Carte Michelin n° 988 pli 26 — Plan dans le guide Rouge Michelin Italia.

Ancien municipe romain, puis siège, aux 6e et 8e s. d'un important duché lombard, Spolète étage ses constructions sur les pentes d'une colline couronnée par la Rocca des Papes. Le caractère austère de la cité, chère à saint François qui y séjourna, est tempéré par la grâce des ruelles étroites et tortueuses, des palais et des nombreux monuments médiévaux qui en constituent l'ornement.
Chaque été, le **Festival dei Due Mondi** attire de nombreux spectateurs *(voir le chapitre Principales manifestations touristiques, en fin de volume).*

★★Cathédrale (Duomo). — Flanquée d'un baptistère, elle ferme l'harmonieuse et tranquille **piazza del Duomo★**. Sa façade s'orne d'un beau portique Renaissance, d'une rosace et d'une mosaïque du 13e s. A l'intérieur, on admire des fresques de Pinturicchio (1re chapelle droite), le tombeau de Fra Filippo Lippi (transept droit) et surtout, dans l'abside, des **fresques** dues à ce peintre et à ses aides représentant la vie de la Vierge.

★★Pont des Tours (Ponte delle Torri). — Il surmonte l'aqueduc romain qui servit de base à sa construction (13e s.). Formé de dix arches gothiques, il se termine par une forteresse chargée de protéger son accès.

★Basilique St-Sauveur (San Salvatore). — Il s'agit d'une des premières églises chrétiennes d'Italie, élevée au 4e s. par des moines venus d'Orient et modifiée au 9e s. On y distingue de nombreux matériaux romains en réemploi.

★Église St-Grégoire-Majeur (San Gregorio Maggiore). — Église romane du 12e s., modifiée au 14e s. A gauche du portique d'entrée, le baptistère (14e s.) a ses murs couverts de fresques (Massacre des Innocents). Le campanile est formé de blocs provenant d'édifices antiques. Trois nefs sobres et austères reposent sur de lourdes colonnes à chapiteaux épannelés. Dans le chœur, fresque du 15e s. et armoire en pierre sculptée de la même époque.

Arc de Drusus (Arco di Druso). — Érigé en 23 après J.-C. en l'honneur du fils de Tibère.

Église St-Dominique (San Domenico). — Belle église des 13e et 14e s., aux murs de pierre blanche et rose en couches alternées. Dans l'unique nef, fresques des 14e et 15e s. et, dans le croisillon droit, toile de Lanfranco.

EXCURSIONS

★Route du Monteluco. — *8 km à l'Est.* Cette jolie route en lacet conduit au **Monteluco★** (850 m), lieu d'un culte antique, aujourd'hui station climatique où l'on peut encore admirer un couvent fondé par saint François. Au début de la montée, l'**église St-Pierre** (San Pietro) offre une belle et intéressante **façade★** romane du 13e s. à reliefs sculptés.

★Sources du Clitumne (Fonti del Clitunno). — *13 km au Nord.* Ces sources aux eaux transparentes qui surgissent au milieu d'une végétation aquatique étaient sacrées aux yeux des Romains : ils y plongeaient les animaux destinés aux sacrifices afin de les purifier. A 1 km en contrebas s'élève le **temple★** de Clitumne, minuscule édifice paléochrétien du 5e s., à colonnes et à fronton sculpté.

SUBIACO Latium

8 977 h.

Carte Michelin nº 988 pli 26.

Saint Benoît, fondateur de la règle bénédictine, s'y retira au 5e s. avec sa sœur jumelle Scholastique et y fonda douze petits monastères.
Accès aux monastères de Ste-Scholastique et de St-Benoît : 3 km par la route de Frosinone, puis à gauche peu avant le pont sur l'Aniene.

Ⓥ Monastère de Ste-Scholastique (Santa Scolastica). — Dominant les gorges de l'Aniene, il a conservé un majestueux campanile du 11e s., une église remaniée au 18e s. et trois cloîtres dont le troisième est une œuvre des Cosmates *(voir p. 27)*, admirable de simplicité.

★ Monastère de St-Benoît (San Benedetto). — Au-dessus du monastère de
Ⓥ Ste-Scholastique, dans un site sauvage, à flanc de rocher, se trouvent les constructions du couvent et de l'église, remontant aux 13e et 14e s.
L'église comporte deux étages : l'**église supérieure** est ornée de fresques de l'école siennoise du 14e s. et de l'école ombrienne du 15e s. ; l'**église inférieure,** elle-même à deux niveaux, a ses murs couverts de fresques dues au Magister Conxolus, peintre de l'école romaine du 13e s.
On pénètre dans le **Sacro Speco,** grotte dans laquelle saint Benoît se retira pendant trois ans. Par un escalier en colimaçon, on peut monter à une chapelle où est conservé le premier portrait de saint François (représenté sans stigmates et sans auréole), témoignant de sa visite au sanctuaire. La **Scala Santa** permet de descendre dans la chapelle de la Vierge (fresques de l'école siennoise) et dans la grotte des Bergers. On voit enfin la roseraie où saint Benoît se jeta sur les ronces afin de résister à la tentation.

★ SULMONA Abruzzes

24 293 h.

Carte Michelin nº 988 pli 27 — Schéma p. 36.

Occupant le fond d'un riche bassin dans un majestueux cadre de montagnes, Sulmona, patrie du poète latin **Ovide,** auteur des Métamorphoses, a conservé son caractère médiéval.

★★ Palais de l'Annunziata. — Construit par une confrérie de Pénitents, il présente une façade originale et variée : le portail de gauche, gothique, avec la Vierge et saint Michel, la baie à triple arcature et les statues des quatre docteurs de l'Église datent de 1415 ; la partie centrale et celle de droite sont en revanche postérieures (1483 et 1522). A mi-hauteur de la façade, court une étonnante frise sculptée.
La sobre façade de l'église contiguë est due à Pietro Fontana (1710).

★ Porta Napoli. — *A l'entrée de la ville, au Sud.* Cette porte gothique aux chapiteaux historiés (14e s.) présente sur le côté extérieur une singulière décoration (baie, bossage et rosaces).

Piazza Garibaldi. — Elle accueille chaque mercredi et samedi un important marché coloré. Bordée sur deux côtés par un aqueduc médiéval, on y admire également le portail gothique de l'église St-Martin et la **fontaine du Vieillard** (Fontana del Vecchio), Renaissance.
Le dimanche de Pâques, se déroule sur la place Garibaldi la **fête de la « Madonna che scappa in piazza »** : la statue de la Vierge est portée à la rencontre de celle du Christ ressuscité ; quittant ses vêtements de deuil à la vue de celui-ci, elle apparaît dans une robe d'un vert éblouissant et s'élance à sa rencontre.

★ TARENTE (TARANTO) Pouille

243 120 h.

Carte Michelin nº 988 pli 29 — Plans dans le guide Rouge Michelin Italia.

Port militaire bien défendu, Tarente occupe le fond d'une vaste rade fermée par deux îles fortifiées. Fondée au 7e s. avant J.-C., ce fut une des plus importantes cités de la Grande Grèce. Le quartier ancien occupe une île reliée à la ville moderne par un pont tournant.
La Semaine sainte donne lieu à des cérémonies impressionnantes : du jeudi au samedi, plusieurs processions dont l'une dure 12 heures, une autre 14 heures, parcourent la ville, allant d'église en église, avec une indescriptible lenteur.

★★ Musée national (Museo Nazionale). — Il évoque, grâce à un matériel archéologique
Ⓥ recueilli dans la région de Tarente, l'histoire de la Grande Grèce. Le 1er étage rassemble, outre des sculptures, des fragments architectoniques et des objets provenant de tombes, une exceptionnelle **collection de céramiques★★★** où l'on peut admirer des vases de styles corinthien, attique, protoitaliote et apulien. De même, une **salle des Ors★★★** rassemble de remarquables bijoux de la période hellénistique des 4e et 3e s., retrouvés dans les tombes de la région.

★★ Lungomare Vittorio Emanuele. — Face à la mer, superbe promenade plantée de palmiers et de lauriers-roses.

★ Jardins municipaux (Giardini Comunali). — Embellis par une végétation exotique et luxuriante, ils procurent une vue magnifique sur le bassin intérieur du port (Mare Piccolo).

Cathédrale (Duomo). — Datant des 11e s. et 12e s., cet édifice ramanié (façade baroque) présente un intérieur à trois nefs séparées par des colonnes antiques à chapiteaux romains ou byzantins, un plafond du 17e s. et la **chapelle de San Cataldo★** revêtue de marbres polychromes et ornée de statues, au 18e s.

★ **TARQUINIA** Latium

Carte Michelin n° 988 pli 25 — 21 km au Nord-Ouest de Civitavecchia.

La ville couronne un plateau rocheux, face à la mer, parmi les champs d'orge, de blé et les oliveraies. Son renom lui vient de sa nécropole étrusque située à quelques kilomètres.

La fondation légendaire de la ville remonte au 12ᵉ ou 13ᵉ s. avant J.-C. Les archéologues ont retrouvé des vestiges du 9ᵉ s. avant notre ère, appartenant à la civilisation villanovienne qui se développa vers l'an 1000 avant J.-C. dans la plaine du Pô, en Toscane et dans le Nord du Latium, là où s'établirent plus tard les Étrusques. Port très actif grâce au fleuve Marta, Tarquinia dominait au 6ᵉ s. toute l'Étrurie maritime. Placée dans l'orbite de Rome au 4ᵉ s. avant J.-C., décimée par la malaria, elle reçut un coup fatal au 7ᵉ s. de notre ère, lors des invasions lombardes, et ses habitants durent l'abandonner pour se réfugier à l'emplacement de la ville actuelle.

★★**Nécropole étrusque.** — *4 km au Sud-Est.* La nécropole se trouve sur un plateau désert parallèle à celui qu'occupait la cité antique de Tarquinia. S'étendant sur 5 km de long et presque 1 km de large, elle comprend environ six cents tombes datant du 6ᵉ s. au 1ᵉʳ s. avant J.-C.

Aucune architecture extérieure n'est visible (comme à Cerveteri, par exemple), mais en descendant sous terre on découvre aux parois des chambres funéraires un remarquable ensemble de **peintures**★★★, colorées et vives, d'un intérêt capital pour la connaissance de la civilisation étrusque.

Parmi les plus importantes de ces tombes, on admire tout particulièrement : la **tombe du Baron**, du 6ᵉ s. avant J.-C. ; la **tombe des Léopards** (5ᵉ s. avant J.-C.), l'une des plus belles de la nécropole, où sont représentées, outre ces animaux, des scènes de danse et de banquet ; la **tombe des Taureaux** (6ᵉ s. avant J.-C.), illustrée de scènes érotiques ; la **tombe des Lionnes** datée de 530-520 environ ; la **tombe Giglioli** (4ᵉ s. avant J.-C.) ornée de costumes et d'armes figurés en trompe-l'œil ; la **tombe de la Chasse et de la Pêche** (fin 6ᵉ s. avant J.-C.) constituée de deux salles où apparaissent un retour de chasse et des scènes de banquet et de pêche.

★ **Musée national (Museo Nazionale Tarquiniense).** — Installé dans le **Palazzo Vitelleschi**★ édifié en 1439, il abrite une remarquable collection étrusque d'œuvres provenant des fouilles de la nécropole : on y voit des sarcophages, des céramiques, des ivoires, des ex-voto, des cratères et des amphores attiques du 6ᵉ s. avant J.-C. On notera particulièrement deux admirables **chevaux ailés**★★★ en terre cuite et, au second étage, un certain nombre de tombes reconstituées, notamment la **tombe du Lit funèbre** (460 avant J.-C.) et celle du **Triclinium** (480-470 avant J.-C.) qui fut l'une des plus belles découvertes de cette « cité des morts » souterraine.

★ **Église Ste-Marie (Santa Maria in Castello).** — *Accès par la via Mazzini, puis via di Porta Castello, audelà de l'enceinte.* Proche d'une haute tour noble du Moyen Age, cette église romane (1121-1208) est incluse dans la citadelle fortifiée qui protégeait la ville. Elle présente un élégant portail à décorations cosmatesques *(voir p. 27)* et un intérieur majestueux.

(Photo Ross/Rapho)

Tarquinia. — Les chevaux ailés.

★ **TERNI** Ombrie

Carte Michelin n° 988 pli 26 — Plan dans le guide Rouge Michelin Italia.

Terni est un centre industriel important qui a conservé un noyau ancien où l'on peut admirer quelques beaux palais, l'église St-François avec son clocher du 15ᵉ s. et l'église St-Sauveur, d'origine paléochrétienne (5ᵉ s.). La piazza della Repubblica et la via Roma en constituent le centre animé.

EXCURSIONS

★★**Cascade des Marmore.** — Cette chute d'eau artificielle créée par les Romains effectue trois bonds successifs dans des abrupts de marbre, avant de disparaître au fond d'un ravin boisé. *On peut s'y rendre soit par la route de Macerata, S 209 (7 km à l'Est de Terni) ; soit par celle de Rieti, S 79 (9 km à l'Est, plus 1/2 h à pied AR).*

Ruines romaines de Carsulae. — *16 km au Nord-Ouest. Accès par S. Gemini et S. Gemini Fonte.* Vestiges d'une villa romaine détruite au 9ᵉ s.

Ferentillo. — *18 km au Nord-Est.* Village pittoresque dominé par deux châteaux ruinés. De là *(5 km en direction du Nord, puis 2 km de route privée médiocre)*, on peut atteindre la solitaire **abbaye de S. Pietro in Valle**, fondée au 7ᵉ s. et reconstruite au 12ᵉ s. Cloître, fresques du 12ᵉ s., sarcophages romains.

★ **TERRACINA** Latium 37 596 h.

Carte Michelin n° ▉▉▉ pli 26.

Agréablement située au bord d'un joli golfe et au pied d'une falaise calcaire, Terracina, qui fut à l'époque romaine déjà une élégante station de villégiature, a gardé une partie de son enceinte médiévale et quelques vestiges romains.

Cathédrale (Duomo). — Elle se dresse sur la jolie **piazza del Municipio** qui a conservé les dalles de l'ancien forum romain. Consacrée en 1075, elle est précédée d'un portique à colonnes antiques supportant une frise de mosaïques du 12e s. Le campanile à colonnettes est de transition roman-gothique. A l'intérieur, on peut voir une **chaire** et un **chandelier pascal★**, beau travail cosmatesque *(voir p. 27)* du 13e s.

★**Temple de Jupiter (Tempio di Giove Anxur).** — *4 km, plus 1/4 h à pied AR, par la via San Francesco Nuovo.* Bien qu'il n'en reste plus que le soubassement, une galerie voûtée et un cryptoportique, sa visite vaut par la beauté du lieu où il s'élève et d'où l'on jouit d'un large **panorama★★** sur la ville, ses canaux et son port, le mont Circeo et les marais Pontins, la plaine de Fondi et ses lacs, la côte jusqu'à Gaète.

EXCURSION

★**Parc national du Circeo.** — Fondé en 1934, ce parc s'étire sur un étroite bande côtière entre Anzio et Terracina et englobe une partie des anciens marais Pontins. Parmi ses plus beaux sites : le **mont Circeo,** refuge de la magicienne Circé qui retint Ulysse et ses compagnons ; le **lac de Sabaudia** que l'on peut approcher par le pont menant à Sabaudia, villégiature appréciée ; la **route panoramique** *(5 km, de S. Felice à Torre Cervia),* bordée de villas cossues, de fleurs et de plantes typiquement méditerranéennes.

★★★ **TIVOLI** Latium 52 237 h.

Carte Michelin n° ▉▉▉ pli 26 — 31 km à l'Est de Rome — Plan dans le guide Rouge Michelin Italia.

Cette petite ville perchée là où la rivière Aniene, surgie des dernières pentes des Apennins, se déverse en cascade dans la campagne romaine, fut un lieu de villégiature autant à l'époque romaine qu'à la Renaissance, comme en témoignent ses villas. Dans l'ancienne Tibur, soumise par les Romains au 4e s. avant J.-C., professa une sibylle qui prédit à l'empereur Auguste la venue de Jésus-Christ.

★★★VILLA D'ESTE *visite : 2 h*

Voir plan dans le guide Vert Michelin Rome.

En 1550, le cardinal Hippolyte d'Este, élevé à de grands honneurs par François 1er, mais tombé en disgrâce auprès du fils de celui-ci, Henri II, décida de se retirer à Tivoli et d'y faire construire une villa là où s'élevait un couvent de bénédictins. Il en confia les plans à l'architecte napolitain Pirro Ligorio qui agrémenta la demeure de somptueux jardins où les jeux d'eaux, les fontaines et les statues composent un décor caractéristique de la grâce du maniérisme.
A gauche de l'entrée de la villa, s'élève l'**église Ste-Marie-Majeure** pourvue d'une jolie façade gothique. A l'intérieur, dans le chœur, deux triptyques du 15e s. et, au-dessus de celui de gauche, Vierge de Jacopo Torriti, peintre et mosaïste de la fin du 13e s.

★★★Palais et jardins. — On entre dans le cloître de l'ancien couvent, puis on descend à travers les anciens appartements, finement décorés. Parvenus au rez-de-chaussée, après avoir joui d'une **vue★** agréable sur les jardins et sur Tivoli, on gagne, par l'escalier à double rampe, l'allée supérieure des jardins. On rencontre tout d'abord la **fontaine du Bicchierone,** en forme de coquille, dont le dessin est attribué au Bernin. En prenant à gauche on aboutit à la **« Rometta »,** fontaine où sont reproduits plusieurs monuments de la Rome antique. De là, la merveilleuse **allée aux Cent Fontaines★★★** (viale delle Cento Fontane) aboutit à la **fontaine de l'Ovato★★★** que domine une statue de Sibylle ; plus bas, surplombant l'esplanade des **Viviers** (le Pescherie), la **fontaine de l'Orgue★★★** (Fontana dell'Organo) émettait autrefois des sons musicaux produits par un orgue mû grâce à la force de l'eau. Tout en bas du jardin, on voit la **fontaine de la Nature** autour d'une statue de Diane d'Éphèse. En remontant par le centre on admire la **fontaine des Dragons** (Fontana dei Draghi) élevée en 1572 en l'honneur du pape Grégoire XIII et, en revenant par la droite, la **fontaine des Oiseaux** (Fontana della Civetta) qui émettait des chants d'oiseaux, et la **fontaine de Proserpine,** modernisée.

★★★VILLA D'HADRIEN **(VILLA ADRIANA)** *visite : 2 h 1/2*

A 6 km au Sud-Ouest par la route de Rome (S 5), puis une petite route prenant à gauche, à 4,5 km de Tivoli.

Née de l'imagination de l'empereur Hadrien (76-138) qui visita tout l'Empire, elle fut sans doute l'ensemble monumental le plus riche de l'Antiquité. Passionné d'art et d'architecture, ce prince voulut que soient évoqués les ouvrages et les sites qu'il avait visités au cours de ses voyages. La villa était pratiquement achevée en 134 ; mais Hadrien, malade et affecté par la disparition de son favori Antinoüs, mourut quatre ans plus tard. Si les empereurs qui lui succédèrent continuèrent à se rendre à Tivoli, la villa fut bientôt oubliée et tomba en ruine. Explorée du 15e au 19e s., elle fut dépouillée de ses œuvres d'art qui rejoignirent les collections publiques et privées. Ce n'est qu'à partir de 1870 que l'État italien entreprit des fouilles qui révélèrent l'admirable ensemble.
Avant de commencer la visite, se rendre dans une salle voisine du bar où est exposée une maquette de la villa. *Puis, suivre l'itinéraire indiqué sur le plan.*

★★Poecile. — Il évoque un portique d'Athènes ; ce grand rectangle rempli d'eau, aux petits côtés arrondis, était bordé de portiques dont la disposition avait été calculée afin qu'il y ait toujours un côté protégé par l'ombre. La salle à abside, appelée **« salle des Philosophes »** (1), fut peut-être une salle de lecture.

★★★Théâtre maritime. — Construction circulaire formée d'un portique et d'un édifice central séparés par un canal, et où l'empereur, devenu misanthrope, aimait sans doute à s'isoler. En se dirigeant vers le Sud, on aperçoit les restes d'un **nymphée,** et de grandes colonnes qui appartenaient à un ensemble formé de trois salles semi-circulaires s'ouvrant sur une cour (2).

★★Thermes. — Leur disposition illustre le raffinement architectural que dut atteindre la villa. On distingue les Petits Thermes, et les Grands Thermes dont la salle est pourvue d'une abside et d'une voûte superbe.
La construction en hauteur appelée **prétoire** abrita sans doute des entrepôts.

★★★Canope. — Après avoir dépassé le **musée** qui renferme quelques œuvres récemment découvertes, on aboutit à l'admirable restitution du site égyptien de Canope, accessible par un canal bordé de temples et de jardins.

VILLA D'HADRIEN

0   100 m

CANOPE ★★★

Prétoire

Musée

Grands Thermes ★★

★★ Piazza d'Oro

Petits Thermes ★★

Palais impérial

Nymphée

Cour des bibliothèques

★★Poecile

THÉÂTRE MARITIME ★★★

Terrasse

de Tempé

bar

P

Théâtre

N

TIVOLI / ROMA

A l'extrémité Sud, un édifice évoque le temple de Sérapis.

Après avoir gagné les vestiges qui dominent le nymphée et obliqué vers la droite, on longe un grand **vivier** entouré d'un portique (3).

Palais impérial. — Il s'étendait de la piazza d'Oro aux bibliothèques.

★★Piazza d'Oro. — Cette place rectangulaire, entourée d'un double portique, fut un caprice d'esthète, dénué de toute utilité. Au fond de la place, on voit les vestiges d'une salle octogonale (4) et, de l'autre côté, ceux d'une salle couverte d'une coupole (5).

★★Salle des Pilastres doriques (6). — Ainsi nommée qu'elle était bordée d'un portique à pilastres dont les chapiteaux et les bases étaient doriques.

On peut encore voir la **caserne des pompiers** (7), les vestiges d'une salle à manger d'été (8), d'un nymphée (9). Ces constructions donnaient sur une cour séparée de la **cour des Bibliothèques** par un des nombreux cyptoportiques de la villa. Les dix petites salles situées à côté de la cour des Bibliothèques constituaient une infirmerie (10) ; beau **parterre★** de mosaïques. Les **bibliothèques** sont réparties, selon l'usage de l'époque, en une bibliothèque grecque (11) et l'autre latine (12). En direction de la **terrasse de Tempé,** on traverse un groupe de salles pavées de mosaïques qui appartenaient sans doute à une salle à manger (13). Du frais bosquet de Tempé qui domine la vallée, on rejoint l'entrée de la villa en passant devant un petit **temple circulaire** (14) attribué à Vénus ; puis, sur la gauche, on devine l'emplacement d'un **théâtre.**

AUTRE CURIOSITÉ

★Villa Gregoriana. — C'est un vaste parc boisé, sillonné de sentiers qui permettent de franchir l'Aniene à l'endroit où la rivière coule dans un ravin étroit et tombe en cascades. L'eau s'y déverse à la **Grande Cascade★★**, à la **grotte de la Sirène** et à celle de **Neptune.** Après être remonté le long du versant opposé du ravin, on sort de la Villa Gregoriana au **temple de la Sibylle** ou de Vesta, élégante construction circulaire de style corinthien datant de la fin de la République. A côté s'élève un temple ionique.

Carte Michelin n° 988 plis 25, 26.

Ville ancienne, perchée dans un joli **site**, Todi conserve trois enceintes concentriques : l'étrusque (porte Marzia), la romaine et la médiévale.

★★**Piazza del Popolo.** — Cette place centrale est entourée de monuments qui illustrent la vitalité de la vie communale au Moyen Age. Le **palais des Prieurs★** (13e s.), gothique, est l'ancien siège du podestat ; ses baies ont été refaites à la Renaissance ; une curieuse tour trapézoïdale du 14e s. le domine. Le **palais du Capitaine★**, datant du 13e s. également, s'orne de baies à colonnettes et repose sur de puissants piliers surmontés d'arcs en plein cintre. Relié au précédent et également sur arcades, le **palais du Peuple★** est l'un des plus anciens palais communaux d'Italie (1213) ; il abrite un musée lapidaire, une pinacothèque, ainsi qu'un musée étrusque et romain.

★★**Église St-Fortunat (San Fortunato).** — *Piazza della Repubblica*. Élevée de 1292 à 1460, elle mêle des éléments gothiques au style Renaissance. Son **portail central★★** est remarquable par la richesse et la finesse de son décor sculpté.
A l'intérieur, clair et élancé, **fresques** de Masolino (1432) dans la 4e chapelle à droite, et tombeau de Jacopone da Todi (1230-1307), frère franciscain et poète, auteur du « Stabat Mater ».

★**Cathédrale (Duomo).** — C'est un important édifice, élevé au début du 12e s. : un majestueux escalier précède son harmonieuse façade en marbres rose et blanc ornée d'une grande rosace. Contourner l'édifice pour admirer l'abside romane. L'intérieur recèle des chapiteaux gothiques, des fonts baptismaux Renaissance et de belles stalles en marqueterie (1530).

Piazza Garibaldi. — Contiguë à la piazza del Popolo, cette place est ornée d'un monument à la gloire du grand homme ; de la terrasse, très jolie **vue★★** sur la vallée et les lointains de collines.

Château fort (Rocca). — En passant à droite de St-Fortunat, on monte aux ruines de la Rocca du 14e s. Agréable jardin public, ombragé.

★**Église Santa Maria della Consolazione.** — *1 km à l'Ouest, sur la route d'Orvieto.* Cette église de la Renaissance a été bâtie, de 1508 à 1609, en pierre blonde, par plusieurs architectes, d'après un dessin de Bramante. Sur plan en croix grecque, elle comporte quatre absides polygonales renforcées par des pilastres à chapiteaux composites. Sur une terrasse s'élève la coupole dont le tambour est conçu selon la fameuse « travée rythmique » de Bramante *(voir p. 113)*. L'intérieur est lumineux et sobre ; la coupole a été décorée au 16e s. ; les douze statues d'apôtres ont été exécutées par Scalza (16e s.).

TOLENTINO Marches 18 284 h.

Carte Michelin n° 988 pli 16.

Petite ville des Marches où Bonaparte et Pie VI signèrent en 1797 le traité de Tolentino, ratifiant le retour d'Avignon à la France. Mais, Tolentino est avant tout connue pour sa basilique St-Nicolas, but de nombreux pèlerinages : on attribue en effet divers miracles à ce saint, moine augustin mort à Tolentino en 1305.

★★**BASILIQUE ST-NICOLAS** visite : 1 h

L'aspect extérieur, composite, de cette église, reflète les différentes étapes de sa construction qui s'échelonnèrent de 1305 au 18e s. La façade, refaite au 17e s. dans le goût baroque, a cependant gardé un élégant portail de style gothique tardif, dû à Nino di Bartolo (15e s.).

Intérieur. — La vaste nef rectangulaire frappe par son ordonnance rigoureuse, la somptuosité de son décor de marbres, ors et stucs, et par son magnifique plafond à caissons (1628). Les chapelles latérales abritent de nombreuses œuvres d'art : la 1re à droite, une admirable toile du Guerchin (1640), la 4e, une Madone gisante en bois polychrome du 14e s. et l'effigie de sainte Lorenzina.

★**Chapelle des Saints-Bras.** — *A droite du chœur.* Elle éblouit par la richesse de sa décoration ; remarquer le maître-autel et ses marches en argent ciselé.

★★**Chapelle du Cappellone.** — Faisant office de croisillon droit, c'est la partie la plus célèbre du sanctuaire, en raison des **fresques** du 14e s., dues à un maître anonyme de l'école de Rimini, qui recouvraient entièrement ses murs et ses voûtes : le cycle inférieur relate des épisodes de la vie de saint Nicolas de Tolentino, celui des voûtes, la vie du Christ.

Grand cloître. — Des 13e et 14e s. Ses galeries et l'ancien oratoire attenant sont décorés de fresques baroques illustrant la vie du saint (17e s.).

Crypte. — *Retraverser la chapelle du Cappellone.* Achevée en 1932, elle abrite les restes de saint Nicolas de Tolentino reposant dans un cercueil-reliquaire.

Musées. — Ils comprennent une galerie d'ex-voto, une salle de céramiques et des vestiges lapidaires, poteries, objets romains (musée municipal).

*Les guides Rouges, les guides Verts et les cartes Michelin
composent un tout.
Ils vont bien ensemble, ne les séparez pas.*

★ TREMITI (Iles) Molise

325 h.

Carte Michelin n° 988 pli 28 — Accès : voir le guide Rouge Michelin Italia.

Au large du promontoire du Gargano *(voir p. 94)* dont il partage la nature géologique, ce minuscule archipel, le seul de la côte adriatique, comprend deux îles principales, San Nicola et San Domino, ainsi que deux îlots inhabités, Capraia et la lointaine Pianosa.

Le trajet en bateau au départ de Manfredonia offre des **vues★★★** inoubliables sur le littoral du Gargano et ses hautes falaises calcaires d'un blanc lumineux. L'approche pittoresque de Vieste, Peschici et Rodi Garganico qui occupent des sites escarpés ajoute à la splendeur du parcours. Sur les pointes rocheuses, on aperçoit le traditionnel « Trabocco », plate-forme aménagée pour la pêche et munie de perches auxquelles sont fixés les carrelets (grands filets carrés).

★**San Nicola.** — Au sommet d'une falaise abrupte se dresse l'abbaye de **Santa Maria al Mare**, fondée au 9e s. par les moines bénédictins. On accède à celle-ci par une rampe fortifiée. A l'intérieur, on voit les vestiges d'un pavement de mosaïque du 11e s., un polyptyque gothique du 15e s. et un crucifix byzantin du 13e s. Des cloîtres, on bénéficie de beaux aperçus sur San Domino.

★**San Domino.** — Une promenade en bateau permet de découvrir les côtes rocheuses très découpées de cette île sauvage couverte d'une pinède.

★ TRENTE Trentin — Haut-Adige

99 457 h.

Carte Michelin n° 988 pli 4 — Plan dans le guide Rouge Michelin Italia.

Trente, capitale du Trentin, est située sur l'Adige dans un cirque de montagnes pelées, de coteaux et de vallons, à proximité du massif de Brenta. Point de rencontre des influences germaniques et italiennes, cet important nœud de communications au carrefour des routes du Brenner, de Brescia et de Venise, est un centre à la fois agricole et industriel.

UN PEU D'HISTOIRE

Colonie romaine sous l'Empire, puis siège d'un évêché dès le 4e s., Trente fut occupée par les Ostrogoths de Théodoric, puis au 6e s. par les Lombards avant d'être réunie au Saint Empire Germanique à la fin du 10e s. De 1004 à 1801, elle fut gouvernée par des princes-évêques.

La ville accueillit le fameux **concile de Trente** (1545-1563) qui chercha à s'opposer à la montée du protestantisme et marqua le début de la Contre-Réforme, mouvement qui changea la face de l'Église. Ses principales décisions, notamment l'obligation de résidence des évêques et la répression du trafic des indulgences, s'efforçaient de relever la crédibilité de l'Église et son autorité.

Au 19e s., après avoir subi le joug napoléonien, Trente fut donnée à l'Autriche en 1814. Ce n'est qu'à la suite de luttes acharnées que la ville et sa région furent libérées en 1918 par les troupes italiennes.

★LA CITÉ DES PRINCES-ÉVÊQUES *visite : 2 h*

★**Piazza del Duomo.** — Entourée par la cathédrale, le palais Pretorio (13e s., restauré), le beffroi et les maisons Rella couvertes de fresques au 16e s., elle forme le centre de la ville.

★**Cathédrale (Duomo).** — Ce majestueux édifice fut élevé aux 12e-13e s. dans le style roman lombard. La façade du transept Nord est percée d'une baie où figure l'allégorie de la Fortune, présidant à la destinée des hommes.

A l'intérieur, on remarque les originales montées d'escalier conduisant aux tours. A droite, la chapelle du Crucifix (17e s.) abrite un grand Christ devant lequel furent proclamés les décrets du concile ; dans le transept droit, pierre tombale de Sanseverino, condottiere vénitien tué en 1486.

Sous le chœur, ont été dégagés les restes d'une basilique paléochrétienne (5e s.).

★**Musée diocésain (Museo Diocesano).** — Installé dans le palais Pretorio, il rassemble les objets les plus remarquables du trésor de la cathédrale, tableaux, **panneaux de bois★** sculptés, **retable★**, et huit **tapisseries★** bruxelloises exécutées au début du 16e s. par Pierre van Aelst.

Via Belenzani. — Sévère et noble, elle est bordée de palais de style vénitien. En face du palais communal (16e s.), maisons aux murs peints de fresques.

Via Manci. — Cette rue mêle les styles vénitien (loggias et fresques) et montagnard (toits débordants) : au n° 63, palais Galazzo (17e s.).

★**Château du Bon Conseil (Castello del Buon Consiglio).** — Jadis résidence des princes-évêques, le château est aujourd'hui siège du Musée national du Trentin. A gauche, le Castelvecchio (13e s.) et la « Torre Grande » (dite d'Auguste), au centre le « Palazzo Magno » (16e s.), Renaissance, où habitaient les évêques, et la tour de l'Aquila (l'Aigle), carrée, à l'extrémité droite.

A l'intérieur, le château semble constitué d'un dédale de cours, d'escaliers, de passages et de bâtiments divers. Le Castelvecchio comporte une très belle cour de style gothique vénitien à quatre étages de galeries ornées de fresques avec les portraits des princes-évêques. Du « Palazzo Magno », on gagne la Loggia de Romanino aux fresques du 16e s. ; elle donne sur la charmante cour des Lions, Renaissance. Les appartements des princes-évêques, aux plafonds à caissons décorés de stucs et de fresques, abritent des collections de peintures (16e-18e s.), du mobilier, des céramiques...

AUTRES CURIOSITÉS

★Palais Tabarelli. — Remarquable édifice de style vénitien Renaissance, à pilastres, colonnettes de marbre rose et médaillons.

Église Ste-Marie-Majeure (Santa Maria Maggiore). — De nombreuses séances du concile s'y tinrent. Cet édifice Renaissance a conservé un campanile roman. Dans le chœur, élégante tribune d'orgues en marbre sculpté de Vincenzo et Gerolamo Grandi (1534). Au 2e autel de droite, dans la nef, se trouve un retable, Madone et saints, dû à Moroni (16e s.).

Église St-Apollinaire (Sant'Apollinare). — Petite église d'origine romane, sur la rive droite de l'Adige. Une curieuse toiture pointue recouvre deux voûtes gothiques bombées.

★★★MASSIF DE BRENTA
Circuit au départ de Trente *233 km — compter 2 jours*

Ce massif calcaire et sauvage prolonge les Dolomites au-delà de la vallée de l'Adige. Son paysage est composé de profondes vallées au fond desquelles reposent des lacs solitaires, ainsi que de rocs abrupts déchiquetés par l'érosion.

Visite. — Le schéma ci-dessous situe, outre les localités et sites décrits, d'autres lieux particulièrement pittoresques (indiqués dans le plus petit caractère noir).

Prendre la route S 45 bis vers Vezzano.

★Lac de Toblino. — Charmant lac qui surgit au milieu des herbes aquatiques, sur un fond de murailles rocheuses. Sur la presqu'île se dresse un castel, ancienne résidence des princes-évêques de Trente.

★Val Rendena (Valle Rendena). — Ample val boisé de sapins et de mélèzes, peuplé de riants villages dont les églises sont couvertes de fresques et protégées par des toits débordants.
Près de Pinzolo, **l'église de San Vigilio** porte une remarquable Danse macabre (1539), œuvre de S. Baschenis.

★★★Val de Genova. — Taillée dans les granits de l'Adamello, cette vallée est célèbre par sa grandeur sauvage. La route, longeant un torrent qui bouillonne parmi les rocs, aboutit à la **cascade de Nardis★★** (Cascata di Nardis) qui tombe d'une falaise de 100 m de haut.

★★Madonna di Campiglio. — Agréable station de villégiature (hiver et été), réputée pour ses hôtels et ses nombreuses possibilités d'excursions.

★★Campo Carlo Magno. — C'est un hypothétique passage de Charlemagne qui a donné son nom à cet endroit boisé où l'on pratique aujourd'hui les sports d'hiver. Du **col** ⊙ (Passo) **du Grostè** *(accès par téléphérique, puis à pied)*, on jouit d'un **panorama★★** complet sur le massif de Brenta.

Gagner Dimaro puis Malè et, à Cles, prendre à droite vers Tuenno.

★★★ **Lac de Tovel.** — Protégé par des gorges sauvages, ce lac solitaire aux versants couverts de forêts prend parfois, lors des grandes chaleurs, une teinte rouge due à la présence d'une algue microscopique.

★ **Andalo.** — Petite station de villégiature située dans un paysage majestueux, au cœur d'immenses forêts de conifères, et dominée par les crêtes du massif de Brenta. Du **mont Paganella** *(accès par téléphérique),* à 2 125 m d'altitude, on découvre un splendide **panorama**★★ sur toute la région, et, par temps clair, jusqu'au lac de Garde.

★ **Molveno.** — Situé au milieu de prairies en pente douce et à l'extrémité d'un **lac**★★ posé au fond d'un cirque, c'est un lieu de séjour recherché.

★ TRÉVISE Vénétie   86 527 h.

Carte Michelin n° 988 pli 5 — Plan dans le guide Rouge Michelin Italia.

Située dans la riche plaine vénète, Trévise est un important centre agricole et industriel qui a conservé sa vieille ville ceinte de remparts. Dès le 14e s. la cité suivit la destinée de son illustre voisine, Venise.

★ **Piazza dei Signori.** — Elle occupe le cœur de la vieille ville et s'entoure de nombreux monuments : le palais du Podestat, surmonté d'un haut beffroi communal, le **palais des Trecento**★ (1207), le palais Pretorio, Renaissance. En contrebas (piazza Monte di Pietà) se trouvent l'ancien **Mont-de-Piété,** abritant la chapelle des Recteurs, et, piazza San Vito, deux églises accolées, **Santa Lucia** et **San Vito ;** la première est ornée de remarquables **fresques**★ de Tommaso da Modena, l'un des meilleurs peintres du 14e s., après Giotto.

★ **Église St-Nicolas (San Nicolò)** — Ce grand édifice roman-gothique est orné de fresques intéressantes, notamment, aux colonnes, celles de Tommaso da Modena ; dans la chapelle Onigo, portraits de Trévisans par Lorenzo Lotto (16e s.) ; au fond du chœur, Vierge en majesté de Savoldo (16e s.). Dans le **couvent** attenant, la salle du chapitre renferme des portraits de dominicains illustres par Tommaso da Modena.

★ **Musée municipal Bailo (Museo Civico).** — 22, borgo Cavour. Œuvres de Tommaso da Modena, Girolamo da Treviso (15e s.) et de peintres de l'école véni-tienne : Cima da Conegliano, G. Bellini, Titien, Pâris Bordone, Jacopo Bassano, Lorenzo Lotto.

Cathédrale (Duomo). — Cet édifice des 15e et 16e s. est couvert de sept coupoles ; façade néo-classique, crypte romane. A gauche, baptistère des 11e et 12e s. Dans la chapelle de l'Annonciation (à droite du chœur), fresques maniéristes de Pordenone et retable de l'Annonciation par Titien.

Église St-François (San Francesco). — Viale S. Antonio da Padova. De style roman-gothique, elle possède un beau plafond de bois, la pierre tombale de la fille de Pétrarque, le tombeau de l'un des fils de Dante, ainsi que des fresques de Tommaso da Modena (1re chapelle à gauche du cœur).

EXCURSIONS

Maser. — 29 km au Nord-Ouest, par la route S 348. Cette petite cité agricole s'enorgueillit d'une célèbre **villa**★★★ construite en 1560 par Palladio pour les frères Barbaro, Daniele, patriarche d'Aquileia et Marcantonio, ambassadeur de la république de Venise. L'intérieur a été orné entre 1566 et 1568 d'un admirable ensemble de **fresques**★★★ par Véronèse qui a déployé ici toutes les ressources de sa science des perspectives, trompe-l'œil et raccourcis, ainsi que son sens du mouvement et des couleurs. Non loin de la villa se trouve le **Tempietto,** gracieuse chapelle de plan circulaire, coiffée d'une coupole, également due à Palladio.

Vittorio Veneto. — 41 km au Nord. Son nom évoque la victoire des Italiens sur les Autrichiens en 1918 : documents au **musée de la Bataille** situé à Ceneda, au Sud de la ville, dans la loggia de Sansovino (ou Loggia Cenedese), du 16e s., ornée d'un portique à fresques. Au Nord, le quartier de Serravalle a conservé son cachet ancien. L'**église San Giovanni** *(accès par via Roma puis via Mazzini)* renferme d'intéressantes **fresques**★ attribuées à Jacobello del Fiore et à Gentile da Fabriano (15e s.).

★ TRIESTE Frioul-Vénétie julienne   246 305 h.

Carte Michelin n° 988 pli 6 — Plan d'ensemble dans le guide Rouge Michelin Italia.

Trieste est une ville moderne qui s'allonge, au fond du golfe du même nom, au pied du plateau du Karst dont le rebord forme au Nord, jusqu'à Duino, une côte escarpée aux magnifiques falaises blanches. C'est le port le plus important de l'Adriatique. Ses vastes installations (12 km de quais s'étirant jusqu'à la frontière avec la Yougoslavie) assurent le fret des produits autrichiens et yougoslaves plus que des produits italiens. Un oléoduc le relie aux raffineries d'Autriche et de Bavière. De puissants chantiers navals, spécialisés dans la construction de gros navires, contribuent à son activité.

UN PEU D'HISTOIRE

L'origine de la ville est fort ancienne : les Celtes et les Illyriens se la disputaient avant que les Romains ne la colonisent sous le nom de Tergeste qui devint, dès lors, un centre commercial actif et une place forte protégeant les frontières orientales de l'Empire. Au Moyen Age, après avoir été placée sous la dépendance du patriarche d'Aquileia *(voir p. 45),* la ville fut rattachée à Venise en 1202 ; mais, en rébellion contre la domination de la Sérénissime, elle se mit en 1382 sous la protection de l'Autriche et joua un rôle d'intermédiaire entre les deux puissances jusqu'au 15e s. En

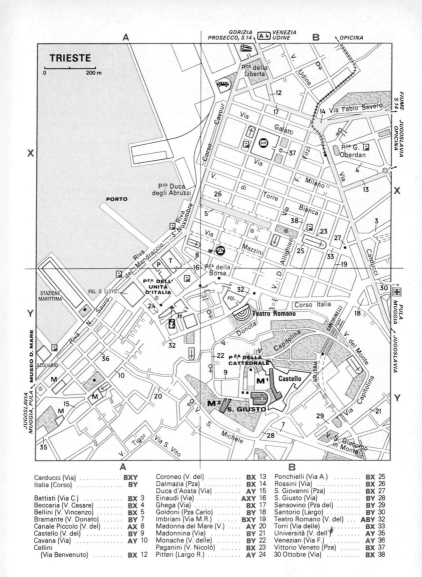

1719 Charles VI la déclara « port franc » et en fit le siège de la Compagnie d'Orient et du Levant : la cité connut alors une nouvelle période de prospérité, s'enrichit de multiples édifices et servit de refuge à de nombreux exilés. Trieste ne fut rattachée qu'en 1919 au royaume d'Italie, après de farouches combats. La ville a connu, au début du siècle, une activité littéraire, grâce au romancier Italo Svevo et au poète Umberto Saba.

★★COLLINE ST-JUST **(COLLE SAN GIUSTO)** *visite : 1 h*

Au sommet de la ville, sur l'emplacement de l'antique Tergeste, la **piazza della Cattedrale★** (BY) rassemble les restes d'une basilique romaine que domine le château (15e-16e s.), une colonne vénitienne datant de 1560, l'autel de la IIIe armée (1929) et la basilique St-Just.

★**Basilique St-Just (San Giusto)** (BY). — Elle a été fondée au 5e s. à l'emplacement d'un édifice romain, mais les bâtiments actuels datent en grande partie du 14e s. Sa façade, percée d'une belle rose gothique, est décorée d'un bas-relief et de bustes en bronze. Le robuste campanile porte, incorporés dans sa partie inférieure, des fragments de colonnes romaines, et s'orne d'une statue de saint Just (14e s.). De son sommet, jolie **vue★** sur Trieste.

L'**intérieur★** comprend cinq nefs dont les quatre latérales appartenaient à deux basiliques primitives reliées entre elles au 14e s. par la construction de la nef centrale. Dans l'abside droite, on remarque une belle mosaïque du 13e s. et des fresques du 11e s. évoquant la vie de saint Just. Dans l'abside gauche, magnifique **mosaïque★★** du 12e s., montrant la Vierge en majesté, les archanges Michel et Gabriel, et les apôtres.

⊙ **Château fort (Castello)** (BY). — Il renferme un **musée** (M¹) : mobilier et remarquable collection d'**armes anciennes★**.

⊙ **Musée d'Histoire et d'Art (Museo di Storia e d'Arte)** (BY M²). — Il réunit notamment un remarquable ensemble de **vases grecs★** à figures rouges et de ravissants **petits bronzes★** romains archaïques.

Théâtre romain (Teatro romano) (BY). — Au pied de la colline St-Just, subsistent les vestiges d'un théâtre élevé au début du 2e s.

LA VILLE BASSE *visite : 1 h*

★**Piazza dell'Unità d'Italia** (AY). — Trois palais de style 1900 s'y élèvent : le palais du Gouvernement, le palais communal, et celui de la compagnie de navigation Lloyd Triestino.

★**Musée de la Mer (Museo del Mare).** — *Via A. Ottaviano. Accès par la Riva Nazario* ⊘ *Sauro* (AY). L'histoire générale du navire y est retracée, des origines au 18ᵉ s. La **section de la pêche**★★ est particulièrement remarquable.

EXCURSIONS

Sanctuaire du Monte Grisa. — *10 km au Nord. Sortir par la piazza della Libertà* (BX) *en direction de Prosecco puis de Villa Opicina, et suivre la signalisation « Monte Grisa ».* Sanctuaire moderne dédié à la Vierge. De sa terrasse, splendide **panorama**★★ sur le golfe de Trieste.

⊘**Villa Opicina.** — *9 km au Nord. Sortir par la via Fabio Severo* (BX). *A 4,5 km, quitter la route S 14 et prendre à gauche la route S 58. Accès possible également par funiculaire, au départ de la piazza Oberdan.* Située à 348 m d'altitude, sur le rebord du haut-plateau du Karst. Du belvédère signalé par un obélisque, se découvre une magnifique **vue**★★ étendue sur Trieste et son golfe.

★**Château de Miramare (Castello di Miramare).** — *8 km au Nord-Ouest, par la route* ⊘ *côtière.* A l'extrémité d'un promontoire, ce château agrémenté d'un ravissant **jardin**★ en terrasses fut bâti en 1860 pour l'archiduc Maximilien d'Autriche, fusillé au Mexique en 1867, et pour sa femme Charlotte de Belgique, morte folle.

★**Grotta Gigante.** — *13 km au Nord. Même route que pour Villa Opicina. A Opicina,* ⊘ *poursuivre à gauche en direction de Borgo Grotta Gigante.* Un impressionnant escalier permet de descendre dans cette grotte formée d'une salle unique aux dimensions gigantesques, et de se promener parmi les magnifiques concrétions.
Un **musée de Spéléologie** a été aménagé à l'entrée de la grotte.

Muggia. — *14 km au Sud. Sortir par la Riva Nazario Sauro* (AY). Face à Trieste, cette petite ville de style vénitien possède une cathédrale (Duomo) gothique du 15ᵉ s. au joli campanile pointu et à l'élégante façade en calcaire d'Istrie.

★★★ TRULLI (Région des) Pouille

Carte Michelin n° 🔲🔲🔲 pli 29.

Entre Fasano, Ostuni, Martina Franca et Alberobello s'étend une région dont le nom vient des curieuses habitations qui la couvrent, les « trulli » *(illustration p. 156)*. Ces maisons, dont les murs et la pierre de faîte sont peints à la chaux et dont le toit conique est couvert de pierres plates, grises, disposées en assises concentriques, correspondent chacune à une pièce d'habitation ; aussi sont-elles groupées par trois ou quatre. Sur le côté s'élève une haute cheminée ; un escalier extérieur conduit aux greniers ; un arc avec gâble souligne la porte ; l'intérieur est couvert d'une coupole.

★★★**Alberobello.** — Cette petite ville possède un important quartier de trulli, souvent accolés les uns aux autres ; ils s'échelonnent sur une colline au Sud de la ville (Zona Monumentale). Au sommet s'élève l'**église Sant'Antonio,** elle-même imitée des trulli *(accès par la via Monte Sant'Angelo)* ; à l'intérieur, la croisée du transept est surmontée d'une coupole identique à celle que l'on voit dans les habitations particulières.
Il est possible de visiter de nombreux trulli à Alberobello ; de leurs toits on jouit d'une belle vue sur l'ensemble de l'agglomération. Près de l'église principale, piazza Sacramento, s'élève le **Trullo Sovrano**★, le plus grand de la ville, à deux étages.

★★ TURIN (TORINO) Piémont   1 069 013 h.

Carte Michelin n° 🔲🔲🔲 pli 12 — Plan p. 196-197 — Plan d'ensemble dans le guide Rouge Michelin Italia.

Située au confluent de la Dora Riparia et du Pô, au débouché des grandes routes alpines venant de France et de Suisse, la capitale du Piémont est une ville élégante, prospère et vivante. Son plan remonte essentiellement aux 17ᵉ et 18ᵉ s. : régulier, il offre de larges artères, des places spacieuses et de nombreux espaces verts.

UN PEU D'HISTOIRE

Au 1ᵉʳ siècle, la capitale des Taurini (tribu celte) fut transformée par les Romains en colonie militaire, sous le nom d'Augusta Taurinorum. Christianisée, elle devint le siège d'un évêché au début du 5ᵉ s. Au 6ᵉ s., elle fut confiée à un duc lombard, et passa plus tard sous la domination des Francs. A partir du 11ᵉ s. et pendant presque neuf cents ans, Turin eut son sort lié à celui de la **maison de Savoie** et en partagea les vicissitudes. Issue de Hubert aux Blanches Mains, mort en 1056, cette dynastie régna en effet sur la Savoie et le Piémont, puis sur la Sardaigne et l'Italie — à qui elle donna des rois de 1861 à 1946. Les Savoie, gouvernant avec habileté, prenant tantôt le parti du pape, tantôt celui de l'empereur, sachant maintenir plus tard un équilibre entre la France et les ducs de Milan, étendirent peu à peu leur domination sur la région. C'est au début du 18ᵉ s. que Charles-Emmanuel II et Victor-Amédée II dotèrent la ville de riches monuments en faisant appel aux architectes Guarini et Juvara. Charles-Emmanuel III renforça encore l'importance de Turin au cours de son règne (1732-1773), en réformant l'administration de son royaume et en instaurant dans la capitale une cour à l'étiquette rigide qui rappelait celle de Versailles. En 1798, les troupes françaises chassèrent Charles-Emmanuel IV de Turin afin d'imposer un régime issu des principes révolutionnaires de 1789. Mais, à la chute de Napoléon, Victor-Emmanuel I, revenu sans difficultés à la tête de son royaume, instaura une politique hostile à toute ingérence étrangère dans les affaires piémontaises. Turin devint alors le foyer des luttes contre l'Autriche et le centre de l'unification italienne.

A la suite des efforts de son ministre Cavour pour réorganiser l'État piémontais, de l'alliance France-Piémont contre l'Autriche, des victoires de Magenta et de Solferino (1859), Victor-Emmanuel II fut proclamé premier roi d'Italie et Turin fut la première ville à accueillir un gouvernement italien. La maison de Savoie régna sur la péninsule jusqu'à la proclamation de la République italienne en 1946.

ÉCONOMIE

L'activité intense de sa banlieue a fait de Turin la métropole italienne de la mécanique, domaine dans lequel les Turinois font montre d'un véritable génie. L'université de Turin voit sortir de son « Politecnico » un grand nombre d'ingénieurs spécialisés dans la technique automobile, et c'est dans la capitale piémontaise qu'est née, en Italie, cette industrie, représentée par les firmes Fiat et Lancia. De Turin, sortent environ 77 % de la production nationale. Une grande partie des modernes installations de la Fiat est implantée dans les faubourgs Sud de la ville (Mirafiori).

D'importantes usines de pneumatiques et plusieurs maîtres carrossiers de réputation mondiale (l'un des plus célèbres fut le maître Pinin Farina) concourent à la prospérité de l'automobile turinoise qu'illustre tous les deux ans le salon de l'Automobile.

L'industrie textile et celle de la confection sont également très perfectionnées.

LA VIE A TURIN

L'animation se concentre plus particulièrement sur la via Roma (**BXY**), la piazza San Carlo *(ci-dessous),* la via Po (**CXY**) qui conduit à l'immense piazza Vittorio Veneto (**CY**), de style classique.

La via Roma, d'aspect très moderne, est bordée d'arcades sous lesquelles s'ouvrent de luxueuses vitrines où sont présentés avec raffinement les articles de Turin, très réputés, notamment pour la soierie, les cuirs et la mode.

A moitié de la via Roma, la piazza San Carlo est le rendez-vous des élégantes, tandis que les amateurs s'attardent chez les antiquaires et les libraires. Sur la via Po donnent de beaux cafés de style néo-classique, qui eurent un rôle politique au 19e s.

Le touriste français ne se sentira pas dépaysé à Turin, où le dialecte local se rapproche de sa langue. L'ambiance courtoise et cultivée est celle d'un centre culturel que marquent de nombreuses maisons d'édition, des journaux réputés (Stampa), un conservatoire de Musique renommé et une importante université.

Mais la ville a d'autres ressources, et les Turinois, mis en appétit par leurs célèbres vermouths, ne dédaignent pas la bonne cuisine : « cardi in bagna cauda » (cardons en sauce) et « tartufi bianchi » (truffes blanches) sont des spécialités qu'on accompagne de gressins et des délectables vins de la région. Les friandises, nougat (« torrone piemontese »), chocolats et bonbons fourrés, sont également excellents.

LE CENTRE MONUMENTAL

★★Piazza San Carlo (BXY). — Par l'harmonieuse distribution de ses bâtiments, cette place constitue un bel ensemble d'architecture urbaine. Au Sud, les églises **San Carlo** et **Santa Cristina** encadrent la via Roma : l'amusante façade de Santa Cristina, surmontée de candélabres, a été dessinée par Juvara (1678-1736), le fameux architecte d'origine sicilienne à qui Turin doit quelques-unes de ses plus belles réalisations. A l'Est, le palais du 17e s., occupé par l'académie philharmonique, fut le siège des ambassadeurs de France de 1771 à 1789. Au milieu de la place s'élève la statue d'Emmanuel-Philibert de Savoie qui, vainqueur des Français à St-Quentin en 1557, put recouvrer ses États après une absence de vingt-cinq ans (traité de Cateau-Cambrésis, 1559).

Palais de l'académie des Sciences (Palazzo dell'Accademia delle Scienze) (**BX M**). — Ce palais, élevé au 17e s. d'après les plans de Guarini, abrite deux musées exceptionnels.

★★Musée égyptien. — *Rez-de-chaussée et 1er étage.* C'est l'un des plus riches musées égyptiens d'Europe.

Au rez-de-chaussée, la **section d'Art statuaire** rassemble, outre une vingtaine de statues, assises ou debout, de la déesse Sakmis de Karnach, à tête de lion, une importante **collection de statues de pharaons** appartenant au Nouvel Empire (1580-1100 avant J.-C.), âge d'or de l'Égypte. Dans une pièce à part, le **temple rupestre de Thoutmès III** (vers 1450 avant J.-C.), don de la République arabe unie, a été transporté d'Elessiya (200 km au Sud d'Assouan) et recomposé.

Le 1er étage rassemble les collections évoquant tous les aspects de la civilisation de l'Ancienne Égypte. On retiendra : la série des **sarcophages,** simples coffres durant le Moyen-Empire (2100-1580 avant J.-C.), sculptés sous le Nouvel-Empire ; un intéressant ensemble de **canopes** (vases funéraires qui servaient à recueillir les viscères des morts) ; une importante collection de momies, accompagnées notamment de rouleaux de papyrus (les fameux **livres des morts**). Aux **chambres funéraires** reconstituées (Guizèh - 2500 avant J.-C.) s'ajoute une exceptionnelle collection de **stèles funéraires** (Moyen et Nouvel Empire). Bijoux et céramiques datent de l'Égypte prédynastique (« civilisations nagadiennes », 4000 à 3000 avant J.-C.).

A partir du 4e s. avant J.-C. (conquête d'Alexandre le Grand), l'influence hellénique se fait sentir (masques, statuettes) puis, à partir de 30 avant J.-C., l'influence romaine (vases de bronze). Une salle est consacrée aux **inscriptions** ; hiéroglyphes (déchiffrés par Champollion en 1824) et « écriture hiératique » (tracé cursif des hiéroglyphes) sur papyrus, morceaux de calcaire, tessons de poterie.

★★ **Galleria Sabauda.** —
⊘ *2e étage*. Elle comprend
cinq sections.

1re section : elle offre un
panorama très représen-
tatif de la **peinture piémontaise** du 15e au 17e s.

2e section : consacrée aux
autres écoles italiennes,
elle permet d'admirer
surtout un remarquable
ensemble du 15e s. toscan :
une Madone de Fra An-
gelico, Tobie et l'Ar-
change (Il Toblino) par
Antonio et Piero Pollaiuolo, Éléonore de Tolède par
Bronzino, un éclatant
portrait de Jeune homme
à l'écharpe rouge par Lo-
renzo di Credi. L'As-
somption (1623) d'Orazio
Gentileschi domine les
œuvres des Caravages-
ques (réalisme violent, lumière contrastée).

Les tableaux de l'**école
lombarde** des 15e et
16e s. occupent une place
importante : parmi eux,
on note un polyptyque
(1462), seule œuvre si-
gnée de Paolo da Brescia,
des Adoration de l'Enfant
(« Presepi ») par Savoldo,
de Brescia, une Madone
avec un chartreux, ravis-
sant tableautin de Bergo-
gnone. Francesco del
Cairo et Tanzio da Varallo
illustrent le maniérisme
en Lombardie et au Pié-
mont.

Ercole de'Roberti (Vierge
à l'Enfant, dans un décor
de cerises), Garofalo —
« le Raphaël de Ferrare »
— et Mazzolino repré-
sentent bien la **peinture
ferraraise** des 15e et
16e s. ; L'Albane et Le
Guerchin, élèves des Car-
rache au 17e s., puis
Crespi au 18e s., l'école
bolonaise.

La **peinture vénitienne** des
15e-16e s. est illustrée par
une Vierge à l'Enfant et
le beau portrait d'une
Dame au petit chien par
Palma le Vieux, des reta-
bles peints par Lorenzo
Veneziano, le Repas chez
Simon de Véronèse, Léda
et le portrait d'un Séna-
teur par Titien, celui du
doge Sebastiano Venier
par Tintoret, les grandes
toiles des Bassano an-
nonçant Caravage par les
contrastes d'ombre et de
lumière, des « vues » de
Turin par Bernardo Bel-

lotto, le Triomphe d'Aurélien par Tiepolo, des « vues » de Venise par F. Guardi. Noter
aussi une belle Madone à l'expression songeuse, caractéristique de l'art du Padouan
Mantegna qui influença la peinture vénitienne de la Renaissance.

3e section : ses **collections hollandaise et flamande** sont considérées comme les plus riches
d'Italie. Les œuvres les plus remarquables, outre de petits tableaux religieux de Rogier
Van der Weyden, sont le Saint François recevant les stigmates de Van Eyck, la
Passion par Memling, une importante série de portraits officiels (dont les célèbres Fils
de Charles Ier d'Angleterre) par Van Dyck, d'une admirable technique, et le fameux
Vieillard endormi de Rembrandt.

4e section : consacrée aux **peintres français,** allemands et espagnols, elle possède des portraits de François Clouet (Marguerite de Valois), un Saint Jérôme de Valentin de Boulogne, Louis, duc de Bourgogne par Rigaud, le Rémouleur (Arrotino) de Caspar Netscher, un Portrait d'homme par Vélasquez.

Collection Gualino. — Installée à l'étage supérieur, elle constitue un bel ensemble de sculptures et de peintures, auquel s'ajoutent de remarquables pièces de mobilier et d'orfèvrerie. On notera plus particulièrement les sculptures orientales et greco-romaines, les bois peints sur fond or, quelques chefs-d'œuvre d'artistes de la Renaissance et une série de pastels (Rosalba Carriera) du 18e s.

★**Palais Madame (Palazzo Madama)** (BX A). — S'élevant au milieu de la piazza Castello, ce palais doit son nom au séjour qu'y fit la veuve de Charles-Emmanuel II, « Madame Reale », Marie-Christine de France. La Porta Decumana des anciens remparts d'Auguste est à son origine. La partie orientale, en briques, est médiévale (15ᵉ s.) ; la façade occidentale, en pierres de taille, a été dessinée au 18ᵉ s. par Juvara dans un style plein de noblesse.

Un **musée d'Art ancien★** (Museo d'Arte Antica) est aménagé au rez-de-chaussée. On y remarque des sculptures gothiques, des stalles de la fin du 15ᵉ s., des peintures (15ᵉ-16ᵉ s.) de l'école piémontaise (Gian Martino Spanzotti, Macrino d'Alba, Defendente et Gaudenzio Ferrari), un Portrait d'homme (1475) par Antonello de Messine et une Madone par Barnaba da Modena (14ᵉ s.). La section des arts décoratifs regroupe des pièces d'orfèvrerie grecque, barbare et romane, des émaux, des ivoires, des coffres en bois, diverses céramiques et du mobilier du 15ᵉ s.

Au fond de la piazza Castello, s'élève l'église **San Lorenzo** (BX) que Guarini dota d'une coupole et d'un couronnement audacieux. Dans le palais Chiablese, attenant, a été installé le **musée national du Cinéma (BX M¹)** *(entrée : 2 piazza San Giovanni).*

★**Palais royal (Palazzo Reale)** (BCVX). — Dans ce sobre édifice, résidèrent les princes de la maison de Savoie jusqu'en 1865. Les **appartements** *(1ᵉʳ étage)* présentent une somptueuse décoration baroque. En outre, le palais abrite l'**Armeria Reale★** qui réunit une belle collection d'armes, d'armures et de souvenirs militaires.

Palais Carignano (BX M²). — Dans ce grand palais (1680) qui présente une imposante façade baroque de Guarini, est né Victor-Emmanuel II (1820-1878), créateur de l'unité italienne, premier roi d'Italie (1861). Un intéressant **musée du Risorgimento★** y a été installé : il rassemble des documents illustrant les faits marquants de l'histoire de l'Italie au 19ᵉ s.

★**Cathédrale St-Jean (Duomo San Giovanni)** (BX). — Cet édifice Renaissance fut construit à la fin du 15ᵉ s. par le cardinal Della Rovere. Sa façade possède trois portails finement sculptés. Le campanile de brique a été couronné en 1720 par Juvara.

A l'intérieur, au-dessus de l'abside *(accès par l'escalier à droite du chœur)*, la **chapelle du Saint-Suaire** (Cappella della Santa Sindone), en rotonde et surmontée d'une haute coupole, est l'œuvre de Guarini (17ᵉ s.). Sur l'autel, une urne contient la précieuse et contestée **relique du Saint-Suaire★★★**, dans lequel le Christ aurait été enveloppé après la descente de la croix. La relique n'est jamais visible ; en revanche, une série de photographies est présentée à côté de l'autel.

★**Mole Antonelliana** (CX). — Emblème de Turin, ce singulier édifice d'une hauteur de 167 m fut construit de 1863 à 1890. De son sommet, vaste **panorama★★** sur la ville.

AUTRES CURIOSITÉS

★**Musée de l'Automobile Carlo Biscaretti di Ruffia.** — *Au Sud de la ville. Accès par le corso Massimo d'Azeglio* (BZ). *Puis, voir le plan d'ensemble du guide Rouge Michelin Italia. Le musée se trouve au nº 40 du corso Unità d'Italia.* Dans un vaste bâtiment, sont exposés véhicules automobiles, châssis, moteurs. Une riche bibliothèque et des archives complètent le musée.

Parc du Valentino (Parco del Valentino) (BCZ). — S'étendant le long du Pô sur 1,5 km environ, ce parc boisé offre une agréable promenade en bordure du fleuve. Au Nord, se trouve le **Castello del Valentino,** construit en 1688 pour la duchesse Marie-Christine de France. On y voit également le palais des Expositions, le Teatro Nuovo (**T**) et le **Borgo Medioevale★**, amusante reconstitution d'un ensemble urbain du Moyen Age et d'un château.

EXCURSIONS

Voir le plan d'ensemble de Turin dans le guide Rouge Michelin Italia.

★**Basilique de Superga.** — *10 km à l'Est.* Bâti au sommet d'une colline de 670 m d'altitude, cet imposant édifice construit de 1717 à 1731 est le chef-d'œuvre de l'architecte Juvara. De plan circulaire, coiffé d'un dôme, il est surtout remarquable par sa monumentale façade, ses colonnes et pilastres imposants. Dans le chœur, la chapelle dédiée à la Vierge est un lieu de pèlerinage. Mais, la basilique est avant tout le « Panthéon » des rois de Sardaigne.

★**Tombeaux royaux :** La crypte renferme les tombeaux de Victor-Amédée II, qui fit construire la basilique pour commémorer, dit-on, la levée du siège de Turin par les troupes franco-espagnoles en 1706, de Charles-Albert et de nombreux princes de la maison de Savoie.

De l'esplanade, admirable **vue★★★** sur Turin, la plaine du Pô et les Alpes.

★**Circuit de la Maddalena.** — *32 km à l'Est.* De Superga, la jolie route de Pino Torinese offre de larges **vues★★** sur Turin. De Pino Torinese on peut gagner la **colline de la Maddalena** (Colle della Maddalena) où a été aménagé, en souvenir des morts de la première Guerre mondiale, le **Parco della Rimembranza,** grand parc public très fréquenté. La descente sur Turin offre de belles **perspectives★** ; à Cavoretto, le **parc Europa** domine la partie Sud de la ville.

★**Palais de Stupinigi (Palazzina Mauriziana).** — *11 km au Sud-Ouest.* Cette immense construction, édifiée par Juvara pour Victor-Amédée II de Savoie, est en fait un pavillon de chasse. Napoléon y résida avant de se faire couronner roi d'Italie.

Le palais abrite aujourd'hui un **musée d'Art et du Mobilier** où l'on peut visiter des appartements richement décorés, dans le goût rococo du 18ᵉ s. Un vaste parc entoure la Palazzina.

★LE MONTFERRAT

L'itinéraire proposé ci-dessous *(150 km — compter une journée)* permet de traverser cette agréable région de collines calcaires, défendue par de nombreux châteaux forts et produisant la plus grande partie des vins piémontais dont plusieurs sont renommés, et dont le plus célèbre est celui d'Asti.

Sortir de Turin à l'Est par la route S 10.

Chieri. — Vieille ville connue pour sa gastronomie. Elle possède un arc de triomphe (1580), une cathédrale gothique (15e s.) et une église (San Domenico) des 13e-15e s. dotée d'un beau campanile.

Asti. — *Plan dans le guide Rouge Michelin Italia.* La patrie du poète tragique Vittorio Alfieri s'anime chaque année pour la fête du vin et pour la course du Palio précédée d'un défilé de près d'un millier de personnes en costumes des 14e et 15e s. *(voir le chapitre Principales manifestations touristiques, en fin de volume).* Le **baptistère St-Pierre★** (Battistero di San Pietro), du 12e s., forme avec l'ancienne église St-Pierre du 15e s. et le cloître gothique un ensemble harmonieux. Au cœur d'un pittoresque vieux quartier, **cathédrale** (Cattedrale) gothique du 14e s. ornée de peintures baroques.

Gagner Ovada par les routes S 231 puis S 456.

★**Route des châteaux du Haut-Montferrat.** — D'Ovada à Serravalle Scrivia, cette route panoramique, appelée aussi route du vin, emprunte la ligne de crêtes des coteaux plantés de vignobles. Elle traverse une série de villages perchés et dotés de châteaux forts.

★ TUSCANIA Latium   7 432 h.

Carte Michelin n° 988 pli 25 — 24 km à l'Ouest de Viterbe.

Puissante ville étrusque, municipe romain, important centre médiéval, Tuscania a conservé des vestiges de son enceinte et deux superbes églises, situées un peu en dehors de la ville.
Le tremblement de terre de février 1971 a considérablement endommagé son patrimoine artistique.

★★**Église St-Pierre (San Pietro).** — Au fond d'une place déserte, s'élève la façade dorée de San Pietro qui occupe l'emplacement de l'acropole étrusque. A gauche, deux tours médiévales, à droite, l'ancien palais épiscopal encadrent la perspective.
Cette façade, très équilibrée, est du début du 13e s. ; les symboles évangéliques entourent une rosace probablement d'école ombrienne ; plus bas, un atlante (ou un danseur ?) et un homme (Laocoon ?) étouffé par un serpent proviennent sans doute de monuments étrusques.
L'intérieur remonte au 11e s. et a été bâti par des maîtres lombards. Des colonnes massives aux admirables chapiteaux soutiennent de curieuses arcades à denticules. La nef centrale a conservé son pavement original très décoratif. A l'abside en cul-de-four,
Ⓥ fresques du 12e s. La **crypte★★** comprend une forêt de petites colonnes, toutes différentes et d'époques variées (romaines, préromanes, romanes), portant des voûtes d'arêtes.

★**Église Ste-Marie-Majeure (Santa Maria Maggiore).** — Bâtie à la fin du 12e s., l'église reprend les principaux éléments de St-Pierre. Il faut remarquer principalement les **portails★★** romans du 13e s., sculptés avec maîtrise.
A l'intérieur, l'ambon est formé de fragments des 8e, 9e et 12e s. Au-dessus de l'arc triomphal, une fresque du 14e s., de facture réaliste, montre le Jugement dernier.

★ UDINE Frioul — Vénétie julienne   101 179 h.

Carte Michelin n° 988 pli 6 — Plan dans le guide Rouge Michelin Italia.

Cette charmante ville fut le siège des patriarches d'Aquileia de 1238 à 1420, avant de passer sous la domination de Venise. Elle se groupe autour d'une colline (circonscrite par le pittoresque vicolo Sottomonte) dont le sommet porte un château. Son charme réside dans ses monuments gothiques et Renaissance, ses places retirées, ses rues étroites souvent bordées d'arcades. Udine a fortement souffert du tremblement de terre qui affecta tout le Frioul en 1976.

★★**Piazza della Libertà.** — Autour de cette harmonieuse place ayant conservé son aspect Renaissance, s'élèvent plusieurs édifices. La **Loggia del Lionello,** ancien palais communal tient son nom de l'architecte qui l'éleva en 1457 ; son style gothique vénitien se reconnaît dans la légèreté de ses arcades et son appareil de pierre blanche et rose. En face, sur la place surélevée, la **Loggia di San Giovanni** (16e s.) est un portique Renaissance surmonté par la tour de l'Horloge (16e s.) à jacquemarts maures. Devant elle, colonnes de St-Marc et de la Justice, statues d'Hercule et de Cacus, jolie fontaine du 16e s.

Ⓥ **Château (Castello).** — Cette imposante bâtisse du 16e s., précédée d'une esplanade d'où l'on jouit d'une belle vue sur la ville et le Frioul, fut le siège des représentants de la sérénissime république.
Juste à côté se dresse l'**église Santa Maria del Castello** du 13e s., avec façade et campanile du 16e s. portant à son sommet l'archange Gabriel, et renfermant une Déposition, fresque peinte au 13e s.

Cathédrale (Duomo). — Édifice gothique du 14e s., remanié au 18e s., dont la façade s'orne d'un beau portail gothique flamboyant. Son robuste campanile présente, sur l'une de ses faces, les statues de l'ange de l'Annonciation et de l'archange Gabriel (14e s.).

A l'intérieur, belle **décoration baroque**★ : buffets d'orgue, chaire, tombeaux, retables et stalles historiées. Dans la chapelle du Saint Sacrement, Tiepolo a peint à la voûte des fresques en trompe-l'œil.

A droite de la cathédrale, l'**oratoire de la Pureté** (Oratorio della Purità) possède un plafond peint (Assomption) en 1757 par Tiepolo.

Palais archiépiscopal (Palazzo Arcivescovile). — 16e-18e s. Il s'enrichit de **fresques**★ exécutées par Tiepolo : à la voûte du grand escalier, Chute des anges ; dans les appartements, splendides compositions illustrant des scènes de l'Ancien Testament.

Piazza Matteotti. — Cette jolie place carrée, où se tient le marché, est entourée de maisons à arcades. On y voit également l'élégante église baroque de San Giacomo (16e s.), une fontaine du 16e s. et une colonne de la Vierge du 15e s. On peut flâner dans les pittoresques via Mercato Vecchio et via Vittorio Veneto, où les boutiques se succèdent sous les arcades.

★★ URBINO Marches   15 905 h.

Carte Michelin no ▨▨▨ plis 15, 16 — Plan dans le guide Rouge Michelin Italia.

Bâtie sur deux collines et encore entourée de ses remparts, Urbino domine un paysage vallonné baigné d'une lumière dorée. Soumise à la famille des Montefeltro dès le 12e s., la ville connut son époque de splendeur sous le règne du duc **Federico da Montefeltro** (1444-1482), condottiere avisé, fin lettré et collectionneur qui protégea les artistes. Urbino a donné le jour à Raffaello Sanzio, plus connu sous le nom de **Raphaël** (1483-1520).

★★ PALAIS DUCAL **(PALAZZO DUCALE)** visite : 1 h 1/2

Chef-d'œuvre d'équilibre et de goût, il fut élevé, entre 1444 et 1472 sur ordre du duc Federico, par l'architecte dalmate Luciano Laurana, auquel succéda dans les travaux le Siennois Francesco di Giorgio Martini. A l'Ouest, face à la vallée, s'élève, entre deux élégantes tours rondes, une haute façade percée de loggias superposées. A l'Est, sur la place bordée par la construction majestueuse de la cathédrale, s'étend une longue façade percée de fenêtres géminées. La cour intérieure du palais est un modèle d'harmonie Renaissance.

Galerie nationale des Marches (Galleria Nazionale delle Marche). — On y voit, dans les salles du palais ayant conservé leur décoration d'origine, quelques très grands chefs-d'œuvre comme la prédelle de la Profanation de l'hostie (1465-1469) de Paolo Uccello, la Madone de Senigallia et une étonnante Flagellation de Piero della Francesca, enfin un célèbre portrait de femme, dit **La Muette** par Raphaël. Le **studiolo**★★★, où le duc Federico se retirait pour s'adonner à sa passion de la lecture, est orné de magnifiques panneaux marquetés, exécutés d'après des dessins attribués à Botticelli.

AUTRES CURIOSITÉS

★Maison de Raphaël (Casa di Raffaello). — *57, via Raffaello.* Le peintre vécut jusqu'à l'âge de quatorze ans dans cette typique maison bourgeoise du 15e s. qui appartenait à son père, Giovanni Sanzio ou Santi. On y a conservé quelques souvenirs et du mobilier d'époque.

Églises-oratoires St-Jean-Baptiste (San Giovanni Battista) et St-Joseph (San Giuseppe). — *Via Barocci.* De ces deux sanctuaires voisins, le premier (14e s.) abrite de curieuses **fresques**★★ des Salimbeni évoquant la vie de saint Jean-Baptiste ; le second, du 16e s., renferme dans la nef une statue colossale de saint Joseph (18e s.) peinte en grisaille, quatre grandes toiles de Carlo Roncalli (17e-18e s.) et une fort belle **crèche**★ en stuc, grandeur nature, œuvre de Federico Brandani (1522-1575).

★★Strada Panoramica. — Partant de la piazza Roma, la route longe une colline. On découvre des **vues**★★ admirables sur les remparts, la ville basse, le palais ducal et la cathédrale, formant un ravissant camaïeu de briques roses.

★ VELIA Campanie

14 km au Nord-Ouest de Pisciotta (carte Michelin no ▨▨▨ pli 38).

Couvrant une surface immense, les ruines de l'antique cité de Velia, à proximité de Castellammare di Velia dans la région du Cilento, n'ont été que partiellement dégagées. Cette colonie fut fondée en 535 avant J.-C. par des Phocéens chassés de Grèce par les Perses et réfugiés à Marseille après s'être installés en Corse à Alalia (Aléria) où ils avaient vaincu Carthaginois et Étrusques lors d'une célèbre bataille navale (vers 538). Port actif et prospère, Velia — longtemps nommée Elea (Elée) — est restée célèbre grâce à son école de philosophie au sein de laquelle se distinguèrent, au 5e s. avant J.-C., Parménide et son disciple Zénon.

La ville basse. — *Pour y accéder, passer sous la voie ferrée.* De l'entrée des fouilles, on a une intéressante vue d'ensemble sur les ruines formées par les vestiges de l'ancien phare du port, la muraille du 4e s. avant J.-C., les thermes et la porte Marine Sud à l'opposé de laquelle se trouve la **porte Rose**★, belle construction en tuf du milieu du 4e s. avant J.-C.

Acropole. — Un château médiéval s'appuie sur les vestiges d'un temple grec du 5e s. avant J.-C. A ses pieds s'étendent les ruines d'un amphithéâtre. Un petit **musée** doit recueillir les statues de Parménide, Zénon et Esculape exhumées lors des fouilles.

Carte Michelin n° 988 pli 5 — Plan p. 204-205.

Fascinante, entre ciel et mer, telle Vénus surgie de l'onde, Venise accueille les touristes du monde entier, attirés par les sortilèges de l'eau et d'une lumière divine tamisée par l'air marin, et par les jouissances intellectuelles dues aux chefs-d'œuvre qu'elle possède, témoignant de la fusion entre l'Orient et l'Occident.

Sa grandeur évanouie a donné naissance au mythe de Venise, artificielle, voluptueuse et tragique, lieu d'intrigues ourdies dans une ambiance de décomposition où les rêves deviennent cauchemars. Les Romantiques, Barrès dans La mort de Venise, et Thomas Mann avec La mort à Venise admirablement mis en scène par le cinéaste Luchino Visconti, ont évoqué cette atmosphère inquiétante et attirante à la fois.

Aujourd'hui, la position exceptionnelle de Venise constitue une menace pour son existence même : la nature des sols sur lesquels elle a été bâtie provoque son enlisement alors que le niveau des eaux qui l'entourent monte régulièrement. Diverses mesures ont déjà été prises et un plan de sauvegarde a été élaboré pour remédier à cette situation.

Accès. — L'arrivée classique (① du plan) se fait par Mestre et le pont route-fer de 4 km. La traversée de la lagune est quelque peu gâtée par la vision des fumées du port de Marghera et de ses usines. Le pont débouche sur le piazzale Roma (**AT**) : là, il faut abandonner la voiture dans l'un des garages payants (Autorimesse) qui occupent la place, ou encore dans l'île artificielle de Tronchetto, toute proche, où des parkings sont aménagés *(de juillet à la mi-octobre, prévoir au moins 1 heure d'attente)*.

Transports. — Du piazzale Roma, le meilleur moyen de prendre contact avec Venise est d'emprunter le « vaporetto » (ligne n° 1 « accellerato » : service omnibus) qui conduit en 1/2 h à San Marco par le Grand Canal, ou le « motoscafo », plus rapide (ligne n° 2 : service direct) qui effectue le trajet en 1/4 h en empruntant le raccourci du Rio Nuovo (**ATU**). Les gondoles (1 h de trajet) sont très agréables, mais il est préférable de convenir à l'avance du prix avec le gondolier, comme on le fera avec le « facchino » (porteur).

En ville, de multiples gondoles et bacs (traghetti) permettent de franchir les canaux.

Saisons. — Les meilleures sont le printemps et l'automne. Mais, la « saison » de Venise se situe en été, époque à laquelle se déroulent de somptueuses fêtes : fête du Rédempteur à la Giudecca, régate historique sur le Grand Canal ; un festival international du cinéma a lieu au Lido à la fin de l'été et, en septembre, des concerts sont organisés dans différentes églises ; une biennale des Arts rassemble les œuvres de l'élite artistique mondiale. *Voir le chapitre Principales manifestations touristiques, en fin de volume.*

ASPECTS DE VENISE

Venise est bâtie sur 117 îles ; 150 canaux et 400 ponts y ont été décomptés. Un canal se nomme « rio », une place « campo », une rue « calle » ou « salizzada », un quai « riva » ou « fondamenta », un canal comblé « rio Terrà », un passage sous une maison « sotto-portego », une cour « corte », une placette « campiello ». Les rues, étroites, aux noms évocateurs, sont dallées et sans trottoirs : balcons fleuris, madones, enseignes, lanternes les jalonnent ; boutiques d'artisans et palais s'y côtoient. Les places sont charmantes avec leur puits à margelle sculptée dite « vera da pozzo ».

Le centre de la vie publique est la piazza San Marco *(p. 203)* où touristes et autochtones viennent s'asseoir aux terrasses des célèbres cafés Florian et Quadri pour écouter la musique, rêver et admirer les mosaïques de la basilique St-Marc illuminées par les rayons du soleil couchant. Le Quadri est le plus fréquenté, mais le Florian est le plus connu : fondé en 1720, il reçut, dans ses salons décorés de glaces et d'allégories, Byron, Goethe, George Sand et Musset, Henri de Régnier et Wagner.

(Photo Visuel)

Venise. — Gondoles.

De la place St-Marc où de somptueuses vitrines exposent dentelles, bijoux, miroirs de la célèbre verrerie de Murano, on suit les **Marzarie (CTU)**, rues commerçantes. Elles conduisent au Rialto *(p. 206)* ; de l'autre côté du pont, se pressent les éventaires des marchands de légumes (Erberia) et des poissonniers (Pescheria) que viennent alimenter d'innombrables gondoles de charge.

Au-delà de ces axes fréquentés, les quartiers des **Frari (ABT)** et de **Santa Maria Formosa (CT)** offrent le charme paisible de leurs façades en briques roses et de leurs canaux silencieux.

Les repas dans les « trattorie » sont un des plaisirs de la vie vénitienne ; on y consomme surtout des poissons et des fruits de mer : filets de saint Pierre, calmars (calamaretti), seiches, anguilles, moules à la vénitienne ; mais aussi le foie de veau à la vénitienne, préparé avec des oignons. Ces mets sont arrosés d'agréables vins, produits dans les régions voisines de Venise : Valpolicella, Bardolino, Amarone pour les rouges ; Soave et Prosecco pour les blancs.

Gondoles et gondoliers. — Les gondoles sont inséparables de l'image qu'on se fait de Venise : gondoles dansant sur le ressac, amarrées aux pieux appelés « pali » près du **pont de la Paglia (CU)** où se trouve la Madone des gondoliers, gondoles-sérénade illuminées de lanternes, parcourant de nuit les petits canaux, gondoles de la police, des éboueurs, des pompiers, des livreurs, et gondoles funéraires à pompons noirs. Quant aux gondoliers, vêtus d'une marinière, coiffés d'un chapeau de paille à ruban de couleur, ils susurrent « gondola, gondola… » et font glisser leur esquif avec une seule rame, en fredonnant des chansons.

Les Vénitiens. — Ils ont le teint clair et parlent, en zézayant légèrement, le vénitien qui est un dialecte italien.

Leur sens de l'intrigue et leur subtilité s'exerçaient aussi bien en amour qu'en politique : les entremetteuses, les espions et les ambassadeurs vénitiens étaient justement réputés pour leur habileté. A Venise même, les loups et les dominos permettaient le secret.

Les Vénitiens ont conservé le goût du faste comme en témoignent le Carnaval et les autres fêtes *(voir p. 201)* et processions somptueuses auxquelles la ville prête son cadre prestigieux.

Noces de Venise et de la mer. — De 1173 à 1797, une somptueuse cérémonie exprimait admirablement ce qui faisait la grandeur de Venise et ce qui fait encore sa beauté.

La république ayant soutenu le pape Alexandre III dans sa lutte contre l'empereur Frédéric Barberousse, le Pontife donna au doge un anneau, « symbole de votre empire sur la mer ». En souvenir, chaque année, le jour de l'Ascension, le doge, vêtu de drap d'or, embarquait sur le Bucentaure, sa galère de parade toute dorée, et allait jeter à la mer un anneau en disant : « Nous t'épousons, mer, en signe de perpétuelle domination. » Voltaire niait que le mariage fût valable : il manquait, disait-il, le consentement de la mariée.

UN PEU D'HISTOIRE

Venise fut fondée en 811 par les habitants de Malamocco, près du Lido, qui, fuyant les Francs, s'établirent sur les îles plus sûres du Rivo Alto, aujourd'hui Rialto. Placée dès 828 sous la protection de saint Marc, dont le corps avait été ramené d'Alexandrie, Venise s'organisa rapidement en république gouvernée par un doge, mot dérivé du latin « dux » (chef).

L'empire vénitien. — Du 9e au 13e s., Venise va exploiter sa position privilégiée entre l'Orient et l'Occident. Sa puissance maritime et commerciale lui permettra de conquérir des marchés importants en Istrie et en Dalmatie. En 1204, grâce à la ruse habile de son doge Dandolo, elle conquiert Constantinople avec l'aide des croisés. Les produits du pillage affluent à Venise, tandis que prospère le commerce des denrées précieuses. **Marco Polo** (1254-1324) revient de Chine avec des richesses fabuleuses et éblouit l'Europe par les récits de ses voyages, le Livre des merveilles du monde, rédigés en Français. De la rivalité qui l'oppose longtemps à Gênes, jalouse de son hégémonie maritime, la république sort victorieuse en 1381.

Apogée. — La 1re moitié du 15e s. voit le maximum de la puissance vénitienne. Les Turcs sont battus à Gallipoli en 1416 et les Vénitiens tiennent en Orient les royaumes de Morée, de Chypre, de Candie. En Italie, ils s'emparent, entre 1414 et 1428, de Vérone, Vicence, Padoue, Udine, puis Brescia et Bergame. L'Adriatique est « mare Veneziano », de Corfou au Pô.

Déclin. — La prise de Constantinople par les Turcs en 1453 annonce la décadence. La découverte de l'Amérique déplace les courants commerciaux, Venise est obligée de soutenir une lutte épuisante contre les Turcs qui s'emparent de Chypre en 1500, mais seront défaits en 1571 à la bataille navale de **Lépante** à laquelle les Vénitiens prennent une part importante. Au 17e s., la décadence s'affirme après que les Turcs eussent conquis Candie, à la suite d'un siège de 25 ans.

En 1797, c'est la mort de la république sérénissime : Napoléon pénètre à Venise et abolit une constitution vieille de dix siècles.

Une oligarchie durable. — L'organisation de la république de Venise s'efforça, dès les origines, d'éviter la prise de pouvoir par un seul homme ; de telle sorte que la fonction suprême assumée par le doge fut rapidement soumise à la surveillance de plusieurs conseils : le Maggior Consiglio élaborait les lois ; le Sénat était chargé de la politique étrangère, des affaires militaires et économiques ; le conseil des Dix assurait la sécurité de l'État et disposait d'un réseau de policiers et de délateurs qui entretenaient un climat de méfiance dans la ville.

LA PEINTURE VÉNITIENNE

L'école de Venise se caractérise par une sensualité affirmée qui se traduit par la primauté donnée à la couleur sur le dessin, et par un sens inné de la lumière qui se manifeste dans des paysages baignés d'une atmosphère voilée atténuant les contours. Les historiens ont souvent opposé à l'art savant et idéaliste des Florentins la manière plus spontanée et plus libre des peintres vénitiens, dont l'exemple s'est perpétué jusqu'aux impressionnistes.

Les véritables débuts de la peinture vénitienne commencent avec la dynastie des **Bellini** : Jacopo, le père, son fils aîné Gentile, mais surtout le cadet, **Giovanni** ou **Giambellino** (1430-1516), artiste d'une profonde spiritualité, l'un des premiers de la Renaissance à avoir su intégrer avec naturel le paysage à ses compositions de figures. Parallèlement se développe l'œuvre de chroniqueur de leur élève **Carpaccio** (1455-1525), à la fois minutieux et imaginatif, tandis que s'exerce l'influence de **Giorgione** *(p. 67)*. L'élève de ce dernier, **Lorenzo Lotto**, sait accepter également la leçon du réalisme nordique.

La Renaissance s'achève de manière éblouissante grâce à la personnalité de trois grands artistes : **Titien** (vers 1490-1576), auteur de scènes dramatiques où la science du mouvement rivalise avec le génie de la couleur ; **Véronèse** (1528-1588), décorateur fastueux qui sait traduire par la richesse de ses coloris et de ses matières la splendeur de la Sérénissime ; enfin **Tintoret** (1518-1594), visionnaire dont la technique, violente, rapide, traduit l'inquiétude intérieure.

Les artistes du 18e s. évoquent la lumière gris bleuté, irisée, un peu voilée de la ville : ce sont **Canaletto** (1697-1768) et son disciple Bellotto (1720-1780) qui trouvent essentiellement leur inspiration dans les paysages, Francesco **Guardi** (1712-1793) qui peint par touches lumineuses, Pietro **Longhi** (1702-1758), auteur de scènes intimes, Giambattista **Tiepolo** (1696-1770), virtuose de fresques légères et transparentes, et son fils Giandomenico (1727-1804).

Les qualités de spontanéité et de couleur propres à la peinture vénitienne se retrouvent chez les musiciens, dont le plus célèbre reste Antonio **Vivaldi** (1678-1741) qui, durant une quarantaine d'années, exerça dans sa ville la fonction de maître de chapelle.

★★★ PLACE SAINT-MARC (PIAZZA SAN MARCO) (CU)

visite : 1/2 journée

Célèbre dans le monde entier, la place Saint-Marc forme un grand « salon de marbre » sans toit. Tout autour de la place, des galeries abritent cafés célèbres et boutiques de luxe. Devant la basilique, se dressent trois mâts de pavillon, qui symbolisaient les royaumes vénitiens de Chypre, de Candie, et de Morée.

La place s'ouvre sur le Grand Canal par la ravissante **« Piazzetta »** (CU 46). Les deux colonnes de granit, surmontées du lion St-Marc et de la statue de saint Théodore, furent rapportées de Constantinople.

★★★ Basilique (Basilica) (CU).

— St-Marc, édifice où se mêlent influences byzantines et occidentales, fut construit de 1063 à 1073 pour abriter le tombeau de l'évangéliste Marc. Des modifications y furent apportées sous la Renaissance et au 17e s. Tous les styles y sont représentés : byzantin, roman, gothique et Renaissance, concourant à en faire un ensemble à la fois harmonieux et varié. La décoration de marbres et de mosaïques à fond d'or est d'une magnificence extraordinaire. Sur plan en forme de croix grecque, la basilique est surmontée d'une coupole à bulbe au centre, et de quatre coupoles d'inégale hauteur sur les bras.

Façade. — Elle s'ouvre par cinq portails décorés de marbres et de sculptures.

Le portail central, dont les voussures et l'archivolte portent une admirable décoration sculptée des 13e et 14e s., est surmonté par les copies des quatre célèbres **Chevaux de bronze** *(originaux dans la Galerie de la basilique : voir p. 204)*. Des vantaux de bronze de style byzantin composent la porte.

Aux portails latéraux, des mosaïques retracent la translation du corps de saint Marc : sur la dernière à gauche, on voit la basilique dans son aspect primitif. A droite de la façade, près du palais des Doges, est exposé le groupe dit des **Tétrarques** (4e s.), en porphyre ; à l'angle se trouve la « pietra del bando », pierre du ban, d'où les lois étaient proclamées. A gauche de la façade s'étend la jolie piazzetta dei Leoncini ou place des Lionceaux (CU 41).

Narthex. — Le narthex est revêtu de marbres polychromes, de mosaïques, et couvert de six petites coupoles. Les **mosaïques★★**, du 13e s., sont emplies de détails fidèlement rendus ; elles évoquent des scènes de l'Ancien Testament.

Intérieur. — La décoration, éblouissante, est faite de marbres rares, de porphyres, de **mosaïques★★★** d'inspiration byzantine (12e et 13e s.) et Renaissance (16e s.) sur fond or, s'accordant admirablement avec l'architecture. Le pavement du 12e s. est d'un effet décoratif remarquable.

Dans la nef centrale, au revers du tympan du portail principal, une mosaïque du 13e s. montre le Christ, la Vierge, et saint Marc. Au-dessus du narthex, la « voûte du Paradis » est ornée de mosaïques représentant le Jugement dernier (16e s.) d'après des cartons du Tintoret. La mosaïque (début 12e s.) de la 1re coupole au-dessus de la nef symbolise la Pentecôte. Le Christ et la Vierge entourés de prophètes figurent sur les mosaïques byzantines des parois. Sur l'arc séparant la coupole de la nef de la coupole centrale, belle Crucifixion de style byzantin, en mosaïques (13e s.).

Du bas-côté droit, on pénètre dans le **baptistère** orné de mosaïques du 14e s. relatant la vie du Christ et celle de saint Jean-Baptiste. Il abrite les fonts baptismaux de Sansovino (1545) et des tombeaux de doges. A côté, la chapelle Zen, décorée d'intéressantes mosaïques (13e s.) évoquant la vie de saint Marc, occupe une partie du narthex.

Dans le bas-côté gauche s'élève le « capitello », petit édifice en marbre avec, au sommet, une grosse agate d'Orient. Le transept gauche possède d'intéressantes mosaïques (épisodes de la vie de saint Jean l'Évangéliste, Cène, et Miracles de Jésus) d'après Véronèse et Tintoret. Sur la coupole située à la croisée du transept, l'Ascension date du 13e s. Une iconostase précède le chœur ; exécutée en 1394, elle supporte de belles statues du Christ en croix, de la Vierge et des apôtres.

Le **chœur** est couvert d'une coupole dont les mosaïques byzantines représentent le Christ et la Vierge au milieu des prophètes. A la voûte de droite, une autre mosaïque intéressante montre la translation des reliques de saint Marc. L'évangéliste est enterré sous le maître-autel, que surmonte un baldaquin de marbre vert porté par de superbes colonnes d'albâtre sculptées de scènes évangéliques ; la célèbre **« Pala d'Oro »**★★★, retable fait d'un assemblage merveilleux d'or, d'argent, d'émaux, de pierreries, fut exécutée à Constantinople en 976, et restaurée à Venise en 1105 et en 1345.

Par le bras droit du transept, on accède au riche **trésor**★★★ formé en partie de reliques et d'objets provenant du pillage de Constantinople par les croisés en 1204. Dans le fond du chœur, on remarque de merveilleuses **colonnes d'albâtre**★★ translucides, et, à gauche, une porte en bronze de Sansovino (16e s.) donnant sur la sacristie.

Les **tribunes** *(accès par le narthex)* sont occupées par un musée ou **Galerie de la basilique,** où l'on admire les **Chevaux de bronze**★★★ qui ornaient autrefois la façade : ces chefs-d'œuvre de la sculpture gréco-romaine furent rapportés de Constantinople en 1204 par le doge Dandolo ; emportés par Bonaparte, ils furent placés au sommet de l'arc du Carrousel à Paris, où ils demeurèrent jusqu'à la chute de l'Empire.

De la plate-forme des Chevaux : jolie vue d'ensemble sur la place St-Marc.

★★ Campanile (CU F). — C'est un clocher-beffroi de 99 m de hauteur, du sommet ⊙ duquel on découvre un très beau **panorama★★** sur Venise. S'étant écroulé en 1902, il fut reconstruit pierre par pierre. A sa base, la **loggetta★★** est de lignes très pures ; on remarque ses jolies portes en bronze du 18e s. ; dans les niches, les statues de Minerve, Apollon, Mercure, la Paix, œuvres de Sansovino ; à l'intérieur, délicieuse Madone, par le même sculpteur.

★★★ Palais des Doges (Palazzo Ducale) (CU). — Symbole de la gloire et de la puissance ⊙ vénitienne, c'était la résidence des doges et le siège du gouvernement, une cour de justice et une prison d'État. Construit au 12e s. il fit, entre la fin du 13e et le 16e s., l'objet de radicales transformations.

Un joli décor géométrique, fait de marbres blanc et rose, donne beaucoup de charme aux deux **façades.** Le portique du rez-de-chaussée repose sur trente-six colonnes aux exquis chapiteaux historiés des 14e et 15e s. Aux angles du palais, des groupes représentent, de gauche à droite, le **Jugement de Salomon** (attribué à Jacopo Della Quercia), Adam et Eve, et l'**Ivresse de Noé** (sculptures gothiques des 14e et 15e s.). La loggia supérieure, à jour, comporte 71 colonnes surmontées d'oculi quadrilobés.

L'entrée principale est la **porte de la Carta,** ainsi appelée parce qu'on y affichait les décrets. De style gothique flamboyant (1442), elle présente au tympan un lion de St-Marc, devant lequel s'agenouille le doge Foscari (copie exécutée au 19e s.) ; dans les niches des piédroits, Force et Prudence (à droite), Tempérance et Charité (à gauche).

La cour. — La façade principale richement ornée de sculptures, est un splendide exemple de style Renaissance. Les puits à margelle de bronze datent du 16ᵉ s.

Adossée au portique Foscari, la petite façade de l'Horloge a été exécutée en 1615 par B. Monopola tandis qu'à côté se dresse, au-dessus du portique, un curieux édifice du 15ᵉ s. couronné de pinacles agrémentés des statues allégoriques des Arts. Au bout du portique, s'amorce le fameux **escalier des Géants★★★** avec Mars et Neptune, dont les effigies sont l'œuvre de Sansovino.

Intérieur. — Par le célèbre **escalier d'Or★★★** (Sansovino), qui part de la galerie du 1ᵉʳ étage, on accède, à droite, aux **appartements des Doges :** une pinacothèque y rassemble des œuvres de Giovanni Bellini, Carpaccio et Jérôme Bosch ; la salle dite des Écuyers est décorée de peintures de Tiepolo.

Suivre la rampe qui mène au 2ᵉ étage.

Le vestibule carré a un plafond doré, avec peintures de Tintoret.

La **salle des Quatre portes,** élégante, est également ornée de peintures par Tintoret, auteur du plafond.

La **salle de l'Anticollège** est une salle d'attente. On y voit une belle cheminée à atlantes. Sur le mur de droite, l'**Enlèvement d'Europe** est une œuvre célèbre de Véronèse. Sur les autres parois, Tintoret a exécuté un ensemble exceptionnel de peintures mythologiques.

La **salle du Collège** était la salle de réunion du doge et de ses conseillers. On y signait traités et accords. Le plafond est orné de onze peintures de Véronèse et ses élèves (1577). Au-dessus du trône ducal, l'artiste a peint le doge Sebastiano Venier remerciant le Christ de la victoire de Lépante. Sur les autres parois de la pièce, allégories de Tintoret où sont représentés plusieurs doges.

Le plafond de la **salle du Sénat** a été décoré d'un splendide **Triomphe de Venise★★★** par **Tintoret,** également auteur de la Déposition de Croix.

La **salle du Conseil des Dix** présente un superbe plafond à caissons peints : le Vieil Oriental avec une jeune femme et Junon offrant à Venise la coiffure de doge sont deux œuvres de jeunesse de Véronèse.

Descendre l'escalier des Censeurs pour gagner la **salle du Grand Conseil★★★,** la plus belle du palais avec ses 52 m sur 23. Les murs sont garnis de peintures relatant l'histoire de Venise. Au-dessus du trône du doge, **Tintoret** a exécuté le **Paradis★★★,** une des plus vastes compositions du monde (22 m sur 7). Au plafond (du côté du trône), **Véronèse** peignit l'**Apothéose de Venise★★★.** La corniche porte les portraits des 76 premiers doges : le cadre du doge Faliero, traître à la république, est occupé par un voile noir avec la sentence de sa condamnation. Henri III, rentrant de Pologne, banqueta dans cette salle et dit : « Si je n'étais roi de France, je voudrais être citoyen de Venise. »

La **salle du Scrutin★★★** s'orne de peintures se rapportant aux grandes victoires navales de Venise.

La visite se termine par la salle des Censeurs et celle de l'Avogaria.

★**Pont des Soupirs (Ponte dei Sospiri) (CU).** — Le pont des Soupirs relie le palais des Doges au **palais des Prisons (CU X)** où fut enfermé Casanova qui s'en échappa de façon rocambolesque. Il date du 17ᵉ s. et doit son nom aux gémissements qu'y poussaient les prisonniers, conduits des prisons vers le lieu de leur exécution.

★★**Procuraties (Procuratie).** — Avec leurs galeries et leurs colonnes, elles font un cadre harmonieux à la place. La **tour de l'Horloge★ (CU K)** est de la fin du 15ᵉ s. ; elle porte un splendide cadran avec les signes du Zodiaque ; au sommet, les fameux « Mori » de bronze frappent les heures depuis 500 ans. A gauche de la tour, les **Procuratie Vecchie (CU B),** du début du 16ᵉ s., servaient de résidence aux procurateurs chargés de l'entretien de la basilique. En face, les **Procuratie Nuove (CU L)** datent du 17ᵉ s.

Fermant la place, l'**« Ala Napoleonica »** a été élevée en 1810 sur l'ordre de Napoléon. Sous ses arcades, s'ouvre l'entrée du **musée Correr★ (CU M) :** collections historiques et artistiques de la ville. La pinacothèque *(2ᵉ étage)* possède notamment une Vierge à l'Enfant de T. Bouts, une Crucifixion de Van der Goes, la Pietà d'Antonello de Messine, le portrait du doge Mocenigo par Gentile Bellini, une Pietà de C. Tura ; mais surtout, par Giovanni Bellini, la **Pietà,** la **Madone,** la **Transfiguration ;** enfin, les célèbres **Courtisanes** de Carpaccio.

★**Libreria Vecchia (CU N).** — C'est un harmonieux et noble bâtiment dû à Sansovino (1553) qui abrite, au nᵒ 17, le **musée archéologique** et, au nᵒ 7, la **bibliothèque Marciana** où sont exposés des enluminures et le fameux Bréviaire Grimani (école flamande des 15ᵉ et 16ᵉ s.).

★★★**GRAND CANAL (CANAL GRANDE)** *durée : 1/2 journée, visites comprises*

Déployant sa courbe sinueuse de la gare au bassin de St-Marc, ce canal, le plus large de Venise, est orné de somptueux palais de tous les styles où habitaient les patriciens de la république. « La plus belle rue que je croy qui soit en tout le monde et la mieux maisonnée », écrivait à son propos Commines, ambassadeur à Venise du roi de France Charles VIII. En le parcourant en vaporetto au départ de St-Marc, on admire particulièrement :

★**Pont du Rialto (Ponte di Rialto) (CT)**

Enjambant le Canal Grande à peu près à la moitié de son parcours, cet élégant pont fut construit de 1588 à 1592 par Antonio da Ponte, et conçu pour pouvoir donner passage à une galère armée. Au centre du quartier commercial, il est en dos d'âne très accentué avec une rue bordée de boutiques, au milieu, et des rampes avec vues sur le canal, sur les côtés.

Près du pont, le **Fondaco dei Tedeschi (CT),** aujourd'hui poste, servit du 12ᵉ au 14ᵉ s. d'entrepôt aux marchands allemands.

Rive droite (Est)

★★**Palais Corner-Spinelli** (BTU D). — Renaissance (fin 15ᵉ - début 16ᵉ s.). Noter les splendides baies en anse de panier.

★★**Palais Grimani** (BT Q). — Cet édifice blanc et majestueux, chef-d'œuvre de la fin de la Renaissance, est dû à Sanmicheli (fin 16ᵉ s.).

★★**Ca'Loredan** (BT H). — « Casa-fondaco » de style vénéto-byzantin, avec des adjonctions du 16ᵉ s.

★★★**Ca'd'Oro** (BT). — De style « gothique fleuri » (1440), c'est le plus élégant palais de Venise, autrefois doré, d'où son nom. Il abrite la **galerie Franchetti★★** (tapisseries, sculptures et bel ensemble de peintures : Mantegna, Carpaccio, Titien, Van Dyck, Guardi, etc.).

★★**Palais Vendramin - Calergi** (BT R). — Dans ce riche palais Renaissance (1509) aux admirables baies géminées, Wagner mourut en 1883.

Rive gauche (Ouest)

★★**Église Santa Maria della Salute.** — *Description ci-dessous.*

★★**Palais Dario** (BV S). — Ravissant édifice de la première Renaissance (1487) où habita Henri de Régnier.

★★**Palais Rezzonico** (AU). — Grand édifice baroque, imposant et équilibré, élevé au 17ᵉ s. par Longhena et achevé au siècle suivant. A l'intérieur, musée du 18ᵉ s. vénitien *(p. 208).*

★★**Palais Giustinian** (AU X). — Formé de deux splendides édifices jumeaux du 15ᵉ s., beaux exemples du style « gothique fleuri ».

★★**Ca'Foscari** (AU Y). — La demeure (15ᵉ s.) où, en 1457, le doge Foscari mourut, au lendemain d'avoir été déposé, est l'une des plus belles réalisations du « gothique fleuri ».

★★**Palais Bernardo** (BT Z). — L'un des meilleurs exemples du style « gothique fleuri » (1442).

★★**Palais des Camerlenghi** (CT A). — Élégante construction blanche, de la Renaissance.

★★**Palais Pesaro** (BT M¹). — Chef-d'œuvre de Longhena, en style baroque ; il abrite le musée d'Art moderne *(p. 208).*

★★★ ACADÉMIE (GALLERIE DELL'ACCADEMIA) (BV) *visite : 2 h*

Installée dans la « scuola » et l'église de Santa Maria della Carità ainsi que dans le couvent des chanoines du Latran, c'est l'une des plus belles collections de peintures d'Italie, indispensable à qui veut connaître l'évolution de l'école vénitienne, du 14ᵉ au 18ᵉ s.

La 1ʳᵉ salle rassemble des œuvres des quelques primitifs vénitiens comme Paolo et Lorenzo Veneziano. Dans les salles suivantes, l'époque de la Renaissance est admirablement représentée par des peintures de Giovanni Bellini (majestueuse composition du **retable de San Giobbe,** allégories savantes, nombreuses madones sur fond de paysage, dont la Vierge aux arbrisseaux), de Carpaccio, de Cima da Conegliano, de Mantegna (St Georges), Piero della Francesca, Cosmé Tura, et par un élégant **Portrait de jeune homme** de Hans Memling. Un des joyaux du musée est sans conteste **La Tempête,** admirable composition de Giorgione dans laquelle la nature, devenue le sujet principal de l'image, semble contraindre les personnages à subir son action mystérieuse. Plus loin, on verra une Vierge des Trésoriers de Tintoret, et un très beau **Portrait de gentilhomme** de Lorenzo Lotto.

Dans **Le Repas chez Lévi,** Véronèse fait preuve de son génie de décorateur ; dans la même salle sont réunis un bel ensemble de peintures de Tintoret (Miracles de saint Marc) et l'émouvante **Pietà** du Titien, inachevée (1576).

Les salles suivantes sont consacrées aux 17ᵉ et 18ᵉ s. : tableaux de Tiepolo, Piazzetta, Rosalba Carriera, Canaletto, Pietro Longhi, Guardi.

La salle XX abrite les célèbres **Miracles de la Sainte Croix,** série de tableaux dont trois de Gentile Bellini et un de Carpaccio ; remarquer, par Bellini, la Procession des reliques, place St-Marc, document fidèle sur Venise en 1500, et, par Carpaccio, la Guérison d'un possédé près du Rialto. Dans la salle suivante, la **Légende de sainte Ursule** est une suite de neuf tableaux (1490-1500 environ) par Carpaccio, où le peintre montre un sens du détail pittoresque et une clarté de composition remarquables.

Enfin, on verra, dans la salle XXIV, la **Présentation de la Vierge au Temple,** chef-d'œuvre du Titien.

ÉGLISES PRINCIPALES

★★**Église Santa Maria della Salute** (BV). — A l'entrée du Grand Canal, « la Salute » a été élevée au 17ᵉ s. par Longhena dans le style baroque, à la suite d'un vœu pour que cesse la terrible épidémie de peste de 1630. Elle est admirablement située au bord de l'eau. L'intérieur, monumental, est sur plan octogonal et surmonté d'une coupole centrale. Pour la sacristie, **Tintoret** a peint les **Noces de Cana★★★** (1561) dans des tonalités chaudes et lumineuses.

On admirera aussi, par Titien, les peintures du **plafond,** au-dessus de l'autel de gauche le **retable de St Marc,** et les huit **médaillons des Évangélistes.**

Près de la Salute, charmante place (campo) **S. Gregorio** (BV) et église gothique (beau portail du 15ᵉ s.). A l'extrémité de la pointe de la Salute se trouve la **Dogana di Mare** (CV) (1677), douane de mer, surmontée de la statue tournante de la Fortune.

★★**Église St-Georges-Majeur (San Giorgio Maggiore) (CV)**. — Face à la place Saint-Marc, dans l'île San Giorgio, elle fut commencée en 1566 par Palladio et terminée en 1610 par Scamozzi, auteur de la noble façade. Le haut **campanile★★** de brique fut érigé en 1791 sur le modèle de celui de St-Marc. L'intérieur de l'église, austère, est de proportions majestueuses. Dans le chœur, deux **œuvres de Tintoret★★★** : la Récolte de la manne et la Cène, au remarquable clair-obscur ; splendides **stalles★★** sculptées (16e s.). De la **terrasse du campanile** *(accès par le transept gauche, ascenseur)*, **panorama★★★** sur Venise et sa lagune.

★★**Église St-Jean-St-Paul (Ss. Giovanni e Paolo ou San Zanipolo) (CT)**. — Église gothique élevée par les dominicains (1234-1430) au fond d'une vaste place où l'on voit une margelle de puits du 16e s. et l'admirable **statue équestre★★**, puissante, énergique, du condottiere Bartolomeo **Colleoni**, par Verrocchio (1480).

L'intérieur de l'église est très vaste. C'est le « Panthéon » de Venise, avec de nombreux **tombeaux★★** de doges et de patriciens. Parmi les peintures, très beau **polyptyque de saint Vincent Ferrier★★★** peint par Giovanni Bellini (2e autel du bas-côté droit) et, dans la chapelle du Rosaire *(entrée dans le bras gauche du transept)*, au **plafond★★★**, Annonciation, Adoration des Bergers et Assomption de la Vierge par **Véronèse**.

A gauche de l'église, sur la place, se trouve la **Scuola di San Marco** avec une **façade★** Renaissance, richement ornée de sculptures, par Pietro et Tullio Lombardo.

Longeant celle-ci, le pittoresque **rio dei Mendicanti★**, ou « des mendiants » **(CT)**, a été fréquemment reproduit par Canaletto et Guardi.

★★**Église Santa Maria Gloriosa dei Frari (AT)**. — Église franciscaine gothique, la plus vaste de Venise, elle abrite de nombreux **tombeaux★★** (monument de Canova et mausolée du Titien). On admirera de magnifiques retables peints et, notamment, deux célèbres **œuvres de Titien★★★** : au maître-autel, l'Assomption et, au 2e autel du bas-côté gauche, l'admirable Vierge de la famille Pesaro. Dans la sacristie est exposé le **triptyque de la Madone et des saints★★** de Giovanni Bellini.

★**Église San Zaccaria (CU)**. — Sur une charmante place, cette église date de la Renaissance, avec un campanile du 13e s. Dans le bas-côté gauche (2e autel) **retable de la Vierge entourée de quatre saints★★★** par Giovanni Bellini. Dans la chapelle San Tarasio, fresque d'Andrea del Castagno, et trois splendides **retables★★** d'Antonio Vivarini et de Ludovico da Forlì.

ÉCOLES (SCUOLE)

Les « scuole », institutions typiquement vénitiennes, étaient des associations de bienfaisance possédant une chapelle, un lieu de réunion et parfois un hospice.

★★★**Scuola di San Rocco (AT)**. — Renaissance, elle présente une élégante façade à arcs en anse de panier, colonnes cannelées et incrustations de marbre. On y admire une exceptionnelle série de cinquante-six **toiles de Tintoret★★★** auxquelles le peintre travailla dix-huit ans ; les meilleures sont : au rez-de-chaussée, l'Annonciation et le Massacre des Innocents ; au 1er étage, dans la grande salle, Moïse faisant jaillir l'eau du rocher, le Châtiment des serpents, la Manne, la Cène, la Nativité, l'Ascension, et surtout, dans la petite salle de l'Albergo, une immense Crucifixion d'une force dramatique telle, que Tintoret la considérait comme sa meilleure œuvre. On remarquera aussi le Christ mort de Titien et l'admirable Christ portant la Croix attribué à Giorgione.

★**Scuola di San Giorgio degli Schiavoni (DT)**. — Bâtie en 1451, elle recueillait les Dalmates, sujets de la république de Venise (surnommés « Esclavons » par les Vénitiens), et plus particulièrement les vieux matelots. L'oratoire Renaissance est orné d'exquises **œuvres de Carpaccio★★**, contant la Légende de saint Georges, le Miracle de saint Tryphon et l'Histoire de saint Jérôme ; remarquable portrait de saint Augustin dans sa cellule.

★**Scuola dei Carmini (AU)**. — Au plafond de la salle du 1er étage, magistral cycle de **peintures de Gian Battista Tiepolo★★** parmi lesquelles la Vierge du Carmel en gloire apparaissant au bienheureux Simon Stock.

AUTRES CURIOSITÉS

★★**Collection Peggy Guggenheim (BV M²)**. — A l'intérieur du **palais Venier dei Leoni**, élevé au 18e s. et resté inachevé, cette Américaine qui fut la muse des surréalistes a rassemblé une exceptionnelle collection de peintures et de sculptures des meilleurs artistes du 20e s.

★**Musée du 18e s. vénitien (Museo del Settecento Veneziano) (AU M³)**. — Il a pour cadre le palais Rezzonico *(p 207)*. Meubles baroques vénitiens, dorés et très sculptés *(1er étage)* ; scènes de genre par Pietro Longhi, ainsi que deux **chefs-d'œuvre★★** de Guardi : le « Ridotto » (fameuse maison de jeux vénitienne) et le Parloir des religieuses ; **fresques★★** de Gian Domenico Tiepolo évoquant la frivolité de la société vénitienne.

★**Palais Querini-Stampalia (CT)**. — Sa pinacothèque possède un ensemble d'œuvres de Donato et Caterino Veneziano, du Florentin Lorenzo di Credi, de Giovanni Bellini (Présentation de Jésus au temple), Palma le Vieux, V. Catena, Pietro Longhi.

★**Musée d'Art moderne (BT M¹)**. — Installé à l'intérieur du palais Pesaro *(p. 207)*, il est essentiellement consacré à la peinture italienne du 19e s.

Églises. — Il y en a près de deux cents à Venise, et presque toutes intéressantes. Il faut citer :

A l'Ouest du Grand Canal, **San Sebastiano (AU)**, du 16e s., à la remarquable **décoration intérieure★★** de peintures dues à Véronèse (au plafond, Histoire de la reine Esther) et à l'intéressant orgue de la fin du 16e s. ; toute proche, l'église de l'**Angelo Raffaele (AU)** dont le buffet d'orgue est orné de sept ravissantes petites **peintures★** du 18e s. dues à Guardi ; non loin de la Scuola de Si. Rocco, **San Pantaleone (AT)**, au magnifique **plafond★** (18e s.) peint en trompe-l'œil.

A l'Est du Grand Canal, **Santa Maria dei Miracoli★ (CT)** construite en 1489, bijou Renaissance dû à P. Lombardo, décorée de marbres polychromes ; **San Francesco della Vigna (DT)** par Sansovino (16e s.) avec une façade de Palladio et un cloître classique (à l'intérieur de l'église, deux **Vierges à l'Enfant★**, dont une de Giovanni Bellini).

Palais Labia (AT). — Ce palais du 18e s. renferme une salle ornée de **fresques★** de Tiepolo, relatant l'histoire de Marc-Antoine et de Cléopâtre ; nombreux plafonds décorés par cet artiste.

Arsenal (DU V). — Fondé en 1104, il fut refait aux 15e et 16e s. Deux tours datant de 1574 protègent l'entrée de la darse ; à leur gauche, la porte monumentale (1460) est précédée de statues baroques et de lions de provenance grecque. L'arsenal était célèbre en Europe : au temps de l'apogée de Venise, on pouvait y construire et équiper une petite galère en un jour.

Musée historique naval (DU M⁴). — Près de la riva San Biagio, il conserve de nombreuses maquettes de navires vénitiens du 16e au 18e s., un petit modèle d'un Bucentaure (navire de cérémonie du doge), ainsi que des armes à feu modernes.

Ile de la Giudecca (AV-CV). — Des quartiers tranquilles agrémentés de jardinets entourent l'**église du Redentore** *(Fondamenta S. Giacomo)*, construite à la fin de la peste de 1576. Dans la sacristie, splendide retable de la **Vierge à l'Enfant★** entre deux anges musiciens, par Alvise Vivarini.

Ghetto (AT). — C'est autour du campo du Ghetto Nuovo que furent relégués les Juifs au 16e s. La grande place est impressionnante par son calme et son austérité.

San Michele (DT). — C'est le cimetière de Venise. Stravinsky et Diaghilev y reposent. Jolie église Renaissance du 15e s. avec un cloître du 14e s.

LA LAGUNE

Voir plan des environs de Venise dans le guide Rouge Michelin Italia.

La lagune, séparée de la mer par un cordon littoral (lido), mais soumise aux marées, est agréable à parcourir en bateau. *Outre les services de bateaux réguliers (consulter le guide Rouge Michelin Italia), des excursions dans les îles de la lagune sont organisées.*

★★**Le Lido.** — C'est l'une des stations les plus élégantes de l'Adriatique. Le Casino, de lignes harmonieuses, est un des rares en Italie où les jeux de hasard soient autorisés.

★★**Murano.** — Dans une île de la lagune, cette localité, dont l'artère principale est un canal en Y bordé de maisons Renaissance, est depuis 1292 un haut lieu de la verrerie. Au 15e s., elle était aussi le siège d'une école de peinture fondée par Antonio Vivarini. En suivant le canal pour prendre l'embranchement de gauche, on trouve le palais Giustiniani (17e s.), où est installé le **musée du Verre★★★** (Museo Vetrario) : collection de verreries, de l'Antiquité à nos jours (le joyau du musée est la coupe Barovier, coupe de mariage exécutée au 15e s.).

Plus loin vers la droite, l'église **S. Maria e Donato★★**, de style véneto-byzantin (début du 12e s.), possède un admirable **chevet** à arcatures superposées et souligné d'une balustrade de marbre blanc. A l'intérieur, splendide **pavement** de mosaïques du 12e s.

★★**Burano.** — Village de pêcheurs renommé pour ses dentelles, Burano est également célèbre pour ses maisons colorées. A l'intérieur de l'église **San Martino**, dramatique **Crucifixion** de Tiepolo.

★★**Torcello.** — Ce village fut à partir du 7e s. une ville importante, siège d'un évêché dont la décadence commença au début du 14e s. ; l'herbe pousse sur la **Grand-Place** où sont rassemblés les principaux monuments.

La **cathédrale** (Cattedrale) **Santa Maria Assunta★★**, de style véneto-byzantin (9e et 11e s.) comprend trois nefs reposant sur des colonnes de marbre grec surmontées de très beaux chapiteaux corinthiens du 11e s. La nef centrale est fermée par une magnifique **iconostase** ornée de bas-reliefs byzantins des 11e et 12e s. (paons affrontés, lions et feuillages) ; à gauche de l'iconostase, remarquable **ambon** de marbre sculpté (10e-11e s.). La cathédrale renferme un splendide ensemble de **mosaïques★★★** byzantines : la plus spectaculaire, au revers de la façade, représente le **Jugement dernier** (12e et 13e s.) ; une deuxième, du 13e s., dans l'abside, figure la Mère de Dieu, admirable de pureté et de noblesse, avec, en dessous, les apôtres ; une autre encore (à la voûte de la chapelle latérale droite) montre l'Agneau mystique se détachant sur un luxuriant décor floral.

A droite de la cathédrale, l'**église Santa Fosca★**, de style véneto-byzantin (10e s.), construite sur plan central, est entourée d'un **portique★★** à arcs surhaussés. A l'intérieur, superbes **colonnes★★** en marbre grec à chapiteaux sculptés.

★**Chioggia.** — Chioggia est une antique cité maritime très animée vouée à la pêche. Il faut suivre les deux petits canaux principaux où s'alignent des barques de pêche colorées, et que franchissent les ponts en dos d'âne : le Ponte Vigo (17e s.) offre une vue pittoresque sur le **canal Vena** en bordure duquel se tient un marché au poisson, très animé.

Le **corso del Popolo**, artère principale, est bordé de quelques jolies maisons des 16e, 17e et 18e s. ; à l'une de ses extrémités, la **cathédrale★** (Duomo) a été reconstruite au 17e s. dans le style de Palladio (beau campanile du 14e s). Sur son flanc, s'étend la pittoresque **piazza Vescovile**, affectionnée des peintres.

★**Riviera du Brenta.** — *Page 59.*

Carte Michelin n° 988 pli 4 — Plan d'ensemble dans le guide Rouge Michelin Italia.

Prise dans un méandre de l'Adige, dans un site de collines, Vérone est la plus belle ville d'art de Vénétie, après Venise. La **piazza Bra** (ABVX), reliée au noyau ancien par la pittoresque via Mazzini (BV), en constitue le centre élégant. La saison lyrique et l'« Été théâtral » *(voir le chapitre Principales manifestations touristiques, en fin de volume)* attirent chaque année une foule de spectateurs.

Colonie romaine sous l'Empire, la ville fut convoitée par les Ostrogoths, les Lombards et les Francs. Sous la seigneurie des **Scaliger**, qui régnèrent pour le compte de l'empereur de 1260 à 1387, elle connut son apogée. Elle passa ensuite sous la domination des Visconti de Milan, avant de tomber en 1405 sous la tutelle de la république de Venise. Occupée par les Autrichiens en 1814, elle a été rattachée à l'Italie en 1866, avec la Vénétie.

Roméo et Juliette. — Vérone forme le cadre de la tragédie de Shakespeare qui met en scène les amours contrariées de deux adolescents, issus de familles rivales : le drame eut lieu en 1302, à l'époque où la ville était en proie aux luttes intestines opposant les guelfes auxquels appartenaient les Montaigus (Montecchi) et les gibelins, parti des Capulets (Capuleti).   *Emp. vs Pape B*

Pisanello et l'école véronaise. — Perméables à l'influence septentrionale de la vallée du Rhin, les peintres de Vérone ont développé un art gothique alliant la souplesse de la ligne à la préciosité du détail.

Grand voyageur, peintre actif, prodigieux médailleur et inlassable dessinateur, **Pisanello** (vers 1395 — vers 1450) en est le plus remarquable représentant. Sa peinture porte, par l'irréalisme des couleurs, la précision de l'observation et la souplesse du trait, à la fois la nostalgie d'un monde médiéval en train de disparaître et les prémices du réalisme propre à la Renaissance.

CURIOSITÉS

★★**Place aux Herbes (Piazza delle Erbe)** (BV). — Ancien forum romain, c'est aujourd'hui une jolie place particulièrement colorée et animée les jours de marché.
Au milieu de celle-ci, s'alignent : la colonne du Marché ; le « Capitello » ou « Tribuna » (16e s.), tribune où se lisaient les décrets et les sentences ; la fontaine de Madonna Verona surmontée d'une statue romaine personnifiant la ville ; la colonne de St-Marc (1523) portant le lion ailé, symbole de Venise.
Autour de la place, palais et maisons anciennes, dont certaines sont encore ornées de colonnes de marbre et de fresques, composent un cadre séduisant : sur le côté Nord, **palais Maffei** (B), baroque.
Dans la via Cappello (au n° 23), se trouve la **« maison de Juliette »** (Casa di Giulietta) (K), palais gothique qui aurait appartenu aux Capulets, avec le « balcon de Juliette ».

★★**Piazza dei Signori** (BV). — Par la via della Costa, on pénètre sur cette élégante place qui a l'aspect d'un salon en plein air. A droite, s'élève le **palais communal** (Palazzo del Comune, appelé aussi Palazzo della Ragione) (D), du 12e s., dominé par la **tour des Lamberti**, en briques et en pierres, avec un couronnement octogonal ; une arche le relie au palais des Tribunaux (Palazzo dei Tribunali, anciennement « del Capitano ») (J) flanqué d'une massive tour en briques (« Torrione Scaligero »). Sur le côté opposé, la **Loggia del Consiglio** (E) est un élégant édifice vénitien de la Renaissance.
Au fond de la place, fermant celle-ci, le palais du Gouvernement (P), de la fin du 13e s., couronné de merlons s'ouvrant par un beau portail classique (1533) dû à Sanmicheli, fut résidence des Scaliger puis des podestats vénitiens.

★★**Tombeaux des Scaliger (Arche Scaligere)** (BV). — Les Scaliger firent élever leurs tombeaux entre leur palais et leur église. Les sarcophages portent les blasons de la famille avec l'échelle (scala) symbolique. Ce sont d'élégants mausolées gothiques entourés d'une balustrade en marbre avec une grille en fer forgé, décorés de scènes religieuses et de statues de saints. Au-dessus de la porte de l'église romane de **Santa Maria Antica**, se trouve le tombeau du populaire Cangrande Ier (mort en 1329) juché sur un cheval *(original au musée du Castelvecchio)*.

★★**Amphithéâtre romain (Arena)** (BVX). — Ce splendide amphithéâtre, l'un des plus grands du monde romain, peut contenir, sur ses 44 étages de gradins, quelque 25 000 spectateurs. Son appareillage de blocs de marbre rose, de silex et de briques agglomérés, permet de situer sa construction vers la fin du 1er s. Chaque été, de prestigieuses représentations lyriques y sont données. Du sommet des gradins, ample **panorama★★** sur la ville, son cadre de collines et, par temps clair, jusqu'aux Alpes.

★★**Vieux château et pont des Scaliger (Castelvecchio et Ponte Scaligero)** (AV). — Ce bel ensemble fortifié a été construit en 1354 par Cangrande II. Le château est formé de deux parties séparées par un passage que commande un donjon.
Le Castelvecchio abrite un **musée d'Art★★** (M), chef-d'œuvre de la muséologie moderne dû à l'architecte Carlo Scarpa. Sa **section de peinture** permet de se faire une bonne idée de la peinture véronaise du 12e au 16e s., dans ses rapports avec Venise et le « gothique international » *(voir p. 28)*. Fresques de peintres locaux, peintures de Stefano da Verona, Pisanello, Giambono, Carlo Crivelli (splendide Madone de la Passion), Mantegna, Carpaccio, ainsi que des Bellini.
Les salles supérieures présentent des œuvres de l'école véronaise de la Renaissance : Morone, Liberale da Verona (Vierge au chardonneret), Girolamo dai Libri et Véronèse. On voit également des œuvres vénitiennes de Tintoret, Guardi, Tiepolo et Longhi.
Le musée réunit aussi des collections d'armes, de bijoux et de sculptures.

★★**Église St-Zénon (San Zeno Maggiore).** — *Accès par le Rigaste San Zeno* (AV 44). *Voir plan d'ensemble du guide Rouge Michelin Italia.* Construite sur plan basilical et en style lombard au 12e s., c'est l'une des plus belles églises romanes de l'Italie du Nord, remarquable par la sobriété de sa façade et de son campanile. Le porche reposant sur deux lions abrite d'admirables **portes**★★★ (11 et 12e s.) en bronze où sont figurées des scènes de l'Ancien et du Nouveau Testament. De chaque côté du portail, bas-reliefs dus aux maîtres Nicolò et Guglielmo (12e s.) ; au tympan, statue de saint Zénon, patron de la ville.

L'intérieur, imposant, voûté en carène de vaisseau, présente au maître-autel un splendide **triptyque**★★ (1459) de Mantegna, remarquable témoignage de la manière de l'artiste, à la fois chargée d'ornements et rigoureuse dans la vision. Sur la clôture du chœur, statues du 14e s. et, dans l'absidiole de gauche, curieuse statue polychrome du « saint Zénon qui rit ».

Sur le flanc gauche de l'église, petit cloître roman.

★**Église Ste-Anastasie (Sant'Anastasia) (BV N).** — Commencée à la fin du 13e s., achevée au 15e s., elle présente une belle façade percée d'un double portail du 14e s., décoré de fresques et de sculptures. Remarquable campanile. L'intérieur, ample et élancé, renferme plusieurs chefs-d'œuvre : quatre **effigies d'apôtres** peintes par Michele da Verona et dix-sept **terres cuites**★ de Michele da Firenze (chapelle Pellegrini, à droite du chœur) ; **les Guerriers Cavalli présentés à la Vierge**★ (1380), fresque du Véronais Altichiero (1re chapelle du transept droit) ; à l'intérieur de la **chapelle Giusti** *(accès par le transept gauche)*, la célèbre fresque de Pisanello, **Saint Georges délivrant la princesse de Trébizonde**★★ (1436), scène irréelle où se mêlent étrangement la précision de l'observation et le fantastique gothique.

★**Cathédrale (Duomo) (BV).** — Romane du 12e pour le chœur, gothique pour la nef, elle a été augmentée d'une tour classique. Remarquable portail principal, de style roman lombard, orné de sculptures et de bas-reliefs de maître Nicolò. A l'intérieur, on admire notamment les piliers de marbre rose, une Assomption de Titien (1er autel de gauche) et la clôture du chœur en marbre due à Sanmicheli (16e s.).

Le quartier des chanoines qui entoure la cathédrale est amusant à parcourir.

★**Théâtre romain (Teatro romano) (BV).** — Datant d'Auguste mais très restauré, il accueille aujourd'hui encore des représentations théâtrales.

De là, on peut monter *(ascenseur)* à l'ancien **couvent San Girolamo** où est installé un petit **musée archéologique (M²)** et d'où l'on a une belle **vue** sur la ville.

Château St-Pierre (Castel San Pietro) (BV). — *Accès par un escalier prenant sur la Regaste Redentore (BV 42).* Des terrasses de l'édifice, dont la construction remonterait à l'époque des Visconti et de la domination vénitienne, on découvre de splendides **vues**★★ sur Vérone.

★**Église St-Fermo (San Fermo Maggiore) (BVX).** — Elle fut construite aux 11e et 12e s., puis remaniée. Sa façade juxtapose les styles roman et gothique. A l'intérieur, on peut voir la fresque de l'**Annonciation**★ par Pisanello, encadrant le mausolée Brenzoni (1430).

Tombeau de Juliette (Tomba di Giulietta) (BX). — *Via del Pontiere.* Il se trouve dans le cloître de l'église San Francesco al Corso où aurait eu lieu le mariage des deux jeunes gens.

---

*Chaque année le **guide rouge Michelin Italia***

rassemble, sous un format maniable, une multitude de renseignements à jour.

Emportez-le dans vos déplacements d'affaires,

      lors de vos sorties de week-end,

        en vacances.

Tout compte fait, le guide de l'année, c'est une économie.

★★ VICENCE (VICENZA) Vénétie   112 771 h.

Carte Michelin n° 988 plis 4, 5 — Plan dans le guide Rouge Michelin Italia.

Noble et fière, Vicence repose dans un joli site au pied des monts Berici. Actif centre industriel et commercial qui ajoute aux traditionnelles productions textiles le travail particulier de l'orfèvrerie, ainsi que les industries mécaniques et chimiques, Vicence est aussi un important carrefour de routes reliant la Vénétie au Trentin. La ville possède une spécialité gastronomique, la « baccalà alla Vicentina », morue en sauce accompagnée de tranches de polenta ; on la déguste avec les vins venant des monts Berici (Barbarano, Gambellara, Breganze).

UN PEU D'HISTOIRE ET D'ART

Peuplée dès la préhistoire, occupée par les Romains sous le nom de « Vicetia », la ville fut commune libre au 12e s. Après plusieurs conflits avec ses voisines, Padoue et Vérone, Vicence se mit sous la protection de la république de Venise dès le début du 15e s. Sous le gouvernement de celle-ci, Vicence s'enrichit, grâce à d'orgueilleux et généreux mécènes, d'un nombre impressionnant de palais.

Andrea Palladio. — Cette activité architecturale qui lui a valu d'être surnommée la « Venise de terre-ferme », est principalement redevable à un artiste exceptionnel qui vécut longtemps à Vicence, Andrea Palladio. Né à Padoue en 1508, mort à Vicence en 1580, Palladio fut le dernier grand architecte de la Renaissance qui réussit, dans un art d'un équilibre suprême, la synthèse de la leçon antique et des préoccupations modernes. Encouragé par l'humaniste Trissino, il entreprit plusieurs voyages à Rome, médita l'enseignement de Vitruve et publia en 1570 le fruit de ses recherches dans le traité des **Quatre Livres** qui fit connaître son œuvre dans l'Europe entière.

Le **style palladien** se caractérise par la rigueur du plan où les formes simples et symétriques prédominent, par l'harmonie musicale des façades qui combinent le fronton et le portique, comme à San Giorgio Maggiore de Venise *(voir p. 208)*. Palladio travailla pour la riche clientèle vénitienne qui souhaitait se faire construire des demeures dans la campagne voisine. A l'ordonnance rythmique du plan, à la noblesse du dessin, l'architecte ajouta, dans le cas de ces constructions isolées, une science parfaite du décor et de l'implantation, donnant de l'importance au socle, de telle sorte que ces villas surgissent comme de nouveaux temples sur les rives du Brenta *(voir p. 59)* ou sur les pentes des monts Berici. L'élève de Palladio, Vincenzo Scamozzi (1552-1616), acheva plusieurs œuvres du maître et continua sa manière.

★★LA VILLE PALLADIENNE *visite : 1/2 journée*

★★**Piazza dei Signori.** — Comme la place St-Marc à Venise, elle est un lieu de réunion en plein air, survivance du forum antique ; comme sur la « piazzetta », deux colonnes y sont dressées, portant le lion de St-Marc et le Rédempteur.

Avec l'altière **Torre Bissara★**, tour-beffroi du 12ᵉ s., la **Basilica★★** (1549-1617) occupe un côté de la place ; c'est, pour l'élévation, un chef-d'œuvre de Palladio, aux galeries superposées, d'ordres dorique et ionique, admirables de force, de proportions et de pureté ; le grand toit en carène, détruit par un bombardement, a été refait. La destination de l'édifice n'était nullement religieuse : là se rassemblaient les notables.

En face, des fresques ornent le **Mont de Piété** (15ᵉ s.) dont les bâtiments encadrent la façade baroque de l'église St-Vincent. A gauche, au coin de la Contrà del Monte, la **Loggia del Capitanio★**, autrefois résidence du gouverneur de Venise, fut commencée sur les plans de Palladio en 1571 et resta inachevée : elle est caractérisée par son ordre colossal à chapiteaux composites, ses statues et ses stucs évoquant la victoire de Lépante *(p. 202)*.

★★**Théâtre olympique (Teatro Olimpico).** — Ce splendide théâtre de bois et de stucs
Ⓥ fut dessiné en 1580 par Palladio sur le modèle des théâtres antiques. L'hémicycle des gradins est surmonté d'une très belle **colonnade** dont la balustrade porte des statues. La **scène★★★** est admirable : des niches, des colonnes, des statues s'y superposent et laissent entrevoir d'étonnantes perspectives en trompe-l'œil dessinées par Scamozzi qui acheva les travaux.

★**Corso Andrea Palladio.** — C'est la grande artère de Vicence ; de nombreux palais dessinés par Palladio et ses élèves l'embellissent, ainsi que les rues avoisinantes. Au début du corso, **palais Chiericati** *(voir ci-dessous)*, œuvre suggestive et imposante de l'architecte ; au nᵒ 147, **palais Da Schio**, de style gothique vénitien (15ᵉ s), jadis appelé Ca' d'Oro parce qu'il était couvert de fresques à fond d'or. Dans la contrà S. Gaetano Thiene, la façade orientale du **palais Thiene** est une œuvre originale de Palladio ; la façade principale, Renaissance, date de la fin du 15ᵉ s. (au nᵒ 12 du corso Palladio). En face se dresse le **palais Porto-Barbaran**, également dessiné par Palladio. Au nᵒ 98 du corso, le **palais communal** est une œuvre très réussie de Scamozzi (1592). Le solennel **palais Valmarana**, élevé par Palladio en 1566, occupe le nᵒ 16 du corso Fogazzaro.

★**Pinacothèque du palais Chiericati (Museo Civico).** — *1ᵉʳ étage*. Primitifs vénitiens
Ⓥ (Paolo Veneziano : Dormition de la Vierge), **Crucifixion★★** de Hans Memling, chef-d'œuvre du musée, toiles de Benedetto Montagna (élève de Giovanni Bellini), Mantegna, Carpaccio, peintre très actif à Vicence. On voit également des œuvres vénitiennes de L. Lotto, Véronèse, Bassano, Piazzetta, Tiepolo, Tintoret, ainsi que des œuvres flamandes de Breughel de Velours et Van Dyck.

AUTRES CURIOSITÉS

Église de la Ste-Couronne (Santa Corona). — *Contrà Santa Corona*. L'église fut bâtie au 13ᵉ s. pour abriter la Sainte Epine offerte par saint Louis, roi de France, à l'évêque de Vicence. L'intérieur, à trois nefs ogivales et chœur Renaissance, recèle deux chefs-d'œuvre : un **Baptême du Christ★★** de Giovanni Bellini (5ᵉ autel de gauche) et une **Adoration des Mages★★** (1573) de Véronèse (3ᵉ chapelle de droite). La 4ᵉ chapelle de droite possède un beau **plafond★** à compartiments peints et stucs dorés, et une peinture de B. Montagna : Marie Madeleine et saints.

Cathédrale (Duomo). — Élevée entre le 14ᵉ et le 16ᵉ s., elle présente une jolie façade bicolore gothique et un chevet Renaissance. A l'intérieur, beau **polyptyque★** (1356) de Lorenzo Veneziano (5ᵉ chapelle de droite).

Jardin (Giardino) Salvi. — Ce jardin qu'agrémentent statues et fontaine est entouré sur deux côtés de canaux dans lesquels se reflètent deux ravissantes loggias de style palladien des 16ᵉ et 17ᵉ s.

EXCURSIONS

★★**Villa Valmarana « ai Nani ».** — *2 km au Sud, par la route d'Este, puis 1ʳᵉ route à*
Ⓥ *droite.* Dans cette villa du 17ᵉ s., **Gian Domenico Tiepolo** a brossé en 1757 de remarquables **fresques★★★** pleines de verve et de saveur qui évoquent divers aspects de la vie quotidienne en Vénétie, notamment le Carnaval, thème cher à cet artiste.

★**La Rotonda.** — *2 km au Sud-Est, par la route d'Este, puis 2ᵉ route à droite.* C'est
Ⓥ une des œuvres les plus célèbres de Palladio. Surmontée d'une coupole, elle est bâtie sur un plan carré. Chacun des flancs s'ouvre par un fronton à colonnes qui évoque un temple antique.

★**Basilique de Monte Berico et monts Berici.** — *2 km au Sud, par le viale Venezia, puis le viale X Giugno.* Celui-ci est bordé par un portique du 18ᵉ s., avec chapelles, grimpant au sommet de la colline. Sur cette butte, s'élève la basilique de style baroque, coiffée d'une coupole. De l'esplanade, vaste **panorama★★** sur Vicence, la plaine de Vénétie et les Alpes. A l'intérieur, Pietà de B. Montagna (1500). De là, une route conduit vers le Sud à Arcugnano et à Barbarano à travers un paysage de riantes collines volcaniques parmi lesquelles on aperçoit de temps à autre des villas patriciennes parfois transformées en fermes.

Montecchio Maggiore. — *13 km Sud-Ouest, par la route S 11.* Les ruines de ces deux châteaux évoquent le souvenir de Roméo et Juliette ; on y jouit de belles **vues★** sur la plaine du Pô et Vicence.
Ⓥ A la sortie de Montecchio, route de Tavernelle, la **villa Cordellina-Lombardi** abrite un **salon★** tout décoré de fresques de Tiepolo.

Carte Michelin n° ███ pli 25 — Plan dans le guide Rouge Michelin Italia.

Encore entourée de son enceinte, Viterbe a gardé un aspect médiéval, notamment dans les rues qui forment le **quartier San Pellegrino★★**, populaire et artisanal, très caractéristique avec ses voûtes, ses tours, ses escaliers extérieurs.

★★**Piazza San Lorenzo.** — Située à l'emplacement de l'acropole étrusque, cette place transporte en plein Moyen Age : on y voit une maison du 13e s. sur soubassement étrusque *(aujourd'hui dispensaire),* la cathédrale (1192), nantie d'un beau campanile gothique et, surtout, le **palais des Papes★★** du 13e s., l'un des plus intéressants édifices de l'architecture civile du Moyen Age dans le Latium. De la piazza Martiri d'Ungheria, on a une belle vue de l'ensemble.

⊘**Musée municipal (Museo Civico).** — *Piazza F. Crispi.* Installé dans l'ancien couvent de S. Maria della Verità, il rassemble des témoignages des civilisations étrusque et romaine de la région : sarcophages et matériel funéraire trouvé dans les tombes. Au 1er étage, une pinacothèque abrite une terre cuite des Della Robbia et quelques tableaux (Salvatore Rosa, Sebastiano del Piombo, Pastura, peintre local des 15e-16e s.).

EXCURSIONS

Sanctuaire de la Madone-du-Chêne (Madonna della Quercia). — *3 km au Nord-Est.* De style Renaissance, il présente une façade à bossages ornée de tympans par Andrea Della Robbia. Cloître mi-gothique, mi-Renaissance.

★★**Villa Lante de Bagnaia.** — *5 km au Nord-Est.* Cette élégante villa du 16e s., édifiée ⊘sur un projet de Vignola, fut le séjour de nombreux papes. Elle est ornée de jardins à l'italienne aux dessins géométriques savants et aux nombreuses fontaines.

★**Théâtre romain de Ferento.** — *9 km au Nord.* Cet édifice du 1er s., assez bien ⊘conservé, est le plus important vestige de la Ferentium romaine dont les ruines parsèment un mélancolique plateau. Serré entre la route et l'ancien Decumanus, il dresse encore son mur de scène en brique, ainsi qu'un portique en bel appareil de pierres de taille juxtaposées sans mortier, dominant treize rangées de gradins.

Bomarzo. — *21 km au Nord-Est, par la route S 204.* En contrebas du bourg, le parc ⊘de la **villa Orsini** du 16e s. (Parco dei Mostri) est une invention maniériste qui fait apparaître, au gré de la promenade, une série de **sculptures★** de formes fantastiques.

Montefiascone. — *17 km au Nord-Ouest.* Située au cœur de vignobles qui produisent le fameux vin blanc « Est, est, est », Montefiascone possède une imposante **cathédrale** (Duomo), surmontée d'une coupole due à Sanmicheli, et une curieuse église de style roman lombard formée de deux églises superposées, **St-Flavien★** (San Flaviano) ; dans l'église inférieure, des fresques illustrent la brièveté et la vanité de l'existence (Dict des trois morts et des trois vifs) ; en face, pierre tombale de Jean Fugger : lors d'un voyage à Rome, ce prélat allemand, très gourmand, se fit précéder d'un valet qu'il chargea de marquer les auberges où le vin était le meilleur par un « Est » (Vinum est bonum) ; arrivé à Montefiascone, le serviteur écrivit « Est, Est, Est » et son maître en but tant, tant, tant... qu'il en mourut.

★**Lac de Vico.** — *18 km au Sud-Est, par la via Santa Maria di Gradi.* — Ce charmant lac solitaire occupe le fond d'un cratère dont les pentes sont couvertes de forêts (hêtres, châtaigniers, chênes et, sur les rives, noisetiers).

Civita Castellana. — *36 km au Sud-Est.* Construite à l'emplacement du centre étrusque de Falerii Veteres détruit par les Romains en 241 et reconstruit au 8e ou 9e s. Sa **cathédrale** (Duomo) est précédée d'un élégant **portique★** de 1210 dû aux Cosmates *(voir p. 27).* Le **château** (Rocca), construit à la fin du 15e s. par Sangallo l'Ancien, fut la demeure de César Borgia.

Carte Michelin n° ███ pli 14 — Plan dans le guide Rouge Michelin Italia.

En position dominante au cœur des collines dénudées d'une Toscane bien différente de celle qui entoure Florence, cette antique cité étrusque, romaine puis médiévale, a conservé son enceinte de remparts. On y pratique le travail de l'albâtre. A l'Ouest de la ville, de vastes salines sont exploitées pour la fabrication du sel et de la soude.
A 1 km au Nord-Ouest, on découvre une vue sur les **« Baize »★**, éboulements chaotiques et grandioses dus à l'érosion.

★★QUARTIER MÉDIÉVAL *visite : 1 h*

★★**Piazza dei Priori.** — Elle est entourée de palais sobres et sévères. A droite, le palais Pretorio (13e s.), percé de baies géminées, est accompagné par la tour « del Porcellino », ainsi nommée à cause du sanglier représenté dans sa partie supérieure. En face, le palais des Prieurs, du 13e s., est décoré d'emblèmes de gouverneurs florentins.

★**Cathédrale (Duomo) et Baptistère.** — Sur la pittoresque piazza San Giovanni, la cathédrale, de style roman pisan, a été plusieurs fois modifiée ; elle comporte trois nefs à colonnes monolithes et chapiteaux du 16e s. ; dans la 2e chapelle à gauche, on admire une belle Annonciation (fin 13e s.) ; le transept, éclairé par des vitraux en albâtre, abrite, dans la 2e chapelle du bras gauche, une Vierge de l'école siennoise du 15e s. et, dans la 2e chapelle du bras droit, une Déposition en bois polychrome du 13e s. ; dans la nef centrale, superbe chaire du 17e s. incorporant des bas-reliefs sculptés du 13e s. Le baptistère, octogonal, date de 1283.

Prendre la via Roma et dépasser l'arc Buonparenti.

Via dei Sarti. — Elle est bordée de palais, parmi lesquels les plus intéressants sont : au n° 1, le palais Solaini attribué à Antonio da Sangallo et abritant la pinacothèque *(ci-dessous)* ; au n° 37, le palais Incontri dont la superbe façade Renaissance a été dessinée par Ammanati.

Pinacothèque. — *1 via dei Sarti.* Elle présente des œuvres d'art sacré dues à des maîtres toscans du 14e au 17e s., notamment une belle Annonciation de Luca Signorelli et une Déposition de Croix, chef-d'œuvre du maniérisme florentin, due au peintre Rosso Fiorentino.

Piazza San Michele. — S'y élèvent l'église du même nom, avec sa façade romane, et une curieuse maison-tour.

Par l'étroite et pittoresque via Matteotti, puis, à droite, la via Marchesi, on regagne la piazza dei Priori.

AUTRES CURIOSITÉS

★**Musée étrusque (Museo Etrusco Guarnacci).** — On y voit des céramiques et plus de six cents urnes cinéraires, dont certaines ont été habilement sculptées de figures couchées et de scènes familières.

★**Porta all'Arco.** — Porte étrusque, appareillée de blocs de pierre colossaux.

Ruines romaines. — A l'Ouest de la Porta Fiorentina, se trouvent les ruines d'un théâtre romain du 1er s.

Porta Docciola. — Porte fortifiée du 13e s. Auprès d'elle, curieux lavoir médiéval.

Viale dei Ponti. — Promenade favorite des Volterrans, ce « viale » offre des **vues**★★ superbes sur les Collines métallifères *(voir ci-dessous)*. Au-dessus se dresse la Fortezza, aujourd'hui prison, impressionnant ensemble d'architecture militaire constitué par la Rocca Vecchia (14e s.) et la Rocca Nuova édifiée en 1742, comprenant un donjon et quatre tours d'angle.

EXCURSION

Larderello. — *33 km au Sud.* Au centre des **Collines métallifères,** ainsi appelées pour les mines de fer, de cuivre, de pyrite qui y étaient jadis exploitées, Larderello est l'une des plus singulières localités de la Toscane. La désolation de la terre, le sifflement des jets de vapeur, les fumerolles qui s'échappent des hauts fourneaux et se répandent tout autour, la rumeur des machines créent une atmosphère tout à fait particulière.

(Photo Pasquier/Rapho)

Une procession à Naples.

SARDAIGNE

Par sa superficie de 24 089 km², la Sardaigne (Sardegna) est la deuxième île de la Méditerranée après la Sicile. Sa population dépasse 1 630 000 habitants et son altitude maximale est de 1 834 m à la Punta La Marmora dans le massif du Gennargentu. A plus de 200 km de la péninsule, la Sardaigne ferme la mer Tyrrhénienne à l'Ouest et s'étend au Nord en direction de la Corse, dont elle n'est séparée que par 12 km ; d'ailleurs, son milieu naturel ne diffère guère de celui de l'île de Beauté : comme celle-ci en effet, la Sardaigne est un vestige de la Tyrrhénide, continent formé à l'ère primaire qui disparut sous les eaux à l'ère quaternaire. Le relief de l'île est ainsi relativement montagneux et sa végétation est formée d'un maquis de chênes verts et de plantes aromatiques, caractéristiques du bassin méditerranéen.

L'élevage étant depuis la préhistoire la principale ressource de la Sardaigne, plus de la moitié de l'île est recouverte de pâturages : les brebis fournissent le lait pour la fabrication du fameux fromage sarde, au goût prononcé, le pecorino.

Ce sont également les mœurs pastorales qui ont influencé la gastronomie des Sardes qui cuisent volontiers les viandes à la braise, sous terre, et utilisent le pecorino pour assaisonner de nombreux plats. Parmi les spécialités figurent la burrida (roussette), le prosciutto di cinghiale (jambon fumé de sanglier) et le succutundu (bouillon de viande très concentré garni de boulettes de semoule). On peut accompagner son repas de vins locaux rouges ou blancs : le nuragus et la vernaccia (vin blanc sec de la région de l'Oristano qui se déguste aussi en apéritif) sont les plus réputés.

Un peu d'histoire. — Les débuts de l'histoire de la Sardaigne appartiennent à des âges très reculés.

Les **nuraghi,** remontant au milieu du 2e millénaire avant J.-C., en sont les premiers témoignages : construction en forme de cône tronqué constituée d'énormes blocs de pierre assemblés sans mortier, le nuraghe possède pour toute ouverture une porte basse surmontée d'un puissant linteau, et se caractérise à l'intérieur par sa voûte formant une fausse coupole faite de pierres superposées en encorbellement et se rejoignant vers le sommet ; peu à peu, le nuraghe se compliqua de tours reliées entre elles par des murs épais venant renforcer la construction primitive ; plus de 7 000 nuraghi, dont on suppose qu'ils faisaient office de maisons fortifiées pouvant accueillir les villageois en cas de péril, sont dispersés sur l'île, avec une forte concentration entre Porto Torres et Barumini. De l'époque nuragique, datent également les **tombes de géants,** sépultures collectives probablement destinées aux familles les plus puissantes, et dont environ 500 subsistent dans l'île ; situées à l'écart du village, elles se composaient d'une rangée de pierres dressées disposées en arc de cercle (la dalle centrale, plus haute que les autres et de forme semi-ovale, étant percée d'un petit passage) et d'une chambre funéraire, sorte de couloir fait de dalles dressées couvertes de pierres plates à la manière des dolmens.

Très tôt arrivèrent les Phéniciens, suivis des Carthaginois ; mais ces marins commerçants limitèrent leur colonisation aux côtes. Les Romains pratiquèrent en revanche une véritable colonisation agricole. Du 6e au 8e s., les Byzantins régnèrent sur la Sardaigne. Après une relative période d'indépendance, le pays fut soumis à la domination des Pisans et des Génois avant d'être occupé par les Espagnols jusqu'en 1713, date à laquelle l'île passa aux mains de l'empereur d'Autriche qui ne tarda pas à l'échanger contre la Sicile avec les ducs de Savoie ; ces derniers prirent le titre de rois de Sardaigne.

Ces occupants successifs n'ont guère laissé de traces artistiques sur l'île, à l'exception des Pisans dont le style *(voir p. 147)* se retrouve dans les églises romanes et gothiques.

La Sardaigne aujourd'hui. — Longtemps cantonnée dans une économie agricole et pastorale, la Sardaigne a fait, ces dernières années, l'objet d'une mise en valeur touristique et industrielle. Mais, la brusque industrialisation à laquelle l'île a été soumise a renforcé les contrastes entre la vie moderne des villes et la civilisation pastorale, fidèle à ses traditions. Néanmoins, les Sardes ont conservé leur sens de l'honneur et de l'hospitalité. Ils parlent encore leur langue et revêtent volontiers à l'occasion des fêtes leurs magnifiques costumes. Dans les villages, l'artisanat pratiqué par les femmes (paniers, corbeilles, tapis, étoffes) demeure vivace.

Accès. — **Par air :** consulter le guide Rouge Michelin Italia.

Par mer : voir la carte Michelin n° 988 , ainsi que le guide Rouge Michelin Italia.

Visite. — Une visite rapide de l'île peut se faire en cinq jours (postes d'essence assez rares sur les routes de l'Est). La carte ci-contre situe, outre les localités et sites décrits, d'autres lieux particulièrement pittoresques (indiqués dans le plus petit caractère noir).

★ ALGHERO

37 398 h.

Carte Michelin n° 988 pli 33.

On ignore l'origine de ce charmant petit port, où se pratique encore la pêche au corail, situé au milieu des oliviers, des eucalyptus et des pins parasols. Devenue aujourd'hui une station balnéaire, Alghero, qui fut occupée en 1354 par les Catalans, évoque par son aspect l'Espagne, ce qui lui a valu le surnom de « Barcelonetta » de Sardaigne. Ses habitants ont gardé les coutumes et la langue catalanes.

Une plage de 5 km de long s'étend au Nord de la localité.

★**Ville ancienne (Città Vecchia).** — Ses rues étroites se serrent à l'intérieur de fortifications. La **cathédrale** *(via Roma)* possède un remarquable portail et un campanile de style gothique catalan. L'**église San Francesco,** des 14e-15e s., présente un bel intérieur gothique et un charmant **cloître** en tuf doré.

Le port de pêche est situé au Nord, au pied des fortifications. De là, partent les excursions en bateau pour la **grotte de Neptune★★★** *(voir p. 221).*

ARBATAX

Carte Michelin n° 988 pli 34.

Ce petit port possède un nom d'origine arabe. Isolé sur la mer Tyrrhénienne, dans un beau cadre de montagnes, il reçoit les navires embarquant les bois et les lièges produits par l'île. Près du port, se dresse une petite falaise de roche porphyrique, dont on a longtemps exploité la carrière voisine. Au fond de la baie se déroule une vaste plage en pente douce.

Une **route★★★** magnifique, déserte et longeant d'impressionnantes gorges, mène d'Arbatax à Dorgali *(71 km).*

ARZACHENA

8 347 h.

Carte Michelin n° 988 Sud-Est du pli 23.

Ce bourg agricole, bien situé au pied des montagnes dans un beau bassin de la Gallura, est dominé par un curieux rocher érodé en forme de champignon, le « Fungo ». A 2 km, à la sortie de la ville, sur la route d'Olbia, se trouve un nuraghe posé sur un rocher.

A une dizaine de kilomètres au Sud-Ouest, *(par la route de Luogosanto et, au bout de 7 km, un chemin à droite que l'on suit pendant 3 km),* la **tombe de Géants** *(voir p. 217)* **de Li Muri★** est formée par une quinzaine de dalles dressées en arc de cercle, au sommet d'une colline.

★★ BARUMINI

1 509 h.

Carte Michelin n° 988 pli 33.

Barumini est une bourgade entourée de vestiges datant des premiers temps de l'histoire sarde.

★★**Nuraghe Su Nuraxi.** — *2 km à l'Ouest, à gauche de la route de Tuiti.* Massive forteresse constituée par plusieurs tours reliées entre elles par des galeries. A l'Est, s'étend un grand village nuragique.

★**Santa Vittoria di Serri.** — *38 km à l'Est, par la route de Nuoro, puis à Nurallao une route à droite.* Vestiges d'un centre religieux préhistorique. La route qui y conduit traverse le village d'*Isili,* où l'artisanat est vivace (mobilier, tissage).

CAGLIARI

225 009 h.

Carte Michelin n° 988 pli 33.

Capitale de l'île, Cagliari est une ville d'aspect moderne, dotée d'un port actif, ayant conservé un noyau ancien enfermé à l'intérieur de fortifications élevées au 13e s. par les Pisans. Cagliari fut une florissante cité carthaginoise sous le nom de Karalis, avant de devenir romaine.

De la **Terrazza Umberto Iº (Z)**, on jouit d'une **vue★★** admirable sur la ville, le port et le golfe. La **fête de Sant'Efisio,** saint patron de la Sardaigne, est l'une des plus fabuleuses qu'il soit donné de voir en Italie *(voir le chapitre Principales manifestations touristiques, en fin de volume).*

Cathédrale (Cattedrale) (Y). — Élevée au 13e s. en style pisan, elle fut remaniée au 17e s. L'édifice renferme deux magnifiques **chaires★★** exécutées par Guglielmo de Pise (1162) et dont les panneaux sont sculptés de scènes de la vie du Christ remarquablement composées.

Par une petite porte à droite du chœur, on descend au **Santuario,** crypte décorée au 17e s. qui abrite de nombreuses reliques. Une porte s'ouvre à droite sur une chapelle renfermant le tombeau de Marie-Louise de Savoie, épouse du futur Louis XVIII et sœur du roi de Sardaigne.

★**Musée archéologique national (Museo Nazionale Archeologico) (Y).** — Il abrite des collections d'armes, de poteries et surtout de petits **bronzes★★★** des premiers temps de l'histoire sarde. Les arts phénicien, punique et romain sont représentés dans les autres salles.

Carlo Felice (Largo)	**Z**				
Manno (Via G.)	**Z** 13				
Roma (Via)	**Z**				
Azuni (Via)	**Y** 3				
Carmine (Piazza)	**Z** 4				
Costituzione (Piazza)	**Z** 5				
D'Arborea (Via E.)	**Y** 7				
Fiume (Via)	**Y** 7				
Fossario (Via)	**Y** 8				
Garibaldi (Piazza)	**Y** 9				
Gramsci (Piazza)	**Z** 10				
Indipendenza (Piazza)	**Y** 12	S. Benedetto (Piazza)	**Y** 16	Sardegna (Via)	**Z** 20
Martini (Via)	**Y** 14	S. Benedetto (Via)	**Y** 17	Università (Via)	**Z** 21
Porceli (Via)	**Y** 15	S. Cosimo (Piazza)	**Z** 18	Yenne (Piazza)	**Y** 22
		S. Croce (Via)	**Y** 19	20 Settembre (Via)	**Z** 23

★**Tour de l'Éléphant** (Y A) **et tour St-Pancrace** (Y B). — Datant du début du 14ᵉ s., ces deux tours sont des vestiges des fortifications pisanes.

Amphithéâtre romain (Anfiteatro Romano) (Y). — C'est l'édifice romain le plus important de Sardaigne.

⊘ **Jardin botanique (Orto Botanico)** (Y). — Végétation méditerranéenne et tropicale.

EXCURSION

★★★ **Route de Muravera.** — *Sortir par* ① *du plan.* À 30 km de Cagliari, cette route s'enfonce dans des défilés rocheux sauvages d'une belle coloration rougeâtre (granits porphyriques).

★★ COSTA SMERALDA

Carte Michelin nº 🔲🔲🔲 plis 23, 24.

Au Nord-Est de la Sardaigne, la région vallonnée et sauvage de **la Gallura** possède l'une des côtes les plus découpées de l'île. Les pointes de granit rose, les crêtes boisées, les criques sablonneuses, les golfes profonds y alternent, créant un paysage marin plein de fantaisie et de couleurs et un lieu de villégiature privilégié.
La mise en valeur de la zone côtière dite **Costa Smeralda** (Côte d'Émeraude) fut l'œuvre, à partir de 1961, de l'Aga Khan et d'un consortium dont il fut le président jusqu'en 1983. Cette portion de côte reçut un équipement luxueux (palaces, ports de plaisance, golf etc...), attirant dès lors une très riche clientèle internationale.
Les principaux centres sont **Porto Cervo,** Cala di Volpe et Baia Sardinia.

DORGALI   7 733 h.

Carte Michelin nº 🔲🔲🔲 pli 34.

Importante bourgade agricole au pied du mont Bardia qui la sépare de la mer, Dorgali est un bon centre d'excursions, notamment vers les sites mégalithiques.

Cala Gonone. — *10 km à l'Est.* Une **route**★★ en lacet conduit à ce petit port, centre ⊘ de villégiature, d'où l'on peut gagner par bateau la **grotte du Bœuf marin** (Grotta del Bue Marino), naguère encore refuge des derniers phoques « moines », ultimes survivants de l'ère glaciaire ; la grotte, en galerie, s'orne de belles concrétions.

★**Dolmen Motorra et grotte d'Ispinigoli.** — *8 km au Nord par la route de Nuoro, puis, à droite, celle d'Orosei (S 125).* Le **dolmen Motorra** consiste en une belle dalle de schiste presque circulaire posée sur huit stèles. La **grotte d'Ispinigoli** *(accès par un chemin prenant un peu plus loin à droite sur la route d'Orosei, et que l'on suit sur 3 km)* est un immense abîme s'ouvrant à 400 m d'altitude, dont la voûte est soutenue par une extraordinaire **colonne**★★ de 38 m de haut.

★**Serra Orrios et tombe de géant (Tomba di Gigante).** — *19 km, par la route de Nuoro.* L'important village nuragique de **Serra Orrios** *(signalisation sur la droite de la route, à une dizaine de km de Dorgali)* est situé sur un plateau où croissent les asphodèles. Deux temples subsistent, l'un à l'Ouest immédiat du village, l'autre, dans la même direction, plus éloigné et entouré d'un grand mur circulaire.
Au carrefour suivant, prendre tout droit vers Lula ; à 6 km de là, après un petit col, tourner à droite en direction de la « Tomba di Gigante » signalée à 700 m. La **tombe Sa Ena e Tomes** laisse entrevoir sous la végétation une structure qui suit le schéma traditionnel des tombes de géants : la chambre funéraire formant un couloir couvert de dalles à la manière des dolmens, et, précédant celui-ci, une rangée de pierres dressées en arc-de-cercle, ces dernières étant dominées par une belle dalle centrale ovale, gravée d'une moulure et creusée d'un petit passage inférieur.

★★★**Route de Dorgali à Arbatax.** — *Page 218.*

★★ GENNARGENTU (Monts du)

(MONTI DEL GENNARGENTU)

Carte Michelin n° 988 plis 33, 34.

Au centre de la Sardaigne, se dresse l'immense massif du Gennargentu qui culmine à 1 834 m au pic (Punta) La Marmora. Ces montagnes aux sommets arrondis, pelés et déserts, couvrent la **Barbagia,** que les Romains ne purent jamais soumettre entièrement. L'isolement relatif de cette région a contribué à maintenir le caractère farouche de ses habitants et à préserver leur particularisme de mœurs et de costumes.
Lac artificiel dont les eaux s'insinuent entre les contreforts verdoyants du Gennargentu, le **lac** (Lago) **de Flumendosa (vue**★★ sur celui-ci, en montant vers Villanovatulo) facilite l'irrigation de la plaine de Campidano. **Aritzo** est le principal centre de villégiature du Gennargentu. A **Tonara,** bourg occupant à 930 m d'altitude un col verdoyant, on fabrique un nougat (torrone) au miel, amandes ou noisettes. **Fonni,** situé au Nord, est le plus haut village de l'île (1 000 m).

★★ La MADDALENA (Archipel de)   11 766 h.

Cartes Michelin n° 988 pli 23 et n° 90 pli 10.

Accès. — Voir les cartes citées ci-dessus, ainsi que le guide Rouge Michelin Italia.

L'archipel de la Maddalena **(Arcipelago della Maddalena)** comprend quatorze îles et îlots rocheux qui séduisent par leur aspect sauvage. Les deux îles les plus fréquentées sont l'île de la Maddalena et l'île de Caprera, reliées entre elles par une chaussée.

★★**Ile de la Maddalena (Isola Maddalena).** — Cette île de moins de 20 km² est cernée de magnifiques côtes. Une belle route panoramique *(20 km)* permet de la parcourir.

★**Ile de Caprera.** — Peu habitée, cette petite île verdoyante est envahie par les visiteurs de la maison devenue **musée**★ et de la tombe de Garibaldi qui y mourut en 1882.

NUORO   36 848 h.

Carte Michelin n° 988 pli 33.

Situé au pied du mont Ortobene, à la lisière de la Barbagia et des monts du Gennargentu, ce gros bourg du centre de la Sardaigne a gardé ses coutumes et ses traditions folkloriques. Celles-ci se manifestent tout particulièrement le jour de la **fête du Rédempteur** (Sagra del Redentore) qui donne lieu à un grand défilé en costumes régionaux à travers la ville, et s'accompagne d'un festival du Folklore. *Voir le chapitre Principales manifestations touristiques, en fin de volume.*
Le **musée des Traditions populaires**★ (Museo della Vita e delle Tradizioni Popolari Sarde : *56 via A. Mereu)* rassemble une belle collection de vêtements typiques de toutes les régions sardes.
L'écrivain Grazia Deledda (Prix Nobel en 1926) était originaire de Nuoro.

EXCURSIONS

★**Mont Ortobene.** — *9 km à l'Est.* Promenade appréciée des habitants de Nuoro, la route conduit au sommet, d'où l'on jouit de beaux points de vue sur la région.

★**Su Gologone.** — *20 km au Sud-Est, par la route d'Oliena-Dorgali.* Au-delà d'**Oliena,** grosse bourgade située au pied d'un versant particulièrement escarpé du Sopramonte et dont les femmes revêtent encore le costume traditionnel, on atteint *(par une petite route s'embranchant à droite environ 6 km après une localité)* la belle source de Su Gologone, surgissant d'une fissure rocheuse dans un site verdoyant.

Orgosolo. — *20 km au Sud.* Cette grosse bourgade d'apparence tranquille est réputée comme étant le repaire de bandits et de hors-la-loi : le metteur en scène Vittorio da Seta les a popularisés dans son film Bandits à Orgosolo (1961).

ORISTANO

Carte Michelin n° 🔢 pli 33.

Principal centre de la région occidentale de l'île, Oristano, fondée en 1070 par les habitants de Tharros *(p. 222),* opposa une lutte farouche à la domination aragonaise au 14ᵉ s.

Piazza Roma. — Vaste esplanade où s'élève la Torre di San Cristoforo, tour crénelée qui faisait partie d'une muraille construite en 1291. De là, part le **corso Umberto,** principale artère commerçante de la ville.

Église St-François (San Francesco). — Réédifiée au 19ᵉ s., elle conserve d'intéressantes œuvres d'art★, dont un Christ en bois (école rhénane du 14ᵉ s.), un fragment de polyptyque (saint François recevant les stigmates) par Pietro Cavaro, peintre sarde du 16ᵉ s., et une statue de saint Basile par Nino Pisano (14ᵉ s.).

EXCURSIONS

★**Basilique de Santa Giusta.** — *3 km au Sud.* Dans la bourgade du même nom, groupant ses maisons sur les rives d'un étang, s'élève cet édifice du 12ᵉ s.
Santa Giusta a la sobriété et l'élégance caractéristiques de ces églises sardes où se conjuguent harmonieusement les influences pisanes et lombardes : façade tripartite à la manière lombarde possédant un joli portail sculpté de type pisan. A l'intérieur, les trois nefs reposent sur des colonnes de marbre et de granit. Le chœur, surélevé, surmonte une crypte.

Arborea. — *18 km au Sud.* Cette coquette petite ville a été créée de toutes pièces en 1928 dans une région de marécages assainis par le gouvernement fasciste.

PORTO CONTE

Carte Michelin n° 🔢 pli 33 — 13 km au Nord-Ouest d'Alghero.

C'est l'antique Portus nympharum, port des Nymphes, situé au bord d'un immense golfe.

★★★**Grotte de Neptune (Grotta di Nettuno).** — *9 km au Sud-Ouest, en partant du fond du golfe (accès également possible en bateau, au départ d'Alghero).* Une route, offrant de splendides **vues**★★ sur la côte escarpée, conduit au **cap Caccia** dans lequel s'ouvre cette grotte profonde que la mer a creusée. On y accède par un escalier de 654 marches accroché à la falaise. De superbes perspectives sur de petits lacs, une forêt de colonnes, des concrétions en forme de tuyaux d'orgue, etc., constituent les attraits de cette visite.

★**Nuraghe Palmavera.** — *A 2 km du golfe, sur la route d'Alghero, à gauche.* Ce nuraghe est entouré des restes d'un village préhistorique formé de cabanes tassées les unes contre les autres. Le nuraghe est une belle construction en calcaire blanc groupant deux tours voûtées, et possède deux entrées.

PORTO TORRES

Carte Michelin n° 🔢 plis 23, 33.

Cette ville, située au fond d'un vaste golfe, sert de port à Sassari. Fondée par César, elle eut une importance considérable à l'époque romaine, ainsi qu'en témoignent certains vestiges aux abords de la gare.

★**Église San Gavino.** — Bâtie à la fin du 11ᵉ s. par les Pisans (comme en témoigne la longue série d'arcatures aveugles de son flanc gauche) et modifiée peu après par des maîtres lombards qui l'agrandirent, c'est un bel exemple de l'art médiéval sarde. Entre les arcatures, s'ouvre un portail du 15ᵉ s. de style gothique catalan.
A l'intérieur, l'alternance de groupes de quatre colonnes avec des piliers est d'un bel effet. Une grande **crypte** abrite les reliques de saint Gavin et un beau **sarcophage**★ romain, orné de sculptures représentant les muses.

★ SANT'ANTIOCO (Ile de)

Carte Michelin n° 🔢 pli 33.

C'est l'île la plus importante de l'archipel de Sulcis, d'origine volcanique, assez vallonnée et bordée à l'Ouest par de hautes falaises.
Le centre principal de l'île, lui aussi dénommé Sant'Antioco, est relié à la côte sarde par une route.

★**Vestiges de Sulcis.** — C'est l'antique ville de Sulcis, créée par les Phéniciens, qui a donné son nom à l'archipel.
Avant de pénétrer dans la nécropole, on peut visiter un **musée** où sont rassemblés des objets provenant des fouilles, notamment une belle collection de **stèles**★.
Le **tophet**★ *(à 500 m du musée)* est le cimetière où étaient recueillies les cendres du premier-né qui, dans chaque famille phénicienne, devait être immolé en sacrifice. Dans la **nécropole** proprement dite étaient inhumés les autres défunts : soixante tombes ont été creusées dans le roc.
Les **catacombes,** situées dans le sous-sol de l'église paroissiale, sont une ancienne nécropole phénicienne transformée en cimetière chrétien à l'époque romaine.

SASSARI

Carte Michelin n° ▨▨▨ pli 33. Plan dans le guide Rouge Michelin Italia.

Seconde ville de Sardaigne, Sassari présente au touriste le contraste de ses quartiers modernes, aérés, avec son noyau médiéval, serré autour de la cathédrale. La piazza d'Italia et le corso Vittorio Emanuele II sont les lieux les plus animés de la ville.

De nombreuses fêtes se déroulent à Sassari, notamment la célèbre **Cavalcata sarda :** un cortège folklorique formé de groupes venus de la plupart des provinces de l'île parcourt les rues ; ce défilé, à l'occasion duquel il est donné d'admirer la beauté et l'extraordinaire variété des costumes sardes, s'achève par une cavalcade effrénée. Une autre fête importante, la **fête des Cierges** (Festa dei Candelieri), instituée à la fin du 16e s. en accomplissement d'un vœu fait à la Vierge lors d'une épidémie de peste, donne lieu à un défilé des représentants des différentes corporations qui transportent à travers la ville d'énormes cierges enrubannés en bois doré ou argenté. *Voir aussi le chapitre Principales manifestations touristiques, en fin de volume.*

★**Musée national Sanna.** — Il abrite de riches collections archéologiques, une intéⓋ ressante section consacrée à l'ethnographie sarde, et une pinacothèque.

Cathédrale (Duomo). — De styles divers, elle possède un campanile du 13e s. surmonté d'un couronnement du 17e s., une **façade★** de style baroque espagnol (fin 17e s.) et un intérieur gothique.

EXCURSION

★★**Église de la Santissima Trinità di Saccargia.** — *17 km au Sud-Est, par la route de Cagliari (S 131), puis celle d'Olbia (S 597).* Cette ancienne abbatiale d'un couvent de camaldules a été édifiée au 12e s. en assises de pierres noires et blanches, caractéristiques du style pisan. Son élégante façade, précédée d'un porche ajouté au 13e s., est flanquée d'un campanile élancé. A l'intérieur, l'abside est ornée de fresques du 13e s. à réminiscences byzantines.

★ THARROS

Carte Michelin n° ▨▨▨ pli 33 — 1,5 km au Sud de San Giovanni di Sinis.

Ⓥ Cette ville, fondée par les Phéniciens au bord de la mer sur l'étroite presqu'île de Sinis fermant au Nord le vaste golfe d'Oristano, devint une importante escale entre Marseille et Carthage, avant d'être conquise, au 3e s. avant J.-C., par les Romains. En 1070, elle fut soudainement abandonnée par ses habitants qui s'installèrent à Oristano, et fut ensuite recouverte par les sables.

Zone archéologique. — Elle s'étend près d'une colline couronnée par une tour espagnole (Torre di San Giovanni). On y voit, dans la partie basse, des quartiers d'habitation, des thermes et un baptistère paléochrétien du 5e s. ; à droite de la voie d'accès à la colline, au Nord, les vestiges d'un temple punique et d'un temple sémitique ; en haut de la colline, les restes d'un temple romain ; plus loin, un tophet *(p. 221)* ; enfin, au-delà de ceux-ci, des vestiges d'imposantes fortifications en basalte.

Nécropole. — En montant au sommet du cap couronné d'un phare, on peut voir une nécropole punique (6e-4e s. avant J.-C.) dont certaines tombes rectangulaires sont creusées dans le roc et d'autres sont des hypogées (tombes souterraines).

LA SICILE

La Sicile (Sicilia) est la plus grande des îles méditerranéennes : elle couvre une superficie de 25 709 km². Sa forme triangulaire lui valut le nom de Trinacrie sous la domination grecque. Près de 5 millions d'habitants occupent son sol, montagneux dans l'ensemble, et dont le point culminant, le volcan Etna, atteint 3 340 m.

Au cours de son histoire la Sicile eut à subir de nombreux tremblements de terre : celui de 1908 détruisit presque entièrement Messine et, récemment, celui de 1968 affecta l'Ouest de l'île.

Accès. — **Par air :** consulter le guide Rouge Michelin Italia. **Par mer :** voir la carte Michelin n° 988 , ainsi que le guide Rouge Michelin Italia.

Visite. — Une visite rapide de l'île peut se faire en six ou sept jours. La carte des pages 224-225 situe, outre les localités et sites décrits, d'autres lieux particulièrement pittoresques (indiqués dans le plus petit caractère noir).

UN PEU D'HISTOIRE ET D'ART

La position même de la Sicile, grande île contrôlant la Méditerranée et proche du continent, lui valut d'être l'objet d'incessantes convoitises au cours des siècles. De la part des Grecs tout d'abord, qui, au 8e s. avant J.-C., la trouvent partagée en deux groupes ethniques, les **Sicanes** (les plus anciens habitants) et les **Sicules** venus d'Italie. Durant des siècles, les Grecs vont constamment s'opposer aux Carthaginois, implantés sur le littoral et qu'ils réussissent à refouler dans la partie occidentale de l'île où ils se maintiendront jusqu'au siège de Mozia par Denys l'Ancien en 397 avant J.-C.

Malgré les égarements des tyrans de Gela et de Syracuse *(voir p. 237)*, le 5e s. marque l'apogée de la domination grecque en Sicile. L'île se couvre de splendides monuments, les adversaires sont neutralisés, Syracuse devient la rivale d'Athènes.

Mais l'arrivée des Romains, attirés par les richesses agricoles de l'île, fait basculer cet équilibre précaire. A l'issue de la première guerre punique, en 241 avant J.-C., la Sicile est entièrement entre leurs mains. Devenue province romaine, gouvernée par un préteur, elle subit ensuite les multiples invasions barbares dont est victime tout le Sud de la péninsule.

En 535 elle devient possession byzantine, avant de connaître sous la domination arabe des Aghlabides (9e s.) une grande prospérité. Les Sarrasins sont chassés à leur tour par les Normands (11e s.) qui donnent à la Sicile, notamment à partir de **Roger II,** installé à Palerme, des années de puissance politique et de rayonnement culturel.

La grande figure de **Frédéric II** de Hohenstaufen domine le règne de la famille de Souabe à laquelle succède, en 1266, la maison d'Anjou. Dès 1282 cependant, les **Vêpres siciliennes** *(voir p. 234)* dont Palerme est le théâtre, chassent Charles d'Anjou au profit de la dynastie d'Aragon : Alphonse le Magnanime, réunissant Naples à la Sicile, prend le titre de roi des Deux-Siciles (1442).

Puis, l'île revient par alliance aux Bourbons de Naples qui, en 1860, lors de l'Insurrection des Mille dirigée par Garibaldi, voit leur tour renversés.

Chacun de ces occupants a imprimé sa marque particulière sur cette terre, tant par ses mœurs que par les manifestations de son art. Les Grecs ont laissé d'admirables temples doriques, bâtis dans la belle pierre calcaire de la région, ainsi que de somptueux théâtres. Les Normands, pendant la brève période où ils dominèrent la Sicile, surent assurer sa prospérité économique et un développement artistique unique grâce à des constructions (églises, palais) qui mêlent des influences très diverses : l'architecture y est encore normande mais la décoration (les arcs outrepassés, les clochers à bulbe et les plafonds ouvragés) provient d'influences arabes tandis que le revêtement des murs par des mosaïques étincelantes d'or dénote une provenance byzantine. Ce style, qui se manifeste à Palerme, Monreale, Cefalù et Messine, notamment, est qualifié de **siculo-arabe, siculo-normand** ou encore arabo-sicilien.

Si la Renaissance a peu marqué la Sicile, à de merveilleuses exceptions près — dont **Antonello de Messine** *(voir p. 231)* qui œuvra davantage sur le continent —, les Siciliens adoptèrent en revanche sans réserves à la fin du 18e s. le style baroque qu'illustrent des architectes comme **Rosario Gagliardi** à Noto et Raguse, **Vaccarini** à Catane, et **Giacomo Serpotta** qui orna maints oratoires palermitains de ses fantaisies sculptées.

La littérature sicilienne présente une grande richesse, en particulier au 19e s., grâce à **Giovanni Verga** *(voir p. 32)* qui renouvela le roman italien et à **Luigi Pirandello** *(voir p. 224)*. Parmi les nombreux écrivains de ce siècle qui ont décrit la réalité contemporaine, il faut citer **Elio Vittorini** (1908-1966) et, surtout, **Leonardo Sciascia** (né en 1921).

LA SICILE D'AUJOURD'HUI

En raison du relief très accidenté de l'île, les cultures d'agrumes, de vignes et d'oliviers sont concentrées sur le littoral ou dans les rares plaines comme celles de Catane et la Conca d'Oro, près de Palerme. A l'intérieur des terres, dans un paysage grandiose et désolé, on cultive presque essentiellement les céréales. Rares sont les habitations isolées, car les paysans siciliens préfèrent se regrouper dans d'immenses bourgades aux maisons serrées.

Les industries qui ont été créées ces dernières années aux abords des grandes villes ne suffisent pas à enrayer l'émigration. La Sicile est un pays qui a fortement subi l'isolement auquel a été soumis pendant plusieurs siècles tout le Mezzogiorno italien. Ses difficultés n'ont pas été simplifiées par l'existence de la mafia, redoutable société secrète dont le règle, qui consiste à défendre ses membres au mépris de la légalité et à leur imposer la loi du silence (l'omertà), fait régner sur l'île un climat de crainte et de méfiance ; apparue au 19e s. — bien que d'origine sans doute beaucoup plus

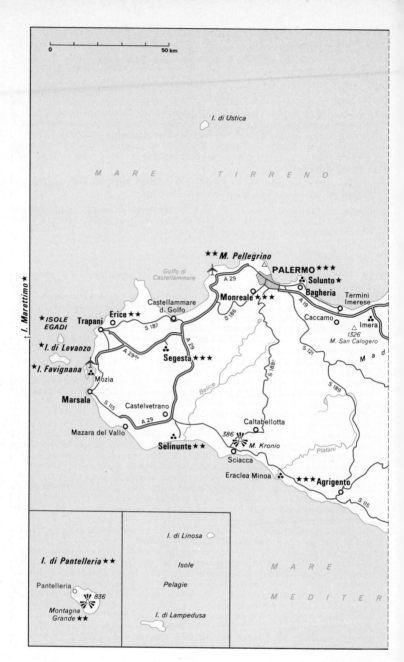

ancienne — la mafia, qui régnait autrefois sur les campagnes, tyrannisant les paysans au profit des grands propriétaires terriens, est devenue aujourd'hui urbaine et pratique des méthodes nettement plus violentes.

Le folklore qui animait autrefois la rue a pratiquement disparu ; on ne voit plus guère qu'à l'occasion des fêtes ou dans les musées les fameuses **charrettes siciliennes** merveilleusement colorées, chefs-d'œuvre de construction artisanale et prodiges d'invention décorative. En revanche, à Palerme, on peut assister encore à des représentations populaires de théâtre de marionnettes (les pupi) qui s'inspirent de la Chanson de Roland ou du Roland furieux de l'Arioste *(voir p. 80)*.

★★★ AGRIGENTE (AGRIGENTO) 52 156 h.

Carte Michelin n° 🔲🔲🔲 pli 36 — Plans dans le guide Rouge Michelin Italia.

Admirablement étagée à flanc de colline, face à la mer, Agrigente, l'ancienne Akragas grecque, « la plus belle des villes mortelles » selon Pindare, se compose de deux parties : une cité médiévale précédée d'une agglomération moderne occupe les hauteurs ; en contrebas, de grandioses vestiges antiques s'échelonnent sur une longue crête improprement appelée « Vallée des Temples ». Fondée en 580 avant J.-C. par des habitants de Gela originaires de Rhodes, la ville fut gouvernée par des tyrans, dont le plus cruel fut au 6e s. **Phalaris,** et le plus grand bâtisseur **Théron** qui vécut au siècle suivant. Elle est la patrie du philosophe **Empédocle** (5e s. avant J.-C.). C'est aussi celle de **Luigi Pirandello** (1867-1936), prix Nobel en 1934, qui créa le genre théâtral moderne en Italie (Chacun sa vérité, Six personnages en quête d'auteur), inventant de nouvelles relations entre les personnages, basées sur l'incompréhension et l'absurde.

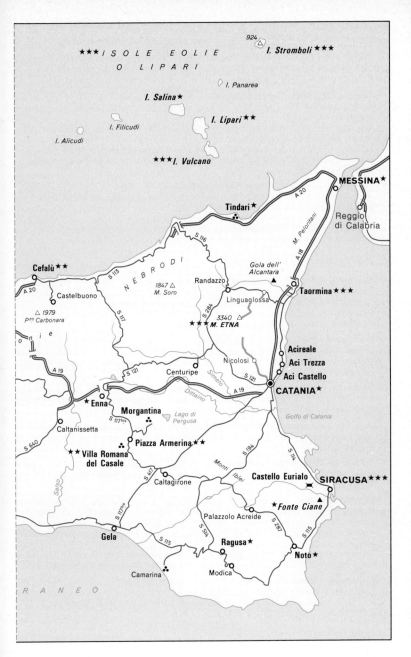

★★★ VALLÉE DES TEMPLES (VALLE DEI TEMPLI) visite : 1/2 journée

Accès par l'Ouest : route S 115, puis prendre à gauche la direction du piazzale dei Templi (parking). On parcourt à pied la Via Sacra, le long de laquelle se dressent les principaux temples.

Des dix temples élevés entre la fin du 6ᵉ s. et celle du 5ᵉ s. avant J.-C., neuf sont encore partiellement visibles. Leur écroulement a été attribué par certains aux effets des séismes, par d'autres à la rage iconoclaste des premiers chrétiens. Seul le temple de la Concorde, transformé en église en 579, a échappé à la ruine.

★★ Temple d'Hercule (Tempio d'Ercole). — De ce temple, sans doute le plus ancien d'Agrigente (520 avant J.-C.), huit colonnes ont été relevées au milieu d'un impressionnant chaos de pierres écroulées.

Un peu plus avant, à gauche, parmi les pins, les mimosas et les oliviers, on distingue, creusée d'ornières profondes par les roues des chars, l'ancienne voie par où étaient transportés les blocs servant à l'édification des temples.

★★★ Temple de la Concorde (Tempio della Concordia). — Erigé entre 450 et 440 avant J.-C., c'est le plus puissant, le plus majestueux et le mieux conservé des temples doriques de Sicile. Il est entouré d'un péristyle formé de 34 colonnes en tuf calcaire. Le stuc qui recouvrait la construction a disparu.

Son nom lui vient d'une inscription romaine trouvée dans le voisinage, mais on ignore à quelle divinité il était réellement consacré. On voit encore, à l'intérieur, les aménagements datant de l'époque chrétienne.

★★**Temple de Junon (Tempio di Giunone).** — A l'extrémité de la colline, ce temple édifié en 470 avant J.-C. a conservé une partie de sa colonnade et de son architrave. Vers l'Est, subsiste un autel des sacrifices et, à l'arrière du temple, une citerne.

Revenir au piazzale dei Templi.

★★**Temple de Jupiter (Tempio di Giove).** — S'il avait été achevé, ce temple, aujourd'hui ruiné, aurait été, avec ses 113 m de longueur et ses 56 m de largeur, l'un des plus grands de l'Antiquité.

Son entablement était soutenu par des colonnes de 20 m de haut entre lesquelles étaient disposés ces **télamons** ou atlantes, colossales statues dont l'une, le « Gigante », dépassant 7,50 m a été reconstituée et se trouve au musée archéologique : sa reproduction, gisant sur le sol au centre de l'édifice, donne la mesure de l'ampleur du monument projeté.

★★**Temple de Castor et Pollux (Tempio dei Dioscuri).** — *Situé en contrebas du précédent.* Attribué aussi à Déméter, déesse des moissons et protectrice de la Sicile, il n'a conservé que quatre colonnes supportant un fragment d'entablement sous lequel apparaît, à l'angle, une petite rose, symbole de Rhodes.

A côté, s'étend une **zone sacrée** dédiée aux divinités chthoniennes ou souterraines : on y remarque deux autels des sacrifices, l'un formant un cercle, l'autre carré.

AUTRES CURIOSITÉS

★**Musée archéologique régional (Museo Archeologico Regionale).** — *Entrée par le cloître de l'église St-Nicolas (ci-dessous).* Il abrite une collection de vases grecs (dont l'original **cratère de Persée et Andromède,** à fond blanc). Une salle est consacrée aux télamons du temple de Jupiter. On y voit également des mosaïques, et l'**Éphèbe d'Agrigente,** statue en marbre du 5e s. avant J.-C.

★**Oratoire de Phalaris (Oratorio di Falaride).** — *Accès par un passage s'ouvrant dans le cloître de l'église St-Nicolas.* La légende situait à proximité le palais de Phalaris, premier tyran d'Agrigente. Le monument serait en réalité un petit temple hellénistique transformé à l'époque chrétienne.

Église St-Nicolas (San Nicola). — Ce sobre édifice de transition roman-gothique abrite un magnifique **sarcophage romain★** sur lequel est représentée la mort de Phèdre. De la terrasse, belle **vue★** sur les temples.

★**Quartier gréco-romain (Quartiere ellenistico-romano).** — Cet ensemble de maisons ordonnées autour des rues principales atteste un sens développé de l'urbanisme au 4e s. avant J.-C.

★**Tombe de Théron (Tomba di Terone).** — *Visible de la route de Caltagirone.* Ce tombeau, haut de 3 m, qui porte le nom de l'un des tyrans d'Agrigente, daterait en fait de l'époque romaine.

★**La ville actuelle.** — L'animation de celle-ci est concentrée autour du **piazzale Aldo Moro** ombragé et à certaines heures envahi par des nuées d'oiseaux. La **via Atenea** est bordée de nombreux commerces. Au sommet de la vieille ville aux rues en escalier, s'élève la **cathédrale** (Duomo) d'origine normande mais fortement remaniée aux siècles suivants.

En redescendant en direction du piazzale A. Moro, on peut visiter la petite **abbatiale de Santo Spirito** qui renferme quatre charmants **bas-reliefs★** en stuc de Giacomo Serpotta.

Maison de Pirandello. — *6 km à l'Ouest, par la route de Porto Empedocle (S 115). Peu après le viaduc Morandi, prendre à gauche.* Dans une petite maison isolée parmi les vignes naquit Luigi Pirandello qui repose, plus loin, au pied d'un grand pin.

★ # CATANE (CATANIA) 380 370 h.

Carte Michelin nº 🔲🔲🔲 pli 37 — Plan d'ensemble dans le guide Rouge Michelin Italia.

Bien que détruite à plusieurs reprises par les éruptions de l'Etna, Catane est un port actif et une ville industrielle dont le développement s'est fortement accru ces dernières années. Elle présente un plan urbain constitué de longues et larges avenues rectilignes qu'enrichissent de nombreux monuments baroques dus à l'architecte **Vaccarini** qui les édifia après le tremblement de terre de 1693.

La ville a donné naissance au musicien **Vincenzo Bellini** (1801-1835), auteur de La Norma, et à **Giovanni Verga** *(voir p. 32).*

Catane détient le record de la plus grande chaleur en Italie (plus de 40°) et celui, moins enviable, de la plus forte criminalité : elle est surnommée « le Chicago de la Sicile ».

★**Via Etnea (DXY).** — Cette célèbre artère mesurant plus de 3 km, animée par les principales boutiques de la ville, offre tout au long de son parcours une vue sur l'Etna. De nombreux palais et églises, et surtout les jardins dits **Villa Bellini★** s'ouvrent sur son parcours.

★**Piazza del Duomo (DZ).** — Centre monumental de Catane, cette place compose un bel ensemble baroque dû à Vaccarini : il comprend la **fontaine de l'Éléphant (A),** conçue par l'architecte en 1735, l'**Hôtel de Ville** (Palazzo del Municipio) **(H)** à la façade équilibrée, et **la cathédrale** (Duomo) **(EZ),** dédiée à sainte Agathe, patronne de la ville : construit à la fin du 11e s. par le Normand Roger Ier, cet édifice a été refait après le tremblement de terre de 1693.

★**Château Ursino (Castello Ursino) (DZ).** — Construction sévère et nue, due à Frédéric II de Souabe (13e s.), qui abrite un intéressant **musée municipal (M).** Sur plan carré, il est cantonné de quatre tours.

CATANIA

EXCURSION

Acireale. — *17 km au Nord.* La route traverse **Aci Castello** et **Aci Trezza,** villégiatures et bourgs de pêcheurs en face desquels se dressent les **écueils du Cyclope,** que celui-ci, dans sa fureur d'avoir été trompé, aurait jetés contre la flotte d'Ulysse. Elle atteint ensuite **Acireale,** ville moderne qui présente de nombreux ensembles baroques dont la **piazza del Duomo,** avec la basilique St-Pierre-et-Paul et le palais municipal, ainsi que l'église **San Sebastiano** à l'harmonieuse **façade**★ ornée de colonnes sculptées, de niches, de frises à angelots et guirlandes.

Chaque année,
*le **guide rouge Michelin Italia***
révise pour les gourmets sa sélection d'étoiles de bonne table
avec indications de spécialités culinaires et de vins locaux,
et propose un choix de restaurants plus simples à menus soignés souvent
de type régional... et de prix modéré.

Tout compte fait, le guide de l'année, c'est une économie.

★★ **CEFALÙ**

Carte Michelin n° ▨▨▨ pli 36.

Dans un **site**★★ exceptionnel, serrée entre la mer et un promontoire rocheux, Cefalù, petite ville de pêcheurs, s'enorgueillit de sa splendide cathédrale romane.

★★**Cathédrale (Cattedrale).** — Sa pierre dorée se confond avec celle de la falaise. Cette cathédrale aurait été construite à la suite d'un vœu du roi normand Roger II (12ᵉ s.) sur le point de faire naufrage. Aussi, l'édifice élevé entre 1131 et 1240 a-t-il un caractère normand bien établi, dans sa haute abside flanquée de deux absidioles peu marquées et surtout dans sa façade encadrée de tours carrées. Le portique a été refait au 15ᵉ s. par un maître lombard : on y distingue les armes parlantes d'un évêque, Mgr Gatto (chat).

Les charpentes qui couvrent deux des trois nefs et les galeries du transept sont elles aussi normandes. Les colonnes aux splendides **chapiteaux**★★ de style siculo-normand *(voir p. 223)* supportent des arcs outrepassés de type arabe.

Le cul-de-four de l'abside centrale est couvert de **mosaïques**★★ de toute beauté, sur fond or, avec des tons d'une variété étonnante, expression admirable de l'art byzantin à son déclin (12ᵉ s.) ; on voit, en haut, le Christ Pantocrator et, au-dessous, sur trois registres, la Vierge, quatre archanges et les douze apôtres. Les anges de la voûte et les prophètes des murs latéraux du chœur datent du 13ᵉ s.

Remarquer dans le chœur, à droite, le trône épiscopal et, à gauche, le trône royal, tous deux en marbre et mosaïques.

⊙ **Musée Mandralisca.** — Situé dans la pittoresque via Mandralisca qui s'ouvre face à la cathédrale, il renferme un beau **Portrait d'homme** par Antonello de Messine.

Chaque année,
*le **guide Michelin Camping Caravaning France***
vous propose un choix révisé de terrains
et une documentation à jour sur leur situation,
leurs aménagements, leurs ressources, et leur agrément.

★ **ÉGADES (Iles)** (ISOLE EGADI)

Carte Michelin n° ▨▨▨ plis 34, 35. Accès : voir la carte Michelin n° ▨▨▨ , ainsi que le guide Rouge Michelin Italia.

⊙ Les trois îles — Favignana, Levanzo et Marettimo — de ce petit archipel, situé au large de Trapani, séduisent par leur aspect sauvage, la beauté de leurs côtes et la transparence des eaux qui les entourent. C'est aux îles Egades (ou Egates) que fut conclu en 241 avant J.-C. le traité mettant fin à la 1ʳᵉ guerre punique et par lequel Carthage cédait la Sicile à Rome.

★**Favignana.** — En forme de papillon, cette île d'à peine 20 km² est parcourue dans toute sa longueur par la **Montagna Grossa**, culminant à 310 m et se terminant dans la mer par des versants déchiquetés. Les insulaires sont passés maîtres dans la pêche au thon qu'ils pratiquent en mai-juin pendant une cinquantaine de jours : après avoir piégé les poissons dans un vaste réseau de filets, ils les ramènent dans des conditions périlleuses et les tuent au harpon.

Le chef-lieu de l'archipel, **Favignana,** est dominé par le fort Santa Catarina, ancienne tour de guet sarrasine, rééditifiée par le roi normand Roger II et qui servit de prison sous les Bourbons. A l'Est du port, se trouvent d'anciennes **carrières de tuf**★ englouties par la mer. Des promenades en bateau permettent de visiter les grottes, parmi lesquelles la **Grotta Azzurra**★, qui s'ouvrent le long de la côte Ouest.

★**Levanzo.** — On séjourne peu sur ce minuscule îlot (moins de 6 km²) où n'existent ni routes goudronnées, ni sources. Des traces de présence humaine remontant à l'ère préhistorique y ont été découvertes en 1950, notamment dans la **Grotta del Genovese** que l'on atteint en bateau à partir de Cala Dogana.

★**Marettimo.** — Très à l'écart des courants touristiques, Marettimo et son pittoresque petit **port**★ *(qui ne possède pas d'embarcadère et dont on rejoint le quai en barque)* compte quelques restaurants, mais est dépourvue d'hôtels. Faire le **tour de l'île** en bateau pour découvrir les nombreuses grottes qui s'ouvrent dans les parois escarpées.

★ **ENNA**

Carte Michelin n° ▨▨▨ pli 36.

D'aspect un peu farouche, Enna occupe, à 942 m d'altitude, une position isolée au centre de l'île, dans un paysage brûlé par le soleil. Son **site**★★ panoramique lui a valu le nom de « Belvédère de la Sicile ».

C'est à 10 km de là, sur les rives du **lac de Pergusa,** que Pluton enleva Proserpine pour en faire la reine des mondes infernaux.

★**Château (Castello).** — Ce château médiéval a conservé six de ses vingt tours primitives.
⊙ Du haut de la plus élevée, on jouit d'un exceptionnel **panorama**★★★ sur le village perché de Calascibetta, l'Etna et la plupart des montagnes siciliennes.

Belvédère. — *Au-delà du château.* A l'extrémité de la butte, là où s'élevait un temple dédié à Déméter, se révèle une belle **vue**★ sur Calascibetta et sur Enna.

Cathédrale (Duomo). — Reconstruite en style baroque aux 16ᵉ et 17ᵉ s., elle a conservé ses absides gothiques du 14ᵉ s. Belle façade classique du 16ᵉ s.

★★★ ÉOLIENNES (Iles) (ISOLE EOLIE)   12 986 h.

Carte Michelin n° ▨▨▨ plis 36, 37. Accès : voir la carte Michelin n° ▨▨▨ ainsi que le guide Rouge Michelin Italia.

Les îles Éoliennes ou **Lipari** sont ainsi appelées parce que les Anciens les croyaient habitées par Éole, dieu des Vents. L'archipel comprend sept îles principales : Lipari, Vulcano, Stromboli, Salina, Filicudi et Alicudi, Panarea, toutes d'un intérêt exceptionnel par leur nature volcanique et leur beauté, par leur lumière et leur climat.

Une mer transparente et chaude, d'un bleu profond, peuplée d'une faune très originale (poissons volants, espadons, tortues, hippocampes, poissons marteaux) et propice à la chasse sous-marine fait de ces îles le refuge de ceux qui aiment une vie proche de la nature. Les habitants pêchent, cultivent la vigne et, à Lipari, exploitent la pierre ponce.

★★**Lipari.** — Cette île, la plus vaste de l'archipel, est formée de rochers volcaniques plongeant à pic dans la mer. Dans l'Antiquité, Lipari était un grand fournisseur d'obsidienne, lave vitrifiée, de couleur noire ; de nos jours on y cultive céréales et câpres, on y pratique la pêche et on extrait la pierre ponce, sur la côte orientale.

Deux baies (Marina Lunga bordée d'une plage et Marina Corta) encadrent la ville de **Lipari**★, dominée par son vieux quartier qu'entourent les murailles édifiées aux 13ᵉ et 14ᵉ s. et où s'élève un château rebâti par les Espagnols au 16ᵉ s. sur un édifice normand. Celui-ci abrite un **musée**★ : reconstitutions de nécropoles de l'âge du bronze, belle collection de **cratères** (vases à deux anses) peints importés de Grèce, et masques de théâtre en terre cuite.

On peut effectuer, à partir de Marina Corta, une **promenade en bateau**★★ qui permet d'admirer la côte très accidentée du Sud-Ouest de l'île. Si l'on fait le **tour de l'île en voiture**★★, on s'arrêtera à Canneto et à Campo Bianco où l'on peut visiter des **carrières** de pierre ponce. Du promontoire des **Puntazze,** la vue, splendide, embrasse cinq îles : Alicudi, Filicudi, Salina, Panarea et Stromboli. Mais, c'est du belvédère de **Quattrocchi** que l'on a à l'un des plus beaux **panoramas**★★★ de l'archipel.

★★★**Vulcano.** — Dans cette île de 21 km², née de la fusion de quatre volcans, la mythologie situait les forges de Vulcain, dieu du Feu ; de ce nom vient le terme volcanisme. Bien qu'aucune éruption n'ait eu lieu à Vulcano depuis 1890, les manifestations y restent importantes : fumerolles, jets de gaz parfois sous-marins, jaillissements de boues sulfureuses et chaudes appréciées pour leurs propriétés thérapeutiques. Des côtes rocheuses, d'un tracé tourmenté, des espaces désolés, un sol que la présence de soufre, d'oxydes de fer, d'alun, pare de couleurs étranges, confèrent à cette île une inquiétante et farouche beauté.

Au pied du Grand Cratère, **Porto Levante** est le principal centre de Vulcano. Sa plage a pour particularité d'être baignée par des eaux très chaudes, grâce à des émanations sous-marines de gaz.

L'excursion au **Grand Cratère**★★★ *(2 h 1/2 à 3 h à pied AR)* revêt un exceptionnel intérêt pour l'aspect impressionnant que présente le cratère lui-même et pour les vues qu'elle procure sur l'archipel. Du **cap Grillo**, on embrasse plusieurs îles.

Le **tour de l'île en bateau** *(au départ de Porto Ponente)* constitue un périple riche en perspectives curieuses, notamment le long de la côte Nord-Ouest frangée d'impressionnants écueils basaltiques.

★★★**Stromboli.** — Surmonté de son panache, le volcan Stromboli, d'une sombre beauté, forme une île sauvage aux pentes abruptes, que ne parcourt pratiquement aucune route et dont le peu de terre cultivable est occupée par des vignes fournissant le délicieux vin doré de Malvasia (Malvoisie). Les petites maisons blanches et cubiques sont d'un type arabe prononcé.

Le **cratère**, formé d'un cône de 924 m de hauteur, se manifeste fréquemment : explosions bruyantes accompagnées d'éruptions de lave. On peut assister au spectacle en montant au cratère *(7 h AR, marche pénible),* ou bien observer, d'une barque, la fameuse coulée fumante et incandescente vers la mer nommée « sciara del fuoco » (traînée de feu). La nuit, la vision prend toute sa grandeur terrible et féerique.

À côté du Stromboli, le **Strombolicchio** est un îlot rocheux très pittoresque dont le sommet est accessible par un escalier très raide : vue splendide sur le Stromboli, l'archipel Éolien, les côtes de Calabre et de Sicile.

★**Salina.** — Elle est constituée par six anciens volcans dont deux ont gardé leur caractéristique profil. Le plus élevé, le **mont Fossa delle Felci** (962 m), est le point culminant de l'archipel. Une agréable route panoramique parcourt l'île. Sur les basses pentes, cultivées en terrasses, croissent les câpriers et la vigne produisant le Malvasia.

★★ ERICE   26 804 h.

Carte Michelin n° ▨▨▨ pli 35 — 14 km au Nord-Est de Trapani.

L'antique cité phénicienne, puis grecque, d'Erice, perchée à 750 m d'altitude sur le mont Éryx, occupe un **site**★★★ unique en balcon sur la mer. Enclose dans ses remparts, elle est sillonnée par un labyrinthe de ruelles tranquilles où de nombreux artisans vendent leurs produits. Dans l'Antiquité, Erice fut une cité religieuse réputée pour son temple consacré à Astarté, puis à Aphrodite et à Vénus, que les navigateurs invoquaient pour leur protection.

Château de Vénus (Castello di Venere). — Édifié aux 12ᵉ-13ᵉ s. par les Normands sur l'emplacement du temple dédié à Vénus, il couronne un rocher isolé, à l'extrémité du mont Erice. De cet endroit et des jardins voisins (Giardino del Balio), s'offrent des **vues**★★ admirables : par temps clair, on peut distinguer la côte tunisienne.

Chiesa Madre. — Bâtie au 14ᵉ s. avec des pierres provenant de temples antiques, elle est précédée d'un porche ajouté au 15ᵉ s. et flanquée d'un campanile carré à merlons, percé d'élégantes ouvertures.

★★★ L'ETNA

Carte Michelin n° 000 pli 37 — Alt. 3 340 m environ.

Point culminant de l'île et encapuchonné de neige une grande partie de l'année, l'Etna, encore en activité, est le plus grand et l'un des plus fameux volcans d'Europe.

Il naquit d'éruptions sous-marines qui formèrent aussi la plaine de Catane, occupée auparavant par un golfe marin.

Les manifestations de l'Etna furent très nombreuses dans l'Antiquité : 135 d'entre elles nous sont connues. C'est en 1669 qu'eut lieu le cataclysme le plus terrible : le flot de lave dévalant jusqu'à la mer dévasta en partie Catane sur son passage.

De nos jours, les éruptions les plus marquantes ont été celle de 1910 avec la formation de vingt-trois nouveaux cratères, celle de 1917 où une fontaine de lave jaillit jusqu'à 800 m au-dessus de sa base, celle de 1923 après laquelle la lave éjectée resta chaude pendant plus de dix-huit mois. Les dernières colères du volcan eurent lieu en 1928, 1954, 1964, 1971, 1974, 1978, 1979, mars 1981, mars 1983, 1985. L'Etna s'empanache toujours et peut à chaque instant entrer en action.

La montagne apparaît sous la forme d'un énorme cône noir et convulsé, visible à 250 km à la ronde. A sa base, extrêmement fertile, croissent de nombreuses cultures d'agrumes, oliviers et vignes produisant l'excellent vin de l'Etna. Puis, au-dessus de 500 m, poussent les châtaigniers, que remplacent plus haut les chênes, les hêtres, les bouleaux et les pins. Passé 2 100 m, c'est la zone déserte où l'on identifie seulement quelques buissons d'Astragalus Aetnensis, épars sur les pentes des cratères secondaires, sur les scories et la pierre ponce.

★★★**Ascension du volcan.** — La montée à l'Etna peut se faire soit par le versant Sud au départ de Catane, par Nicolosi, soit par le versant Nord-Est au départ de Taormine, par Linguaglossa. *Se vêtir chaudement et se munir de chaussures solides.*

Versant Sud. — A près de 3 000 m, sur le versant du cratère central, dans la zone de Torre del Filosofo dont le refuge a été détruit par la lave en 1971, apparaissent trois cratères : celui du Sud-Est né en 1978, le **cratère central,** immense, et celui du **Nord-Est,** point culminant, dont l'activité ne s'est pas manifestée depuis 1971. Au passage, on peut s'avancer pour voir, sur le versant oriental, la grandiose **Valle del Bove** limitée par des murailles de lave de plus de 1 200 m de hauteur, percée de gouffres et de crevasses crachant la fumée.

Sur demande, des **excursions nocturnes** sont organisées : on peut alors jouir du spectacle dantesque formé par la lave rougeoyant au fond du cratère, et de l'inoubliable vision du lever du soleil avec vues sur les îles Éoliennes ou la Valle del Bove.

Versant Nord-Est (« Etna-Nord »). — Après avoir traversé, au-delà de Linguaglossa, une belle pinède peuplée de pins Laricio, on dépasse Villaggio Mareneve (sports d'hiver). La route revêtue se termine à Piano Provenzana (1 800 m).

Des abords du nouvel observatoire, vue magnifique sur le cratère central et sur celui du Nord-Est. L'ascension se termine dans un extraordinaire paysage de lave parfois encore fumante.

Des **excursions nocturnes** sont également organisées sur ce versant, qui permettent d'assister, des bords du cratère, à la vision grandiose du coucher et du lever du soleil.

GELA   77 230 h.

Carte Michelin n° 000 pli 36.

Gela fut fondée par des Rhodiens et des Crétois en 688 avant J.-C. Plusieurs fois anéantie et reconstruite, elle fut entièrement réédifiée en 1230 par Frédéric II de Souabe. La plaine environnante, qui vit le débarquement des troupes américaines en 1943, est l'une des zones les plus fertiles de l'île. Des gisements pétrolifères contribuent à son essor économique. Mais, Gela est aussi une station balnéaire et un centre archéologique.

Souvenirs antiques. — Les amateurs d'archéologie verront les anciennes **fortifications grecques**★★ (*à Caposoprano, à l'Ouest de la ville*) du 4e s. avant J.-C., à l'appareil régulier de pierre de facture particulièrement soignée, rehaussée d'une partie en briques, et dont la section la plus intéressante est celle qui fait face à la mer ; d'un type très fragile, cette construction, aujourd'hui protégée par un revêtement de plexiglass, n'a dû sa conservation qu'aux dunes qui l'avaient recouverte. Le **musée archéologique régional**★ (*corso Vittorio Emanuele, à l'extrémité orientale de la ville*) expose, dans une remarquable présentation, des poteries et des médailles.

MARSALA   79 877 h.

Carte Michelin n° 000 pli 35.

Sur le cap Lilibeo, à l'extrémité occidentale de la Sicile, Marsala, l'antique Lilybée, est une ville toute blanche d'aspect africain. Les Sarrasins la reconstruisirent après l'avoir détruite et l'appelèrent Marsah el Allah (Port de Dieu). Sa renommée lui vient principalement de ses vins doux qu'un commerçant anglais, John Woodhouse, remit à l'honneur au 18e s.

C'est à Marsala que débarqua en 1860 Garibaldi, accompagné d'un millier de volontaires vêtus de chemises rouges : cette **« Expédition des Mille »** allait triompher des Bourbons et libérer l'Italie du Sud de leur domination.

A la limite de la ville, près du jardin public nommé Villa Cavalotti, la **piazza della Vittoria** constitue le lieu de rencontre favori des habitants de Marsala.

Près de la mer, une ancienne cave vinicole abrite le **musée archéologique** (*via Boeo*) : on y voit notamment l'épave d'un **bateau de guerre punique**★ (seule la proue a été pour l'instant reconstituée) retrouvée au large du cap San Teodoro.

Carte Michelin nº ▨▨▨ pli 37 — Plan dans le guide Rouge Michelin Italia.

En dépit des innombrables destructions qu'elle a subies au cours des siècles, Messine, l'ancienne Zancle des Grecs, est aujourd'hui à nouveau un marché actif. Tremblements de terre répétés (dont le plus meurtrier, en 1908, détruisit la cité à plus de 90 % et fit 80 000 victimes dans la région), épidémies, bombardements ne découragèrent pourtant jamais les habitants de ce port, admirablement protégé, d'établir et de perpétuer des liens culturels et commerciaux avec les autres centres de la Sicile et le continent.

Antonello de Messine. — Ce peintre né à Messine en 1430 se forma à Naples, et assimila la leçon flamande qui y était alors diffusée. Plus tard, il s'intéressa aux découvertes de la peinture toscane qui donnaient pleine valeur aux volumes et aux architectures grâce à l'invention de la perspective. Son œuvre offre l'image d'une parfaite maîtrise : formes et couleurs servent, dans un équilibre savant, une vision entièrement tournée vers l'intérieur, qui influencera les artistes de la Renaissance vénitienne, notamment Carpaccio et Giovanni Bellini. Il mourut en Sicile vers 1479.

CURIOSITÉS

★**Musée (Museo Nazionale).** — *Au nord de la ville, à l'extrémité du viale della Libertà.* Il est composé d'une pinacothèque et d'une section de sculpture et d'arts décoratifs. Parmi les peintures, on remarque : un polyptyque d'Antonello de Messine, **Vierge à l'Enfant entourée de saints** (1473), remarquable composition qui conjugue les leçons toscanes et les premières influences flamandes ; une **Déposition de Croix** du Flamand Colyn de Coter (fin 15ᵉ s.) ; deux œuvres de Polidore de Caravage, élève de Raphaël ; deux tableaux de Caravage, une **Adoration des Mages** et une **Résurrection de Lazare,** exécutés à la fin de sa vie entre 1608 et 1610. Dans la section des sculptures, on voit notamment un crucifix en bois de la fin du 14ᵉ s. deux sculptures représentant **Neptune** et **Scylla,** dues à l'architecte et sculpteur toscan Montorsoli (16ᵉ s.), qui aurait été l'un des collaborateurs de Michel-Ange.

Cathédrale (Duomo). — Presque entièrement refaite après le séisme de 1908 et les bombardements de 1943, elle conserve les lignes de son style normand d'origine (12ᵉ s.). On y pénètre par un étroit **portail**★ finement sculpté, du 15ᵉ s. A gauche, s'élève un campanile haut de 60 m doté d'une **horloge astronomique**★ construite à Strasbourg en 1933, et qui serait la plus grande du monde.

Église de l'Annonciation (Annunziata dei Catalani). — *Prendre la rue Cesare Battisti, partant du flanc droit de la cathédrale.* Construite en 1100 sous le règne des Normands, remaniée au 13ᵉ s., elle tient son nom de marchands catalans à qui elle appartint. L'abside est caractéristique de ce style normand composite où se mêlent apports romans (arcatures aveugles sur colonnettes), influences arabes (motifs géométriques de pierres polychromes), et éléments byzantins (coupole sur tambour).

★★★ MONREALE   24 492 h.

Carte Michelin nº ▨▨▨ pli 35 — 8 km au Sud-Ouest de Palerme.

La ville, qui domine la verdoyante Conca d'Oro palermitaine *(p. 233),* s'est édifiée autour d'une célèbre **abbaye** bénédictine fondée par le Normand Guillaume II au 12ᵉ s.

★★★**Cathédrale (Duomo).** — Le portail central sculpté a gardé ses admirables **portes de bronze** (1186) ornées de figures stylisées par Bonanno Pisano. La porte s'ouvrant dans le flanc gauche, plus byzantine, est l'œuvre de Barisano da Trani (12ᵉ s.). Le **chevet** présente une remarquable décoration extérieure qui mêle le style arabe au style normand. L'intérieur, de plan basilical, éblouit par sa décoration de marbres, de peintures, et surtout par l'ensemble des **mosaïques**★★★ des 12ᵉ et 13ᵉ s. qui couvre les voûtes et les parois : on peut y lire le cycle complet de l'Ancien et du Nouveau Testament. Dans l'abside centrale, gigantesque **Christ bénissant.** Dans le chœur, au-dessus du trône épiscopal, représentation du roi Guillaume II offrant la cathédrale à la Vierge ; en face, surmontant le trône royal, une autre mosaïque montre le même Guillaume recevant sa couronne des mains du Christ.

★★★**Cloître (Chiostro).** — Situé à droite de l'église, le cloître n'est pas moins célèbre ; il procure des vues caractéristiques sur l'abbatiale. Sur le côté Sud, s'élève une étrange fontaine qui servait de lavabo aux moines. Les galeries aux arcatures très aiguës sont soutenues par des colonnettes géminées : détailler les chapiteaux sculptés, d'une étonnante liberté de facture.

Terrasses. — Elles offrent de magnifiques **vues**★★ sur le cloître et sur la Conca d'Oro.

(Photo Loirat/Explorer)

Monreale. — Détail du cloître.

★ **NOTO**

22 844 h.

Carte Michelin nº 988 pli 37 — 32 km au Sud-Ouest de Syracuse.

Totalement anéantie par le terrible tremblement de terre de 1693, la ville de Noto, dont l'origine remonte au temps des Sicules, fut reconstruite à 10 km de son ancien emplacement. Le long des rues tracées selon un plan géométrique, on vit s'élever toute une série de palais, d'églises, de monuments baroques, bâtis dans le calcaire blanc local qui a pris avec le temps une merveilleuse teinte dorée. Plusieurs artistes siciliens ont collaboré à cette entreprise, parmi lesquels il faut citer le plus inventif, **Rosario Gagliardi.**

★★**Corso Vittorio Emanuele.** — Cette artère rectiligne est le lieu préféré des habitants de Noto. Elle s'élargit en trois places sur lesquelles donnent les façades d'églises monumentales dessinées dans un style baroque imposant et souple : d'Est en Ouest, San Francesco all'Immacolata, la cathédrale, et San Domenico.

★**Via Corrado Nicolaci.** — Cette rue en légère déclivité, bordée de palais aux balcons d'une fantaisie exubérante, offre une ravissante perspective scénique dont la toile de fond est constituée par l'église de Montevergine.

Carte Michelin n° 988 plis 35, 36 — Plan d'ensemble dans le guide Rouge Michelin Italia.

Principal port et capitale de la Sicile, Palerme est bâtie au fond d'une ample et magnifique baie que ferment au Nord le mont Pellegrino et au Sud le cap Zafferano ; derrière elle s'étend une plaine d'une fertilité extraordinaire, limitée par un demi-cercle de collines, surnommée la **Conca d'Oro** (la Conque d'Or), où foisonnent les plantations d'agrumes.

UN PEU D'HISTOIRE

Fondée par les Phéniciens, conquise par les Romains, puis devenue byzantine en 535, Palerme resta, de 831 à 1072, soumise aux Sarrasins ; ces derniers lui donnèrent cette atmosphère très particulière que suggèrent aujourd'hui l'exotisme de ses jardins, la courbure de ses coupoles, le type physique et la mentalité qui caractérisent ses habitants. Conquise par les Normands en 1072, elle devint, sous **Roger II,** capitale du royaume de Sicile : grand bâtisseur, ce souverain sut allier l'apport architectural normand aux traditions décoratives des Sarrasins et des Byzantins, et l'âge d'or

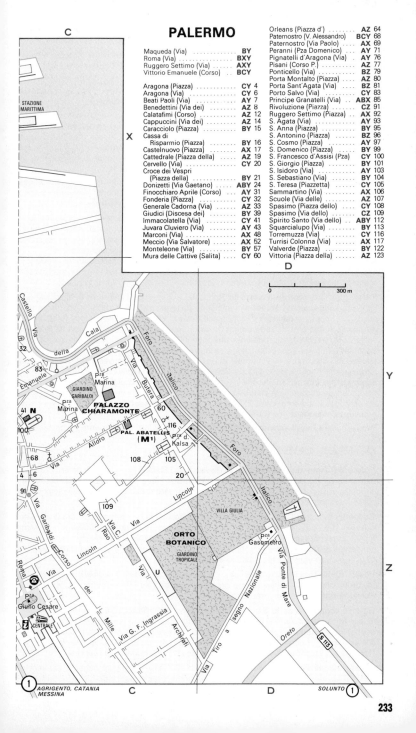

PALERMO

artistique de la ville coïncide avec son règne. Par la suite, les Hohenstaufen et les Angevins introduisirent le style gothique (13ᵉ s.). Après une domination espagnole de plus de trois siècles, les Bourbons de Naples donnèrent à Palerme son fastueux aspect baroque.

Les Vêpres siciliennes. — Depuis 1266, le frère de Saint Louis, Charles Iᵉʳ d'Anjou, soutenu par le pape, tenait la ville. Mais sa domination était difficilement supportée ; les Siciliens avaient surnommé les Français, qui parlaient difficilement l'italien, les « tartaglioni » (bredouilleurs). Le lundi de Pâques 1282, comme les cloches appelaient aux vêpres, des Français outragèrent, dans l'église Santo Spirito, une jeune Palermitaine. L'insurrection se déclencha alors ; tous les Français rencontrés qui prononçaient mal le mot « cicero » (pois chiche) étaient massacrés ; le gouverneur Jean de St-Rémy fut assiégé dans son palais de la via Alloro.

DES QUATTRO CANTI AU PALAIS DES NORMANDS
visite : 3 h

Trois jolies places forment le centre animé de la ville : l'illumination nocturne leur donne encore plus de charme.

★**Quattro canti** (BY). — A l'intersection du corso V. Emanuele et de la via Maqueda, cette place aux « quatre coins » en arrondi est un bel exemple de style baroque espagnol du début du 17ᵉ s. L'église San Giuseppe présente un intérieur théâtral.

★**Piazza Pretoria** (BY). — Elle est occupée par une spectaculaire **fontaine★★** (B) surmontée de nombreuses statues de marbre dues à un artiste florentin du 16ᵉ s. Le **palais municipal** (H) occupe un de ses côtés.

★★**Piazza Bellini** (BY). — Cette ravissante place, à l'allure arabo-normande, groupe deux monuments caractéristiques de Palerme : la Martorana et San Cataldo.

★★**La Martorana** (BYZ). — Également appelée Santa Maria dell' Amiraglio, cette église fut ⓥ fondée en 1143 par un amiral de la flotte du roi Roger II, puis remaniée aux 16ᵉ et 17ᵉ s. (adjonction d'une façade baroque sur le flanc gauche). Après être passé sous l'élégant clocher-porche du 12ᵉ s., on pénètre dans l'église dont la partie primitive est ornée d'admirables **mosaïques★★** byzantines : on y voit notamment le roi Roger couronné par le Christ et l'amiral Georges d'Antioche aux pieds de la Vierge.

★★**San Cataldo** (BZ). — Fondée au 12ᵉ s., cette merveilleuse église rappelle les édifices ⓥ arabes par son sévère plan rectangulaire, ses coupoles « en bonnet d'ennuque », son couronnement de merlons dentelés, et les baies de sa façade ajourées de claustra.

★**Cathédrale (Cattedrale)** (AYZ). — Érigée à la fin du 12ᵉ s. dans le style siculo-normand *(voir p. 223)*, elle a, au cours des siècles, fait l'objet de nombreuses modifications et adjonctions (porche Sud au 15ᵉ s., coupole au 18ᵉ s.). Les **absides★** ont en revanche conservé leur décoration géométrique, caractéristique du style siculo-normand.
A l'intérieur, refait au 18ᵉ s., à droite en entrant, se trouvent les tombeaux de Frédéric II ⓥ et d'autres souverains souabes, angevins et aragonais. Le **trésor** renferme la somptueuse **couronne impériale★** ayant appartenu à Constance d'Aragon.

★★**Palais des Normands (Palazzo dei Normanni)** (AZ). — De l'immense palais royal que ⓥ les Normands avaient bâti sur une ancienne forteresse arabe, il ne subsiste plus que la partie centrale et la massive « tour pisane ». Mais, au 1ᵉʳ étage, la **chapelle Palatine★★★** témoigne du faste et du raffinement de cette époque : bâtie sous le règne de Roger II, entre 1130 et 1140, elle présente une merveilleuse décoration arabo-normande ; dix colonnes antiques supportent les arcs outrepassés séparant les trois nefs ; la partie supérieure des murs, la coupole et les absides sont recouvertes d'éblouissantes **mosaïques★★★** qui, avec celles de Constantinople et de Ravenne, constituent l'un des sommets de cet art en Europe ; un plafond à alvéoles sculptées de stalactites, un pavement de marbre, une chaire et un chandelier pascal richement décorés complètent ce prestigieux ensemble. Au 2ᵉ étage, la **salle du roi Roger★★**, du 12ᵉ s., est ornée de mosaïques évoquant des scènes de chasse.

Face au palais, la **villa Bonanno★** (AZ) est un très beau jardin agrémenté de palmiers.

AUTRES CURIOSITÉS

★★**Église St-Jean-des-Ermites (San Giovanni degli Eremiti)** (AZ). — Élevée en 1132, sur ⓥ demande de Roger II et avec la collaboration d'architectes arabes, elle est coiffée de coupoles roses. A côté, s'étendent un ravissant jardin exotique et un délicieux **cloître** (13ᵉ s.) à colonnettes géminées.

★★**Catacombes des Capucins (Catacombe dei Cappuccini)**. — *Accès par la via dei Cap-* ⓥ *puccini* (AZ **14**). La visite de ces catacombes est impressionnante : environ 8 000 cadavres momifiés, placés là entre le 17ᵉ s. et la fin du siècle dernier, y ont été conservés grâce à l'air exceptionnellement sec qui y règne ; ils sont présentés alignés, pour la plupart vêtus de leurs habits de gala.

★**Palais de la Zisa (Palazzo della Zisa)**. — *Accès par le corso Finocchiaro Aprile* (AY **31**). ⓥ Palais de plaisance de style arabo-normand construit au 12ᵉ s. Austère à l'extérieur, il présente une décoration intérieure raffinée.

★★**Galerie régionale de la Sicile (Galleria Regionale della Sicilia)** (CY M¹). — Installé dans ⓥ le joli **palais Abbatellis★** (15ᵉ s.) de style gothique catalan, ce musée comprend une section d'art médiéval et une pinacothèque. On y admire le très beau **buste d'Eléonore d'Aragon** par F. Laurana (15ᵉ s.), une dramatique fresque du **Triomphe de la Mort★★★** (15ᵉ s.) et la stupéfiante **Vierge de l'Annonciation★★** d'Antonello de Messine.

★**Musée archéologique (Museo Archeologico)** (BY M). — Installé dans un couvent du ⓥ 16ᵉ s. il abrite des objets provenant de nombreux sites antiques de Sicile, notamment : au rez-de-chaussée, des sarcophages phéniciens, une inscription égyptienne dite

« Pierre de Palerme », et surtout les admirables **métopes**★★ qui ornaient les temples de Sélinonte (6ᵉ et 5ᵉ s. avant J.-C.) ; au 1ᵉʳ étage, des statues en bronze, en particulier le fameux **bélier**★★, œuvre hellénistique provenant de Syracuse.

★**Oratoire de St-Laurent (Oratorio di San Lorenzo) (CY N)**. — Il est décoré à l'intérieur de gypseries baroques de Serpotta, et abrite à l'autel une Nativité de Caravage. Remarquables supports des bancs de marbre, en bois sculpté.

★**Palais Chiaramonte (Palazzo Chiaramonte) (CY)**. — Beau palais gothique de 1307, qui servit de modèle à de nombreuses constructions civiles en Sicile et dans le Sud de la péninsule. En face, dans le jardin Garibaldi, spectaculaires **figuiers-magnolias**★★.

★**Jardin botanique (Orto Botanico) (CDZ)**. — Tranquille et solitaire, il rassemble de nombreux arbres et plantes exotiques.

Parc de la Favorite (Parco della Favorita). — *3 km au Nord. Sortir par* ③ *du plan.* Créé par les Bourbons au 18ᵉ s. A côté de la villa chinoise (Palazzina Cinese), le **musée ethnographique Pitrè** présente de belles **charrettes siciliennes**★ *(voir p. 224)*.

EXCURSIONS

★★★**Monreale**. — *8 km au Sud-Ouest. Sortir par* ② *du plan, route S 186. Description p. 231.*

★★**Mont Pellegrino**. — *14 km au Nord. Sortir par* ③ *du plan, via Crispi* (**BX**). La route qui y mène procure de splendides échappées sur Palerme et la Conca d'Oro. Au cours de la montée, on peut visiter le sanctuaire de Ste-Rosalie (17ᵉ s.).

★**Ruines de Solonte (Solunto)**. — *19 km à l'Est. Sortir par* ① *du plan, route S 113* (**DZ**). *Description p. 236.*

Bagheria. — *16 km à l'Est, par l'autoroute A19 ; à 4 km au Sud-Ouest de Solonte.* Cette ville est connue pour ses villas baroques dont la plus célèbre, la **villa Palagonia**, est ornée de **sculptures**★ de grotesques et de monstres.

★★ PANTELLERIA (Ile de) 7 815 h.

Carte Michelin nº ▓▓▓ pli 35.

L'île la plus occidentale de la Sicile ne se trouve qu'à 84 km du cap Bon en Tunisie dont elle est séparée par le canal de Sicile ; sa latitude est la même que celle de Tunis. Avec une superficie de 83 km², c'est aussi la plus grande île satellite de Sicile. Ses côtes déchiquetées, ses versants escarpés couverts de cultures en terrasses, ses maisons cubiques ou « dammusi » d'aspect arabe, donnent beaucoup de caractère à la « perle noire de la Méditerranée ». Son relief, d'origine volcanique, culmine à la **Montagna Grande** (836 m). Couverte de vignobles donnant d'agréables vins comme le Solimano, mousseux, et le Tanit, un muscat, Pantelleria produit également des câpres.
Des vestiges préhistoriques attestent le peuplement de l'île à une époque reculée. Elle subit au cours de son histoire pratiquement les mêmes envahisseurs que la Sicile : Phéniciens, Carthaginois, Grecs, Romains, Vandales, Byzantins, Arabes et Normands qui, dès 1123, lièrent le sort de l'île à celui de la Sicile.

Accès. — **Par air :** consulter le guide Rouge Michelin Italia. **Par mer :** voir la carte Michelin nº ▓▓▓ ainsi que le guide Rouge Michelin Italia.

VISITE 3 h

★★**Tour de l'île en voiture.** — *40 km.* Une route très pittoresque suivant constamment la côte permet de découvrir les nombreuses beautés naturelles de l'île : côtes découpées, falaises, criques, grottes, sources thermales, lacs
A 11,5 km au Sud de la localité de Pantelleria, sur la côte occidentale, le village de **Scauri** occupe un beau site. Au Sud de l'île, vers **Dietro Isola,** la route procure de splendides **vues**★★ sur cette zone côtière qu'elle domine d'une hauteur vertigineuse. Le cap dit **Punta dell'Arco** se termine par une spectaculaire arche de lave grise dénommée « arc de l'Éléphant ». Au Nord-Est, la crique appelée **Cala dei Cinque Denti** et la côte qui lui succède composent un beau paysage volcanique.

★★**La Montagna Grande.** — *13 km au Sud-Est de Pantelleria.* Du sommet, splendide **panorama** sur l'île. Par beau temps, on aperçoit la Sicile et la Tunisie.

★★ PIAZZA ARMERINA 21 467 h.

Carte Michelin nº ▓▓▓ pli 36.

Dans un site verdoyant, sur le versant d'une petite vallée, les maisons grises de Piazza Armerina se serrent au pied d'une cathédrale baroque.

★★**Villa romaine du Casale (Villa Romana del Casale)**. — *6 km au Sud-Ouest.* Cette immense villa (3 500 m²) du 3ᵉ ou 4ᵉ s. après J.-C., qui appartenait sans doute à un personnage important, est intéressante pour son **pavement en mosaïques** recouvrant la presque totalité du sol. D'une gamme de tons très étendue, ces mosaïques représentent, dans un style parfois fruste mais toujours pittoresque, des sujets très divers empruntés à la mythologie, à la chasse, au sport et à la vie quotidienne (ces derniers laissant présumer une influence venue d'Afrique du Nord).
Les mosaïques les plus célèbres sont celles figurant des **amours** occupés à pêcher ou à jouer avec des dauphins ; celles qui relatent la capture et le commerce des **animaux de cirque** (grand couloir) ; celles qui illustrent les **jeux** sportifs de jeunes filles vêtues d'une sorte de bikini ; enfin, les mosaïques du **triclinium** évoquant les **Travaux d'Hercule,** notamment la lutte contre les Géants. D'autres scènes ornent les thermes.

EXCURSION

Morgantina. — *16 km au Nord-Est par la route d'Enna (S 117 bis), puis à droite la route S 228. Environ 6 km après Aidone.* Non loin de ce village perché dans un beau site panoramique, des fouilles ont permis de retrouver les restes d'une ville identifiée avec Morgantina, cité sicule colonisée par les Grecs, mais qui tomba en décadence à partir du 1ᵉʳ siècle. Parmi les vastes **champs de ruines,** on voit encore, dans la vallée, les vestiges d'une agora et un petit théâtre reconstitué. Sur la colline située au Nord, de petits bâtiments abritent un **musée** où sont exposées quelques **mosaïques** provenant de villas (3ᵉ s. avant J.-C.).

★ RAGUSE (RAGUSA)   65 793 h.

Carte Michelin nº 988 pli 37.

La ville, en partie reconstruite à la suite du tremblement de terre de 1693, occupe un **site★** caractéristique sur un plateau enserré de profonds ravins. A l'Ouest s'étend la ville moderne ; à l'Est la ville ancienne, Ragusa Ibla, se regroupe sur un promontoire des monts Hybléens. De la route venant de Syracuse, s'offrent de magnifiques **vues★★** sur la vieille cité.

Aux environs immédiats de la ville, on exploite l'asphalte et le pétrole dans de puissants complexes industriels.

★**Ragusa Ibla.** — Formée par un dédale de rues pour une part encore médiévales, la cité ancienne fut reconstruite dans le goût baroque. Sur la piazza del Duomo s'élève l'**église St-Georges★** (San Giorgio), belle construction du 18ᵉ s. réalisée par l'architecte Rosario Gagliardi qui travailla également à Noto : sa façade en pierre rosée se compose d'un corps central légèrement convexe flanqué de colonnes en saillie.

Musée archéologique Ibleo. — *Palazzo Mediterraneo, via Natalelli.* Dans la ville moderne, en contrebas du Ponte Nuovo que franchit la via Roma, ce musée rassemble le produit des fouilles effectuées dans la région, en particulier les découvertes faites dans l'ancienne cité grecque de Camarina.

★★★ SÉGESTE (Ruines de) (SEGESTA)

Carte Michelin nº 988 pli 35 — 35 km au Sud-Est de Trapani.

Ségeste, grande rivale de Sélinonte au 5ᵉ s. avant J.-C., fut, semble-t-il, détruite vers l'an mille par les Sarrasins.

★★★**Temple (Tempio).** — Il s'élève, solitaire, dans un paysage aux vastes horizons, sur une butte encerclée par un profond ravin. C'est un édifice dorique (430 avant J.-C.), élégant et pur, entouré d'un péristyle de 36 colonnes en calcaire doré. On en a une **vue★★** magnifique lorsqu'on grimpe par la petite route *(2 km)* menant au théâtre.

★**Théâtre (Teatro).** — Construit à l'époque hellénistique, il est constitué par un hémicycle de 63 m de diamètre aménagé sur un versant rocheux. Les gradins sont légèrement orientés vers le golfe de Castellammare que l'on découvre au-delà des collines.

★★ SÉLINONTE (Ruines de) (SELINUNTE)

Carte Michelin nº 988 pli 35.

Fondée au milieu du 7ᵉ s. avant J.-C. par des habitants de Megara Hyblaea, Sélinonte fut détruite en 409 puis à nouveau en 250 avant J.-C. par les Carthaginois, mais la ruine de ses temples semble plutôt due à des tremblements de terre.

Zone archéologique. — On parvient d'abord à une esplanade où se trouvent les ruines de trois **temples** aux attributions incertaines. A droite de la route, le **temple G,** probablement voué à Apollon, était l'un des plus importants du monde antique ; sa longueur dépassait 100 m et les blocs qui composaient ses colonnes pesaient plusieurs tonnes ; le chaos formé par son écroulement donne la mesure de sa taille. A gauche de la route, en arrière du temple F, entièrement ruiné, s'élève le **temple E** (5ᵉ s. avant J.-C.) recomposé en 1958.

En franchissant la dépression, dite « Gorgo Cottone », on atteint l'**acropole,** entourée d'une enceinte et dominée par les colonnes du temple C, le plus ancien (6ᵉ s. avant J.-C.), réédifié en 1926. Quatre autres temples, aujourd'hui en ruine, se dressaient à proximité.

A l'Ouest, sur l'autre rive du Modione, s'élevait un sanctuaire consacré à Déméter Malophoros (porteuse de fruits).

★ SOLONTE (Ruines de) (SOLUNTO)

Carte Michelin nº 988 pli 36 — 20 km à l'Est de Palerme.

Dans un **site★★** admirable, sur le ressaut d'un promontoire dominant le cap Zafferano, Solunto était une cité punique qui, au 3ᵉ s. avant J.-C., passa sous influence romaine.

Sa **zone archéologique** *(accès par une petite route se détachant de la route S 113 à Porticello, en direction de la colline)* conserve des vestiges du forum, d'un théâtre, de rues, maisons, canalisations, et de nombreuses citernes. Par la via Ippodamo da Mileto, on peut atteindre le sommet de la colline d'où l'on découvre une **vue★★** splendide sur la baie de Palerme et le mont Pellegrino.

Carte Michelin nº 988 pli 37.

Superbement située au fond d'une baie harmonieuse, bénéficiant d'un climat très doux, Syracuse fut l'une des plus prestigieuses cités de Sicile, voire même de la Grande Grèce, qui, au temps de sa splendeur, rivalisa avec Athènes. Colonisée vers le milieu du 8e s. avant J.-C. par des Grecs de Corinthe qui occupèrent l'île d'Ortygie, Syracuse tomba rapidement sous le joug de tyrans qui développèrent et enrichirent la ville ; celle-ci comptait aux 5e-4e s. avant J.-C. près de 300 000 habitants. Prise par les Romains lors de la deuxième guerre punique (212 avant J.-C.), elle fut successivement occupée par les Barbares, les Byzantins (6e s.), les Arabes (9e s.) et les Normands.

Grâce à une originale production de papyrus sur la rivière Ciane (voir p. 238), Syracuse est spécialisée depuis le 18 s. dans la peinture sur fibres de papyrus, à la manière égyptienne.

Tyrans et intellectuels. — Dans le monde grec, des dictateurs, nommés tyrans (du grec turannos), exercèrent un pouvoir sans limites sur certaines cités, dont Syracuse. Déjà en 485, **Gélon,** tyran de Gela, était devenu maître de la cité. Son frère **Hiéron,** personnage peu amène, protégea néanmoins les poètes et accueillit à sa cour **Pindare** et **Eschyle,** mort à Gela en 456.

Denys l'Ancien (405-367) fut le plus célèbre d'entre eux : vivant dans une crainte perpétuelle, il fit suspendre une épée au-dessus de la tête de Damoclès, courtisan envieux de son bonheur ; il ne quittait guère son château d'Ortygie, portait sous ses vêtements une cuirasse, et changeait de chambre toutes les nuits ; il vendit comme esclave le philosophe Platon venu étudier les mœurs politiques sous sa tyrannie.

Plus tard le célèbre géomètre **Archimède,** né à Syracuse en 287 avant J.-C., distrait au point d'en oublier le boire et le manger, trouva dans sa baignoire le principe qui porte son nom ; ravi de sa découverte, il se rua hors de l'eau et courut tout nu dans les rues de la ville en criant « Eureka » (c'est-à-dire : j'ai trouvé !). Lors du siège de la cité par les Romains, il inventa un jeu de miroirs et de lentilles destiné à incendier la flotte des assiégeants, mais, ceux-ci ayant réussi à pénétrer dans la ville, il fut assassiné par un soldat qui le surprit plongé dans ses calculs.

SIRACUSA

★★★ZONE ARCHÉOLOGIQUE (ZONA ARCHEOLOGICA) (AY)

Ⓥ *Visite à pied : 2 h. Accès par la via Paradiso* (AY 18)

Elle occupe l'antique quartier de Neapolis (la ville nouvelle), dans un **site** dominant la mer Ionienne.
Le **viale Rizzo** (AY), qui la contourne, permet d'en avoir une excellente vision panoramique.

Autel de Hiéron II (Ara di Ierone II) (AY K). — A gauche de la via Paradiso, on aperçoit cet autel long de près de 200 m, en partie taillé dans le roc, où l'on pratiquait les sacrifices publics.

★★★**Théâtre grec (Teatro Greco) (AY).** — Datant du 5e s. avant J.-C., c'est l'un des plus grands de l'Antiquité ; ses gradins sont creusés dans la roche. C'est sur cette scène que fut donnée la première représentation des Perses d'Eschyle. Plus loin s'ouvre la **voie des Tombeaux** (AY N), creusée dans le roc.

★★★**Latomie du Paradis (Latomia del Paradiso) (AY L).** — Cette ancienne carrière, dont une partie des voûtes s'écroula lors d'un séisme en 1693, remonte à l'Antiquité. Un joli jardin d'orangers a été aménagé sur les déblais.
L'**Oreille de Denys ★★★** (B) est une grotte artificielle dont la cavité évoque la forme d'une oreille : en 1608, le peintre Caravage lui donna ce nom qui rappelle une légende selon laquelle un écho exceptionnel permettait à Denys l'Ancien d'entendre les conciliabules des prisonniers qui y étaient enfermés.
La **grotte des Cordiers ★★** (G) tient son nom du fait que ces artisans y travaillaient, trouvant en ce lieu la fraîcheur, et l'humidité nécessaire à leur métier.

★**Amphithéâtre romain (Anfiteatro Romano) (AY C).** — Du 3e ou 4e s., il mesurait 140 m sur 119 m. Taillé dans le rocher, il est agrémenté de pins et de lauriers-roses.

★★VIEILLE VILLE (CITTÀ VECCHIA) (BZ) *visite : 3/4 h*

Elle occupe l'île d'Ortygie. De beaux palais médiévaux et baroques, ces derniers particulièrement nombreux dans la **via della Maestranza** (BZ), jalonnent ses rues étroites et fraîches, propices à la promenade.
La **piazza Duomo** (BZ 9) est particulièrement harmonieuse avec ses palais aux élégants balcons et la monumentale façade de la **cathédrale★** (Duomo) (BZ D), bâtie au 7e s. sur le soubassement d'un temple dorique dédié à Athéna ; on voit encore les colonnes de ce dernier incluses dans la construction chrétienne (sur le flanc gauche et à l'intérieur).
On admire à l'intérieur plusieurs œuvres sculptées (dont la Madone des neiges) dues aux Gagini, famille d'artistes établis en Sicile au 16e s.

★**Fontaine d'Aréthuse (Fonte Aretusa) (BZ E).** — C'est le berceau légendaire de la cité : la nymphe Aréthuse, poursuivie par le fleuve Alphée, se serait réfugiée dans l'île où elle aurait été changée en source par Artémis. Bien que proche de la mer, la fontaine, emprisonnée dans une muraille, est alimentée en eau douce.
De la plate-forme voisine, vue sur l'admirable baie de Syracuse.
En contrebas, commence le **Foro Vittorio Emanuele II** (BZ), promenade favorite des Syracusains.

★★MUSÉE ARCHÉOLOGIQUE NATIONAL

Ⓥ **(MUSEO ARCHEOLOGICO NAZIONALE)** (AY M¹) *visite : 1 h*

Il est installé dans un bel édifice moderne bâti au cœur du jardin dénommé **villa Landolina.** La très riche section des sculptures compte notamment un bel ensemble de décors architecturaux provenant de temples grecs de Sicile (Gorgones, Cavalier de Camarina), un petit Héraklès, mais surtout la célèbre **Vénus Anadyomène** (surgissant des flots), copie romaine d'une œuvre grecque du 2e s. avant J.-C. En outre, très belle collection de céramiques.

AUTRES CURIOSITÉS

★★**Catacombes St-Jean (Catacombe di San Giovanni) (AY).** — Syracuse est la ville d'Italie
Ⓥ la plus riche en catacombes après Rome. Celles-ci sont formées par une galerie principale d'où partent des galeries secondaires aboutissant à des chapelles circulaires ou « rotondes » ; nombre de tombes se présentent sous forme de niches surmontées d'un arc.

★★**Latomie des Capucins (Latomia dei Cappuccini) (BY F).** — Dans ces carrières furent
Ⓥ enfermés 7 000 Athéniens faits prisonniers par Denys de Syracuse en 413 avant J.-C. Elles sont envahies par une végétation luxuriante.

★**Musée du Palais Bellomo (Museo Regionale di Palazzo Bellomo) (BZ M).** — Il est
Ⓥ installé dans un beau palais du 13e s., remanié au 15e s. dans le style catalan. La pinacothèque abrite l'**Annonciation** d'Antonello de Messine, endommagée, mais encore admirable. Orfèvrerie, crèches siciliennes, ornements liturgiques, mobilier.

EXCURSIONS

★**Source Cyané (Fonte Ciane).** — 8 km au Sud-Ouest. Accès conseillé en bateau. On
Ⓥ remonte la **rivière Ciane★★** où pousse une végétation de papyrus, unique en Italie. C'est là que la nymphe Cyané, voulant s'opposer à l'enlèvement de Perséphone par Hadès, aurait été changée en source.

Ⓥ **Château Euryale (Castello Eurialo).** — 9 km au Nord-Ouest du plan. Erigé par Denys l'Ancien, c'est l'une des plus vastes forteresses de l'époque grecque. Beau panorama.

★★★ TAORMINE (TAORMINA)

Carte Michelin n° ▨▨▨ pli 37 — Plan dans le guide Rouge Michelin Italia.

Dans un **site** spectaculaire, à 250 m d'altitude, Taormine, en balcon sur la mer et face à l'Etna, est réputée pour son calme, la beauté de ses monuments et de ses jardins.

★★**Théâtre grec (Teatro Greco).** — Datant du 3e s. avant J.-C., il fut transformé par les Romains pour accueillir les jeux du cirque. On y donne en été de nombreux spectacles, des représentations classiques notamment. Du haut des gradins, entre les colonnes de la scène, on découvre une **vue**★★★ admirable sur le littoral et l'Etna.

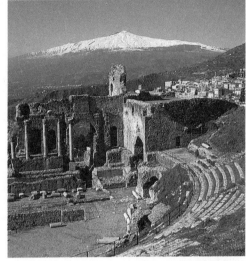

(Photo Helbig/Zefa-France)

Taormine. — Le théâtre et l'Etna.

★★**Jardin public (Giardino Pubblico).** — Orné de fleurs et de plantes exotiques, en terrasse, il domine toute la côte et la mer de Sicile.

★**Corso Umberto.** — Artère principale de Taormine, le cours est jalonné par trois portes : de Catane, du Milieu avec la tour de l'Horloge, et de Messine.

Sur la piazza del Duomo, à jolie fontaine baroque, s'élève la cathédrale à la façade gothique. A peu près à mi-parcours, la **piazza 9 Aprile** forme une terrasse offrant un splendide **panorama**★★ sur le golfe. Piazza Vittorio Emanuele, jadis forum, le palais Corvaia date du 15e s.

★**Belvédère.** — Vue en balcon sur l'Aspromonte de Calabre, la côte sicilienne et l'Etna.

★**Château (Castello).** — *4 km, par la route de Castelmola, puis un chemin à droite. Accès également possible par un sentier (1 h à pied AR).* Bâti à l'époque médiévale, au sommet du mont Tauro (390 m), sur les restes de l'ancienne acropole. **Vues**★ remarquables sur Taormine.

★ TINDARI (Ruines de)

Carte Michelin n° ▨▨▨ pli 37 — 62 km à l'Ouest de Messine.

L'antique Tyndaris grecque, fondée en 396 avant J.-C., est perchée sur le cap du même nom, à l'extrémité duquel se trouve un **sanctuaire** abritant une Vierge noire, but d'un important pélerinage. Les **ruines** sont essentiellement composées des vestiges de l'imposante enceinte urbaine, d'un théâtre faisant face à la mer, et d'un bel édifice romain à arcades précédant le forum et auquel conduit le Decumanus (artère principale de la ville).

TRAPANI

Carte Michelin n° ▨▨▨ pli 35 — Plan dans le guide Rouge Michelin Italia.

En vue des Iles Egades, Trapani possède un port bien abrité, alimenté par le trafic du sel. Une très jolie route de bord de mer relie le centre de la ville à la plage de San Giuliano *(3 km au Nord)*.

Sanctuaire de l'Annonciation (Annunziata). — Bâti au 14e s., il a été transformé et agrandi au 17e s. Son campanile est baroque. Sur le côté gauche, la **chapelle des Marins,** du 16e s., est une jolie construction Renaissance surmontée d'une coupole. A l'intérieur, la **chapelle de la Madone**★ abrite un bel arc Renaissance, une grille en bronze de 1591 et une harmonieuse statue de la Vierge (14e s.) attribuée à Nino Pisano.

★**Musée Pepoli.** — Installé dans l'ancien couvent des carmélites contigu à l'Annunziata, il rassemble des sculptures (œuvres des Gagini) et des peintures (polyptyque de Trapani du 15e s., une Pietà de Roberto di Oderisio, Saint Barthélémy par Ribera, et un Saint François recevant les stigmates par Titien). Il abrite également des productions de l'artisanat local : remarquables travaux en corail, en particulier une crèche d'une exquise finesse.

Dans ce guide
les plans de ville indiquent essentiellement les rues principales
et les accès aux curiosités,
les schémas mettent en évidence les grandes routes et situent
les localités et sites décrits, ainsi que quelques autres lieux
particulièrement pittoresques.

Index

Amalfi Campanie . . . . . Villes, curiosités, régions touristiques (et grandes régions d'Italie auxquelles elles appartiennent).

Dante Alighieri . . . . . . Noms historiques ou célèbres et termes faisant l'objet d'une explication.

Les curiosités isolées (châteaux, abbayes, sanctuaires, villas, nécropoles, thermes, belvédères, monts, lacs, îles, gorges, grottes, dolmens, nuraghi…) sont répertoriées à leur nom propre.

Renseignements pratiques

CE QU'IL FAUT SAVOIR

Offices de Tourisme. — Pour toutes les questions d'ordre touristique concernant l'Italie, on peut consulter l'**E.N.I.T. (Ente Nazionale Italiano per il Turismo) :** à Paris, 23 rue de la Paix (2e), ✐ 42 66 66 68 ; à Nice, 14 avenue de Verdun, ✐ 93 87 75 81 ; à Bruxelles, 176 avenue Louise, ✐ 64 71 741 ; à Genève, 3 rue du Marché, ✐ 282922. On peut aussi se renseigner aux bureaux de la **Compagnie Italienne de Tourisme (C.I.T.)** qui a des délégués dans un certain nombre de grandes villes européennes ; à Paris : 3 boulevard des Capucines (2e), ✐ 42 66 00 90.

En Italie, dans chaque capitale de région, il existe un Office régional de Tourisme **(Assessorato Regionale per il Turismo)**; dans chaque capitale de province, un Office départemental de Tourisme portant le nom d'**E.P.T. (Ente Provinciale per il Turismo) ;** dans chaque station, une **Azienda Autonoma di Soggiorno, Cura e Turismo (A.S.),** qui fait office de Syndicat d'Initiative et fournit les renseignements touristiques nécessaires sur la localité elle-même. Les adresses des Offices de Tourisme et des bureaux de l'**Automobile Club Italien (A.C.I.)** en Italie figurent au texte des localités dans le guide Rouge Michelin Italia (hôtels et restaurants).

Change. — En Italie, on compte en lires. Taux de change en vigueur au 1er août 1986 : 215 lires contre 1 franc français (1 000 lires équivalent à 4,73 francs français). Toutefois, au moment où nous mettons sous presse, la mise en circulation d'une nouvelle lire correspondant à 1 000 lires anciennes est envisagée.

Le change des monnaies étrangères peut être effectué à la Banca d'Italia, ou auprès des instituts de crédit et bureaux de change autorisés.

La réglementation du contrôle des changes, en vigueur en août 1986, est la suivante : chaque touriste peut obtenir, par mois de séjour, la contre-valeur de 12 000 F (dont 400 000 L en espèces, le reste en chèques de voyage). Si la somme rapportée en France excède 400 000 L, il est nécessaire de la déclarer à la frontière (sur formulaire « V2 » qu'il est conseillé de se procurer à la douane lors de l'entrée en Italie), afin de pouvoir la reconvertir en francs français.

Passage en douane. — Pour un voyage de moins de 3 mois, il est nécessaire d'être en possession des pièces suivantes :

- **Adultes.** — Carte nationale d'identité (durée de validité : 10 ans ou passeport en cours de validité (ou périmé depuis moins de 5 ans).

- **Enfants.** — Les mineurs voyageant avec leurs parents (ou leur tuteur légal) doivent être munis d'une carte nationale d'identité personnelle, à moins qu'ils ne figurent sur le passeport de leur père ou de leur mère (éventuellement de leur tuteur). Les mineurs voyageant seuls ou avec une personne autre que leurs parents (ou tuteur) doivent être en possession : soit d'une carte d'identité personnelle et d'une « attestation d'autorisation de sortie du territoire » délivrée par le maire ou le commissariat de Police de leur lieu de résidence ; soit d'un passeport en cours de validité (ce dernier n'étant lui-même délivré que sur présentation de l'autorisation de sortie du territoire).

- **Conducteurs.** — Permis de conduire français à 3 volets ou permis de conduire international.

Assurance accidents. — Il est recommandé de se munir de la carte internationale d'assurance automobile, dite « carte verte ». Se renseigner auprès de sa propre compagnie d'assurances.

Essence. — Les automobilistes se rendant en Italie (y compris la Sicile et la Sardaigne) avec une voiture de tourisme (immatriculée hors d'Italie) peuvent acquérir, dans certaines conditions, des bons d'essence à prix réduits. Obligatoirement, ces bons, qui, achetés dans le pays d'origine, ne peuvent être payés en lires, sont délivrés (sur présentation de la carte grise, d'une pièce d'identité, et d'un certificat de location pour les véhicules loués ailleurs qu'en Italie), en France, par les principales banques et avant le passage de la frontière.

Sur la route. — La vitesse est limitée, sur route et sur autoroute, suivant la cylindrée du véhicule ; elle va de 80-90 km/h (600 cm^3) à 110-140 km/h (plus de 1 300 cm^3). L'Italie est dotée de nombreuses autoroutes (autostrade) dont la plupart sont à péage (conserver son ticket que l'on doit rendre à la sortie), le montant de celui-ci variant avec la distance et le gabarit du véhicule. Des bons de péage gratuits sont toutefois délivrés avec les bons d'essence.

Sous l'égide de l'A.C.I., a été organisé un service de secours routier ; un bon par zone (Nord ou Sud) pour un secours gratuit (une taxe devant toutefois être acquittée par le bénéficiaire) est délivré avec les bons d'essence.

L'A.C.I. propose, de 8 h à 17 h, des informations téléphoniques, en français, sur l'état des routes, la météorologie, les manifestations touristiques : ✐ 064212.

Cartes routières. — Pour l'ensemble de l'Italie, utilisez la **carte Michelin** no ▓▓▓ à 1/1 000 000. Les **cartes Michelin** no ▓▓▓ à 1/100 000, nos ▓▓▓ et ▓▓▓ à 1/200 000, et no ▓▓▓ à 1/400 000 seront d'un bon complément pour quelques fractions de l'Italie du Nord.

Le **Touring Club Italien (T.C.I.),** 10 corso Italia 20 122 Milano, ✐ 02/852672 à Milan, édite notamment des cartes à 1/200 000 couvrant les différentes régions du pays.

Horaires. — Comme la France, l'Italie applique « l'heure d'été » — en avance de 2 heures sur l'heure solaire — pendant une période dont la durée est fixée chaque année. Les **monuments** et **musées nationaux** sont fermés le lundi (non férié) et certains jours fériés ; noter que certains musées risquent d'être en totalité ou en partie fermés temporairement pour restauration ou par manque de personnel. Les **églises** ne se visitent pas pendant les offices ; elles sont fréquemment fermées entre 12 ou 13 h et 16 h, et après 18 h 30.

Sur les routes, les **stations-service** ferment généralement de 12 h 30 à 15 h.

La plupart des **spectacles** commencent à 21 h ou 21 h 30.

Beaucoup de **magasins** restent ouverts tard le soir, dans les stations balnéaires.

Principaux jours fériés légaux. — 1er et 6 janvier, lundi de Pâques, 25 avril (anniversaire de la libération de 1945), 1er mai, 15 août (« Ferragosto »), 1er novembre, 25 et 26 décembre. En outre, chaque ville fête son saint patron.

Hôtels et restaurants. — Pour faire étape ou choisir un lieu de séjour, le complément indispensable de cet ouvrage est le guide Rouge Michelin Italia (hôtels et restaurants). Édité chaque année, il propose un choix d'établissements avec indication de leur classe et de leur confort, de leur situation, de leur agrément, de leurs prix.

Camping. — Il suffit, pour planter sa tente, de demander l'autorisation au propriétaire du terrain. Il existe en Italie de nombreux camps aménagés. Renseignements auprès de la Fédération Italienne du Camping et du Caravaning (boîte postale 23 - 50 041 Calenzano, siège 11 via Vittorio Emanuele à Calenzano, ✆ 055/882391) qui édite annuellement une carte des terrains de camping en Italie avec la liste des terrains accordant une réduction aux titulaires du Carnet Camping International, ainsi qu'un guide « Campeggi e villaggi turistici in Italia » en coopération avec le Touring Club Italien.

QUELQUES LIVRES

Ouvrages généraux, tourisme

L'italie (Larousse, coll. Monde et voyages).
Italie, par S. Romano (Editions du Seuil, coll. Petite Planète).
Italie (Vilo, coll. Les guides modernes Fodor).
Guides Bleus : Italie du Nord et du Centre — Italie du Sud, Rome, Sicile, Sardaigne — Rome (Hachette).
Guides Visa : A Venise — A Florence — En Sicile (Hachette).
Venise - Florence - Rome - Naples et l'Italie du Sud - La Sicile (P.U.F., « Nous partons pour... »).
Capri, Naples, Pompéi aujourd'hui, par J. Hureau (Editions Jeune Afrique).
Sicile, par P. Merisio (Arthaud, coll. Villes et régions).
Sicile, par P. Sebilleau (Arthaud, coll. Beaux pays).
La Sicile aujourd'hui, par J. Hureau (Editions Jeune Afrique).
Sardaigne sans cagoule, par M. Brandon — Albini (Editions J. Subervie, Rodez).

Géographie, économie

Géographie de l'Italie, par P. George (P.U.F., coll. Que sais-je ?).
L'économie de l'Italie, par F. Gay et P. Wagret (P.U.F., coll. Que sais-je ?).

Histoire, civilisations

Les Étrusques, par R. Bloch (P.U.F., coll. Que sais-je ?).
La vie quotidienne chez les Étrusques, par J. Heurgon (Hachette).
La civilisation romaine, par P. Grimal (Arthaud).
La vie quotidienne à Rome, par J. Carcopino (Hachette).
La vie quotidienne en Italie au temps de Machiavel, par P. Larivaille (Hachette).
L'histoire de Florence, par P. Antonetti (Robert Laffont).
Histoire de Venise, par F. Thiriet (P.U.F., coll. Que sais-je ?).
La République de Venise, par C. Diehl (Flammarion, coll. Champs).
Venise, portrait historique d'une cité, par P. Braunstein et R. Delort (Seuil, coll. Points).
Histoire de la Sicile, par J. Hure (P.U.F., coll. Que sais-je ?).
L'unité italienne, par P. Guichonnet (P.U.F., coll. Que sais-je ?).
Garibaldi ou la force d'un destin, par M. Gallo (Fayard).

Art

L'art italien, par A. Chastel (Flammarion).
Rome, la fin de l'art antique, par R. Bianchi-Bandinelli (N.R.F., Univers des Formes).

Littérature

I. Calvino : **Contes populaires italiens** (Denoël).
E. Charles-Roux : **Oublier Palerme** (Grasset) — **Une enfance sicilienne** (Coll. Livre de Poche).
A. Curvers : **Tempo di Roma** (Robert Laffont).
D. Fernandez : les ouvrages de ce spécialiste de l'Italie sont en quasi-totalité consacrés au comportement profond des habitants de ce pays et à sa civilisation.
J. Giono : **Voyage en Italie** (Gallimard, coll. Folio).
G. Ledda : **Padre Padrone** (Gallimard, coll. Témoins).
C. Malaparte : **La Peau** (Denoël).
F. Marceau : **Capri, petite île** (Gallimard).
Montaigne : **Journal de voyage en Italie** (Coll. Livre de Poche).
R. Peyrefitte : **Du Vésuve à l'Etna** (Coll. Livre de Poche).
G. Piovene : **Voyage en Italie** (Grasset).
L. Sciascia : Une grande partie de son œuvre a pour thème l'analyse de l'âme sicilienne et du contexte politique et social italien.
A. Suarès : **Voyage du Condottiere** (Granit) — **Temples grecs, maisons des dieux** (Granit).
R. Vailland : **La loi** (Gallimard, coll. Folio).

Voir aussi le chapitre LITTÉRATURE, p. 32.

DATE, LIEU ET NATURE DE LA MANIFESTATION

30 et 31 janvier

Aoste . . . .   Foire de St-Ours : vente des produits de l'artisanat valdotain.

En février

Viareggio . . . .   Carnaval : grands défilés de personnages masqués ; manifestations folkloriques.

Dizaine de jours précédant le Carême

Venise . . . .   Grand carnaval. *Renseignements auprès de l'Azienda di Soggiorno, Palazzo Martinengo, San Marco 4089 - 30100 Venezia ; ✆ 041/26110.*

Dernier vendredi de carnaval

Vérone . . . .   Bacchanale carnavalesque du Gnocco : cortèges de personnages masqués et concours de chars ; des gnocchi, confectionnés sous un baldaquin dressé devant l'église St-Zénon, sont offerts aux autorités et à la foule.

1er avril

Saint-Marin . . . . .   Investiture des régents de la ville *(p. 177)*.

Semaine Sainte

Tarente . . . .   Grandes processions *(p. 185)*.

Dimanche de Pâques

Florence . . . .   Scoppio del Carro : à midi, sur la piazza del Duomo, explosion d'un char provoquée par une colombe glissant sur un fil, à partir du maître-autel de la cathédrale.

Sulmona . . . .   Fête de la Madonna che scappa in Piazza *(p. 185)*.

Mai

Florence . . . .   Mai musical florentin : nombreuses manifestations artistiques (concerts, spectacles d'opéras, de ballets...). *Programme auprès de l'Azienda di Soggiorno, 15 via de' Tornabuoni, à Florence ; ✆ 055/216544.*

1er mai

Cagliari . . . .   Fête de Sant'Efisio *(p. 218)*.

1er dimanche de mai

Naples . . . .   Fête du Miracle de saint Janvier, à l'intérieur de la cathédrale *(p. 128)*.

Du 7 au 10 mai

Bari . . . .   Fête de Saint Nicolas : le 7, cortège en costumes historiques, à travers la ville ; le 8, en mer, grand rassemblement de fidèles venus en barque prier devant la statue du saint.

15 mai

Gubbio . . . .   Course des Ceri *(p. 98)*.

Avant-dernier dimanche de mai

Sassari . . . .   Cavalcata Sarda *(p. 222)*.

Dernier dimanche de mai

Gubbio . . . .   Palio de l'Arbalète : compétition de tireurs, sur la piazza della Signoria.

Du 1er juin au 30 septembre, les années paires

Venise . . . .   Biennale des Arts. *Renseignements auprès du Comité de la Biennale à Venise ; ✆ 041/700311.*

De début juin à fin août

Vérone . . . .   Eté théâtral.

Du 1er au 3 juin

Taormine . . . .   Fête du Costume et du Char siciliens.

24 juin

Florence . . . .   Calcio Storico Fiorentino : parties de ballon sur la piazza della Signoria, s'accompagnant de magnifiques défilés en costumes du 16e s. ; feux d'artifice tirés du piazzale Michelangiolo.

Fin juin-début juillet

Spolète . . . .   « Festival dei Due Mondi » : festival international de théâtre, de musique et de danse.

De début juillet à fin août

Vérone . . . .   Saison lyrique, dans l'amphithéâtre romain. *Renseignements auprès de l'Azienda di Soggiorno, 6 via Dietro Anfiteatro - 37100 Verona ; ✆ 045/592828.*

(Photo Sioen/CEDRI)

Charrette sicilienne (détail).

Conditions de visite

En raison des variations du coût de la vie et de l'évolution incessante des horaires d'ouverture de la plupart des curiosités, nous ne pouvons donner les informations ci-dessous qu'à titre indicatif.

Ces renseignements s'appliquent à des touristes voyageant isolément et ne bénéficiant pas de réductions. Pour les groupes constitués, il est généralement possible d'obtenir des conditions particulières concernant les horaires ou les tarifs, avec un accord préalable.

Conditions générales d'horaires et jours fériés légaux : *voir le chapitre « Renseignements pratiques ».*

Téléphone : *les numéros de téléphone sont précédés d'un indicatif interurbain (« prefisso »), indiqué entre parenthèses ; ne pas faire le zéro à partir de l'étranger.*

Prix : *au moment où nous mettons sous presse, la mise en circulation d'une nouvelle lire, correspondant à 1000 lires anciennes, est envisagée.*

Dans la partie descriptive du guide, p. 35 à 239, les curiosités soumises à des conditions de visite sont signalées au visiteur par le signe ⊘.

#

ABRUZZES (Parc national des)

Centres de visite à Barrea, Gioia dei Marsi (10 km au Nord de Gioia Vecchio sur la route S 83), Opi, Passo del Diavolo (4 km au Sud de Gioia Vecchio sur la S 83), Pescasseroli - ℰ (0863) 91955, Villavallelonga (30 km au Sud-Est d'Arezzano, par Trasacco).

ALBA FUCENS

Ruines. — Visite toute l'année, toute la journée sans interruption

ALBISOLA MARINA

Villa Faraggiana. — Visite toute l'année, l'après-midi. Fermé le mardi et les jours fériés légaux. 500 L.

ALTILIA SAEPINUM

Ruines. — Visite toute l'année, le matin.

Musée (Porte Benevento). — Visite toute l'année, le matin. Fermé le lundi.

Musée (Théâtre). — Visite toute l'année, le matin. Fermé le lundi.

ALTOMONTE

Musée. — Visite toute l'année, le matin et en fin d'après-midi. 2000 L.

AMALFI

Cathédrale St-André : cloître du Paradis. — Visite toute l'année, toute la journée sans interruption. 300 L.

ANAGNI

Crypte et trésor de la cathédrale. — En cas de fermeture, s'adresser à M. le Curé, 2 via Leone XIII, en face de la cathédrale.

ANCÔNE

Église Santa Maria della Piazza. — Visite accompagnée (1/2 h) le matin et l'après-midi, de mi-juin à mi-septembre. Fermé le reste de l'année. Travaux en cours.

Musée national des Marches. — Fermeture provisoire.

Galerie communale Francesco Podesti. — Visite toute l'année, toute la journée sans interruption. Fermé le lundi.

Conditions de visite

ANDALO

Mont Paganella. — Accès par téléphérique toute l'année, toute la journée (interruption à midi en été). Prix AR : 12000 L. Accès également depuis Fai della Paganella, par télésiège.

ANGERA

La Rocca. — Visite de fin mars à fin octobre, le matin et l'après-midi. 4000 L.

AOSTE

Collégiale St-Ours. — Visite toute l'année, le matin et l'après-midi. Fermé le lundi.

Cathédrale. — Visite toute l'année, le matin et l'après-midi ; l'après-midi seulement les dimanches et jours fériés.

Trésor de la cathédrale. — Visite d'avril à fin septembre, le matin et l'après-midi (les dimanches et jours fériés, de 15 h à 15 h 45 seulement) ; le reste de l'année, visite l'après-midi des dimanches et jours fériés. 2500 L.

ARONA

Colosso di San Carlone. — Visite de début avril à fin septembre, le matin et l'après-midi. Fermé mardi après-midi et mercredi. Montée à la terrasse : 1500 L ; au sommet : 2000 L.

L'AQUILA

Château. — Visite toute l'année, le matin. Fermé les jours fériés. 3000 L.

AQUILEIA

Basilique : crypte. — Pour visiter, s'adresser au sacristain, le matin. 500 L.

Basilique : Cripta degli Scavi. — Visite toute l'année, le matin.

Ruines romaines. — Visite toute l'année, toute la journée sans interruption.

Musées archéologique et paléochrétien. — Visite toute l'année, le matin. 3000 L.

AREZZO

Musée archéologique. — Visite toute l'année, le matin. Fermé le lundi ainsi que les 2 juin et 25 décembre. 3000 L.

Maison de Vasari. — Visite toute l'année, le matin. Fermé le lundi.

Musée d'Art médiéval et moderne. — Visite toute l'année, le matin. Fermé le lundi. 3000 L.

ASCOLI PICENO

Pinacothèque. — Fermeture provisoire pour restauration.

ASSISE

Basilique inférieure : trésor. — Visite d'avril à fin octobre, le matin et l'après-midi. Fermé le lundi. 1000 L.

Château médiéval. — Visite toute l'année, le matin et l'après-midi. Fermé le lundi et l'après-midi des dimanches et jours fériés. 1000 L.

Oratoire des Pèlerins. — Visite toute l'année, le matin et l'après-midi. Fermé les dimanches et jours fériés.

Ermitage des Carceri. — Visite toute l'année, toute la journée sans interruption.

Couvent St-Damien. — Visite toute l'année, le matin et l'après-midi.

Basilique Ste-Marie des Anges. — Visite toute l'année, le matin et l'après-midi.

BACOLI

Cento Camerelle. — Pour visiter, s'adresser au 161 via Cento Camerelle.

Piscina Mirabile. — Pour visiter, s'adresser au 5 via Piscina Mirabile.

BAGNAIA

Villa Lante. — Visite toute l'année, toute la journée sans interruption. Fermé le lundi, ainsi que les 1er janvier, 25 avril, 1er mai, 2 juin, 15 août et à Noël. 2000 L.

BAIA

Thermes. — Visite toute l'année, toute la journée sans interruption.

BARI

Château. — Visite accompagnée (1/2 h) toute l'année, le matin et l'après-midi. Fermé l'après-midi des dimanches et jours fériés. 2000 L.

Pinacothèque. — Visite toute l'année, le matin et en fin d'après-midi (le matin seulement, les dimanches et jours fériés). Fermé le lundi, ainsi que le 1er janvier, à Pâques, et les 24 et 25 décembre.

Musée archéologique. — Visite toute l'année, le matin. Fermé le dimanche.

BARLETTA

Basilique San Sepolcro. — Visite toute l'année, en fin de matinée et en fin d'après-midi. Fermé le dimanche matin.

Musée municipal. — Visite toute l'année, le matin. Fermé le lundi.

BASSANO DEL GRAPPA

Musée municipal. — Visite toute l'année, le matin et l'après-midi. Fermé le lundi et l'après-midi des dimanches. 1000 L.

BELLAGIO

Jardins de la villa Serbelloni. — Visite de mi-avril à mi-octobre, le matin et l'après-midi. Fermé le lundi. 2000 L.

Jardins de la villa Melzi. — Visite de début avril à fin octobre, toute la journée sans interruption. 2500 L.

BELLUNO

Musée municipal. — De début avril à mi-octobre : visite le matin et l'après-midi ; fermé le lundi et l'après-midi du dimanche, ainsi que le 1er mai et le 15 août. Le reste de l'année : visite du mardi au vendredi, le matin et l'après-midi ; fermé les dimanches, lundis et jours fériés.

BÉNÉVENT

Musée du Samnium. — Visite toute l'année, le matin. Fermé le dimanche.

BERGAME

Chapelle Colleoni. — Visite toute l'année, le matin et l'après-midi. Fermé le lundi, de novembre à fin février.

Basilique Ste-Marie Majeure. — Visite toute l'année, le matin et l'après-midi ; le dimanche, de 11 h à 12 h seulement.

Beffroi du palais de la Ragione. — Accès tous les jours (les samedis et dimanches seulement, d'octobre à fin avril) en fin de matinée et en fin d'après-midi. Ascenseur : 500 L.

Via Bartolomeo Colleoni, nos 9 et 11. — Visite toute l'année, le matin des mardis et vendredis ; les autres jours, prendre rendez-vous avec M. Zerbini, ✆ (035) 248319. Fermé autour du 15 août.

Académie Carrare. — Visite toute l'année, le matin et l'après-midi. Fermé le mardi, ainsi que les 1er et 6 janvier, dimanche et lundi de Pâques, 25 avril, 1er mai, 15 et 26 août, 1er novembre, 8, 25 et 26 décembre. 2000 L (gratuit le dimanche).

BOLOGNE

Palais communal. — Visite toute l'année, le matin et l'après-midi. Fermé le dimanche après-midi.

Collections communales d'Art. — Visite toute l'année, le matin. Fermé le mardi.

Palais du Podestat. — Visite uniquement à l'occasion d'expositions. S'adresser au Service de presse de la commune de Bologne.

Musée municipal d'Archéologie. — Visite toute l'année, le matin. Fermé le lundi, ainsi que les jours fériés tombant en semaine. 2000 L.

Palais de l'Archiginnasio (Teatro Anatomico). — Visite sur demande préalable au musée municipal d'Archéologie, 2 via Archiginnasio.

Tour des Asinelli. — Accès toute l'année, toute la journée sans interruption. 1000 L.

Église St-Étienne : musée. — Visite toute l'année, le matin et l'après-midi.

Pinacothèque nationale. — Visite toute l'année, le matin. Fermé le lundi, ainsi que le 1er janvier, à Pâques, les 25 avril, 1er mai, 15 août, et à Noël. 3000 L.

Église St-Jacques-le-Majeur : oratoire Ste-Cécile. — Pour voir les fresques, s'adresser au sacristain.

Musée d'Art industriel. — Visite toute l'année, le matin. Fermé le lundi et les jours fériés tombant en semaine.

Galerie Davia Bargellini. — Mêmes conditions de visite qu'au musée d'Art industriel.

BOLSENA

Église Ste-Christine. — Accès à la chapelle du Miracle et à la grotte, toute l'année, le matin et l'après-midi. Offrande.

BOLZANO

Église et cloître des Dominicains. — Ouverts, sauf en cas de restauration ou de travaux d'entretien.

Église des Franciscains. — Pour visiter, prendre rendez-vous un jour à l'avance.

BOMARZO

Parc de la villa Orsini. — Visite toute l'année, toute la journée sans interruption. 3000 L.

BOMINACO

Églises. — Visite le matin et l'après-midi. Rémunération au gardien.

BORROMÉES (Iles)

On peut y accéder d'Arona, Stresa, Baveno, Pallanza, Laveno. Billet combiné pour la visite des trois îles : 6400 L.

Isola Bella. — Accès : d'Arona et de Laveno, 8400 L, AR ; de Stresa et de Baveno, 4200 L, AR ; de Pallanza, 5800 L, AR.
Visite de fin mars à la 3e semaine d'octobre, le matin et l'après-midi. 5000 L.

Isola dei Pescatori. — Accès : d'Arona et de Laveno, 8400 L, AR ; de Stresa et de Baveno, 4200 L, AR ; de Pallanza, 5800 L, AR.

Isola Madre. — Accès : d'Arona, 10000 L, AR ; de Laveno, 5800 L, AR ; de Stesa, 4600 L, AR ; de Baveno, 4200 L, AR ; de Pallanza, 2200 L, AR.
Visite de fin mars à la 3e semaine d'octobre, le matin et l'après-midi. 5000 L.

BRENTA (Riviera du)

Visite des villas en bateau. — L'excursion « Il Burchiello » a lieu d'avril à fin octobre ; au départ de Venise, les mardis, jeudis et samedis ; au départ de Padoue, les mercredis, vendredis et dimanches ; le retour s'effectue en autocar. Prix : 90000 L (comprenant les visites, le déjeuner et le retour en autocar). Pour s'inscrire, s'adresser à Venise à : C.I.T. place St-Marc, ℘ (041) 5285480 ; à Padoue à : C.I.T. 12 via Matteotti, ℘ (049) 663333, ou bien à : SIAMIC EXPRESS, 42 via Trieste, ℘ (049) 660904. Dans le sens Padoue-Venise, on ne visite, à Strà, que la villa Nazionale ; dans le sens Venise-Padoue, on ne visite que le parc de la villa. Voir les conditions de visite des villas à leur nom propre.

BRESCIA

Pinacothèque Tosio Martinengo. — Visite toute l'année, le matin et l'après-midi. Fermé les lundis et vendredis, et le matin des dimanches ; fermé également les jours fériés.

Musée romain. — Visite toute l'année, le matin et l'après-midi. Fermé le lundi, le mercredi, l'après-midi du samedi et le dimanche matin ; fermé également le 15 février et les jours fériés.

Musée d'Art chrétien. — Fermé pour restauration. Une partie des collections est provisoirement présentée à la pinacothèque Tosio Martinengo.

BRESSANONE

Cathédrale : trésor. — Visite toute l'année, le matin et en deuxième partie d'après-midi. Fermé le dimanche. Offrande.

Musée diocésain. — Visite de mi-mars à fin octobre, toute la journée sans interruption ; fermé le dimanche ; 3000 L. De mi-décembre à mi-février, il est cependant possible de voir la collection de crèches (Presepi), l'après-midi ; fermé le dimanche ; 2000 L.

BREUIL-CERVINIA

Excursions en téléphérique. — Les téléphériques pour le plateau Rosa (19700 L, AR) et pour le col de Furggen (19700 L, AR) fonctionnent toute l'année, tous les jours, à l'exception des mois de mai et d'octobre où ils ne fonctionnent que les samedis et dimanches. La fréquence des départs varie entre 15 et 30 mn.

BRINDISI

Musée archéologique. — Visite toute l'année, le matin. Fermé le dimanche et les jours fériés.

Cet ouvrage tient compte des conditions du tourisme connues au moment de sa rédaction. Mais certains renseignements perdent de leur actualité en raison de l'évolution incessante des aménagements et des variations du coût de la vie. Nos lecteurs sauront le comprendre.

CAMALDOLI

Ermitage. — Visite accompagnée toute l'année, le matin et l'après-midi. Offrande.

CAMONICA (Val)

Parc national des Gravures rupestres. — Visite toute l'année, toute la journée sans interruption. Fermé les 1er janvier, 25 avril, 1er mai, 1er dimanche de juin, 15 août et 25 décembre. 2000 L. Renseignements auprès du Centro Camuno di Studi Preistorici, à Capo di Ponte, $\mathscr{C}$ (0364) 42091.

CAMPO CARLO MAGNO

Col du Grosté. — Le téléphérique fonctionne du premier week-end de juillet au 3e week-end de septembre, le matin et l'après-midi. Prix total AR pour les 2 tronçons : 11000 L.

CAMPO IMPERATORE

Accès. — Le téléphérique est provisoirement hors service ; accès par la route, de juin à fin septembre seulement.

CANOSA DI PUGLIA

Hypogées. — Visite toute l'année, le matin.

CAPOUE

Musée de la Campanie. — Visite toute l'année, le matin. Fermé le lundi.

CAPRAROLA

Villa Farnèse. — Visite toute l'année, toute la journée sans interruption. Fermé le lundi, ainsi que les 1er janvier, 25 avril, 1er mai, 2 juin, 15 août, et à Noël. 2000 L. Pour visiter le parc, s'adresser à la direction de la villa : $\mathscr{C}$ (0761) 6460521.

CAPRI (Ile de)

Grotte Bleue. — Trajet en bateau et visite de la grotte toute l'année, toute la journée sans interruption. Durée : 1 h environ. 11150 L en semaine, 11850 L dimanches et jours fériés. L'excursion n'a pas lieu quand la mer est mauvaise.

Tour de l'île. — Trajet en bateau, toute l'année, toute la journée sans interruption. Durée : 2 h environ. 9000 L (plus 6250 L pour l'accès à la Grotte Bleue). L'excursion n'a pas lieu quand la mer est mauvaise.

Villa Jovis. — Visite toute la journée sans interruption (en hiver, visite jusqu'au début de l'après-midi seulement). 2000 L.

Chartreuse St-Jacques. — Visite toute l'année, le matin. Fermé le lundi.

Villa San Michele (Anacapri). — Visite toute la journée sans interruption (en hiver, visite jusqu'au début de l'après-midi seulement). 2000 L.

Mont Solaro (Anacapri). — Le télésiège fonctionne toute l'année, toute la journée (à l'exception d'une courte période durant l'hiver, pour travaux d'entretien). 4000 L, AR.

CARPI

Château des Pio. — Visite de mai à fin octobre : en fin d'après-midi en semaine, en fin de matinée et d'après-midi le dimanche. Fermé le lundi et les jours fériés.

CARRARE

Carrières de marbre. — Propriété privée. Accès possible toute l'année, toute la journée, mais il est préférable de s'adresser aux ouvriers pour ne pas gêner les travaux. Une certaine prudence est requise. Il est conseillé d'effectuer la visite le matin en semaine, lorsque les activités sont les plus variées. Les travaux sont interrompus les samedis après-midi, dimanches et jours fériés et autour du 15 août.

CASAMARI

Abbaye. — Visite toute l'année, le matin et en deuxième partie d'après-midi. Offrande.

CASERTA

La Reggia. — Visite accompagnée (2 h) toute l'année, le matin. Fermé le 1er janvier ; les lundi, mardi et mercredi suivant Pâques ; les 25 avril, 1er mai, 1er dimanche de juin, 15 août, et à Noël. 3000 L.

Le Parc. — Ouvert toute l'année, toute la journée sans interruption. Mêmes jours de fermeture que pour la Reggia, à l'exception des lundi, mardi et mercredi suivant Pâques. 2000 L. En semaine, les voitures sont autorisées à pénétrer dans le parc, en suivant l'itinéraire indiqué sur place.

CASTEL DEL MONTE

Château. — Visite toute l'année, le matin et l'après-midi (le matin seulement, d'octobre à fin avril). Fermé le dimanche après-midi et les jours fériés légaux. 2000 L.

CASTELFRANCO VENETO

Maison natale de Giorgione. — Visite toute l'année, le matin et l'après-midi des samedis et dimanches, l'après-midi seulement le reste de la semaine. Fermé le lundi.

CASTELLAMMARE DI STABIA

Antiquarium. — Visite toute l'année, le matin. Fermé le lundi et les jours fériés.

Villa d'Ariane. — Visite toute l'année, le matin. Fermé le lundi.

Villa de San Marco. — Visite toute l'année, toute la journée sans interruption. Fermé les jours fériés.

CASTELLANA

Grottes. — Visite accompagnée toute l'année. De mi-mars à fin octobre, visite toute la journée sans interruption (en août, visite supplémentaire à 21 h) ; le reste de l'année, le matin seulement. Visite complète (avec la Grotte Blanche) : durée 1 h 3/4, prix 10000 L. ; visite partielle (sans la Grotte Blanche) : durée 3/4 h, prix 4000 L.

CERRO

Musée de céramiques. — Visite le matin et l'après-midi des vendredis, samedis et dimanches ; l'après-midi seulement, les mardis, mercredis et jeudis, Fermé le lundi.

CERTALDO

Maison de Boccace. — Visite toute l'année, le matin et l'après-midi.

Palais Pretorio. — Visite toute l'année, le matin et l'après-midi (en fin d'après-midi en été). Fermé le lundi. 1000 L.

CERVETERI

Nécropole de la Banditaccia. — Visite toute l'année, toute la journée. Fermé tous les lundis, ainsi que le mardi de Pâques et les 1er mai, 2 juin, 2 août et 25 décembre. 4000 L.

CESENA

Bibliothèque Malatestiana. — Visite sur autorisation (écrire ou téléphoner — no (0547) 21297 —, le matin et l'après-midi en juillet et août ; le matin seulement, le reste de l'année. Fermé le dimanche après-midi, le lundi et les jours fériés légaux.

CHIARAVALLE

Abbaye. — Visite toute l'année, le matin et l'après-midi (l'après-midi seulement, les dimanches et jours fériés). Fermé le lundi et pendant les offices religieux.

CHIAVENNA

Collégiale St-Laurent : trésor. — Visite suspendue.

Jardin botanique et archéologique. — Visite toute l'année, l'après-midi. Fermé le lundi, ainsi que les 1er janvier, dimanche et lundi de Pâques, 25 avril, 1er mai, 10 août (Saint-Laurent), 15 août, 1er novembre, 25, 26 et 31 décembre. 1000 L.

CHIETI

Musée archéologique des Abruzzes. — Visite toute l'année, le matin. Fermé le lundi (sauf le lundi de Pâques), ainsi que les 1er janvier, 25 avril, 1er mai, 1er dimanche de juin, 15 août, 25 décembre. 3000 L (gratuit le deuxième dimanche de chaque mois).

CHIUSI

Musée étrusque. — Visite toute l'année, le matin. Fermé le 1er janvier, à Pâques, et les 25 avril, 1er mai, 15 août, 25 décembre. 2000 L.

CIVIDALE DEL FRIULI

Cathédrale : musée chrétien. — Visite toute l'année, le matin et l'après-midi ; les dimanches et jours de fête, ouvert le matin une demi-heure avant midi, et en fin d'après-midi.

Musée archéologique. — Visite toute l'année, le matin. 2000 L.

Tempietto. — Visite toute l'année, le matin et l'après-midi. Fermé le dimanche après-midi et le lundi.

CIVITAVECCHIA

Musée national archéologique. — Visite toute l'année, le matin. Fermé le lundi.

Thermes de Trajan. — Visite toute l'année, le matin. Fermé le lundi.

CLITUMNE (Sources du)

Temple de Clitumne. — Visite toute l'année, toute la journée sans interruption.

COLLODI

Château et jardins Garzoni. — Visite toute l'année, toute la journée sans interruption. Jardins : 6500 L ; château : 5500 L.

CÔME

Villa Olmo. — Visite toute l'année, toute la journée sans interruption. Fermé les dimanches et jours fériés.

CÔME (Lac de)

Le lac en bateau. — Trajet de Côme à Colico, via Argegno, Bellagio, Menaggio : 13200 L, AR. Trajet en hydroglisseur de Côme à Tremezzo, Bellagio, Menaggio : 6800 L ; de Tremezzo, Bellagio, Menaggio à Dongo, Gravedona, Domaso, Colico, Lecco : de 5300 L à 6200 L.
De Côme à Lecco ou Colico : 9700 L. Bac passant les voitures : de Cadenabbia à Bellagio et de Bellagio à Varenna, de 5700 L à 10400 L ainsi que de Cadenabbia à Varenna, de Menaggio à Bellagio et de Menaggio à Varenna.
Des billets valables de 1 à 10 jours permettent de circuler librement sur le lac : 15000 L pour un jour ; 48000 L pour 10 jours.

Croisières nocturnes. — Le samedi, en été : 22000 L.

CONEGLIANO

Cathédrale. — Visite le matin et l'après-midi. Fermé le dimanche matin.

Château (musées). — Visite toute l'année, le matin et l'après-midi. Fermé le lundi. 1000 L.

CORFINIO

Basilique de San Pelino. — Visite toute l'année, le matin et l'après-midi. Fermé le dimanche (sauf pour les offices) ; s'adresser à M. le Curé, ☎ (0864) 728121 ou 728120. Offrande.

CORTINA D'AMPEZZO

Tondi di Faloria. — Téléphérique, au départ de la via Marconi, jusqu'à Faloria, 8900 L aller simple ; de Faloria à Tondi di Faloria : télésiège en hiver, 2700 L, service de jeeps en été, 3500 L.

Tofana di Mezzo. — Téléphérique « Freccia nel Cielo », 16000 L aller simple (19000 L, AR).

Belvédère Pocol. — Service d'autobus toutes les heures, au départ de la piazza Roma. 2000 L

CORTONA

Musée diocésain. — Visite toute l'année, le matin et l'après-midi. Fermé le lundi. 2000 L.

Musée de l'Académie étrusque. — Visite toute l'année, le matin et l'après-midi (le matin et en fin d'après-midi seulement, d'avril à fin septembre). Fermé le lundi. 2000 L (gratuit le jeudi).

CRÉMONE

Torrazzo. — Accès au sommet, d'avril à fin novembre : le dimanche, le matin et l'après-midi ; en semaine, s'adresser au gardien M. Ferdinando Giordano, ☎ (0372) 31524 ou 27633. Fermé le reste de l'année et en cas de mauvais temps. 2000 L.

Palais communal. — Visite toute l'année, le matin et l'après-midi. Fermé le dimanche après-midi toute l'année, et le samedi après-midi de septembre à mi-juin. Fermé à Noël et le 1er janvier.

Musée municipal. — Visite toute l'année, le matin et l'après-midi. Fermé l'après-midi du dimanche, le lundi, ainsi que le 13 novembre (fête locale) et les autres jours fériés. 1000 L.

CROTONE

Musée archéologique. — Visite toute l'année, le matin et l'après-midi (fin d'après-midi en été). Fermé le lundi et l'après-midi du dimanche.

CUMES

Acropole. — Visite toute l'année, toute la journée sans interruption.

DESENZANO DEL GARDA

Villa Romana. — Visite d'avril à fin septembre, toute la journée sans interruption. Le reste de l'année, fermeture en milieu d'après-midi. Les dimanches et jours fériés, visite le matin seulement. Fermé les lundis non fériés. 2000 L.

ELBE (Ile d')

Musée Napoléonien des Moulins. — Visite toute l'année, le matin. Fermé le lundi, ainsi que les 1er janvier, 25 avril, 1er mai, 1er dimanche de juin, 15 août et 25 décembre. 3000 L (le billet est également valable pour la visite, le même jour, de la Villa Napoléon de San Martino).

Mont Capanne. — La télécabine fonctionne de mai à fin octobre, le matin et l'après-midi. 8000 L, AR.

Marciana : musée archéologique. — Visite toute l'année, le matin.

San Martino : Villa Napoléon. — Mêmes conditions de visite qu'au musée Napoléonien des Moulins.

ÉMERAUDE (Grotte d')

Accès et visite. — Accès en ascenseur à partir de la route, toute l'année, toute la journée ; 3000 L (comprenant l'ascenseur et la visite de la grotte). Accès possible en bateau, depuis le port d'Amalfi ; à partir de 5000 L, selon le type d'embarcation.

ESTE

Musée national Atestino. — Visite toute l'année, le matin et l'après-midi. Fermé l'après-midi des dimanches et jours fériés. 2000 L.

FAENZA

Musée international de la Céramique. — Visite toute l'année, le matin et l'après-midi. Fermé le lundi et l'après-midi du dimanche, ainsi que le 1er janvier, à Pâques, les 25 avril, 1er mai, 15 août et 25 décembre. 2500 L.

Pinacothèque communale. — Visite toute l'année, le matin. Fermé les dimanches et jours fériés.

FAITO (Mont)

Route à péage. — 1000 L, AR par voiture.

FANO

Musée municipal. — Visite de juillet à fin septembre, le matin et en fin d'après-midi (le matin seulement, le reste de l'année). Fermé le lundi et l'après-midi du dimanche, ainsi que les jours fériés. 1000 L.

FELTRE

Musée. — Visite toute l'année le matin, du mardi au vendredi ; le matin et l'après-midi, les samedis et dimanches. Fermé le lundi. 2000 L.

FÉNIS

Château. — Visite toute l'année, le matin et l'après-midi. Fermé le mardi, ainsi que le jour de Noël et l'après-midi du 1er janvier. 2000 L.

FERENTILLO

Abbaye de San Pietro in Valle. — Visite toute la journée sans interruption. Offrande.

FERENTO

Théâtre romain. — Visite toute l'année, le matin. Fermé le 1er janvier, à Pâques, les 25 avril, 1er mai, 15 août, 1er novembre, 25 et 26 décembre.

FERRARE

Cathédrale : musée. — Visite toute l'année, le matin et l'après-midi (en fin d'après-midi en été). Fermé les dimanches et jours fériés. Offrande.

Château des Este. — Visite toute l'année, le matin et l'après-midi. Fermé le lundi.

Palais Schifanoia. — Visite toute l'année, toute la journée sans interruption. Fermé les 1er janvier, dimanche de Pâques, 1er mai, 15 août, 25 et 26 décembre. 2000 L.

Palais des Diamants. — Visite toute l'année, le matin. Fermé le lundi, ainsi que les 1er janvier, dimanche et mardi de Pâques, 25 avril, 1er mai, 2 juin, 15 août et 25 décembre. 3000 L.

Palais de Ludovic le More. — Visite toute l'année, le matin. Fermé le lundi. 3000 L.

Casa Romei. — Visite toute l'année, le matin et l'après-midi. Fermé le lundi, ainsi que les 1er janvier, dimanche et mardi de Pâques, 25 avril, 1er mai, 2 juin, 15 août et 25 décembre.

Palazzina di Marfisa d'Este. — Visite toute l'année, le matin et l'après-midi. Fermé l'après-midi des dimanches et jours de fête, ainsi que le 1er janvier, à Pâques, les 1er mai, 15 août, 1er novembre, 25 et 26 décembre. 1500 L.

Sant'Antonio in Polesine. — Visite toute l'année, le matin et l'après-midi. Fermé les jours fériés. Offrande.

Maison de l'Arioste. — Visite toute l'année, le matin et l'après-midi. Fermé les dimanches et jours de fête, ainsi que le 1er janvier, à Pâques, les 1er mai, 15 août, 1er novembre, 25 et 26 décembre.

FIESOLE

Couvent St-François. — Visite le matin et l'après-midi. ℘ (055) 59175.

Zone archéologique et musée. — Visite toute l'année, toute la journée sans interruption. 2000 L.

Musée Bandini. — Visite toute l'année, le matin et l'après-midi. Fermé les dimanches et jours fériés. 2000 L.

Badia Fiesolana. — Pour visiter, s'adresser au gardien.

FLORENCE

Cathédrale :

Galerie intérieure et fresque de la coupole. — Restauration en cours, la fresque n'est pas visible.

Sommet de la coupole. — 464 marches. Accès toute l'année, le matin et l'après-midi. Fermé le dimanche, ainsi que le 1er janvier, du Jeudi saint au dimanche de Pâques, le 15 août et à Noël. 3000 L.

Crypte de Santa Reparata. — Visite toute l'année, le matin et l'après-midi. Fermé le dimanche après-midi, ainsi que le 1er janvier, à Pâques, le 15 août et à Noël. 1500 L (gratuit le dimanche matin).

Campanile. — Visite toute l'année, toute la journée sans interruption. Fermé le 1er janvier, à Pâques, le 15 août et à Noël. 3000 L.

Baptistère. — Visite toute l'année, toute la journée sans interruption.

Musée de l'Œuvre de la cathédrale. — Visite toute l'année, toute la journée sans interruption. Fermé le dimanche après-midi, ainsi que le 1er janvier, à Pâques, le 15 août et à Noël. 3000 L.

Palazzo Vecchio. — Visite toute l'année, toute la journée sans interruption. Fermé le samedi et l'après-midi du dimanche, ainsi que les jours fériés. 5000 L.

Musée des Offices. — Visite toute l'année, toute la journée sans interruption. Fermé le lundi, ainsi que les 1er janvier, 25 avril, 1er mai, 1er dimanche de juin, 15 août et à Noël. 5000 L.

Couloir de Vasari. — Pour visiter, s'adresser à l'avance au secrétariat du musée des Offices ; visite accompagnée (40 mn), selon les disponibilités des gardiens. Mêmes jours de fermeture et même billet que pour le musée des Offices.

Palais et musée du Bargello. — Visite toute l'année, le matin. Fermé le lundi, ainsi que les 1er janvier, 25 avril, 1er mai, 2 juin, 15 août et 25 décembre. 3000 L.

Bibliothèque Laurentienne. — Visite toute l'année, le matin. Fermé les dimanches et fêtes, ainsi que durant la Semaine sainte et dans la première quinzaine de septembre.

Chapelles Médicis. — Visite toute l'année, le matin. Fermé le lundi, ainsi que les 1er janvier, 25 avril, 1er mai, 15 août et 25 décembre. 4350 L.

Palais Médicis. — Visite toute l'année, le matin et l'après-midi. Fermé le mercredi et l'après-midi du dimanche. Mêmes conditions de visite pour la chapelle et la salle de Luca Giordano.

Santa Maria Novella : cloître Vert. — Visite toute l'année, le matin. 3000 L (gratuit le dimanche).

Palais Pitti :

Galerie Palatine. — Visite toute l'année, le matin. Fermé le lundi et les jours fériés. 4000 L (le billet est également valable pour les appartements monumentaux et le musée de l'Argenterie).

Appartements monumentaux. — Mêmes conditions de visite que pour la galerie Palatine.

Musée de l'Argenterie. — Visite toute l'année, le matin des mercredis, vendredis et dimanches. Fermé les autres jours. 4000 L (le billet est également valable pour la galerie Palatine et les appartements monumentaux).

Galerie d'Art moderne. — Visite toute l'année, le matin. Fermé le lundi, ainsi que le 1er janvier, à Pâques, les 25 avril, 1er mai, 1er dimanche de juin, 15 août, 2 novembre, 25 et 26 décembre. 4000 L.

Jardin de Boboli. — Visite toute l'année, toute la journée sans interruption. Fermé le 1er janvier, à Pâques, les 25 avril, 1er mai, 2 juin, 15 août et à Noël.

Musée de Porcelaines. — Visite toute l'année, le matin des mardis, jeudis et samedis. Fermé le reste de la semaine ainsi que les jours fériés.

Couvent et musée de St-Marc. — Visite toute l'année, le matin. Fermé le lundi, ainsi que les 1er janvier, 25 avril, 1er mai, 1er dimanche de juin, 15 août et à Noël. 3000 L.

Galerie de l'Académie. — Visite toute l'année, le matin. Fermé le lundi, ainsi que les 1er janvier, 25 avril, 1er mai, 1er dimanche de juin, 15 août et 25 décembre. 4000 L.

Hôpital des Innocents : galerie d'Art. — Visite toute l'année, le matin. Fermé le mercredi. 2000 L,

Ste-Croix :

Église. — Visite toute l'année, le matin et l'après-midi. Fermé le dimanche matin.

Chapelle des Pazzi. — Visite toute l'année, le matin et l'après-midi. Fermé le mercredi. 2000 L.

Musée de l'Oeuvre de Ste-Croix. — Mêmes conditions de visite qu'à la chapelle des Pazzi.

Fresques de Santa Maria del Carmine (dans la chapelle Brancacci). — Les fresques sont en restauration ; la chapelle est provisoirement fermée.

Cène de San Salvi. — Visite toute l'année, le matin. Fermé le lundi et les jours fériés légaux. 2000 L.

Musée archéologique. — Visite toute l'année, le matin. Fermé le lundi, ainsi que les 1er janvier, 25 avril, 1er mai, 2 juin et 25 décembre. 3000 L.

Cène de Ste-Apollonie. — Visite toute l'année, le matin. Fermé le lundi.

Cène de Ghirlandaio. — Pour visiter, s'adresser au couvent : ℰ (055) 296802.

Musée de la Demeure florentine. — Visite accompagnée (1 h) toute l'année, le matin ; fermé le lundi et les jours fériés. 2000 L.

Musée d'Histoire des Sciences. — Visite toute l'année, le matin ; ouvert en outre l'après-midi des lundis et vendredis en été, et des lundis, mercredis et vendredis en hiver. Fermé les dimanches et jours fériés. 5000 L.

Atelier des pierres dures. — Visite toute l'année, le matin. Fermé les dimanches et jours fériés. 2000 L. Pas de vente.

Maison des Buonarroti. — Visite toute l'année, le matin. Fermé le mardi et les jours fériés. 3000 L.

Villa della Petraia. — Visite accompagnée (1/2 h) de la villa, toute l'année, le matin. Fermé le lundi, ainsi que les 1er janvier, 25 avril, 1er mai, 2 juin, 15 août, 25 décembre (et à Pâques une année sur deux). Le jardin est ouvert toute l'année, toute la journée.

Villa de Castello. — Le jardin est ouvert toute l'année, toute la journée. La villa ne se visite pas.

Villa de Poggio a Caiano. — Visite toute l'année, le matin. Fermé le lundi, ainsi que les 1er janvier, 25 avril, 1er mai, 2 juin et 15 août.

Chartreuse de Galluzzo. — Visite accompagnée (1/2 h) toute l'année, le matin et l'après-midi. Fermé le lundi. Offrande.

FONTANELLATO

Rocca San Vitale. — Visite toute l'année, le matin et l'après-midi. Fermé le lundi, de mi-octobre à mi-mars. 1500 L.

FONTE COLOMBO

Couvent. — Visite toute l'année, toute la journée sans interruption. Offrande.

La FORESTA

Couvent. — Visite toute l'année, toute la journée sans interruption.

FORESTA UMBRA

Centre d'information. — Ouvert en été, toute la journée sans interruption ; au printemps et en début d'automne, ouvert en fin de matinée et parfois en début d'après-midi, selon le nombre de visiteurs. 300 L.

FORLÌ

Pinacothèque. — Visite toute l'année, le matin.

FOSSANOVA

Abbaye. — Visite accompagnée toute l'année, le matin et l'après-midi. Offrande.

FRASASSI

Grottes. — Visite en juillet, août, septembre : toute la journée, toutes les 15 minutes ; en mars, avril, mai, juin et octobre : à 9 h 30, 11 h, 12 h, 15 h et 18 h ; en décembre, janvier et février : à 11 h 30 et 15 h 30. 5000 L.

FRASCATI

Villa Aldobrandini. — Visite du parc seulement, toute l'année, le matin. Demander l'autorisation à l'Azienda di Soggiorno e Turismo, 1 piazza Marconi, ℰ (06) 9420331. Fermé les dimanches et jours fériés.

‌

GAÈTE

Mont Orlando : tombeau. — Pour visiter, s'adresser à l'Azienda di Soggiorno de Gaète, piazza 19 Maggio, ✆ (0771) 461165 ou 462767.

GARDE (Lac de)

Le lac en bateau. — De Desenzano à Riva del Garda, par Simione et Salò. 14000 L, AR, en bateau ; 20400 L en hydroglisseur.

GARDONE RIVIERA

Le Vittoriale. — Visite toute l'année, le matin et l'après-midi. Fermé le lundi. 3000 L (parc), 4000 L (parc et villa).

GARGNANO

Villa Feltrinelli. — On ne visite pas.

GÊNES

Visite du port. — Visite en bateau, depuis la gare maritime principale « Dei Mille ». Départs tous les jours, toute la journée, fréquence selon l'affluence. Durée : 1 h. 3500 L.

Cathédrale St-Laurent : trésor. — Visite toute l'année, le matin et l'après-midi. Fermé les lundis, dimanches et jours fériés.

Palais Cataldi. — Visite en juillet et août, toute la journée sans interruption. Visite le matin et l'après-midi le reste de l'année. Fermé le samedi après-midi et le dimanche, ainsi que les jours fériés légaux.

Hôtel de ville. — Visite sur autorisation de la Direzione Pubbliche Relazioni. Fermé les samedis et dimanches, ainsi que les jours fériés légaux.

Palais Bianco. — Visite toute l'année, le matin et l'après-midi. Fermé les lundis, dimanches après-midi et jours fériés. 1000 L (gratuit le dimanche matin).

Palais Rosso. — Mêmes conditions de visite qu'au palais Bianco.

Palais Royal. — Visite toute l'année, le matin seulement. Fermé les lundis, mercredis, vendredis, ainsi que les 1er janvier, 15 août et 25 décembre. 2000 L.

Galerie du palais Spinola. — Visite toute l'année, toute la journée sans interruption. Fermé l'après-midi des dimanches et des jours fériés. 2000 L.

Villetta di Negro : musée Chiossone. — Visite le matin et l'après-midi. Fermé les lundis et dimanches, ainsi que le 1er janvier, à Pâques, les 15 août et 25 décembre. 1000 L.

Castello. — L'ascenseur fonctionne tous les jours, toute la journée.

GRADARA

La Rocca. — Visite de mi-mai à fin septembre, l'après-midi en semaine (dimanches et jours fériés, le matin) ; le reste de l'année, visite le matin. 4000 L.

GRAND PARADIS (Parc national du)

Centres d'information accessibles au départ de la route du Val d'Aoste :

Rhêmes-Notre-Dame (informations sur le vautour) : ouvert en juillet et août.

Degioz (par la route du Val Savarenche) : ouvert en juillet et août.

Valnontey (à Cogne, prendre à droite) : s'adresser au jardin botanique Alpinio Paradisia, ouvert de juin à fin septembre.

Centres d'information accessibles par la route de Locana :

Ronco Canavese (à Pont, prendre à droite) : ouvert en juillet et août.

Noasca (14 km au-delà de Locana) : ouvert en juillet et août.

GRECCIO

Couvent. — Visite toute l'année, toute la journée sans interruption.

GROSSETO

Musée d'art et d'archéologie de la Maremme. — Visite toute l'année, le matin et en fin d'après-midi. Fermé le mercredi et l'après-midi des dimanches et jours fériés. 2500 L (gratuit le dimanche matin).

Musée diocésain. — Mêmes conditions de visite qu'au musée d'art et d'archéologie.

GROTTA GIGANTE

Grotte et musée. — Visite toute l'année, le matin et l'après-midi. Fermé le lundi ainsi que le 1er janvier. 4000 L.

GUBBIO

Palais des Consuls. — Visite toute l'année, le matin et l'après-midi. Fermé les 1er janvier et 25 décembre. 2000 L.

Palais ducal. — Visite toute l'année, le matin. Fermé le lundi. 1000 L.

Cathédrale : chapelle épiscopale. — En dehors de certaines fêtes religieuses, la chapelle est habituellement fermée ; le sacristain peut éventuellement la faire visiter (rémunération).

HERCULANUM

Ruines. — Visite toute l'année, toute la journée (fermeture tôt dans l'après-midi, en hiver). La visite du théâtre est suspendue pour travaux. 4000 L.

ISEO (Lac d')

Excursions en bateau. — De Sarnico ou Iseo, départ en fin de matinée, retour en fin d'après-midi ; durée : 6 h 1/2 environ ; 7600 L. D'Iseo, excursion de l'après-midi ; durée : 2 h ; 5200 L. S'adresser à l'Azienda Autonoma di Soggiorno à Iseo, 2 Lungolago Marconi, ✆ (030) 980209.

ISSOGNE

Château. — Visite accompagnée (1/2 h) toute l'année, le matin et l'après-midi. Fermé le lundi, ainsi que le jour de Noël et l'après-midi du 1er janvier. 2000 L.

JESI

Pinacothèque. — Visite toute l'année, le matin et en fin d'après-midi. Fermé le lundi, l'après-midi du dimanche, ainsi que les jours fériés légaux.

LACS (Région des)

De nombreuses excursions en bateau ou hydroglisseur (aliscafo) peuvent être combinées pour chacun des lacs (voir à leur ordre alphabétique). Nous n'en donnons qu'un aperçu. Pour plus de détails sur les horaires, les durées, les tarifs divers, s'adresser aux offices de tourisme locaux.

LAVENO MOMBELLO

Télébenne du Sasso del Ferro. — En service d'avril à fin septembre, toute la journée sans interruption. Le reste de l'année, le dimanche seulement. 5000 L, AR.

LECCE

Musée provincial. — Visite toute l'année, le matin et l'après-midi. Fermé le samedi, ainsi que les principaux jours fériés.

LORETO

Sanctuaire de la Sainte Maison. — Visite toute l'année, toute la journée jusqu'en fin d'après-midi (interruption à midi, d'octobre à fin mars).

Pinacothèque. — Visite toute l'année, le matin et l'après-midi. Fermé le vendredi, ainsi que le 1er janvier, à Pâques, les 25 avril et 1er mai, et à Noël. 1000 L.

LOVERE

Galerie Tadini. — Visite de mai à mi-octobre : en semaine, l'après-midi seulement ; les dimanches et jours fériés, le matin et l'après-midi. 2500 L.

LUCERA

Musée. — Visite toute l'année, le matin et l'après-midi (fin d'après-midi, de mai à fin septembre). Fermé le lundi et les jours fériés. 500 L.

LUCQUES

Maison des Guinigi : tour. — Montée à la tour : entrée via S. Andrea (derrière la via Guinigi). Visite toute l'année, toute la journée sans interruption. Fermé les jours fériés légaux. 2000 L. La maison elle-même ne se visite pas.

Musée national du palais Mansi. — Visite toute l'année, toute la journée. Fermé le dimanche après-midi et le lundi toute la journée, ainsi que les 1er janvier, 25 avril, 1er mai, le dimanche qui suit le 2 juin, les 15 août et 25 décembre. 3000 L.

Musée national de la Villa Guinigi. — Visite toute l'année, toute la journée. Fermé le dimanche après-midi et le lundi toute la journée, ainsi que les 1er janvier, 25 avril, 1er mai, le dimanche qui suit le 2 juin, les 15 août et 25 décembre. 2000 L.

Tour du lac en bateau. — Le « Gran Giro del Lago » a lieu tous les jours, de fin mars à mi-octobre, au départ de Lugano à 14 h 35 ; retour à 17 h 45. Prix : 19,60 francs suisses. D'autres excursions en bateau, de durée et de prix variables, sont possibles : se renseigner auprès de la Società Navigazione del lago di Lugano, ℰ (091) 515223 à Morcote, Suisse.

Le lac en bateau. — Trajet Arona-Locarno : 19800 L, AR. Traversée Intra-Laveno : 1600 L ; bac passant les voitures : de 9800 L à 19400 L, AR, plus 2800 L, AR, par passager. Trajet Intra-Locarno en hydroglisseur : 16400 L, AR (aller en bateau, retour en hydroglisseur). Des billets valables pour 1, 3 ou 7 jours permettent de circuler librement sur le lac : 12900 L pour 1 jour, 25700 L pour 3 jours, 35300 L pour 7 jours.

Croisières nocturnes. — Circuits au départ de Pallanza, par l'Isola Madre, Baveno, l'Isola dei Pescatori, l'Isola Bella, Stresa, l'Isola di S. Giovanni, 5500 L, AR.

Mont Baldo. — Le téléphérique fonctionne tous les jours ; départs toutes les 1/2 h ; durée : 1/4 h ; changement à San Michele. Fermé les 15 jours suivant Pâques, et en novembre. 10000 L, AR.

Villa Foscari. — Visite de mai à fin octobre, le matin des mardis et samedis, ainsi que le premier dimanche de chaque mois durant la même période. 5000 L.

Palais ducal. — Visite toute l'année, le matin. Fermé le lundi, ainsi que les 1er janvier, 25 avril, 1er mai, 1er dimanche de juin, 15 août et 25 décembre. 4000 L.

« Rotonda » di San Lorenzo. — Pour visiter, s'adresser au sacristain de la basilique St-André.

Palazzo Té. — Visite toute l'année, le matin et l'après-midi. Fermé le lundi, ainsi que les 1er janvier, 25 avril, 1er mai, 15 août et 25 décembre. 2000 L.

Teatro Accademico. — Visite toute l'année, le matin et l'après-midi. Fermé les dimanches et jours fériés. 300 L.

Palais d'Arco. — De mars à fin octobre : visite le matin et l'après-midi des jeudis, samedis, dimanches et fêtes ; le matin seulement, les mardis, mercredis, vendredis. Le reste de l'année : visite le matin et l'après-midi des samedis, dimanches et fêtes ; le matin seulement, le jeudi ; fermé les autres jours. Fermé également les 1er janvier, 25 avril, 1er mai, 15 août et 25 décembre. 1500 L.

Parc. — Visite toute l'année, le matin et l'après-midi. 2000 L.

Jardins de la villa Reale. — Visite de juillet à fin octobre, le matin et en fin d'après-midi, les mardis, jeudis et dimanches ; le reste de l'année, ouvert tous les jours, sauf le lundi. 3000 L, de juillet à octobre ; 2500 L, le reste de l'année.

Téléphérique de Malga Ciapela. — Fonctionne de mi-février à début mai et de mi-juin à fin septembre. Prix AR : 19000 L.

Elles fonctionnent :

Dimanches et jours fériés. — De novembre à mi-mars, de 15 h (13 h les 25, 26 décembre et le 1er janvier) à 16 h. De mi-mars à fin avril, et en septembre et octobre, de 10 h à 12 h et de 15 h à 21 h ; en outre, le **samedi** de 18 h à 21 h. De mai à fin août, de 10 h à 13 h et de 15 h à 23 h ; en outre, les 22 mai et 16 août aux mêmes heures et le **samedi** de 17 h à 22 h.

Jours ouvrables. — De mi-juillet à fin août, de 17 h à 18 h 30.

Villa. — Visite toute l'année, l'après-midi des mardis, samedis, dimanches et jours de fête. Fermé les autres jours, les jours fériés légaux, et de Noël au 6 janvier. 2500 L.

Conditions de visite

MASSA MARITTIMA

Musées municipaux. — Visite toute l'année, le matin et l'après-midi. Fermé le lundi et les jours fériés légaux. 3000 L.

MATERA

San Pietro Caveoso. — Fermeture provisoire pour restauration.

Musée national Ridola. — Visite toute l'année, le matin et en fin d'après-midi. Fermé le dimanche après-midi et le lundi toute la journée, ainsi que les 1er janvier, jour de Pâques, 25 avril, 1er mai, 1er dimanche de juin, 15 août et 25 décembre.

MERANO

Château princier. — Visite toute l'année, le matin et l'après-midi. Fermé le samedi après-midi et le dimanche, ainsi que les jours fériés légaux. 1500 L.

MERANO 2000

Téléphérique. — Fonctionne toute l'année. 12500 L, AR.

MILAN

Dôme :

Baptistère sous le parvis. — Visite toute l'année, le matin et l'après-midi. Fermé le lundi.

Trésor. — Visite toute l'année, le matin et l'après-midi. 1000 L.

Promenade sur les toits. — Visite toute l'année, toute la journée. Fermé à Noël. Montée à pied : 1000 L ; en ascenseur : 2500 L.

Musée du Dôme. — Visite toute l'année, le matin et l'après-midi. Fermé le lundi, ainsi que le jour de Pâques, les 1er mai et 15 août, et à Noël. 2000 L.

Musée du théâtre de la Scala. — Visite toute l'année, le matin et l'après-midi. Fermé le dimanche, d'octobre à fin avril, ainsi que les 1er janvier, dimanche et lundi de Pâques, 25 avril, 1er mai, 25 et 26 décembre.

Pinacothèque Brera. — Visite toute l'année, le matin. Fermé le lundi, ainsi que les 1er janvier, 25 avril, 1er mai, 2 juin, 15 août et 25 décembre. 4000 L.

Château des Sforza. — Visite toute l'année, le matin et l'après-midi. Fermé le lundi (sauf les lundis fériés), ainsi que le 1er janvier, à Pâques, les 1er mai et 15 août, et à Noël.

Bibliothèque Ambrosienne. — Visite toute l'année, toute la journée. Fermé les samedis, dimanches, et jours fériés.

Pinacothèque. — Visite toute l'année, toute la journée. Fermé le lundi, ainsi qu'à Pâques, les 1er mai, 15 et 16 août, 25 et 26 décembre. 3000 L (2000 L dimanches et jours fériés).

Musée Poldi-Pezzoli. — Visite toute l'année, le matin et l'après-midi ; visite, en outre, de 21 h à 23 h le jeudi (sauf en août). Fermé le lundi (et l'après-midi du dimanche, d'avril à fin septembre) ; fermé également le 1er janvier, à Pâques, les 1er mai, 15 et 16 août, 1er novembre, 25 et 26 décembre, ainsi que l'après-midi de certains autres jours fériés (dont le 25 avril). 4000 L.

Galerie d'Art moderne. — Visite toute l'année, le matin et l'après-midi. Fermé les mardis non fériés, ainsi que le 1er janvier, à Pâques, les 1er mai et 15 août, et à Noël.

Musée national des Sciences et des Techniques Léonard de Vinci. — Visite toute l'année, toute la journée. Fermé le lundi, ainsi que le 1er janvier, à Pâques, les 1er mai et 15 août, et à Noël. 3000 L.

Église Ste-Marie-des-Grâces : « Cenacolo ». — Visite toute l'année, le matin et l'après-midi ; dimanches et jours fériés, ouvert sans interruption, mais fermeture dès le milieu de l'après-midi. 4000 L.

Musée d'Archéologie (près de l'église St-Maurice). — Visite uniquement le mercredi, le matin et l'après-midi.

Église St-Laurent : chapelle S. Aquilino. — En cas de fermeture, s'adresser au sacristain, sauf le dimanche matin.

MIRA

Villa Costanzo. — Visite toute l'année, le matin et l'après-midi. Fermé le lundi et les jours fériés. 5000 L.

MIRAMARE

Château. — Visite toute l'année, le matin. 3000 L. Le jardin est ouvert toute la journée (entrée gratuite).

MISURINA (Lac de)

Route à péage. — Prix AR : 11500 L par voiture (conducteur compris) et 3500 L par passager.

MODÈNE

Musée de la cathédrale. — Pour visiter, s'adresser au sacristain, ✆ (059) 217130 : l'après-midi uniquement, jusqu'en début de soirée. Fermé les dimanches et jours fériés.

Bibliothèque d'Este. — Visite toute l'année, le matin. Fermé les dimanches et jours fériés, ainsi que durant la Semaine sainte et la première quinzaine de septembre.

Galerie d'Este. — Visite toute l'année, le matin et l'après-midi (le matin seulement, d'octobre à fin juin). Fermé le lundi et les jours fériés légaux. 2000 L.

Cabinet des Médailles. — Mêmes conditions de visite et même billet que pour la galerie d'Este.

MONT-CASSIN

Abbaye. — Visite toute l'année, le matin et l'après-midi. Offrande.

Musée abbatial. — Visite toute l'année, le matin et l'après-midi. 2000 L.

Musée archéologique national. — Visite toute l'année, le matin. Fermé le lundi et les jours fériés légaux.

MONTECATINI TERME

Musée d'Art moderne. — Visite d'avril à fin septembre, en fin d'après-midi ; fermé le lundi. D'octobre à fin mars, visite l'après-midi ; fermé le dimanche.

MONTECCHIO MAGGIORE

Villa Cordellina - Lombardi. — Visite du 13 au 28 avril, du 4 mai au 18 juillet, du 17 août au 15 octobre : le matin et l'après-midi des mercredis, samedis et dimanches. 1000 L. ✆ (0444) 796085.

MONTEFALCO

Tour communale. — Accès toute l'année, le matin et l'après-midi ; s'adresser à M. Arnaldo Pietrangeli, 15 piazza del Comune. 500 L.

Église St-François. — Visite toute l'année, le matin et en fin d'après-midi. Fermé le jeudi. 2000 L.

MONTE ISOLA (Ile)

Accès en bateau. — D'Iseo, départs toutes les 1/2 h (3200 L, AR) ; de Sulzano, départs toutes les heures environ. Accès possible à partir des autres localités du lac.

MONTE OLIVETO MAGGIORE

Abbaye. — Visite toute l'année, le matin et l'après-midi.

MONTEPULCIANO

Palais communal. — Visite d'avril à fin septembre : les jours ouvrables, le matin ; toute la journée sans interruption, les dimanches et jours de fête.

Madonna di San Biagio. — Visite toute l'année, le matin et en fin d'après-midi. Offrande.

MONTE SANT'ANGELO

Tombe de Rotharis. — Visite toute l'année, le matin et l'après-midi.

MONZA

Cathédrale : trésor. — Visite toute l'année, le matin et l'après-midi (le matin seulement, les dimanches et jours fériés). Fermé le lundi. 2000 L.

Parc de la Villa royale. — Visite toute l'année, toute la journée.

MORTOLA INFERIORE

Jardins Hanbury. — Visite toute l'année, en milieu de journée. Fermé le mercredi et les jours fériés légaux.

MURANO

Musée du Verre. — Visite toute l'année, en milieu de journée ; le matin seulement, le dimanche. Fermé le mercredi. 3000 L.

NAPLES

Théâtre St-Charles. — Visite sur rendez-vous, pris la veille au moins auprès du Bureau des relations publiques du théâtre. Fermé le lundi.

Palais royal. — Visite toute l'année, le matin. Fermé le lundi, ainsi que les 1er janvier, 25 avril, 1er mai, 1er dimanche de juin, 15 août et 25 décembre. 3000 L.

Château de l'Oeuf. — Pour visiter, s'adresser à : Provveditorato alle Opere Pubbliche (Travaux Publics), 21, via Marchese Campodisola, ☎ (081) 206622. Visite toute l'année, le matin. Fermé le dimanche.

Église Ste-Claire : cloître. — Visite toute l'année, le matin et en fin d'après-midi. Fermé l'après-midi des dimanches et jours fériés. Offrande.

Chapelle San Severo. — Visite toute l'année, le matin ; en outre, visite en fin d'après-midi (sauf le dimanche) en juillet, août et septembre, ainsi que du 22 décembre au 8 janvier. 2500 L.

Musée archéologique national. — Visite toute l'année, le matin. Fermé le lundi, ainsi que les 1er janvier, 25 avril, 1er mai, 1er dimanche de juin, 15 août et 25 décembre. 4000 L. Les salles suivantes sont en cours de réaménagement, et peuvent être provisoirement fermées : salles VIII et X ; galeries des Marbres de couleur, des Portraits grecs, des Empereurs ; salles XC à XCV.

Chartreuse de St-Martin. — Visite toute l'année, le matin. Fermé le lundi, ainsi que les 1er janvier, 25 avril, 1er mai, 1er dimanche de juin, 15 août et 25 décembre. 3000 L.

Palais et Galerie nationale de Capodimonte. — Visite toute l'année, le matin. Fermé le lundi, ainsi que les 1er janvier, 25 avril, 1er mai, 1er dimanche de juin, 15 août et 25 décembre. 4000 L.

Villa Floridiana. — Visite toute l'année, le matin. Fermé le lundi, ainsi que les 1er janvier et 25 avril, à Pâques, les 1er mai, 1er dimanche de juin, 15 août, et à Noël. 2000 L.

Catacombes de St-Janvier. — Visite toute l'année, les samedis, dimanches et jours fériés, le matin. Fermé le reste de la semaine. 2000 L.

Cathédrale. — Visite toute l'année, le matin et en fin d'après-midi. Fermé l'après-midi du lundi de Pâques et du 26 décembre.

Chapelle St-Janvier. — Visite toute l'année, le matin. Visite également en fin d'après-midi, du 1er au 8 mai et du 19 au 26 septembre. Fermé du 9 au 11 mai et du 27 au 30 septembre.

Basilique Ste-Restitute. — Pour visiter, s'adresser au sacristain de la cathédrale. Fermé les jours fériés et, en outre, le 1er dimanche de mai et le 19 septembre. Offrande.

Palais Cuomo. — Visite toute l'année, le matin. Fermé le lundi. 2000 L.

Aquarium. — Visite toute l'année, toute la journée sans interruption. Fermé le lundi et le 15 août ; fermé également le dimanche après-midi, de novembre à fin février. 1000 L.

NONANTOLA

Abbaye. — Visite toute l'année, toute la journée.

NOVACELLA

Couvent. — Visite accompagnée (1 h) toute l'année, le matin et l'après-midi. Fermé le dimanche. 2000 L.

ORTISEI

Alpe di Siusi. — Le téléphérique fonctionne toute l'année, le matin et en deuxième partie d'après-midi (départ toutes les heures). Prix AR : 8300 L.

ORVIETO

Palais des papes : musée de l'Oeuvre de la cathédrale. — Visite toute l'année, le matin et l'après-midi. Fermé le lundi ainsi qu'en février. 2000 L. ☎ (0763) 42477.

Puits de St-Patrice. — Visite toute l'année, toute la journée sans interruption. 2000 L. ☎ (0763) 43768.

Musée archéologique Faina. — Visite toute l'année, le matin et l'après-midi. Fermé le lundi, ainsi que les 25 décembre et 1er janvier. 2000 L. ☎ (0763) 41216.

OSTIE

Fouilles. — Visite toute l'année, toute la journée sans interruption. Fermé le lundi, ainsi que le 1er janvier, à Pâques, les 1er mai, 15 août et 25 décembre. 4000 L.

Musée des fouilles. — Même billet et mêmes jours de fermeture que pour les fouilles, mais le musée est fermé l'après-midi.

OTRANTE

Côte méridionale : grotte Zinzulusa. — Près de Castro Marina. Visite toute l'année, le matin et l'après-midi. Visite suspendue en cas de mer mauvaise. Renseignements auprès de l'Azienda di Soggiorno de Castro Marina. 2000 L.

PADOUE

Visite du centre historique. — Visite guidée plurilingue en autocar, tous les jours entre mai et fin octobre. 2500 L. Renseignements et inscriptions auprès de l'office de Tourisme, ✆ (049) 27767.

Fresques de Giotto (chapelle des Scrovegni). — Visite toute l'année, le matin et l'après-midi. Fermé le 1er janvier, à Pâques et à Noël. 2000 L.

Basilique du Saint. — Ouverte toute l'année, toute la journée sans interruption. Visite limitée les dimanches et jours de fête, en raison des offices religieux. Pour voir le maître-autel, s'adresser à la sacristie.

Oratoire St-Georges et Scuola di Sant'Antonio. — Visite toute l'année, le matin et l'après-midi.

Palais de Justice. — Visite toute l'année, le matin ; l'après-midi également, en été. Fermé le lundi et les jours fériés. 2000 L.

Musée municipal. — Visite toute l'année, le matin. Fermé le lundi et les jours fériés légaux. 2000 L.

Université : « Teatro Anatomico ». — Visite toute l'année, le matin ; éventuellement l'après-midi, en été ; s'adresser au concierge de l'université, 2 via 8 Febbraio. Fermé le dimanche et les jours fériés légaux.

Jardin botanique. — Visite en été, le matin et l'après-midi ; fermé le dimanche après-midi. En hiver, visite le matin seulement ; fermé le dimanche toute la journée. Fermé toute l'année les jours fériés légaux. 1000 L.

PAESTUM

Musée. — Visite toute l'année, le matin seulement. 3000 L (le billet est également valable pour la visite des ruines).

Ruines. — Visite toute l'année, toute la journée sans interruption. 3000 L (le billet est également valable pour la visite du musée).

PALLANZA

Villa Taranto. — Visite d'avril à fin octobre, toute la journée sans interruption. 5000 L.

PALMI

Musée municipal. — Visite toute l'année, le matin. Fermé le dimanche.

PAOLA

Couvent. — Visite toute l'année, le matin.

PARME

Église St-Jean - Évangéliste : cloîtres du couvent. — Visite toute l'année, le matin et l'après-midi. Fermé le dimanche.

Pharmacie de San Giovanni Evangelista. — Visite toute l'année, toute la journée sans interruption. Fermé les jours fériés légaux. 2000 L.

Musée national d'Antiquités. — Visite toute l'année, le matin. Fermé le lundi. 2000 L.

Galerie nationale. — Visite toute l'année, le matin. Fermé le lundi. 3000 L.

Théâtre Farnèse. — Mêmes heures et jours de visite que pour la galerie nationale. Entrée gratuite.

Chambre du Corrège. — Visite toute l'année, le matin. Fermé le lundi.

Musée Glauco-Lombardi. — Visite toute l'année, le matin et l'après-midi. Fermé le lundi, l'après-midi des dimanches et jours fériés, ainsi que le 1er janvier, à Pâques, les 25 avril et 1er mai, et à Noël.

Conditions de visite

PAVIE

Château des Visconti. — Visite de mars à fin octobre, le matin et l'après-midi ; le matin seulement, le reste de l'année. Fermé le lundi, ainsi que les 1er janvier, 25 avril, 1er mai, 15 août, 1er novembre, 8, 9, 25 et 26 décembre. 2000 L.

PAVIE (Chartreuse de)

Visite. — Toute l'année, le matin et l'après-midi. Fermé les lundis non fériés.

PÉROUSE

Galerie nationale de l'Ombrie. — Visite toute l'année, tous les jours le matin et, en outre, le jeudi après-midi. Fermé les jours fériés légaux. 4000 L.

Musée archéologique national de l'Ombrie. — Visite toute l'année, le matin. Fermé les 1er janvier, 25 avril, 1er mai, 1er dimanche de juin, 15 août, et à Noël. 2000 L.

Palais du Change. — Visite le matin et l'après-midi (le matin seulement, de novembre à fin février). Fermé le lundi, ainsi que le 1er janvier, à Pâques, les 1er mai, 2 juin, 15 août et 25 décembre. 1500 L.

Porta Marzia et via Bagliona Sotterranea. — Visite en été, le matin et l'après-midi ; en hiver, visite le matin seulement.

Hypogée. — Visite toute l'année, toute la journée sans interruption. Fermé les jours fériés légaux. 2000 L.

PESARO

Maison natale de Rossini. — Fermée pour restauration.

Collections municipales. — Visite d'avril à fin septembre, le matin et l'après-midi (excepté celles des dimanches et fêtes) ; visite le matin seulement, le reste de l'année. Fermé les jours fériés lorsqu'ils tombent en semaine. 1000 L (gratuit le dimanche).

Musée Oliveriano. — S'adresser au gardien de la bibliothèque Oliveriana, le matin et l'après-midi. Fermé les samedis, dimanches et jours fériés légaux.

PIENZA

Musée de la cathédrale. — Visite toute l'année, le matin et l'après-midi. Fermé le mardi. 1000 L.

Palais Piccolomini. — Visite toute l'année, en deuxième partie de matinée et d'après-midi. Fermé le lundi. 1500 L.

PIEVE DI CADORE

Musée (maison natale de Titien). — Visite toute l'année, le matin et en fin d'après-midi. Fermé le lundi et les jours fériés légaux. 1000 L.

PIONA

Abbaye. — Visite toute l'année, le matin et l'après-midi. Offrande.

PISE

Tour penchée. — Visite toute l'année, toute la journée sans interruption. 3000 L.

Baptistère. — Visite toute l'année, le matin et l'après-midi.

Cimetière. — Visite toute l'année, toute la journée sans interruption. 2000 L.

Musée des Sinopies. — Visite toute l'année, le matin et l'après-midi. Fermé le 1er janvier et le 25 décembre. 2000 L.

Musée national. — Visite toute l'année, toute la journée sans interruption. Fermé le lundi et l'après-midi des dimanches et fêtes, ainsi que les 1er janvier, 25 avril, 1er mai, 1er dimanche de juin, 15 août et 25 décembre. 2000 L.

Église Ste-Marie de l'Épine. — Visite toute l'année, le matin.

PISTOIA

Cathédrale. — Visite toute l'année, le matin et l'après-midi. Offrande.

Baptistère. — Visite toute l'année, le matin et l'après-midi. Offrande.

Palais communal. — Visite toute l'année, le matin et l'après-midi. Fermé le lundi. 2000 L.

PLAISANCE

Palais Farnèse : musée municipal. — Visite toute l'année, le matin seulement, les mercredis, vendredis et samedis ; l'après-midi également, les mardis, jeudis et dimanches (en fin d'après-midi, de juin à fin septembre). Fermé le lundi, ainsi que les 1er janvier et 25 avril, à Pâques, les 1er dimanche de juin, 5 juillet, 15 août, 25 et 31 décembre. 1000 L.

Galerie Alberoni. — Visite sur rendez-vous pris la veille auprès de la Direction, ✆ (0523) 63198.

PLOSE

Accès. — A partir du village de Sant'Andrea, au S.-E. de Bressanone, téléphérique pour Valcroce puis télécabine pour Plose. Pour plus de renseignements, s'adresser à l'office de Tourisme de Bressanone, ✆ (0472) 22401.

POGGIO BUSTONE

Couvent. — Visite toute l'année, toute la journée sans interruption.

POMPÉI

La Ville Morte. — Visite toute l'année, toute la journée sans interruption (fermeture tôt dans l'après-midi, durant les premiers mois d'hiver). Possibilité de fermeture le lundi en hiver. Fermé les 1er janvier, 1er mai, 15 août, et à Noël. 5000 L.
Les maisons suivantes sont provisoirement fermées à la visite : maison du Cryptoportique, maison des Petits Amours dorés, maison de l'Ara Massima, maison du Poète tragique, maison de Pansa. La réouverture de l'Antiquarium est prévue pour 1987.

POMPOSA

Abbaye. — Visite le matin et l'après-midi. Fermé en décembre. Offrande.

POPPI

Castel. — Visite toute l'année, le matin et l'après-midi. Fermé les jours fériés légaux.

PORTOFINO

Château. — Visite toute la journée sans interruption. Fermé le mardi, ainsi que de mi-janvier à mi-février.

PORTOFINO VETTA

Accès. — Route privée à péage : 1000 L, jusqu'à l'hôtel Portofino Vetta (cartes d'abonnement à l'hôtel).

PORTONOVO

Église Santa Maria. — Fermeture provisoire pour restauration.

POSSAGNO

Temple de Canova. — Visite toute l'année, le matin et l'après-midi. Fermé les lundis non fériés. 2000 L.

POUZZOLES

Amphithéâtre. — Visite toute l'année, toute la journée sans interruption. 2000 L.

Solfatare. — Visite toute l'année, toute la journée. 2000 L. Il est possible, mais pas obligatoire, de prendre un guide (prix à débattre).

PRATO

Musée de l'Oeuvre de la cathédrale. — Visite toute l'année, le matin et l'après-midi. Fermé le dimanche après-midi et le lundi. 1000 L.

RAVELLO

Villa Rufolo. — Visite toute l'année, le matin et l'après-midi. Fermé les jours fériés légaux. 2000 L.

Villa Cimbrone. — Visite toute l'année, toute la journée sans interruption. Fermé les jours fériés légaux. 2000 L.

Musée de la cathédrale. — Visite de juin à fin septembre, l'après-midi jusqu'en début de soirée ; d'octobre à fin mai, visite le matin. Fermé le lundi.

RAVENNE

Tombeau de Galla Placidia. — Visite toute l'année, toute la journée sans interruption.

Église St-Vital. — Visite toute l'année, toute la journée sans interruption.

Musée national. — Visite toute l'année, le matin. Fermé le lundi. 3000 L.

Baptistère des Orthodoxes. — Visite toute l'année, le matin et l'après-midi. Fermé le dimanche après-midi et les jours fériés légaux. 100 L.

Basilique St-Apollinaire-le-Neuf. — Visite toute l'année, le matin et l'après-midi.

Baptistère des Ariens. — Visite toute l'année, le matin et l'après-midi. Fermé le dimanche après-midi et les jours fériés légaux.

Basilique Sant'Apollinare in Classe. — Visite toute l'année, le matin et l'après-midi.

Tombeau de Théodoric. — Visite d'avril à fin septembre, toute la journée sans interruption ; en hiver, visite le matin seulement. 3000 L.

Musée de l'Archevêché. — Visite toute l'année, le matin et l'après-midi. Fermé le dimanche après-midi et les jours fériés légaux. 500 L.

Pinacothèque municipale. — Visite toute l'année, le matin et l'après-midi. Fermé le lundi. 1500 L (ou 2000 L lors des expositions temporaires).

RECANATI

Palais Leopardi. — Visite accompagnée (1/2 h) toute l'année, le matin et l'après-midi. Fermé le 1er janvier, à Pâques, le 15 août, et à Noël. 1000 L.

Pinacothèque. — Visite toute l'année, le matin et en fin d'après-midi. Fermé le dimanche après-midi et le lundi toute la journée, ainsi que le 1er janvier, à Pâques, le 15 août, et à Noël. 1000 L.

REGGIO DI CALABRIA

Musée national. — Visite toute l'année, le matin et l'après-midi (le matin seulement, les dimanches et lundis). Fermé les 1er janvier, 25 avril, 1er mai, 1er dimanche de juin, 15 août et 25 décembre. 4000 L.

REGGIO NELL'EMILIA

Galerie Parmeggiani. — Fermeture provisoire pour travaux.

RIVA DEL GARDA

La Rocca : musée. — Fermeture pour restauration.

ROME

Palazzo Venezia. — Visite toute l'année, le matin. Fermé le lundi et les jours fériés. 4000 L.

Palais des Conservateurs. — Visite toute l'année, le matin tous les jours, et en outre l'après-midi des mardis et jeudis. Fermé le lundi, ainsi que le 1er janvier, à Pâques, les 1er mai et 15 août, à Noël, et les dimanches d'élections. 3000 L.

Musée Capitolin. — Mêmes conditions de visite qu'au palais des Conservateurs.

Palais sénatorial. — On ne visite pas.

Forum romain. — Visite toute l'année, toute la journée sans interruption. Fermé le mardi et l'après-midi des dimanches et fêtes, ainsi que les 1er janvier, 25 avril, 1er mai, 1er dimanche de juin, 15 août, et à Noël. 5000 L.

Maison de Livie. — Pour la visiter, s'adresser au gardien.

Colisée. — Visite toute l'année, toute la journée sans interruption. Fermé l'après-midi des dimanches et fêtes, ainsi que les 1er janvier, 25 avril, 1er mai, 1er dimanche de juin, 15 août, et à Noël. 3000 L.

Marchés de Trajan. — Visite en été le matin et l'après-midi, en hiver le matin seulement. Fermé le lundi et l'après-midi des dimanches et jours fériés. 1500 L.

Château St-Ange. — Visite toute l'année, le matin. Fermé le lundi, ainsi que les 1er janvier, 25 avril, 1er mai, 1er dimanche de juin, 15 août, et à Noël. 3000 L.

Cité du Vatican. — L'accès à la cité du Vatican n'est autorisé qu'aux personnes ayant une tenue convenable ; les shorts ainsi que les vêtements trop décolletés et les mini-jupes sont prohibés.

Vatican : audiences publiques. — Elles ont lieu le mercredi. S'adresser, l'avant-veille de préférence, à la Prefettura della Casa Pontificia, le matin. Il est conseillé, mais non indispensable, d'être muni d'une recommandation écrite du curé de sa paroisse.

Musées du Vatican. — Visite toute l'année, le matin ; visite également l'après-midi (mais les billets ne sont délivrés que jusqu'à 15 h) en juillet, août et septembre, ainsi que durant la semaine qui précède et celle qui suit le dimanche de Pâques (le samedi, visite le matin seulement). Fermé le dimanche, à l'exception du dernier dimanche, non férié, de chaque mois, au matin (visite gratuite). Fermé également les 1er et 6 janvier, 11 février, 19 mars, 1er, 8 et 29 mai, 14 et 15 août, 1er novembre, 8, 25 et 26 décembre. 7000 L.

Basilique St-Pierre :
Sommet de la coupole. — Accès toute l'année, toute la journée, sauf durant les audiences papales. 2000 L par ascenseur ; 1500 L à pied.
Musée d'Art et d'Histoire. — Visite d'avril à fin septembre, toute la journée sans interruption ; le reste de l'année, visite le matin seulement. 2000 L.

Palais Farnèse. — Visite interdite.

Panthéon. — Visite toute l'année, le matin. Fermé le lundi.

Église St-Louis-des-Français. — Visite toute l'année, le matin et l'après-midi. Fermé le jeudi après-midi.

Thermes de Caracalla. — Visite toute l'année, toute la journée sans interruption. Fermé le lundi, l'après-midi des dimanches et fêtes, ainsi que les 1er janvier, 25 avril, 1er mai, 1er dimanche de juin, 15 août, et à Noël. 3000 L.

Catacombes de St-Calliste. — Visite accompagnée (1 h) toute l'année, le matin et l'après-midi. Fermé le mercredi, ainsi que le 1er janvier, à Pâques et à Noël. 3000 L.

Catacombes de St-Sébastien. — Mêmes conditions de visite que pour les catacombes de St-Calliste, mais fermeture le jeudi.

Catacombes de Domitille. — Mêmes conditions de visite que pour les catacombes de St-Calliste, mais fermeture le mardi.

Tombeau de Cecilia Metella. — Visite toute l'année, toute la journée sans interruption. Fermé le lundi et les jours fériés.

Ste-Cécile. — Pour visiter, s'adresser le matin au couvent des bénédictines, à côté, au fond de la cour.

Galerie nationale d'Art moderne. — Visite toute l'année, le matin. Fermé le lundi et les jours fériés légaux. 4000 L.

Musée Borghese. — Fermeture prévue pour travaux.

Musée national romain. — Visite toute l'année, le matin. Fermé le lundi. 4000 L.

Musée national de la Villa Giulia. — Visite toute l'année, le matin tous les jours, et, en outre, l'après-midi du mercredi. Fermé le lundi et les jours fériés légaux. 4000 L.

Palais du Quirinal. — Visite sur rendez-vous, à demander au minimum 8 jours ouvrables avant le jour souhaité ; demande à adresser par écrit à : Ufficio Intendenza del Palazzo Quirinale, via della Dataria, 00187 - Roma.

Palazzo Barberini. — Visite toute l'année, le matin. 2000 L.

Palazzo Braschi : musée. — Visite toute l'année, le matin tous les jours, et, en outre, l'après-midi des mardis et jeudis. Fermé le lundi et les jours fériés légaux. 3000 L.

Palazzo Doria Pamphili. — Visite toute l'année, le matin. Fermé les lundis, mercredis et jeudis. 2000 L.

Palazzo Spada. — Visite toute l'année, le matin. Fermé le lundi. 2000 L.

Villa Farnesina. — Visite toute l'année, le matin. Fermé le dimanche, ainsi que les 1er et 6 janvier, dimanche et lundi de Pâques, 25 avril, 1er mai, 15 août, 1er novembre, 8, 25 et 26 décembre.

Musée de la Civilisation romaine. — Réouverture partielle, prochainement, aux conditions suivantes : visite toute l'année, le matin et l'après-midi (fin d'après-midi de mai à fin septembre). Fermé le dimanche après-midi et le lundi. 3300 L (gratuit le dernier dimanche du mois).

ROSELLE

Ruines. — Pour visiter, s'adresser au gardien, sur place.

ROSSANO

Musée diocésain. — Visite toute l'année, le matin et en fin d'après-midi. Fermé le dimanche après-midi. Offrande.

RUVO DI PUGLIA

Musée archéologique Jatta. — Visite toute l'année, le matin et l'après-midi, en s'adressant au préalable à Mme Stasi, ✆ (080) 811042. Fermé le dimanche après-midi. 3000 L.

SABBIONETA

Ensemble urbain. — Les principaux monuments se visitent en compagnie d'un guide, au départ de l'Associazione Proloco, 31 via Gonzaga. ✆ (0375) 52039. Visite le matin et l'après-midi. Fermés le lundi et les jours fériés légaux. 3000 L.

SACRA DI SAN MICHELE

Abbaye. — Visite accompagnée (1/2 h) toute l'année, le matin et l'après-midi.

SAINT-MARIN

Palais du Gouvernement. — Visite toute l'année, le matin et l'après-midi. 1000 L.

Musée d'Armes anciennes. — Visite toute l'année, le matin et l'après-midi. 1000 L.

Musée - Pinacothèque. — Visite toute l'année, le matin et l'après-midi. 1000 L.

Musée St-François. — Visite toute l'année, le matin et l'après-midi. 1000 L.

Musée d'Armes à feu. — Visite de mai à fin septembre, le matin et l'après-midi. Fermé le reste de l'année. 1000 L.

Musée philathélique et numismatique. — Visite de mai à fin septembre, le matin et l'après-midi. Fermé le reste de l'année. 1000 L.

SAN FRUTTUOSO

Accès en bateau. — De Rapallo ou de Santa Margherita, départs toutes les demi-heures, toute la journée. 8000 L, AR.
De Portofino ou de Camogli, départs toutes les heures, toute la journée. 5000 L, AR.

SAN GIMIGNANO

Collégiale : chapelle Santa Fina. — Visite toute l'année, le matin et l'après-midi, excepté pendant les offices. Offrande.

Palais du Peuple. — Montée à la tour et visite du musée, toute l'année, le matin et l'après-midi. Fermé le lundi et les jours fériés légaux. 2500 L.

SAN GIULIO (Ile)

Accès. — Départ d'Orta tous les jours (sauf le lundi), toutes les 45 mn environ (interruption pour le déjeuner) ; le jeudi matin, 2 départs seulement (trafic normal l'après-midi). Durée : 5 mn. Prix : 1500 L, AR.

SAN LEO

Musée - Pinacothèque. — Visite toute l'année, le matin et l'après-midi. 3000 L.

SANSEPOLCRO

Musée municipal. — Visite toute l'année, le matin et l'après-midi. Fermé le 1er janvier, l'après-midi du jour de Pâques, les 1er mai, 15 août et 25 décembre. 2000 L.

SAN VIGILIO (Pointe de)

Villa Guarienti. — Pour visiter, s'adresser à l'agence de voyages Agenzia Viaggi degli Ulivi à Garde, ✆ (045) 7256155. Visite accompagnée (1/2 h) de fin avril à fin septembre. 5000 L.

SARZANA

Forteresse de Sarzanello. — Pour visiter, prendre rendez-vous auprès de Mme Gazzarini, au moins une journée à l'avance. ✆ (187) 620935 à Sarzana.

SIBARI

Musée archéologique. — Visite toute l'année, le matin et l'après-midi.

Fouilles. — Visite toute l'année, toute la journée sans interruption.

SIENNE

Palais public. — Visite en été, toute la journée sans interruption (fermé le dimanche après-midi) ; en hiver, visite le matin seulement. Fermé les jours fériés légaux. 4000 L.

Tour du palais public. — Mêmes conditions de visite que pour l'intérieur du palais. Accès payant.

Cathédrale :

Pavement. — Une grande partie des panneaux qui constituent le pavement est, la plupart du temps, masquée par un plancher protecteur.

Libreria Piccolomini. — Pour éclairer les fresques, s'adresser au sacristain.

Musée de l'Oeuvre de la cathédrale. — Visite toute l'année, toute la journée de mi-mars à fin octobre ; le matin seulement, de novembre à mi-mars. Fermé le 1er janvier, à Pâques, et les 1er mai et 25 décembre. 3000 L.

Baptistère St-Jean. — Visite toute l'année, le matin et l'après-midi.

Pinacothèque. — Visite toute l'année, le matin. Fermé le lundi. 3000 L.

Maison natale de sainte Catherine. — Visite toute l'année, le matin et l'après-midi. Offrande.

SIRMIONE

Forteresse des Scaliger. — Visite toute l'année, le matin et l'après-midi. Fermé le lundi après-midi, ainsi que les 1er janvier, 25 avril, 1er mai, 1er dimanche de juin, 15 août et 25 décembre. 3000 L.

Grottes de Catulle. — Visite toute l'année, toute la journée. Fermé le lundi, ainsi que les 1er janvier, 25 avril, 1er mai, 1er dimanche de juin, 15 août et 25 décembre. 3000 L.

SORRENTE

Musée Correale di Terranova. — Fermé pour restauration.

SPERLONGA

Musée archéologique. — Visite toute l'année, toute la journée sans interruption. On n'entre pas dans la grotte.

La SPEZIA

Musée naval. — Visite toute l'année, le matin et l'après-midi. Fermé les lundis, vendredis et dimanches (sauf le dimanche qui précède ou suit le 19 mars, fête de la Saint-Joseph). 1000 L.

STILO

La Cattolica. — Visite toute l'année, le matin et en fin d'après-midi.

STRÀ

Villa Nazionale. — Visite toute l'année, le matin (le jardin est ouvert toute la journée). Fermé le lundi et les jours fériés. 3000 L.

STRESA

Mottarone. — Accès par la route à péage au départ d'Alpino : 4000 L, AR ; par téléphérique : 8000 L, AR.

Villa Pallavicino. — Visite de mi-mars à mi-octobre, toute la journée sans interruption. 5000 L.

STUPINIGI

Palais. — Visite toute l'année, le matin et l'après-midi. Fermé le lundi et le vendredi, ainsi que le 1er janvier, à Pâques, les 1er mai, 15 août, 1er novembre, et à Noël. 3000 L.

SUBIACO

Monastère de Ste-Scholastique. — Visite toute l'année, le matin et l'après-midi. Fermé pendant les offices.

Monastère de St-Benoît. — Visite toute l'année, le matin et l'après-midi.

SUPERGA

Basilique : tombeaux royaux. — Visite accompagnée (20 mn) toute l'année, le matin et l'après-midi. Fermé le vendredi, ainsi que le 1er janvier, à Pâques, les 8 septembre et 25 décembre, et la 2e quinzaine de juin. Rémunération acceptée.

TARENTE

Musée national. — Visite toute l'année, le matin tous les jours, et, en outre, l'après-midi des mercredis et samedis. Fermé les jours fériés. 3000 L.

TARQUINIA

Nécropole étrusque. — Visite de mai à fin septembre, du matin jusqu'en milieu de soirée ; le reste de l'année, visite le matin seulement. Fermé le lundi, ainsi que les 1er janvier, 25 avril, 1er mai, 1er dimanche de juin, 15 août, et à Noël. 4000 L (le billet est également valable pour la visite du musée). Le gardien ne fait visiter qu'un nombre limité de tombes.

Musée national. — Visite de mai à fin septembre, le matin et l'après-midi ; le reste de l'année, visite le matin seulement. Mêmes jours de fermeture qu'à la nécropole. 4000 L (billet commun).

Église Ste-Marie. — Pour visiter, s'adresser à la gardienne (maison à gauche de l'église).

TIVOLI

Villa d'Este. — Visite toute l'année, toute la journée sans interruption. Fermé le lundi, ainsi que les 1er janvier, 25 avril, 1er mai, 1er dimanche de juin, 15 août et 25 décembre. 5000 L. ✆ (0774) 21249 ou 293522, le matin.

Villa Gregoriana. — Visite toute l'année, toute la journée sans interruption. 750 L.

TODI

Plais du Peuple. — Les musées sont provisoirement fermés pour restauration.

TOLENTINO

Basilique St-Nicolas. — Visite toute l'année, toute la journée sans interruption.

TORGIANO

Musée du Vin. — Visite toute l'année, le matin et l'après-midi. 2000 L. ✆ (075) 982348.

TORRE ANNUNZIATA

Villa romaine d'Oplontis. — Visite toute l'année, toute la journée sans interruption (fermeture de très bonne heure dans l'après-midi, en hiver). Fermé le lundi d'octobre à fin mars, ainsi que les 1er janvier, lundi de Pâques, 25 avril, 1er dimanche de juin, 15 août et 25 décembre.

TORRECHIARA

Château. — Visite toue l'année, le matin et l'après-midi. Fermé le lundi et les jours fériés légaux. 2000 L.

TORRE DEL LAGO PUCCINI

Villa Puccini. — Visite toute l'année, le matin et l'après-midi. 3000 L.

TORRIGIANI

Villa. — Visite accompagnée (environ 1 h) d'avril à début novembre, le matin et l'après-midi. 3500 L, comprenant la visite de la villa et des jardins.

Jardins. — Visite toute l'année, s'adresser au gardien. 2000 L hors saison.

TREMEZZO

Villa Carlotta. — Visite d'avril à fin septembre, toute la journée sans interruption ; en mars et en octobre, interruption à midi. Fermé le reste de l'année. 3500 L.

TREMITI (Iles)

San Nicola : Santa Maria al Mare. — Pour visiter, s'adresser à l'avance au sacristain de la paroisse St-François, M. Antonio Crisculo, à Cagnano Varano sur le continent, ✆ (0884) 8201.

San Domino : promenade en bateau. — Pour faire le tour de l'île, s'adresser à la Compagnia Navigazione Libera del Golfo, à Termoli, sur le continent. En saison, certaines excursions ont lieu au départ de Rodi Garganico.

TRENTE

Musée diocésain. — Visite le matin et l'après-midi. Fermé le mercredi ainsi que de mi-novembre à mi-février. 1500 L.

Château du Bon Conseil. — Visite toute l'année, le matin et l'après-midi. Fermé le lundi. 2000 L.

TRÉVISE

Mont-de-Piété. — Visite toute l'année, le matin. Fermé les samedis et dimanches.

Couvent (près de l'église St-Nicolas). — S'adresser au sacristain de St-Nicolas qui renseigne sur les possibilités de visite et, le cas échéant, conduit les visiteurs au couvent.

Musée municipal Bailo. — Visite toute l'année, le matin et l'après-midi. Fermé le lundi, l'après-midi du dimanche, et les jours fériés. 1000 L.

TRIESTE

Château fort. — Visite toute l'année, le matin. Fermé le lundi. 1000 L.

Musée d'Histoire et d'Art. — Mêmes conditions de visite que pour le château.

Musée de la Mer. — Mêmes conditions de visite que pour le château.

TURIN

Musée égyptien. — Visite toute l'année, le matin. Fermé le lundi et les jours fériés légaux. 3000 L.

Galleria Sabauda. — Visite toute l'année, le matin. Fermé le lundi, ainsi que les 1er janvier, 25 avril, 1er mai, 1er dimanche de juin, 15 août, et à Noël. 3000 L.

Palais Madame : musée d'Art ancien. — Visite toute l'année, toute la journée sans interruption en semaine ; le matin et l'après-midi, le dimanche. Fermé le lundi et les jours fériés légaux, ainsi que pour les fêtes religieuses. 1000 L.

Musée national du Cinéma. — Fermeture provisoire.

Palais royal :

Appartements. — Fermeture provisoire.

Armeria Reale. — Fermeture provisoire.

Palais Carignano : musée du Risorgimento. — Visite toute la journée, sans interruption. Fermé le dimanche après-midi et les jours fériés légaux. 2500 L.

Mole Antonelliana. — L'ascenseur est provisoirement hors service.

Musée de l'Automobile Carlo Biscaretti di Ruffia. — Visite toute l'année, le matin et l'après-midi. Fermé le lundi et les jours fériés légaux. 3000 L.

Borgo Mediœvale. — Visite toute l'année, le matin et l'après-midi. Fermé le lundi et les jours fériés légaux tombant en semaine. 500 L.

TUSCANIA

Église St-Pierre : crypte. — Pour visiter, s'adresser au sacristain le matin et en fin d'après-midi. Entrée payante.

UDINE

Château. — Visite toute l'année, le matin et l'après-midi. Fermé le lundi. 2000 L (gratuit le dimanche matin).

Cathédrale : oratoire de la Pureté. — Pour visiter, s'adresser au sacristain le matin et en fin d'après-midi. Fermé les dimanches et lundis.

Palais archiépiscopal. — Visite toute l'année, le matin. Fermé les samedis et dimanches ainsi qu'en août.

URBINO

Galerie nationale des Marches. — Visite toute l'année, le matin tous les jours, et en outre les vendredis et samedis après-midi. 4000 L.

Maison natale de Raphaël. — Visite toute l'année, le matin et l'après-midi. Fermé le dimanche après-midi et le lundi matin. 3000 L.

Églises - Oratoires St-Jean-Baptiste et St-Joseph. — Visite toute l'année, le matin et l'après-midi. 500 L pour chacune des églises.

VARENNA

Villa Monastero. — Visite de mars à fin octobre, le matin et l'après-midi. Fermé le lundi. 1000 L.

VELIA

Fouilles et musée. — Visite toute l'année, toute la journée. Fermé le lundi.

VENISE

Basilique St-Marc :

Chœur (Pala d'Oro et trésor). — Visite toute l'année, toute la journée. Fermé le dimanche matin. 500 L.

Galerie de la basilique. — Visite toute l'année, toute la journée. 500 L.

Campanile. — Visite toute l'année, toute la journée (jusqu'en fin de soirée en juillet et août). 1200 L.

Palais des Doges. — Visite toute l'année, toute la journée sans interruption. Fermé les jours fériés légaux. 5000 L.

Procuraties : tour de l'Horloge. — Visite toute l'année, le matin et l'après-midi. Fermé le dimanche après-midi et le lundi, ainsi que le 1er janvier, à Pâques et à Noël, et les autres jours fériés légaux. 3000 L.

Musée Correr. — Visite toute l'année, en milieu de journée ; en outre, les vendredis, samedis et dimanches, le musée reste ouvert jusqu'en milieu de soirée (en début de soirée seulement, en hiver). Fermé le mardi. 3000 L.

Libreria Vecchia :

Musée archéologique. — Visite toute l'année, le matin. 2000 L.

Bibliothèque Marciana. — Visite, sur autorisation préalable de la Direction de la bibliothèque, toute la journée (le matin seulement, le samedi). Fermé dimanches et jours fériés légaux.

Ca' d'Oro : galerie Franchetti. — Visite toute l'année, le matin. Fermé le lundi. 2000 L.

Académie. — Visite toute l'année, le matin. Fermé le lundi et les jours fériés légaux. 4000 L.

Église Santa Maria della Salute. — Visite toute l'année, le matin et l'après-midi. Fermé le dimanche. 500 L pour la visite de la sacristie.

Église St-Georges-Majeur : campanile. — Accès par ascenseur, toute l'année, le matin et l'après-midi. 1000 L.

Église Santa Maria Gloriosa dei Frari. — Visite toute l'année, le matin et l'après-midi. Fermé le dimanche matin. 500 L.

Scuola di San Rocco. — Visite d'avril à fin octobre, le matin et l'après-midi ; le reste de l'année, visite le matin tous les jours et, en outre, l'après-midi des samedis et dimanches. Fermé le 1er janvier, à Pâques, et les 2 novembre et 25 décembre. 4000 L.

Scuola di San Giorgio degli Schiavoni. — Visite toute l'année, le matin et l'après-midi. Fermé l'après-midi des dimanches et jours de fête ainsi que tous les lundis et le 1er mai toute la journée. 3000 L.

Scuola dei Carmini. — Visite toute l'année, le matin et l'après-midi. Fermé le dimanche. 2000 L.

Collection Peggy Guggenheim. — Visite de mi-avril à fin octobre, l'après-midi (jusqu'à 21 h le samedi). Fermé le mardi. En hiver, ouvert uniquement à l'occasion d'expositions temporaires. 2000 L (gratuit en soirée le samedi).

Musée du 18e s. vénitien. — Visite en milieu de journée ; le dimanche, visite le matin. Fermé le vendredi et les jours fériés légaux. 3000 L.

Palais Querini - Stampalia. — Visite de la pinacothèque en milieu de journée (fermé très tôt dans l'après-midi, particulièrement le dimanche, et de novembre à fin mars). Fermé le lundi, ainsi que le 1er janvier, à Pâques, les 25 avril, 1er mai, 1er dimanche de juin, 15 août, 1er dimanche de novembre et 25 décembre. 1000 L (gratuit le dimanche).

Musée d'Art moderne (palais Pesaro). — Réouverture prochaine prévue : se visitera toute l'année, en milieu de journée ; le dimanche, ouvert le matin seulement. Fermé le lundi. 3000 L.

Palais Labia. — Visite sur autorisation préalable de la RAI (Télévision italienne), Campo San Geremia, à demander 24 h à l'avance.

Musée historique naval. — Visite toute l'année, le matin. Fermé le dimanche, ainsi que le 1er janvier, à Pâques et à Noël, et les autres jours fériés légaux. 1000 L.

San Michele. — Accès par le vaporetto « Circolare 5 », toute la journée.

La Lagune : excursions en bateau. — De nombreuses agences proposent des excursions, de prix et de durée variables, vers les îles et les localités de la lagune, au départ de la Riva degli Schiavoni (près de la place St-Marc), de la gare de chemin de fer, et du parking du piazzale Roma. Se renseigner sur place ou à la C.I.T., place St-Marc.

Riviera du Brenta. — Voir détails au titre « Brenta ».

VÉRONE

Maison de Juliette. — Visite toute l'année, le matin et l'après-midi. Fermé le lundi. 2000 L.

Palais communal : tour des Lamberti. — Visite toute la journée, d'avril à fin septembre ; le matin seulement, le reste de l'année. Fermé le lundi, ainsi que le 1er janvier, à Pâques, le 1er mai, et à Noël. 2000 L par l'ascenseur ; 1000 L par l'escalier.

Tombeaux des Scaliger. — Fermeture provisoire.

Amphithéâtre romain. — Visite toute la journée (le matin seulement, durant la saison lyrique en juillet et août). Fermé le lundi, ainsi que le 1er janvier, à Pâques, le 1er mai, et à Noël. 2000 L.

Vieux château des Scaliger : musée d'Art. — Visite toute l'année, toute la journée. Fermé le lundi, ainsi que les 1er et 6 janvier, dimanche de Pâques, 1er mai, 1er novembre, 25 et 26 décembre. 2000 L (gratuit le premier dimanche du mois).

Église Ste-Anastasie : chapelle Giusti. — Visite, comme pour l'église, le matin et l'après-midi. En cas de fermeture de la chapelle, s'adresser au sacristain.

Théâtre romain. — Visite toute la journée, en avril, mai et septembre ; le matin seulement, d'octobre à fin mars et en outre en juin, juillet et août en raison des représentations théâtrales. Fermé le lundi, ainsi que le 1er janvier, à Pâques, le 1er mai, et à Noël. 2000 L.

Musée archéologique. — Visite toute l'année, le matin. Fermé les jours fériés légaux. 2000 L.

Château St-Pierre. — Accès à la terrasse et au jardin, toute l'année, toute la journée. Le château ne se visite pas.

Tombeau de Juliette. — Visite toute l'année, toute la journée sans interruption. Fermé le lundi, ainsi que le 1er janvier, à Pâques, le 1er mai et à Noël. 2000 L.

Le VÉSUVE

Ascension par le versant Ouest. — Parking payant au bout de la route. Guide obligatoire au sommet, pour la visite du cratère (rétribution).

Ascension par le versant Sud. — Guide obligatoire au sommet (rétribution).

VICENCE

Théâtre olympique. — Visite toute l'année, le matin et l'après-midi. Fermé l'après-midi des dimanches et jours de fête, ainsi que le 1er janvier, à Pâques, les 1er mai, 15 août, 1er novembre, 8, 25 et 26 décembre, et lors des répétitions théâtrales. 2000 L.

Pinacothèque du palais Chiericati. — Visite toute l'année, le matin et l'après-midi. Fermé le dimanche après-midi et le lundi, ainsi que les jours fériés légaux. 2000 L.

Villa Valmarana « ai Nani ». — Visite de mi-mars à mi-novembre, l'après-midi ; visite également le matin, les jeudis et samedis ; dimanches et fêtes, visite uniquement le matin. 2500 L.

La Rotonda. — Visite du parc seulement, toute l'année, le matin et l'après-midi. Fermé le lundi. 2000 L.

VIGO DI FASSA

Massif du Catinaccio. — Le téléphérique fonctionne de Noël à Pâques et de juin à fin septembre. Prix AR : 7500 L.

VILLA OPICINA

Accès par funiculaire. — Prix : 1000 L, aller simple.

VINCI

Museo Vinciano et Biblioteca Leonardiana. — Visite toute l'année, le matin et l'après-midi. Fermé les jours fériés légaux. 3000 L.

Maison natale de Léonard de Vinci. — Visite toute l'année, le matin et l'après-midi. Fermé le mercredi.

VITERBE

Musée municipal. — Visite de mars à fin novembre, le matin et l'après-midi ; le matin seulement, le reste de l'année. Fermé le dimanche après-midi, ainsi que le 1er janvier, à Pâques, les 25 avril, 1er mai, 15 août, 4 septembre, 1er novembre, 8, 25 et 26 décembre. 1000 L.

VITTORIO VENETO

Musée de la Bataille. — Visite toute l'année, le matin et l'après-midi. Fermé le lundi et les jours fériés légaux. 1200 L.

VOLTERRA

Pinacothèque. — Visite toute l'année, le matin. 1000 L.

Musée étrusque. — Visite de mi-mars à mi-octobre, le matin et l'après-midi ; le reste de l'année, visite le matin seulement (en fin de matinée). Fermé les 1er janvier et 25 décembre. 4000 L.

SARDAIGNE

CAGLIARI

Cathédrale : Santuario. — Visite toute l'année, le matin et en fin d'après-midi.

Musée archéologique national. — Visite toute l'année, le matin. Fermé le lundi, ainsi que les 1er janvier, 25 avril, 1er mai, 2 juin, 15 août, et à Noël. 3000 L.

Jardin botanique. — Ouvert tous les jours, le matin. Fermé dimanches et jours fériés.

CALA GONONE

Grotte du Bœuf marin. — Pour visiter, s'adresser à la commune de Dorgali, ✆ (0784) 93113.

La MADDALENA (Archipel de)

Ile de Caprera : musée. — Fermé le lundi.

NUORO

Musée des Traditions populaires. — Visite toute l'année, le matin et l'après-midi. Fermé le dimanche après-midi et le lundi, ainsi que le 1er janvier et à Noël.

PORTO CONTE

Grotte de Neptune. — Bateau au départ d'Alghero, de mi-avril à mi-octobre, à 9 h et à 15 h (en juillet et août, départs supplémentaires à 10 h et 16 h). Prix : 10000 L, AR. Durée : 3 h. Entrée à la grotte : 5000 L.

SANT'ANTIOCO

Vestiges de Sulcis et musée. — Entrée libre.

SASSARI

Musée national Sanna. — Visite toute l'année, le matin. Fermé le lundi et les jours fériés légaux. 3000 L.

THARROS

Zone archéologique et nécropole. — Entrée libre.

SICILE

AGRIGENTE

Musée archéologique régional. — Visite toute l'année, tous les jours le matin, et, en outre, l'après-midi des mardis, mercredis, jeudis et vendredis.

Oratoire de Phalaris. — Visite toute l'année, le matin. En cas de fermeture, s'adresser au sacristain de l'église St-Nicolas.

Quartier gréco-romain. — Visite toute l'année, toute la journée sans interruption.

Maison de Pirandello. — Visite toute l'année, toute la journée sans interruption.

Conditions de visite

BAGHERIA

Villa Palagonia. — Visite toute l'année, le matin et en fin d'après-midi. 1000 L.

CATANE

Château Ursino et musée. — Visite toute l'année, le matin. Fermé les jours fériés.

CEFALÙ

Musée Mandralisca. — Visite toute l'année, le matin et l'après-midi. 1000 L.

ÉGADES (Iles)

Accès. — De Trapani, bateaux et vedettes pour l'île Favignana : voir détails dans le guide Rouge Michelin Italia.

Favignana : promenades en bateau. — Pas d'horaires réguliers, s'adresser aux pêcheurs. Prix approximatif : 25000 L jusqu'à 4 personnes.

Levanzo : excursion à la Grotta del Genovese. — S'adresser aux pêcheurs à Cala Dogana. 5000 L par personne.

Marettimo : tour de l'île. — S'adresser aux pêcheurs. 15000 L par personne.

ENNA

Château. — Visite toute l'année, le matin et l'après-midi.

ERICE

Château de Vénus. — Visite le matin et l'après-midi.

ETNA

Ascension au volcan. — En raison des fréquentes éruptions du volcan, les aménagements touristiques (routes, pistes, téléphériques, refuges) n'ont aucun caractère définitif et peuvent être déplacés ou supprimés selon l'importance des dégâts causés par la dernière éruption.

Versant Sud : Actuellement, le téléphérique est hors service et le parcours se fait entièrement en autocar tout terrain depuis Catane. 34 km en 1 h 1/2 environ. Prix : 23000 L, guide compris. Pour tous renseignements complémentaires et pour les excursions nocturnes, s'adresser à l'Office de Tourisme de Catane ou à la S.I.T.A.S., 45 piazza Vittorio Emanuele à Nicolosi. ✆ (095) 911158.

Versant Nord-Est : Piano Provenzana est le point de départ des véhicules tout terrain. 3 h AR. Prix : 26500 L, guide compris. Pour tous renseignements complémentaires et pour les excursions nocturnes, s'adresser à la S.T.A.R., 233 via Roma à Linguaglossa, ✆ (095) 643180, ou à Mareneve, ✆ (095) 643430.

GELA

Fortifications grecques. — Visite toute l'année, toute la journée sans interruption.

Musée archéologique régional. — Visite toute l'année, le matin.

LIPARI (Ile)

Musée de Lipari. — Visite le matin.

Promenade en bateau. — Au départ de Marina Corta, à 10 h tous les matins, de mars à début novembre. Le bateau fait le tour de Lipari et de Salina. 18000 L.

MARSALA

Musée archéologique. — Visite toute l'année, le matin et l'après-midi.

MESSINE

Musée. — Visite toute l'année, le matin. 2000 L.

MONREALE

Cathédrale. — Visite le matin et l'après-midi.

Cloître et terrasses. — D'avril à fin septembre, visite toute la journée (fermé le dimanche après-midi) ; le reste de l'année, visite le matin seulement. 2000 L.

MORGANTINA

Ruines. — Visite toute l'année, toute la journée sans interruption. Fermé les jours fériés légaux.

Musée. — Visite toute l'année, le matin seulement. Fermé les jours fériés légaux.

PALERME

La Martorana. — Visite le matin et l'après-midi. Fermé l'après-midi des dimanches et fêtes, et tous les jours l'après-midi durant la première quinzaine d'août.

San Cataldo. — Pour visiter, s'adresser au gardien de la Martorana.

Cathédrale : trésor. — Visite toute l'année, le matin et en fin d'après-midi.

Palais des Normands. — Visite toute l'année, le matin des lundis, vendredis et samedis. Fermé les autres jours et lorsque le Parlement régional siège en séance extraordinaire.

Église St-Jean des Ermites et cloître. — Visite en été, le matin et en fin d'après-midi (sauf le dimanche après-midi) ; en hiver, visite le matin seulement (fermé le lundi). Fermé les jours fériés légaux.

Catacombes des Capucins. — Visite toute l'année, le matin et l'après-midi.

Palais de la Ziza. — Fermeture provisoire.

Galerie régionale de la Sicile. — Visite toute l'année, tous les jours le matin, ainsi que l'après-midi des mardis et jeudis. 2000 L.

Musée archéologique. — Visite toute l'année, tous les jours le matin, ainsi que l'après-midi des mardis et vendredis. 2000 L.

Palais Chiaramonte. — Le palais ne se visite pas (bureaux de l'université).

Jardin botanique. — Visite toute l'année, le matin (fermeture de bonne heure le samedi). Fermé le dimanche.

Parc de la Favorite : musée ethnographique Pitrè. — Visite toute l'année, tous les jours, le matin et l'après-midi. Fermé le vendredi matin et les jours fériés. 500 L.

PIAZZA ARMERINA

Villa romaine du Casale. — Visite toute l'année, toute la journée. 2000 L.

RAGUSE

Musée archéologique Ibleo. — Visite toute l'année, le matin. Fermé le lundi et les jours fériés légaux.

SALINA

Tour de l'Ile. — Voir à Lipari.

SÉGESTE

Temple. — Visite toute l'année, toute la journée sans interruption. Parking payant.

SÉLINONTE

Zone archéologique. — Visite toute l'année, le matin. Fermé les jours fériés légaux. 2000 L.

SOLONTE

Zone archéologique. — Visite toute l'année, le matin. Fermé les jours fériés légaux. 2000 L.

STROMBOLI

Montée au cratère. — Guide obligatoire. 15000 L par personne. S'adresser à l'Office de Tourisme de Fico Grande.

SYRACUSE

Zone archéologique. — Visite toute l'année, toute la journée sans interruption. Fermé les jours fériés légaux. 2000 L.

Musée archéologique national. — Réouverture prévue pour fin 1986 — début 1987.

Catacombes St-Jean. — Visite toute l'année, le matin et l'après-midi. 1000 L.

Latomie des Capucins. — Fermeture provisoire pour restauration.

Musée du palais Bellomo. — Visite toute l'année, le matin. 2000 L.

Source Cyané. — En bateau, au départ de Porto Grande, 4 à 5 h AR. Prix : environ 10000 L pour une barque de 4 personnes. L'excursion se fait à la demande.

Château Euryale. — Visite toute l'année, toute la journée.

TAORMINE

Théâtre grec. — Visite toute l'année, toute la journée sans interruption. Fermé les jours fériés légaux. 2000 L.

Château. — Mêmes conditions de visite que pour le théâtre grec.

TINDARI

Ruines. — Visite toute l'année, le matin et l'après-midi. Fermé les jours fériés légaux.

TRAPANI

Musée Pepoli. — Visite toute l'année, le matin ; à l'occasion d'expositions, on peut parfois visiter l'après-midi. 2000 L.

VULCANO (Ile)

Tour de l'île en bateau. — De mars à fin octobre, départ à 9 h et à 13 h. 10000 L.

LEXIQUE

SUR LA ROUTE ET EN VILLE

a destra, a sinistra .	à droite, à gauche
aperto	ouvert
banchina	bas-côté
corso	boulevard
discesa	descente
dogana	douane
fiume	fleuve, rivière
ingresso	entrée
lavori in corso	travaux en cours
neve	neige
passaggio a livello .	passage à niveau
passo	col
pericolo	danger
piazza, largo	place
piazzale	esplanade
stretto	étroit
uscita	sortie
viale	avenue
vietato	interdit

SITES ET CURIOSITÉS

abbazia, convento .	abbaye, couvent
affreschi	fresques
arazzi	tapisseries
arca	tombeau monumental
cappella	chapelle
casa	maison
castello	château
chiesa	église
chiostro	cloître
chiuso	fermé
città	ville
cortile	cour
dintorni	environs
duomo	cathédrale
funivia, seggiovia .	téléphérique, télésiège
giardini	jardins
gole	gorges
lago	lac
lungomare	promenade de bord de mer

mercato	marché
navata	nef
pala	panneau, retable
palazzo	palais
paliotto	devant d'autel
passeggiata	promenade
piano	étage
pulpito	chaire
quadro	tableau
rivolgersi a...	s'adresser à...
rocca	château féodal
rovine, ruderi	ruines
sagrestia	sacristie
scala	escalier
scavi	fouilles
spiaggia	plage
tesoro	trésor
torre	tour
vista	vue

MOTS USUELS

oui, non	**si, no**
monsieur	**signore**
madame	**signora**
mademoiselle . . .	**signorina**
aujourd'hui	**oggi**
demain	**domani**
matin	**mattina**
soir	**sera**
après-midi	**pomeriggio**
s'il vous plaît . . .	**per favore**
merci bien	**grazie tante**
bonjour	**buon giorno**
au revoir	**arrivederci**
combien ?	**quanto ?**
où ? quand ? . . .	**dove ? quando ?**
où est... ?	**dov' è... ?**
beaucoup, peu . .	**molto, poco**
tout, tous	**tutto, tutti**
grand, petit	**grande, piccolo**
cher	**caro**
la route pour...? .	**la strada per... ?**
peut-on visiter ? .	**si può visitare ?**

QUELQUES TERMES D'ART

Absidiole : chapelle rayonnante de l'abside.

Ambon : chaire des basiliques chrétiennes primitives.

Appareil : disposition des pierres ou des briques dans une construction.

Archivolte : voussure supérieure d'un portail.

Bossages : pierres en relief.

Ciborium : baldaquin surmontant un autel.

Déambulatoire : bas-côté tournant autour du chœur.

Encorbellement : saillie sur une façade (balcon).

Gâble : motif décoratif en angle aigu couronnant une fenêtre ou un portail.

Linteau : traverse horizontale surmontant une baie ou une porte.

Mâchicoulis : balcon ou encorbellement au sommet d'une muraille et soutenu par des consoles.

Mascaron : médaillon sculpté à masque humain.

Matronées : dans une église, tribunes réservées aux femmes.

Merlon : partie pleine d'un parapet, entre deux créneaux.

Miséricorde : petit siège mobile d'une stalle d'église.

Modillon : petite console soutenant une corniche.

Narthex : vestibule intérieur d'une église.

Oculus : baie de forme circulaire.

Piédroits : piliers encadrant un portail.

Pilastre : pilier plat engagé dans un mur.

Polyptyque : panneau peint ou sculpté divisé en plusieurs volets (triptyque : 3 volets).

Prédelle : compartiment inférieur d'un polyptyque.

Rinceau : ornement en forme de tige assouplie.

Stucs : ornements en relief composés de chaux, de craie et de poussière de marbre.

Transept : nef transversale, perpendiculaire à la nef centrale.

Triforium : petite galerie aménagée au-dessus des bas-côtés d'une église.

Tympan : partie comprise entre le linteau et l'arc d'un portail.

Voussures : arcs concentriques surmontant un portail.